2024 개정판

지식재산 능력시험

한국발명진흥회 편저

I INTELLECTUAL
P PROPERTY
A ABILITY
T TEST

www.ipat.or.kr

한국발명진흥회

지식재산능력시험 길잡이

1 국가공인 민간자격 「지식재산능력시험」이란?

- 4차 산업혁명 시대 도래와 미래 무한 경쟁 시대에 반드시 갖추어야 할 특허 등 지식재산 활용 능력을 검증하는 지식재산 분야 국가공인 민간자격 시험
- 지식재산의 가치 증대로 지식재산 경영이 기업 경영의 핵심 전략으로 부상
- 지식재산능력을 지닌 융합형 지식재산 인력의 수급 절실
- 고등학교 학교생활기록부 자격취득사항 기재 가능
- 학점은행제 자격학점 인정

세계는 자원을 투입하여 제품을 생산하는 하드파워 시대에서 상상과 아이디어로 혁신을 이끌어 내는 소프트파워 시대로 전환되고 있으며, 혁신적 아이디어 등 소프트파워는 4차 산업혁명 시대의 경쟁력의 원천이 되고 있습니다. 빅데이터, 인공지능, 로봇공학, 사물인터넷 등 디지털 기술로 촉발되는 초연결 기반의 제4차 산업혁명 시대에는 '창의적 아이디어로 새로운 제품과 서비스를 개발하고, 이를 지식재산화하여 시장을 선점할 수 있느냐'가 성패를 좌우합니다.

지식재산의 중요성이 높아짐에 따라 기업의 지식재산 전략 역시 기업 경영에서 중요한 요소로 인식되고 있으며, 특허권을 비롯한 무형자산이 기업 이윤 창출의 주요 원천으로 부각되고 있습니다. 지식재산 파급 효과가 커짐에 따라 글로벌 기업들은 지식재산의 관리 차원을 넘어서, IP를 기반으로 하는 R&D 수행, 원천특허 확보, 기술 사업화 및 특허 보호를 통하여 특허를 활용하는 지식재산 경영을 기업 경영의 핵심 전략으로 추진하고 있습니다. 지식재산의 중요성 증대로 인하여 기업은 기술이나 경영, 디자인 등의 분야와 융합할 수 있는 지식재산 지식과 실무능력을 보유한 '융합형 지식재산 인재'를 절실히 필요로 하고 있습니다.

한국발명진흥회는 기업 등 산업계에서 요구하는 지식재산 인재를 발굴하고, 지식재산 직무와 실무 수행에 필요한 역량을 측정하기 위하여 지식재산능력시험(IPAT: Intellectual Property Ability Test)을 시행하고 있습니다. 지식재산능력시험은 대기업, 중소기업 및 공공기관 등 다양한 기관에서 직무교육, 승진시험, 인사자료뿐만 아니라 고등학교, 대학 등 교육기관에서의 평가도구로써 적극 활용되고 있으며, 응시 인원은 매년 꾸준히 증가하고 있습니다.

지식재산능력시험은 2018년 1월부터 국가공인자격을 취득하였으며, 2023년 1월 국가공인자격의 재인증 취득으로 시험의 활용도를 넓히고 있습니다. 2018학년도부터 고등학교 학교생활기록부 자격취득사항에 기재가 가능하고, 2020년에는 학점은행제 자격학점을 인정받아서 급수에 따라(1급(25학점), 2급(20학점), 3급(14학점), 4급(8학점)) 학점 취득이 가능합니다.

2 자격정보

1. 한국을 대표하는 지식재산(Intellectual Property)능력 검정시험입니다. 특허·실용신안·상표·디자인·저작권 등 지식재산 전 분야에 관한 기본적이고 실무적인 능력을 검정하는 국가공인 민간자격 시험입니다.

2. 응시자의 계층이 매우 다양합니다. 지식재산능력시험은 고등학생, 대학생, 대학원생 등 학생뿐만 아니라 과학기술자, 연구자, 대학원생, 디자이너, 기업체 및 IP 기관 종사자 등 누구나 응시할 수 있습니다.

3. 특허청 산하의 공공기관인 한국발명진흥회가 주관합니다. 발명진흥법 제52조에 의거 설립된 특수법인으로서 발명진흥사업을 체계적·효율적으로 추진하고 발명가의 이익증진을 도모하며 국내 지식재산사업을 보호·육성하여 국가 경쟁력 강화에 이바지하고자 설립된 한국발명진흥회가 주관·시행하고 있습니다.

4. 합격과 불합격을 결정하는 시험이 아닌, 지식재산에 대한 이해도를 측정하는 시험입니다. 지식재산을 공부하는 학생, 기업의 지식재산 업무 종사자, 기술 분야 종사자 또는 연구자라면 기본적·실무적으로 알아야 하는 지식재산능력을 검정할 수 있습니다.

- **자격명**: 지식재산능력시험
- **자격종류**
  - 1~4급: 국가공인 민간자격(제2022-1호)
  - 5~7급: 등록민간자격(2014-0408호)
- **자격발급기관**: 한국발명진흥회
- **검정(응시)료**: 35,000원
  ※ 단체할인: 시험본부와 협의
- **환불규정**
  - 접수기간: 100% 환불
  - 접수기간 이후: 취소 및 환불 불가(단, 가족 경조사 등 불가피한 사유일 경우 환불 가능)
- **주관·시행기관**
  - 기관명: 한국발명진흥회
  - 대표자: 황철주
- **연락처**: 시험본부 02-3459-2777 / ipat@kipa.org
- **홈페이지**: www.ipat.or.kr
- **소재지**: 서울시 강남구 테헤란로 131 한국지식재산센터 17층

• 시험 점수 및 등급체계

등급	직무 내용
(공인) 1급 (900점 이상)	전문가 수준의 뛰어난 지식재산능력을 보유하고 있습니다. 지식재산에 대한 이해력 및 활용능력이 최고급 단계에 있으며, 지식재산 관련 지식과 역량을 뛰어나게 갖추고 있습니다. 지식재산 관련 지식과 이해력, 실무역량을 활용하여 다양한 영역과 전문분야의 지식재산 업무를 수행할 수 있는 능력을 갖추고 있습니다.
(공인) 2급 (800~899점)	준전문가 수준의 지식재산능력을 보유하고 있습니다. 지식재산에 대한 이해력 및 활용능력이 고급 단계에 있으며, 지식재산 역량이 전문가에 준하는 수준입니다. 지식재산 관련 지식과 능력을 활용하여 다양한 범위의 지식재산 업무를 원활하게 수행할 수 있는 능력을 갖추고 있습니다.
(공인) 3급 (700~799점)	우수한 수준의 지식재산능력을 보유하고 있습니다. 지식재산에 대한 이해력 및 활용능력을 우수하게 갖추고 있어, 보유한 지식재산 관련 지식과 실무역량을 지식재산 업무에 적용할 수 있습니다.
(공인) 4급 (600~699점)	보통 수준의 지식재산능력을 보유하고 있습니다. 지식재산에 대한 이해력 및 활용능력을 갖추고 있으며, 지식재산 전문가의 협력을 바탕으로 한정된 범위 내에서 지식재산 업무를 수행할 수 있습니다.
5급 (500~599점)	기본 수준의 지식재산능력을 보유하고 있습니다. 지식재산 관련 업무 수행에 있어서 지식재산 전문가의 협력과 의사소통을 바탕으로 기본적인 지식재산 업무를 수행할 능력을 갖추고 있습니다.
6급 (400~499점)	지식재산 분야에 입문하는 단계에 해당하는 수준의 지식재산능력을 보유하고 있습니다. 지식재산에 대한 관심을 가지고 있는 수준으로, 한정된 범위 내에서 지식재산 전문가와의 의사소통 및 단순한 지식재산 업무 수행이 가능합니다.
7급 (300~399점)	일반 상식 수준의 지식재산능력을 보유하고 있습니다. 지식재산과 관련한 용어와 개념을 알고 있습니다.
무급 (299점 이하)	지식재산 관련 지식의 이해 및 활용을 위한 노력이 필요합니다. 지식재산에 대한 이해와 지식 축적이 요구되며, 다양한 학습을 통하여 지식재산능력의 향상을 도모하여야 합니다.

• 주요 응시 대상

- 지식재산 관련 업종 취업 희망자
- 기업체 및 공기업, 공공기관, 정부기관 등 취업 희망자
- 기업 소속 지식재산 전담 인력 또는 관련 업무 종사자
- 기업 부설 연구소, 연구기관의 연구원
- 지식재산에 관심 있는 대학생 및 대학원생
- 지식재산에 관심 있는 중·고등학생 등

• 출제 분야

지식재산 제도 / 지식재산 창출 / 지식재산 보호 / 지식재산 활용의 4가지 시험 분야

분야	내용
지식재산 제도	• 지식재산 제도에 대한 기초적인 지식 및 동향 • 특허, 실용신안, 디자인, 상표, 저작권, 지식재산권 분쟁
지식재산 창출	• 지식재산을 창출하는 과정에서 필요한 지식 및 창출된 지식재산을 특허권으로 보호하기 위한 내용 • 지식재산 경영, 지식재산 발굴, 특허정보 조사, 특허정보 분석
지식재산 보호	• 출원된 지식재산을 권리화하고, 권리분쟁 발생 시 대응방법 • 특허출원의 결정 및 절차, 지식재산의 유지 및 관리, 지식재산 분쟁 방어
지식재산 활용	• 지식재산을 경영에 활용하기 위한 특허 전략 수립방법, 기술가치의 산정방법 등 • 지식재산 사업화, 지식재산 가치평가, 지식재산 금융

3 실시 요강

- **시험 일정**: 매년 5월, 11월 넷째 주 토요일
- **시험 시간**: 11:00 ~ 12:20(80분)
- **문항 수**: 총 60문제
- **출제 형태**: 객관식 5지선다형
- **접수 방법**: 접수기간 내에 홈페이지(www.ipat.or.kr)에서 온라인 접수
- **응시료**: 개인(35,000원)
- **시험 장소**: 서울, 경기, 대전, 대구, 부산, 광주, 강원 등 전국 주요 지역에서 시행
  ※ 세부 고사장은 홈페이지에 있는 시험 공고에서 확인 가능
- **성적 유효기간**: 성적 교부일로부터 2년
- **문의**: 한국발명진흥회 지식재산능력시험본부(02-3459-2777)
- **시험 대비 교육 안내**
  - **온라인 교육**
    - 홈페이지(www.ipat.or.kr)에 접속 후 교육프로그램 게시판 참조
  - **찾아가는 교육**
    - 시험 대비 교육을 원하는 기관에 직접 찾아가서 지식재산능력시험 교육 진행
    - 홈페이지(www.ipat.or.kr)에 접속 후 교육프로그램 게시판 참조
  - **오프라인 교육**
    - 홈페이지(www.ipat.or.kr)에 접속 후 게시판 문의

      (문의) 한국발명진흥회 지식재산능력시험본부 ☎ 02-3459-2777

지식재산능력시험 출제경향

최신 동향형

지식재산권의 중요성이 날로 증가함에 따라 개인이나 기업이 지식재산권을 창출·보호·활용하는 최신 동향을 묻는 문제가 출제된다. 지식재산 경영에 활용되는 핵심 개념 및 지식재산 경영의 구체적인 전략에 대한 이해와 암기가 필요하다.

16회 시험 다음 중 PCT 국제출원에 대한 설명 중 틀린 것은? ▸ ④

① PCT 국제출원은 국어로도 출원 가능하다.
② PCT 국제출원도 국제공개제도가 적용된다.
③ PCT 국제출원은 대한민국 특허청에 출원할 수 있다.
④ PCT 국제출원을 하였다는 것은 전 세계에서 통용될 수 있는 특허를 획득하였다는 의미이다.
⑤ 대한민국 특허청은 PCT 출원에 대한 국제조사기관 및 국제예비심사기관이다.

| 해설 | PCT 국제출원은 지정국에 직접 출원한 효과를 얻으므로, 지정국이 아닌 국가에는 해당이 없다.

15회 시험 다음은 지식재산 전략 중 어느 것인가? ▸ ③

> 미국의 전기자동차 회사인 테슬라(Tesla)는 전기차 기술과 관련한 특허를 모두 공개하면서 "(이러한 무료 특허를 활용해) 테슬라 모방품을 만들어 팔아도 관계없다"고 말했다. 이러한 발표에 시장의 반응은 뜨거웠는데, 테슬라가 이러한 결정을 하게 된 이유는 현재 내연기관 중심인 자동차 시장을 전기차 중심으로 바꾸어 시장을 획기적으로 확대하고자 하는 의도가 있다고 판단된다. 이는 구글이 아이폰 중심의 스마트폰 시장을 뒤흔들기 위해 안드로이드 운영체제(OS)를 공개한 것에 비견할 수 있다.

① 강한 특허 전략(Power Patenting)
② 지식재산 덤불 전략(IP Thickets)
③ 오픈 이노베이션 전략(Open Innovation)
④ 협상카드 전략(Bargaining Chips)
⑤ 횃불 전략(Burning Stick)

| 해설 | 오픈 이노베이션 전략에 대한 설명이다. 제시문은 자신의 특허권을 공중에게 무상으로 공개하여 이용하도록 하고 그 특허기술이 시장에서 유력한 기술 내지는 표준기술이 되면 특허권자의 시장 장악력이 높아지고, 기술 발전이 가속되며, 다수의 시장 참여자가 해당 특허기술을 사용함으로써 시장 자체의 규모가 커지는 효과를 보여주는 예이다. 또 다른 예로는 인터넷 백과사전인 위키피디아(Wikipedia), 창작한 저작물에 일부 제한 외에는 모두 일반 대중에게 저작물의 복제를 허용하는 크리에이티브 커먼즈(Creative Commons) 전략 등이 있다.

지식 측정형

지식재산권에 관한 법령 또는 판례의 태도에 대한 기초적인 지식을 측정하는 유형이다. 법령의 주체적·객체적·시기적 요건 중 일부 개념을 정반대적 특징을 나타내는 단어로 바꾸거나, 개념 부분을 반대로 서술하여 틀린 문장을 찾는 방식으로 출제된다.

16회 시험 다음 중 특허무효사유 중 하나인 진보성에 대한 설명으로 틀린 것은? ▸ ②

① 진보성의 판단은 해당 기술분야에서 통상의 지식을 가진 자를 기준으로 하여야 한다.
② 진보성 판단 시 공지기술은 복수의 조합을 하는 것이 불가능하다.
③ 진보성 판단의 공지기술의 범위는 특허에 한정하지 않는다.
④ 진보성 판단의 공지기술이 선행특허일 경우 선행특허의 공개일을 기준으로 출원일과 비교하여야 한다.
⑤ 공지기술의 지역적 범위는 국내뿐만 아니라 국외도 포함한다.

| 해설 | 특허요건 중 진보성은 신규성과 달리 하나 이상의 선행기술을 조합하여 출원발명의 특허등록 가부를 판단할 수 있는 요건이다.

14회 시험 상표법상 상표권의 효력과 침해에 대한 설명으로 옳지 않은 것은? ▸ ③

① 상표권에 대한 전용사용권이 설정된 경우 전용사용권자는 민사상의 보호뿐 아니라 형사상의 보호도 받을 수 있다.
② 상표권의 효력은 국내에 한하며, 외국에서 보호를 받기 위하여는 해당 국가에서 상표권을 획득하여야 함이 원칙이다.
③ 어떠한 상표가 부정경쟁의 목적 없이 타인의 상표등록출원 전부터 국내에서 계속 사용되어 타인 상표등록출원 시 국내 수요자 간에 특정인의 상품을 표시하는 것으로 인식된 경우 그 상표를 사용하는 자는 타인의 상표가 등록된 경우라도 그 상표와 동일하거나 유사한 상표를 계속 사용할 수 있다.
④ 상표권의 존속기간 갱신은 횟수의 제한 없이 가능하므로 존속기간 갱신을 통하여 사실상 영구적인 보호가 가능하다.
⑤ 상표권 침해에 관한 민사 본안소송(1심)의 관할은 '6대 고등법원 소재지 지방법원'의 전속관할로 함이 원칙이다.

| 해설 | ③ 어떠한 상표가 부정경쟁의 목적 없이 타인의 상표등록출원 전부터 국내에서 계속 사용되어 타인 상표등록출원 시 국내 수요자 간에 특정인의 상품을 표시하는 것으로 인식된 경우 그 상표를 사용하는 자는 타인의 상표가 등록된 경우라도 그 상표와 '동일한 상표'를 계속 사용할 수 있다. 즉, 동일한 상표를 계속 사용할 수 있을 뿐, 유사한 상표까지 계속 사용할 수는 없다.
① 전용사용권은 이른바 '독점배타적' 권리로 민사상의 보호뿐 아니라 형사상의 보호도 가능하다.
⑤ 담당법원의 전문성 축적 및 신속한 분쟁 해결을 위하여 2016년 1월 1일부터 상표권 침해에 관한 민사 본안소송의 관할을 1심은 '고등법원 소재지 지방법원'의 전속관할로 하고, 2심(항소심)은 '특허법원'의 전속관할로 하는 민사소송법 및 법원조직법 개정안이 시행되었다.

사례 해결형

지식재산권의 창출 및 보호와 관련하여 간단한 사례를 제시한 후 법리를 적용하여 사례를 해결하거나 사례 해결에 이용되는 핵심 개념을 선별하는 문제가 출제된다. 사례 해결형 문제에서는 문제 형태와 중요 논점 등을 파악하고 중요 논점과 관련된 지식재산 제도의 법령 및 판례의 태도를 숙지하는 것이 중요하다.

14회 시험 다음의 상황에서 이용할 수 있는 제도로 가장 적절한 것은? ▸ ④

> A사의 특허담당자 김 부장은 특허문헌을 검색하는 과정에서, 2017년 4월 10일자로 설정등록된 특허출원의 등록공보 내용을 확인한 결과, 해당 특허출원의 출원일 전에 공개된 특허문헌과 비교하여 진보성이 명백히 없는 것으로 판단되어, 해당 특허출원을 재검증하고자 한다.

① 정보제공
② 재심사청구
③ 권리범위확인심판
④ 특허취소신청
⑤ 조기공개신청제공

| 해설 | 특허권의 설정등록일로부터 등록공고일 후 6개월이 되는 날까지 신규성, 진보성, 선출원주의 등에 위반될 경우, 누구든지 심판원에 선행기술정보를 제출하면 심판관이 신속히 검토하여 하자 있는 특허는 조기에 취소하는 제도인 특허취소신청이 가장 적절하다.

15회 시험 A 기업에 재직 중인 B 과장은 압축기 내부 구조를 개선한 아이디어를 특허팀에 제출하였다. 특허팀장인 C 부장은 이 기술을 실제 제품에 적용할 가능성은 낮으나, 혹시 다른 업체에서 추후에 특허출원하여 잠재적인 방해물이 될 수도 있다는 생각이 들었다. 이 경우, C 부장이 취할 수 있는 방법 중 가장 적절하지 못한 것은? ▸ ②

① 아이디어에 대한 특허출원
② 노하우로 사내 보관
③ 인터넷 기술 공지 센터에 등재
④ 논문에 게재 후 발표
⑤ A 기업이 운영하는 홈페이지에 업로드

| 해설 | 제3자의 특허취득 방지를 위한 방어적 전략에 대한 지식을 묻는 문제이다.
② 이러한 경우, 제3자의 권리 취득을 방지하여야 하므로 특허출원이든 비특허출원이든 제3자의 출원 전에 공지를 시키는 것이 타당하다.

Contents

이 책의 차례

Contents

이 책의 차례

제4편 지식재산 활용

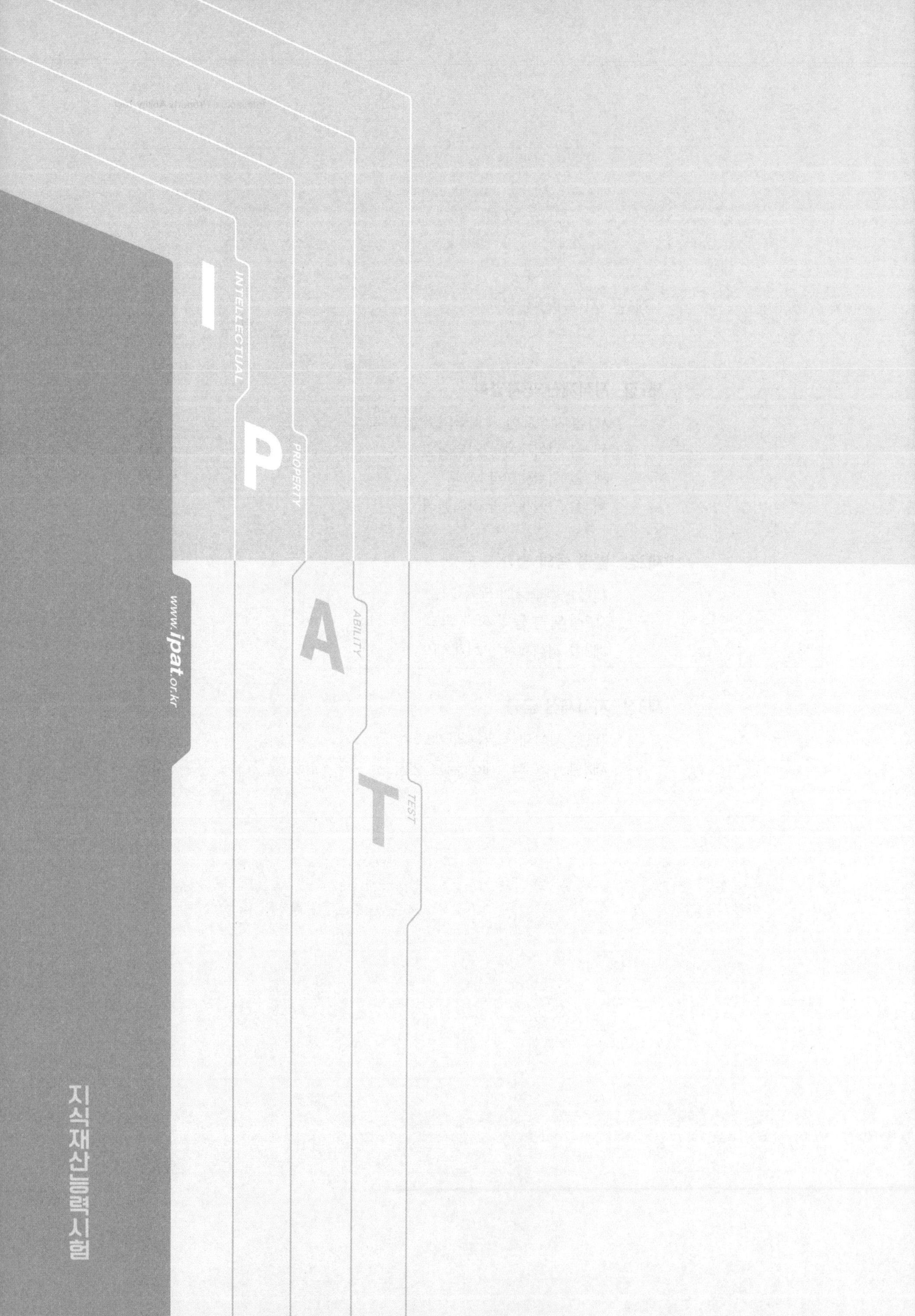
I
INTELLECTUAL
P
PROPERTY
A
ABILITY
T
TEST
www.ipat.or.kr
지식재산능력시험

제 1 편

지식재산 제도

제1장 지식재산권 입문

제1절 지식재산권이란

01 지식재산권의 의의

사람이 소유하고 있는 재산권에는 실체를 눈으로 볼 수 있는 유형의 재산권과 그 실체를 눈으로 볼 수 없는(Intangible) 무형의 재산권이 있다. 유형의 재산권은 실생활에서 흔히 볼 수 있는 동산, 부동산 등에 관한 권리를 말한다. 이와 달리 무형의 재산권에는 기업의 영업권, 지적 창작의 결과인 저작권과 산업재산권 등이 있는데, 후자를 지식재산권(Intellectual Property Right)이라고 부른다. 즉, 지식재산권이란 생각(Mind)에서 비롯된 창작, 표지 및 영업에 관한 무형적인 이익(지식재산)을 객체로 하고, 이를 독점적으로 이용하는 것을 내용으로 하는 권리를 말한다.

"아는 것이 힘"이라는 격언이 있다. 요즘 들어 '지식이 재산'이라든지 '특허 또는 지식재산권 경영'이라는 말을 언론에서 자주 접하게 된다. 지식재산권은 공기처럼 우리가 평소에 의식하지 못하고 지내지만, 생활 속에서 언제나 접할 수 있다. 사업을 하는 사람이 지식재산권을 모르는 것은 내비게이션 없이 초행길을 찾아가는 것과 마찬가지로 시행착오를 범할 가능성이 높다.

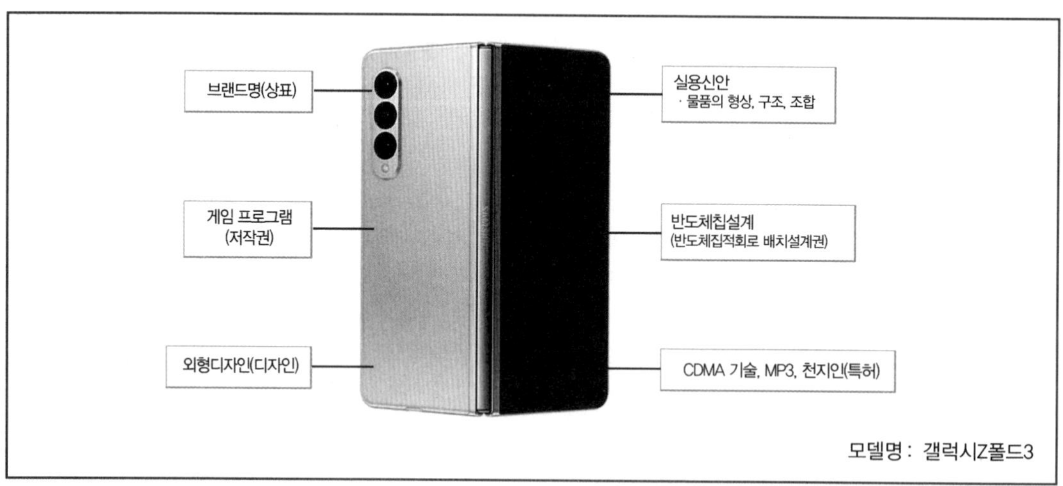

위와 같이 하나의 휴대전화에는 다양한 지식재산이 적용되어 있는데, 유체물인 휴대전화와 그 휴대전화에 구현된 기술·디자인, 브랜드와 같은 무형의 자산은 서로 구별되며, 각각 별개의 재산권으로 보호된다.

예를 들어, USB는 개당 만 원 정도에 구입할 수 있지만, USB에 저장된 프로그램이나 게임 등의 프로그램은 몇 십만 원에서 몇 백만 원의 경제적 가치를 갖는 경우가 있는데, 이 금액의 차이가 눈에 보이지 않는 무형자산의 경제적 가치라고 할 수 있다.

02 지식재산권의 종류

1. 분류 기준

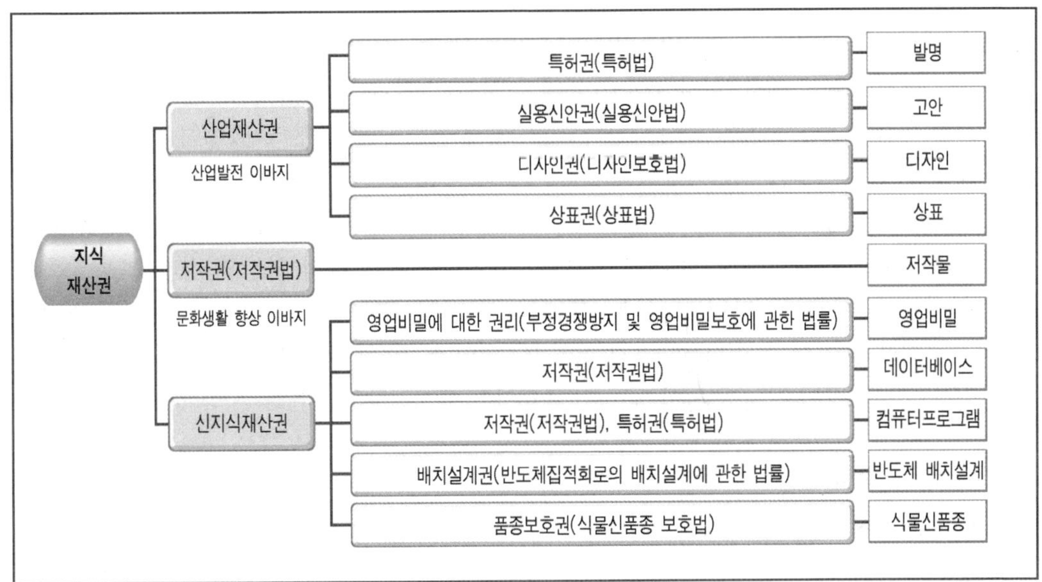

▎지식재산권의 종류

(1) 산업재산권과 저작권

기존의 전통적인 분류에 의하면 지식재산권은 보호의 목적에 따라 산업발전에 이바지할 수 있는 창작물 등을 객체로 하는 권리인 산업재산권과, 인간의 문화생활 향상에 이바지할 수 있는 창작물을 객체로 하는 권리인 저작권(Copyright)으로 구별된다. 산업재산권(Industrial Property Right)은 발명을 보호하는 특허권, 고안을 보호하는 실용신안권, 디자인을 보호하는 디자인권, 상표를 보호하는 상표권으로 다시 분류할 수 있다.

(2) 신지식재산권

지식재산권의 보호 객체인 지식재산은 그 개념이 고정되어 있는 것은 아니다. 시대의 발전과 더불어 지식재산의 범위도 점차 확대되어 종래와는 다른 새로운 개념(예 컴퓨터프로그램, 반도체 배치설계, 식물신품종, 데이터베이스, 메타버스 등)에서의 보호되어야 할 지식재산이 등장하고 있다. 이러한 새로운 지식재산에 대해서는 기존의 전통적인 권리의 테두리 안에서 보호하거나 새로운 법을 제정하여 보호하려는 노력을 하고 있는데, 이를 신지식재산권이라고 한다.

2. 산업재산권

(1) 발명을 보호하는 특허권

특허권은 발명이란 객체를 보호하는 권리이며, 발명이란 자연법칙을 이용한 기술적 사상의 창작으로서 고도한 것을 말한다(특허법 제2조 제1호). 특허권은 특허출원이 실체심사를 거쳐 설정등록된 날로부터 발생하여, 특허출원일 후 20년까지 존속한다(특허법 제88조). 한편, 허가 등으로 인해 특허발명을 실시할 수 없었던 경우나 심사 등이 지연되어 특허권의 설정등록이 이루어지는 경우 그 특허권의 존속기간을 연장할 수 있다(특허법 제89조).

(2) 고안을 보호하는 실용신안권

실용신안권은 물품의 형상, 구조 또는 조합에 관한 고안이란 객체를 보호하는 권리이며, 고안은 자연법칙을 이용한 기술적 사상의 창작을 말한다(실용신안법 제2조 제1호). 실용신안권은 실용신안등록출원이 실체심사를 거쳐 설정등록한 날부터 발생하여, 실용신안등록출원일 후 10년이 되는 날까지 존속한다(실용신안법 제22조). 한편, 심사 등이 지연되어 실용신안권의 설정등록이 이루어지는 경우 그 실용신안권의 존속기간을 연장할 수 있다(실용신안법 제22조의2). 실용신안권은 특허권과 동일하게 기술적 사상의 창작을 보호하는 권리이지만, 특허권과는 달리 그중에서도 물품의 형상, 구조 및 조합에 관한 고안만을 보호한다는 점에서 차이가 있다. 따라서 음식물, 의약품 등과 같은 물질이나 제조방법, 통신방법 등과 같은 방법은 실용신안권으로 보호받을 수 없다.

(3) 디자인을 보호하는 디자인권

디자인권은 디자인, 즉 물품의 디자인을 보호하는 권리이며, 디자인은 물품(물품의 부분, 글자체 및 화상을 포함)의 형상・모양・색채 또는 이들을 결합한 것으로서 시각을 통하여 미감을 일으키게 하는 것을 말한다(디자인보호법 제2조 제1호). 디자인을 보호하기 위한 제도는 나라별로 많은 차이가 있으나 크게 특허적인 보호(Patent Approach)와 저작권적인 보호(Copyright Approach)로 나누어 볼 수 있다. 전자는 심사제도를 원칙으로 하여 심사를 통과하는 경우에는 동일한 것뿐만 아니라 유사한 것에도 보호를 부여하되 독립적 창작인 경우에도 침해로 보는 반면, 후자는 창작과 동시에 보호가 부여되며 독립적 창작인 경우에는 동일하거나 유사하더라도 침해로 보지 않는다. 우리나라의 경우에는 특허적인 보호, 즉 심사제도를 원칙으로 하되 일부심사제도로 병행하여 운영되고 있다. 디자인권은 디자인등록출원이 설정등록된 날로부터 발생하며, 디자인등록출원일 후 20년이 되는 날까지 존속한다(디자인보호법 제91조).

(4) 상표를 보호하는 상표권

상표권은 자기의 상품(지리적 표시가 사용되는 상품의 경우를 제외하고는 서비스 또는 서비스의 제공에 관련된 물건을 포함)과 타인의 상품을 식별하기 위하여 사용하는 표장을 보호하는 권리이며(상표법 제2조 제1항 제1호), 이 경우 표장은 기호, 문자, 도형, 소리, 냄새,

입체적 형상, 홀로그램·동작 또는 색채 등으로서 그 구성이나 표현방식에 상관없이 상품의 출처를 나타내기 위하여 사용하는 모든 표시를 말한다(상표법 제2조 제1항 제1호). 상표법은 다른 산업재산권과는 달리 창작이 아닌 표장의 선택을 보호하고 있으며, 산업발전에의 이바지뿐만 아니라 수요자의 이익 보호를 목적으로 한다는 점에 특징이 있다. 상표권은 상표등록출원이 설정등록된 날로부터 10년까지 존속되지만 다른 산업재산권과 달리 10년마다 갱신하여 존속기간을 계속적으로 연장할 수 있다(상표법 제83조 내지 제85조).

3. 저작물을 보호하는 저작권

저작권은 인간의 사상 또는 감정을 표현한 창작물인 저작물을 보호하는 권리이다(저작권법 제2조 제1호). 저작권은 산업재산권과 달리 별도의 출원이나 등록 등의 절차나 형식의 이행을 필요로 하지 않으며 창작한 때부터 발생한다(저작권법 제10조 제2항). 저작권에 관한 등록은 저작권에 관한 분쟁이 있을 경우, 정당한 저작자가 누구인지 창작 시기는 언제인지 등에 관한 추정 효과를 부여하는 기능을 한다. 저작권은 저작인격권과 저작재산권으로 구분할 수 있는데(저작권법 제10조), 저작인격권은 공표권, 성명표시권, 동일성유지권과 같이 저작자의 인격과 밀접한 관련이 있는 권리이고, 저작재산권은 복제권, 공연권, 방송권, 전송권, 전시권, 배포권, 2차적저작물 작성권 등과 같이 저작자가 창작한 저작물로부터 이익을 추구할 수 있는 권리이다. 저작재산권은 특별히 규정한 경우를 제외하고는 저작자가 생존하는 동안과 사망한 후 70년간 존속한다(저작권법 제39조 제1항).

4. 신지식재산권

(1) 영업비밀을 보호하는 영업비밀에 대한 권리

영업비밀이란 공공연히 알려져 있지 아니하고 독립된 경제적 가치를 가지는 것으로서, 비밀로 관리된 생산방법, 판매방법, 그 밖에 영업활동에 유용한 기술상 또는 경영상의 정보를 말한다(부정경쟁방지 및 영업비밀보호에 관한 법률 제2조 제2호, 이하 '부정경쟁방지법'). 다만, 기술정보 또는 경영정보가 부정경쟁방지법에 의하여 보호를 받는다고 하더라도 그 보호의 강도는 특허법 등을 포함하는 산업재산권이 훨씬 높다고 할 수 있다. 구체적으로 특허권의 경우에는 특허된 발명을 권리자 이외의 다른 사람들이 의도적으로 복제하는 것을 금지시킬 뿐만 아니라 그들이 독자적으로 개발한 경우에도 그것의 제조·판매를 금지시킬 수 있지만, 영업비밀은 신뢰관계의 파기(破棄)나 그 밖의 부정한 수단에 의하여 획득한 경우에만 그 사용을 금지시키고, 스스로 개발하였거나 그 밖의 정당한 방법, 예컨대 역공정(Reverse Engineering) 등으로 그 비밀인 발명을 획득한 경우는 그 사용을 금지시킬 수 없다. 또한 영업비밀로 보호하는 경우 비밀의 영속성을 유지하기 어렵고, 한번 유출된 영업비밀의 경우 회수가 불가능하며, 국가별로 보호 정도가 상당히 다르다는 문제점이 있다. 다만, 특허권 등을 포함하는 산업재산권이 확보되어 있지 않을 경우 충분히 활용할 수 있다.

⑵ 데이터베이스를 보호하는 저작권

데이터베이스는 넓은 범위에서 편집물의 하나로, 창작성이 있는 경우 저작권법에서 편집저작물로서 보호가 이루어지고 있다고 할 수 있다. 그러나 비록 소재의 선택 및 배열의 창작성이 인정되지 아니한 데이터베이스인 경우에도 보호하여야 할 법익이 존재한다. 이와 관련하여 유럽을 필두로 데이터베이스 보호에 대한 입법이 이루어져 왔으며 우리나라에서도 2003년 입법되었다. 이는 지식사회의 발전에 의하여 데이터베이스 및 디지털 콘텐츠의 수요가 급증함에 따라 데이터베이스를 제작하거나 그 갱신・검증 또는 보충을 위한 투자 노력을 보호하기 위한 것이었다.

저작권법은 편집물, 편집저작물, 데이터베이스를 각각 다음과 같이 정의하고 있다. 먼저, 편집물은 저작물이나 소재(부호・문자・음・영상 그 밖의 형태의 자료를 말함)의 집합물을 말하되, 데이터베이스를 포함하는 것으로 정의되어 있다(저작권법 제2조 제17호). 편집저작물은 편집물로서 그 소재의 선택・배열 또는 구성에 창작성이 있는 것을 말하는 것으로 규정하고 있다(저작권법 제2조 제18호). 또한 데이터베이스는 소재를 체계적으로 배열 또는 구성한 편집물로서 그 소재를 개별적으로 접근하거나 검색할 수 있도록 한 것으로 규정하고 (저작권법 제2조 제19호), 이와 같은 데이터베이스를 제작 또는 그 소재의 갱신・검증 또는 보충에 인적 또는 물적으로 상당한 투자를 한 자를 데이터베이스제작자로 정의하면서, 데이터베이스제작자에게 그 데이터베이스의 전부 또는 상당한 부분을 복제・배포・방송 또는 전송할 권리를 갖도록 하였다(저작권법 제93조). 요컨대, 저작권법은 기본적으로 창작물을 보호하기 위한 법임에도 불구하고 데이터베이스의 경우에는 창작성 유무에 상관없이 데이터베이스를 구축한 자의 노력을 보상하기 위하여 인접권과 유사한 권리를 부여한 것이라 할 수 있다.

다만, 다른 저작물에 주어지는 저작권과 달리 데이터베이스제작자가 가지는 권리는 데이터베이스의 제작을 완료한 때에 발생하며 그 다음 해부터 기산하여 5년간 존속한다. 또한 데이터베이스의 갱신 등을 위하여 인적 또는 물적으로 상당한 투자가 이루어진 경우에 갱신한 때부터 발생하며, 그 다음 해부터 기산하여 5년간 존속하도록 함으로써 상대적으로 짧은 기간 동안만 권리를 누릴 수 있도록 하고 있다(저작권법 제95조).

⑶ 컴퓨터프로그램을 보호하는 저작권 및 특허권

컴퓨터프로그램 저작물은 특정한 결과를 얻기 위하여 컴퓨터 등 정보처리능력을 가진 장치(이하 '컴퓨터') 내에서 직접 또는 간접으로 사용되는 일련의 지시・명령으로 표현된 창작물을 말하며(저작권법 제2조 제16호), 컴퓨터프로그램 자체를 저작권으로 보호하며 무단 복제를 금지시키고 있다. 그러나 컴퓨터프로그램 자체는 특허권에 의해 보호되지는 않으며, 그 프로그램이 하드웨어 외부에서의 물리적 변환을 야기해 그 물리적 변환으로 인하여 실제적 이용가능성이 있다는 것을 명확히 적시한 경우, 즉 하드웨어와 유기적 결합 관계를 갖는 컴퓨터프로그램 관련 발명에 한해서만 특허권에 의해 보호되고 있다.

(4) 반도체 배치설계를 보호하는 배치설계권

반도체집적회로의 배치설계에 관한 법률에 의하여 주어지는 배치설계권은 등록된 배치설계를 영리목적으로 이용할 수 있는 권리이다. 반도체집적회로는 반도체 재료 또는 절연 재료의 표면이나 반도체 재료의 내부에 한 개 이상의 능동소자를 포함한 회로소자들과 그들을 연결하는 도선이 분리될 수 없는 상태로 동시에 형성되어 전자회로의 기능을 가지도록 제조된 중간 및 최종 단계의 제품을 말한다(반도체집적회로의 배치설계에 관한 법률 제2조 제1호, 이하 '반도체법'). 반도체 배치설계를 이용한다는 것은 ① 배치설계를 복제하는 행위, ② 배치설계에 따라 반도체집적회로를 제조하는 행위, ③ 배치설계, 배치설계에 따라 제조된 반도체집적회로 또는 그 반도체집적회로를 사용하여 제조된 물품을 양도・대여하거나 전시 또는 수입하는 행위를 의미한다(반도체법 제2조 제4호). 배치설계권은 설정등록일부터 10년간 존속하되, 영리를 목적으로 그 배치설계를 최초로 이용한 날부터 10년 또는 그 배치설계의 창작일로부터 15년을 초과할 수 없다(반도체법 제7조).

반도체 배치실계는 등록을 요건으로 하고 있으나 심사를 요하지는 아니한다. 따라서 배치설계권을 얻고자 하는 배치설계를 창작한 자 또는 그 승계인은 영리를 목적으로 그 배치설계를 최초로 이용한 날부터 2년 이내에 특허청장에게 그 배치설계권의 설정등록을 신청할 수 있다(반도체법 제19조).

이러한 배치설계권의 효력은 교육・연구・분석 또는 평가 등의 목적이나 개인이 비영리적으로 사용하기 위한 배치설계의 복제 또는 그 복제의 대행, 이러한 목적에 따라 제작된 것으로서 창작성이 있는 배치설계, 배치설계권자가 아닌 자가 제작한 것으로 창작성이 있는 동일한 배치설계에는 미치지 않는다(반도체법 제9조).

배치설계권은 양도할 수 있고, 다른 사람에게 그 배치설계를 이용할 수 있는 통상이용권 및 독점적으로 이용할 수 있는 전용이용권을 설정할 수 있다(반도체법 제10조, 제11조).

(5) 식물신품종을 보호하는 품종보호권

품종이란 식물학에서 통용되는 최저 분류 단위의 식물군으로서 유전적으로 나타나는 특성 중 한 가지 이상의 특성이 다른 식물군과 구별되고 변함없이 증식될 수 있는 것이다(식물신품종 보호법 제2조 제2호, 이하 '식품신품종법').

품종보호를 받기 위해서는 신규성, 구별성, 균일성, 안정성을 갖추어야 한다. 신규성을 갖기 위해서는 품종보호 출원일 이전에 대한민국에서는 1년 이상, 그 밖의 국가에서는 4년(과수 및 임목의 경우 6년) 이상 해당 종자나 수확물이 이용을 목적으로 양도되어서는 안 된다. 구별성을 갖추기 위해서는 품종출원일 이전까지 일반인에게 알려져 있는 품종과 명확하게 구별되어야 한다. 품종의 본질적인 특성이 그 품종의 번식방법상 예상되는 변이를 고려한 상태에서 충분히 균일한 경우에는 균일성을 갖춘 것으로 보며, 품종의 본질적인 특성이 반복적으로 증식된 후에도 그 품종의 본질적 특성이 변하지 않았다면 안정성을 갖추었다고 본다(식물신품종법 제16조～제20조).

품종보호권을 보유하는 경우에는 업으로서 보호품종의 종자를 증식·생산·조제·양도·대여·수출 또는 수입하거나 양도 또는 대여의 청약(양도 또는 대여를 위한 전시를 포함)을 독점적으로 품종보호권의 설정등록일로부터 20년(과수 및 임목의 경우에는 25년) 동안 행할 수 있다(식물신품종법 제55조).

품종등록의 예

작물명	품종명	품종보호권자	품종보호권 존속기간	등록일자	등록번호
딸기	설향	충청남도	2014. 9. 29. ~ 2026. 3. 22.	2014. 9. 29.	제5155호

품종명칭등록의 예

품종명	등록번호	등록일자
설향	제02-0038-15호	2006. 5. 23.

지식재산권의 발생과 보호기간

대상	예시	적용 법률	소관 관청	권리의 발생	보호기간
발명	음성부호화방법, 송수신회로	특허법	특허청	심사 후 등록	설정등록한 날로부터 출원 후 20년
고안	낙하방지용 스트랩	실용신안법	특허청	심사 후 등록	설정등록한 날로부터 출원 후 10년
디자인	휴대전화의 외관디자인	디자인보호법	특허청	심사 후 등록(무심사 예외 있음)	설정등록한 날로부터 출원 후 20년
상표	갤럭시, 아이폰	상표법	특허청	심사 후 등록	등록 후 10년(갱신 가능)
저작물	전화기 화면상의 그래픽	저작권법	문화체육관광부	창작과 동시에 발생	저작자 사후 70년
컴퓨터 프로그램	전화기 내의 ROM에 기록된 프로그램				공표 후 70년
영업비밀	핸드폰 제조노하우, 고객리스트 등	부정경쟁방지법	특허청	비공지성+경제적 유용성+비밀관리성	비밀관리기간
반도체 배치설계	전화기 내 LSI의 회로패턴	반도체집적회로의 배치설계에 관한 법률	특허청	방식 심사·등록	등록 후 10년
식물 신품종	새로 개량한 품종	식물신품종 보호법	농림축산식품부	심사 후 등록	등록 후 20년(과수 및 임목은 25년)
상호	삼성전자주식회사	상법	법원	사용과 동시에 발생	사용하는 동안

03 지식재산권의 필요성

헌법 제22조 제2항은 "저작자 · 발명가 · 과학기술자와 예술가의 권리는 보호된다."라고 규정하고 있다. 이는 국가의 간섭을 받지 않고 학문과 예술의 자유를 누릴 수 있다는 소극적인 의미의 기본권뿐만 아니라, 저작자와 발명가 등의 창작물을 권리로 보호해야 한다는 적극적인 내용의 기본권을 함께 규정한 것으로 이해된다.

이러한 헌법 이념에 따라 제정된 지식재산권법은 창작의 대가로 독점 · 배타권을 부여함으로써 저작자 · 발명가 · 과학기술자와 예술가들이 시장에서 이윤을 창출하게 되고, 이는 더욱 더 많은 잠재적 저작자 · 발명가 · 과학기술자와 예술가들을 창작 활동으로 유인하게 되어 궁극적으로 산업, 문화, 경제발전을 가져오는 것을 목적으로 하고 있다.

1. 특허법 및 실용신안법

발명 및 실용적인 고안을 보호 · 장려하고 그 이용을 도모함으로써 기술의 발전을 촉진하여 궁극적으로 산업발전에 이바지함을 목적으로 하고 있다.

2. 디자인보호법

디자인의 보호 및 이용을 도모함으로써 디자인의 창작을 장려하여 산업발전에 이바지함을 목적으로 하고 있다.

3. 상표법

상표를 보호함으로써 상표사용자의 업무상의 신용유지를 도모하여 산업발전에 이바지함과 아울러 수요자의 이익을 보호함을 목적으로 한다.

4. 저작권법

저작자의 권리와 이에 인접하는 권리(저작인접권)를 보호하고 저작물의 공정한 이용을 도모함으로써 문화 및 관련 산업의 향상발전에 이바지함을 목적으로 한다. 즉, 단순히 창작자만을 보호하는 것이 아니라 창작물을 공중에 이용하도록 전파하는 역할을 하는 저작인접권자들도 보호함으로써 저작물이 보다 신속하게 공중의 이용에 제공되도록 하고 있다.

5. 반도체집적회로의 배치설계에 관한 법률

반도체집적회로의 배치설계에 관한 창작자의 권리를 보호하고 배치설계의 공정한 이용을 도모하여 반도체 관련 산업과 기술을 진흥함으로써 국민경제의 건전한 발전에 이바지함을 목적으로 하고 있다.

6. 부정경쟁방지 및 영업비밀보호에 관한 법률

국내에 널리 알려진 타인의 상표・상호 등을 부정하게 사용하는 등의 부정경쟁행위와 타인의 영업비밀을 침해하는 행위를 방지하여 건전한 거래질서를 유지함을 목적으로 하고 있다.

7. 식물신품종 보호법

식물의 신품종에 대한 육성자의 권리를 보호함으로써 농림수산업발전에 이바지함을 목적으로 하고 있다.

지식재산권법의 목적

지식재산권법	법의 목적				
	산업발전	수요자의 이익	문화의 향상발전	국민경제의 건전한 발전	건전한 거래질서 유지
특허법	○				
실용신안법	○				
디자인보호법	○				
상표법	○	○			
저작권법			○		
반도체집적회로의 배치설계에 관한 법률				○	
부정경쟁방지 및 영업비밀보호에 관한 법률					○
식물신품종 보호법	○ (농림수산업의 발전)				

사례

A 씨는 오랫동안 많은 자금을 투자하여 에스보드라는 바퀴가 두 개 달린 스케이트보드를 발명했다. A 씨의 발명은 미국에서 열린 발명전시회에서 대상을 수상했고 A 씨는 전 재산을 투자하여 사업체를 만들어 에스보드를 출시했다. A 씨의 에스보드는 어린이날에 출시되어 그해 말에는 대박 상품이 되었다. 그러자 중국에서 불법으로 제작한 '짝퉁' 상품이 수입되어 저가에 대량으로 판매되기 시작했고, A 씨는 어쩔 수 없이 디자인과 상표를 교체한 새로운 에스보드를 판매하기 시작했다. 그러나 이조차도 모방한 상품이 활개를 치게 되었고, '짝퉁'임을 모르는 수요자들은 불법 제품의 낮은 품질로 인하여 에스보드의 구입을 꺼리게 되었다. 결국 A 씨는 성공한 발명가라는 허울과 달리 사업체를 접고 빚쟁이가 되었다.
이와 같이 타인이 힘들게 개발한 아이디어나 디자인을 손쉽게 베끼거나, 다른 사람의 상표를 모방하는 것을 모른 체한다면, 누구도 새로운 기술과 디자인을 개발하려고 하지 않을 것이고, 수요자는 모방 상품으로 인해 손해를 보게 된다. 이 때문에 국가가 개입하여 발명을 한 사람에게 그 발명을 공개하는 대가로 일정 기간 독점권을 부여하고, 디자인을 창작하고 상표를 사용하는 자에게 그 모방을 금지시킬 수 있도록 특별한 권리를 인정하게 된 것이다.

제2절 지식재산의 보호 방안

01 지식재산 보호 방안의 선택

지식재산의 보호 방안은 서로 독립적이지 않고 중복될 수 있다. 예를 들어 새로 창작된 지식재산이 발명·고안으로서 성립요건을 충족하는 경우 특허권·실용신안권으로, 디자인으로서 성립요건을 충족하는 경우 디자인권으로, 상표로서 성립요건을 충족하는 경우 상표권으로 중복하여 보호받을 수 있다.

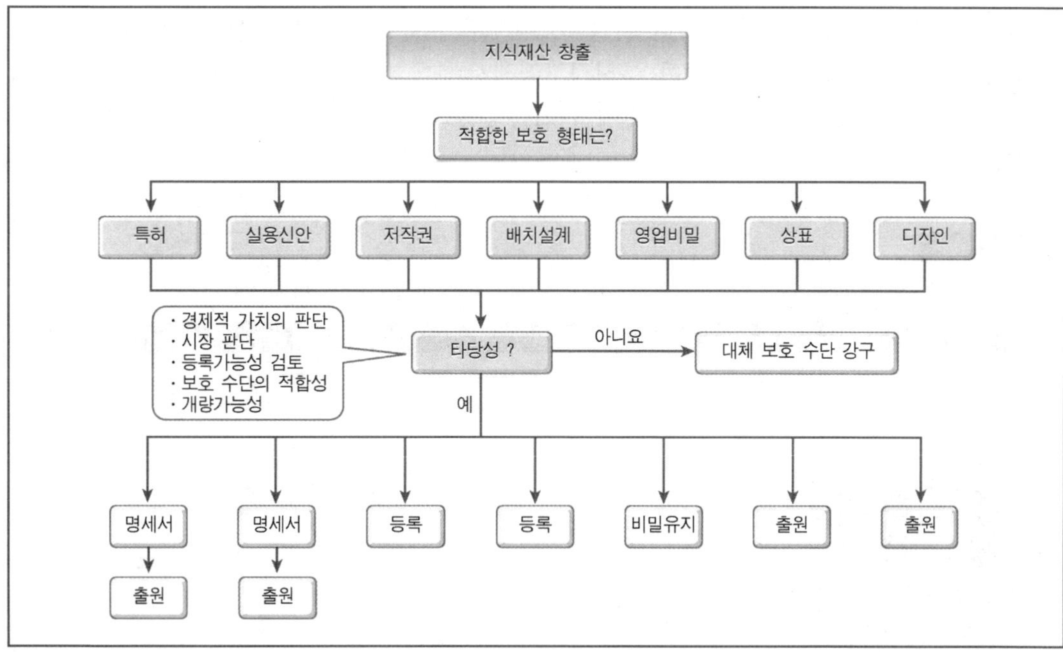

▎지식재산 보존 형태의 선택

그중에서도 지식재산 중 아이디어를 창작한 자는 아이디어의 보호 수단으로서 공개, 노하우 및 특허 중 어느 하나를 선택할 수 있다.

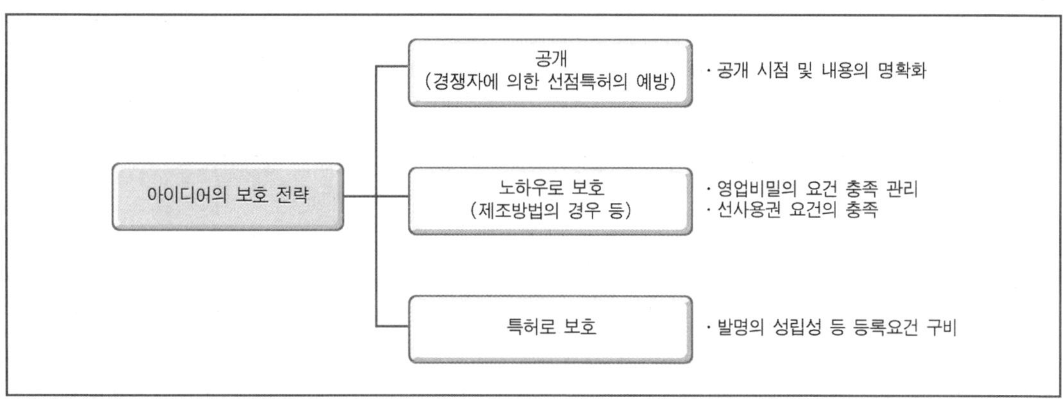

▎아이디어 보호 전략의 선택

02 아이디어의 보호 전략

1. 공개

공개하는 경우는 시간과 비용을 들여 특허권을 확보할 의도는 없으나 타인의 특허권 행사로부터 사업상의 불이익을 받는 것을 방지하고자 하는 경우 이용할 수 있는 방안이다. 아이디어가 공개되면 타인의 특허등록을 저지할 수 있으며, 착오로 타인의 특허출원이 등록되더라도 권리범위를 부정하여 아이디어 창작자를 공격하는 것을 막을 수 있다. 다만, 아이디어 창작자의 아이디어가 타인의 특허출원 전에 공개되었다는 것을 입증하여야 한다. 따라서 아이디어의 창작자는 공개 시점 및 내용을 명확하게 확인할 수 있는 방법을 강구하여야 하며, 이를 위해 특허청의 인터넷 기술공지제도의 활용을 고려해 볼 수 있다. 특허청의 인터넷 기술공지제도를 이용하여 특허정보검색서비스 키프리스(kpat.kipris.or.kr)에 아이디어의 기술내용을 게재하면 특허청에서 기술내용과 일자를 공증해 주고 공개된 것으로 인정해 주게 된다.

▌인터넷 기술공지제도 화면 예시

인터넷 기술공지제도의 이용

항목	내용
이용 효과	• 방어 목적으로 출원을 하는 경우 • 법적 대응을 위해 공증기관의 공증을 받고자 하는 경우 • 연구개발을 위해 기술 동향이 필요한 경우
이용하지 말아야 할 경우	• 출원절차를 통해 특허권 행사를 하고자 하는 경우 • 영업비밀로 보호해야 될 기술에 해당되는 경우
이용 절차	특허청 사이트에 접속한 후 사이버 공지를 신청하고 공지 자료실에 공개를 원하는 기술 내용을 등록하면 됨

2. 노하우로 보호

아이디어가 보호가치는 있으나 특허권으로 보호하기에는 적당하지 않은 경우가 있다. 예를 들어, 특허권을 행사하기 위해서는 침해 피의자의 실시가 특허권의 침해라는 것을 특허권자가 입증을 하여야 하는데, 제조방법의 경우 제품에 녹아 있기 때문에 실제로 제품이 특허권을 받은 제조방법에 의해 생산되었는지 입증하기가 쉽지 않을 수 있다. 이 경우 아이디어 창작자는 아이디어를 공개하지 않고 노하우로 보호하는 것을 고려해 볼 수 있다.

(1) 특허와 노하우의 구별

특허권은 일정 기간이 경과한 이후에 일반 공중이 이를 자유롭게 사용할 수 있도록 공개하는 조건으로 국가가 강력한 보호 수단을 제공하는 것을 말하며, 국가는 이를 통하여 공중의 공개기술 개발을 촉진시킴으로써 산업발전에 이바지한다는 목적을 실현할 수 있다. 반면, 노하우는 이를 보유하고 있는 자가 적극적으로 비밀로서 유지·관리할 것이 요구되며, 국가는 영업비밀에 해당하는 노하우에 대하여 부정한 수단에 의해 취득하거나 비밀유지 의무를 위반한 경우에만 보호해 주고 있다.

따라서 노하우로 아이디어를 보호하기 위해서는 영업비밀의 성립요건을 충족시키기 위해 노력하여야 한다. 영업비밀이란 공공연히 알려져 있지 아니하고 독립된 경제적 가치를 가지는 것으로서, 비밀로 관리된 생산방법, 판매방법, 그 밖에 영업 활동에 유용한 기술상 또는 경영상의 정보를 말하는 것으로서(부정경쟁방지 및 영업비밀보호에 관한 법률 제2조 제2호), ① 비밀관리성, ② 경제적 유용성 및 ③ 비공지성을 성립요건으로 한다.

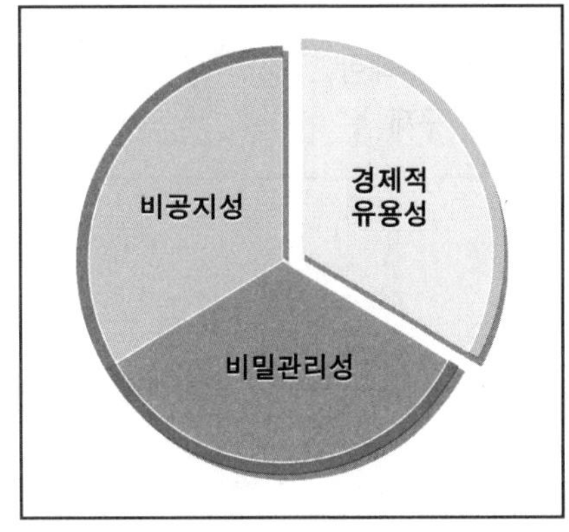

영업비밀에 해당하기 위한 요건

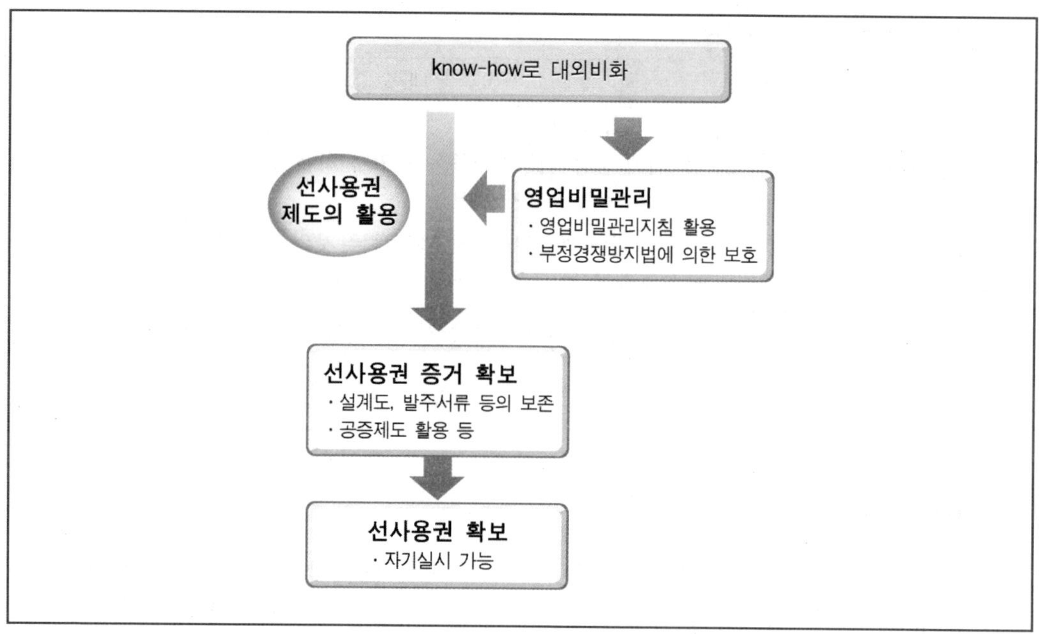

| 노하우의 보호 전략

특허와 노하우의 비교

구분	특허	노하우
공개 여부	있음	없음
성립요건	특허법 제2조 제1호	특별한 정의 규정 없음
특허요건	필요	불필요
보호기간	일정 기간	비밀이 유지되는 한 제한 없음(단, 공개되더라도 일정한 경우 특허법 제103조에 의해 보호 가능)
보호범위	청구범위에 기재된 발명	불명확
독점배타성	있음	없음
침해에 대한 구제	특허법상 민형사상 조치	계약 내용에 의해 보호(단, 일정한 경우 부정경쟁방지 및 영업비밀보호에 관한 법률 또는 산업기술의 유출 방지 및 보호에 관한 법률에 의해 보호 가능)

(2) 선사용권

아이디어를 노하우로 보호하였는데, 제3자가 동일한 내용을 출원하여 특허권을 획득한 경우 특허권의 침해문제에 봉착할 수밖에 없다. 다만, 제3자의 특허출원 전에 실시사업 또는 사업 준비를 하여 선사용권(특허법 제103조)이 인정되는 경우 이를 토대로 특허권자에게 대항할 수 있다. 선사용권이란 특허출원 시에 그 특허출원된 발명의 내용을 알지 못하고 그 발명을 하거나 그 발명을 한 사람으로부터 알게 되어 국내에서 그 발명의 실시사업을 하거나 이를 준비하고 있는 자에게 그 실시하거나 준비하고 있는 발명 및 사업 목적의 범위에서 그 특허출원된 발명의 특허권에 대하여 인정되는 무상의 통상실시권을 말한다.

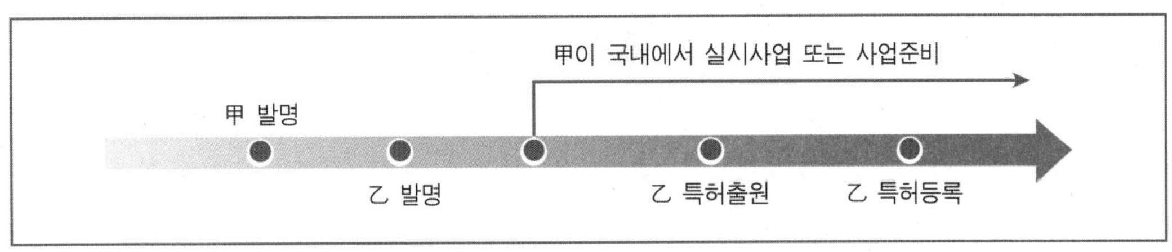

① 선사용권의 입증방법

선사용권이 있다는 것은 아이디어를 노하우로 보호하고 있는 자가 입증하여야 하기 때문에, 이를 입증하기 위한 자료를 확보해 두는 것이 필요하다. 선사용권을 확보하기 위해 어떠한 증거를 보존해야 할 것인가에 대해서는 구체적으로 어떠한 기술을 대상으로 하며, 어떠한 준비행위를 하였는지 또는 어떠한 사업을 실시하고 있는지에 따라 다르다. 그러므로 어떠한 증거가 선사용권 인정에 중요한지는 꼬집어 말할 수 없지만 발명의 완성에서 사업의 준비 및 실시에 이르기까지 일련의 사실을 타인이 인식할 수 있는 자료로 남겨 두는 것이 바람직하다고 판단된다.

② 선사용권 입증자료

선사용권의 입증에 유용하다고 판단되는 자료로는 기술 관련 서류(연구 노트, 기술성과 보고서, 설계도・시방서 등), 사업 관련 서류(사업 계획서, 사업 개시 결정서, 견적서・청구서, 납품서・장부류, 작업일지, 카탈로그, 팸플릿, 상품 취급 설명서), 제품, 영상 등이 있을 수 있다. 한편, 확보한 증거의 증거력을 높이기 위해서는 공증사무소에 가서 공증일자를 받아 두는 것도 좋은 방안이 될 수 있다. 이 밖에도 영업비밀보호센터(www.tradesecret.or.kr)에서 영업비밀 원본 증명 서비스를 적극적으로 활용하는 것도 검토해 볼 필요가 있다.

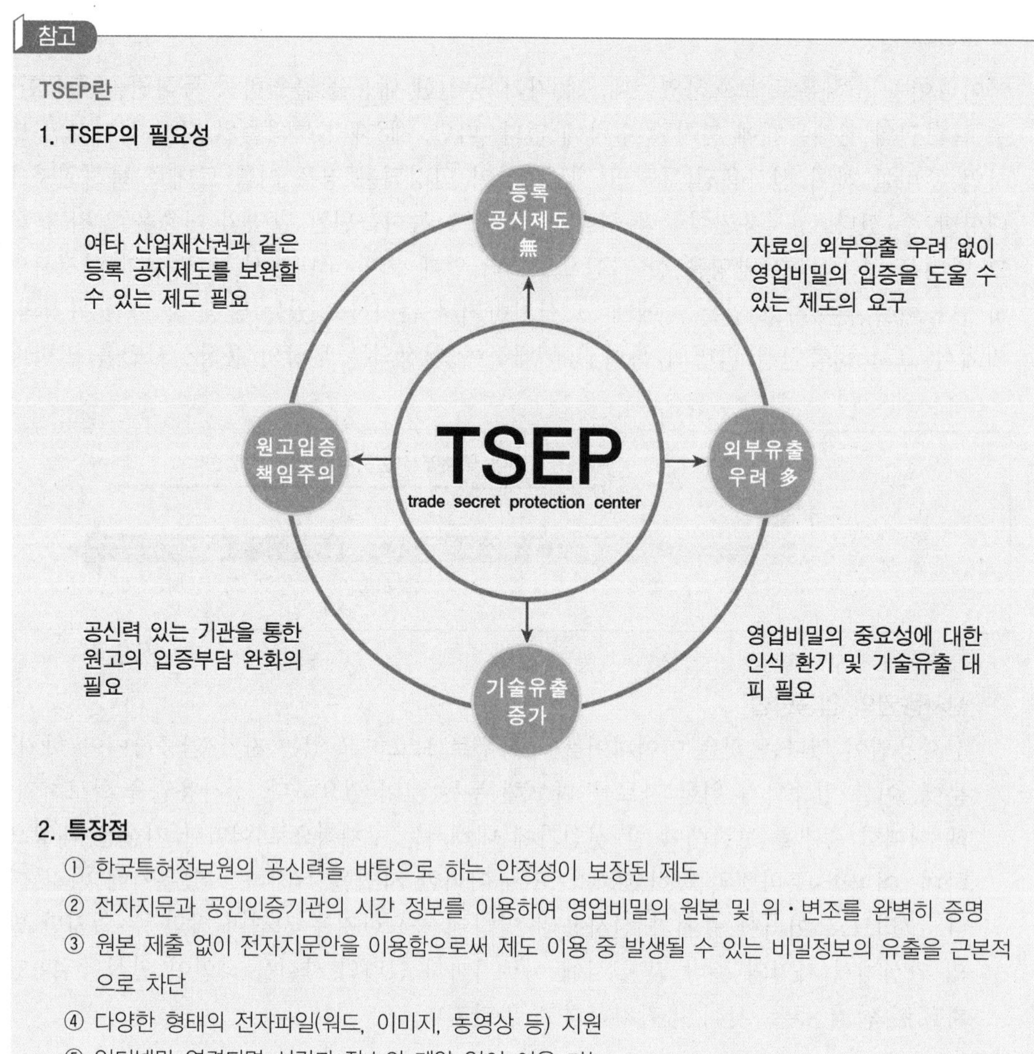

참고

TSEP란

1. TSEP의 필요성

2. 특장점

① 한국특허정보원의 공신력을 바탕으로 하는 안정성이 보장된 제도
② 전자지문과 공인인증기관의 시간 정보를 이용하여 영업비밀의 원본 및 위·변조를 완벽히 증명
③ 원본 제출 없이 전자지문안을 이용함으로써 제도 이용 중 발생될 수 있는 비밀정보의 유출을 근본적으로 차단
④ 다양한 형태의 전자파일(워드, 이미지, 동영상 등) 지원
⑤ 인터넷만 연결되면 시간과 장소의 제약 없이 이용 가능

3. 특허권으로 보호

모든 아이디어를 특허로 보호할 수 있는 것은 아니며, 특허로 보호하기 위해서는 아이디어가 특허법상 발명에 해당하여야 한다. 특허법상 발명이란 자연법칙을 이용한 기술적 사상의 창작으로서 고도한 것을 말한다. 즉, 특허법상 발명이 되기 위해서는 ① 자연법칙을 이용한 것이어야 하고, ② 기술적 사상이어야 하고, ③ 창작이어야 하며, ④ 그 창작의 정도가 고도한 것이어야 한다.

제2장 특허제도와 실용신안제도 및 권리화

제1절 특허제도의 개요

01 특허제도의 목적

관련 조문

특허법 제1조(목적) 이 법은 발명을 보호·장려하고 그 이용을 도모함으로써 기술의 발전을 촉진하여 산업발전에 이바지함을 목적으로 한다.

종전보다 새롭고 더 나은 발명의 공개는 불필요한 중복 연구를 방지하고, 개량 연구가 가능하게 함으로써, 기술 발전을 촉진하여 국가 산업발전에 이바지한다. 특허제도는 이러한 발명의 공개를 장려하고자, 발명을 공개한 자에게 일정 요건을 만족할 경우, 국가가 보상으로서 해당 발명의 생산·판매·사용 등의 행위를 일정 기간 독점할 수 있는 권리인 특허권을 부여하는 체계를 말한다.

특허제도에서는 국가 기관인 특허청에 발명을 쉽게 재현할 수 있는 방법과 효과를 설명한 서류를 제출하면서 출원이라는 절차를 진행하면, 국가가 특허를 부여할 만한 가치가 있는지 심사한 후, 그 발명에 관한 서류를 공개한 다음, 발명을 공개한 자에게 특허권을 부여한다. 특허권을 부여받은 자는 자신의 발명이 제3자에게 공개되어도 해당 발명의 생산·판매·사용 등의 행위의 독점을 국가로부터 일정 기간 보장받아 경제적 이득을 얻고, 이는 또 다른 발명의 공개를 자극하는 요인이 된다.

02 특허제도의 역사

특허제도는 유럽에서 발생하였다. 13세기의 특허제도는 현대적인 의미의 특허제도라기보다는 국왕의 통치수단의 하나로 사용되었다. 즉, 국왕이 공을 세운 신하에게 내리는 상과 같은 의미를 가지고 있었다.

현대적인 의미의 특허제도를 최초로 채택한 국가는 베네치아 공화국이다. 르네상스 이후 이탈리아 북부 지역의 도시국가들 사이에서 모직물 공업을 중심으로 기술경쟁이 격심해지면서, 베네치아는 자국의 모직물 공업 발전을 위해 숙련된 기술자의 영입이 필요하게 되었다. 이에 1474년 베네치아 공화국의 특허법에서 실용성과 신규성을 갖춘 새로운 기술이나 기계 발명자에게 10년간의 특허권을 주었다. 이후 베네치아 공화국은 몰락과 함께 소멸되었지만, 베네치아 특허법은 네덜란드를 경유하여 영국으로 전해졌고 1624년 전매조례로 탄생되어 현재 특허제도의 기초가 되었다.

중세 영국은 유럽대륙에 비해 산업이 낙후된 상태여서, 대륙 기술자의 영국 입국 장려 수단으로 특허제도를 채용하였다. 당시 영국은 길드 규정에 의해 외국인은 영국 내에서 영업할 수 없었지만, 새로운 기술을 가진 우수한 대륙 기술자는 자유롭게 영업활동을 할 수 있도록 특허권을 부여한 것이다. 이 법이 제정되자 유럽대륙의 기술자들이 영국으로 몰려들었고 이를 계기로 산업혁명이 일어나 영국이 발전하는 원동력이 되었다. 그 후 1790년 미국에서 특허법이 제정되면서 현대적인 의미의 특허제도가 오늘날까지 발전하게 되었다.

03 우리나라 특허제도의 발전

우리나라는 1882년 지석영 선생이 상소문에서 특허제도의 필요성을 제기하였지만 제도화되지 못하였고, 열강의 압력하에 1908년 최초 특허법이 제정되었다. 당시는 일본의 특허제도를 그대로 답습하였는데, 통감부에 특허국이 설치되어 발명에 관한 업무를 관장하였다.

해방 후, 미 군정청이 1946년 특허행정창설위원회를 설치하고 특허, 실용신안, 상표, 의장 및 저작권에 관한 법률과 변리사에 관한 법률을 시행하였다. 그 후 1948년 대한민국 정부가 수립되고 10년 넘게 미 군정 제정 특허법을 사용하다가, 1961년 특허법을 전면 개정하였고, 수차례 개정을 거쳐 오늘날의 특허법에 이르게 되었다.

제2절 특허의 요건

특허를 출원하면 발명 공개 후 특허권을 부여하는 무심사제도를 운영하는 국가도 있지만, 우리나라는 심사제도를 채택하고 있다. 심사제도 국가에서는 출원 후 발명이 공개되었다고 전부 특허권이 나오는 것이 아니고, 특허청 심사 후 특허결정이란 처분이 있어야만 특허권을 받을 수 있다. 특허결정은 특허요건을 만족하는 경우에만 받을 수 있고, 특허요건을 만족하지 않는 경우에는 특허청이 거절결정 처분을 하며, 거절결정을 받은 발명은 특허권을 부여받을 수 없다. 다음에서는 특허요건에 대해 살펴본다.

01 발명의 성립성

관련 조문

제2조(정의) "발명"이란 자연법칙을 이용한 기술적 사상의 창작으로서 고도(高度)한 것을 말한다.

특허법은 발명을 보호한다(제1조). 발명이 아닌 것에 대해 특허권의 부여를 요구하며 특허청에 출원이란 절차를 진행하면, 특허청은 특허권의 부여를 거절하겠다는 결정을 한다(제62조 제1호). 이를 특허청의 거절결정이라 한다. 특허권은 특허청의 결정이 있어야만 부여받을 수 있고, 거절결정이 있으면 받을 수 없다.

발명이란 자연법칙을 이용한 기술적 사상의 창작으로서 고도한 것을 말한다(제2조 제1호). 여기서 자연법칙이란 자연계에서 일어나는 일정불변의 필연적인 것으로, 경험에 의해 발견되는 법칙을 말한다. 1963년 발명의 정의 규정 제정 당시 우리나라는 제조업이 국가발전에 중요한 핵심기술이었다. 제조업의 육성을 위해 제조업 발전에 기여한 자에게 특허권을 부여하고자 하였으며, 그 제조업의 특징을 표현한 문장이 '자연법칙을 이용한 것일 것'이다. 이는 자연영역에서 일어나고 발견된 법칙을 이용하여 인공적으로 처리해 만들어 낸 새로운 제품일 것, 또는 그 제품을 사용하여 어떠한 행위를 하는 것일 것을 의미한다. 지금의 핵심기술은 1960년대와 다르지만, 법 규정은 여전히 자연법칙의 이용을 발명의 정의 요건으로 하고 있다. 한편, 열역학 제2법칙·에너지 보존법칙과 같은 자연법칙 그 자체, 영구기관 등 자연법칙에 위배되는 이론을 이용한 공상에 불과한 것, 또는 컴퓨터프로그램과 같이 인위적인 약속 등의 자연법칙 이외의 법칙을 이용한 것은 발명에 해당하지 않는다.

기술적 사상이란 누구에게라도 어떠한 효과가 반복 재현될 수 있는 아이디어를 뜻한다. 예컨대 피아노 연주방법은 연주자의 숙련도에 따라 그 효과인 음률이 다를 수 있는데, 이는 기술이라 하지 않고 기능이라 하며, 발명에 해당하지 않는다. 또 목적하는 효과를 얻을 수 있을 정도로 구체적으로 구성되지 못한 미완성의 사상도 발명에 해당하지 않는다.
창작이란 발견과 대비되는 개념으로서 독창성이 가미된 것을 뜻하고, 고도란 창작의 난이도가 높은 것을 뜻한다.

02 권리능력

관련 조문

제25조(외국인의 권리능력) 재외자 중 외국인은 다음 각 호의 어느 하나에 해당하는 경우를 제외하고는 특허권 또는 특허에 관한 권리를 누릴 수 없다.
1. 그 외국인이 속하는 국가에서 대한민국 국민에 대하여 그 국가의 국민과 같은 조건으로 특허권 또는 특허에 관한 권리를 인정하는 경우
2. 대한민국이 그 외국인에 대하여 특허권 또는 특허에 관한 권리를 인정하는 경우에는 그 외국인이 속하는 국가에서 대한민국 국민에 대하여 그 국가의 국민과 같은 조건으로 특허권 또는 특허에 관한 권리를 인정하는 경우
3. 조약 또는 이에 준하는 것(이하 "조약"이라 한다)에 따라 특허권 또는 특허에 관한 권리가 인정되는 경우

재외자 중 외국인은 ① 그 외국인이 속하는 국가에서 대한민국 국민에 대하여 그 국가의 국민과 같은 조건으로 특허권을 인정하는 경우, ② 대한민국이 그 외국인에 대하여 특허권을 인정하자 그 외국인이 속하는 국가에서도 대한민국 국민에 대하여 그 국가의 국민과 같은 조건으로 특허권을 인정하는 경우, ③ 대한민국이 가입한 조약의 효력에 따라 특허권을 인정하는 경우를 제외하고는 대한민국에서 특허권을 받을 수 없다. 이러한 조건을 만족하지 않는 재외자 중 외국인이 대한민국에 특허권의 부여를 요구하며 특허청에 출원이란 절차를 진행하게 되면, 특허청은 특허권의 부여를 거절하겠다는 결정을 한다(제62조 제1호). 그 이유는 다음과 같다.
재외자란 국내에 주소가 없는 사람 또는 회사를 말한다. 이들은 대한민국에 주소가 없기 때문에 발명을 생산·판매할 가능성이 없고, 이들의 특허권으로 인해 제3자도 그 발명을 생산·판매할 수 없게 되어, 대한민국에서만 해당 발명이 생산·판매되지 않아 대한민국의 산업이 낙후될 우려가 있다. 그래서 재외자에게는 가급적 특허권을 부여하지 않으려고 한다. 다만 재외자라 할지라도 대한민국과 동맹을 맺은 국가의 국민 또는 회사에게는 그 동맹의 효력 때문에 특허권을 부여하며, 이들 동맹국의 국민 또는 회사와 역차별의 논란이 발생하지 않도록 대한민국 국민 또는 회사에게도 재외자라 할지라도 특허권을 부여한다.

03 특허를 받을 수 있는 권리

관련 조문

제33조(특허를 받을 수 있는 자) ① 발명을 한 사람 또는 그 승계인은 이 법에서 정하는 바에 따라 특허를 받을 수 있는 권리를 가진다. 다만, 특허청 직원 및 특허심판원 직원은 상속이나 유증(遺贈)의 경우를 제외하고는 재직 중 특허를 받을 수 없다.

제44조(공동출원) 특허를 받을 수 있는 권리가 공유인 경우에는 공유자 모두가 공동으로 특허출원을 하여야 한다.

제37조(특허를 받을 수 있는 권리의 이전 등) ① 특허를 받을 수 있는 권리는 이전할 수 있다.

제38조(특허를 받을 수 있는 권리의 승계) ① 특허출원 전에 이루어진 특허를 받을 수 있는 권리의 승계는 그 승계인이 특허출원을 하여야 제3자에게 대항할 수 있다.
④ 특허출원 후에는 특허를 받을 수 있는 권리의 승계는 상속, 그 밖의 일반승계의 경우를 제외하고는 특허출원인변경신고를 하여야만 그 효력이 발생한다.
⑤ 특허를 받을 수 있는 권리의 상속, 그 밖의 일반승계가 있는 경우에는 승계인은 지체 없이 그 취지를 특허청장에게 신고하여야 한다.

1. 발명자

특허를 받을 수 있는 권리는 특허청을 포함하여 국가 기관에 어떤 행위를 하지 않더라도 발명 완성과 동시 발명자에게 발생한다. 공동발명한 경우는 공동발명자가 특허를 받을 수 있는 권리를 지분 비율에 따라 공유한다(제33조 제2항).

2. 승계인

발명자는 특허를 받을 수 있는 권리를 전부 또는 지분별로 이전할 수 있다(제37조 제1항). 이때 출원 전 승계는 이전계약 후 효력이 발생하는 반면, 출원 후 승계는 상속 기타 일반승계를 제외하고는 이전계약 후 특허청에 출원인변경신고까지 완료하여야 효력이 발생한다(제38조 제4항).

3. 거절결정 사안

남의 발명을 모인한 자는 발명자도 승계인도 아닌 자로서 특허를 받을 수 있는 권리가 없는 자이다. 모인자가 남의 발명에 대해 특허권 부여를 요구하며 출원하면, 특허청은 특허권의 부여를 거절하겠다는 결정을 한다(제62조 제1호).
발명자 또는 승계인이라 하더라도 특허를 받을 수 있는 권리의 일부 지분만을 가진 자가 다른 공유자를 제외하고 출원하면 특허청은 거절결정을 한다. 특허를 받을 수 있는 권리를 공유하고 있는 경우는 공유자 모두가 함께 출원하여 특허권을 함께 공유하여야만 한다.

발명자 또는 승계인이라 하더라도 특허청 직원은 상속의 경우를 제외하고는 재직 중 특허를 받을 수 없으며, 출원하면 특허청은 거절결정을 한다. 이는 자신의 공직 직분을 남용할 우려가 있기 때문이다.

핵심 Summary

특허를 받을 수 있는 권리의 의미	특허를 받을 수 있는 권리를 가지지 않은 자가 출원할 경우 거절결정(제33조 제1항 본문)	
	특허를 받을 수 있는 권리가 공유임에도 불구하고 일부 공유자를 누락하고 출원할 경우 거절결정(제44조)	
특허를 받을 수 있는 권리의 발생	발명의 완성과 동시에 발명자에게 발생 / 공동발명인 경우 공동발명자가 특허를 받을 수 있는 권리를 공유	
특허를 받을 수 있는 권리의 특징	이전 가능	
특허를 받을 수 있는 권리의 승계	출원 전 승계	계약 시 승계효력 발생
	출원 후 승계	상속 기타 일반승계를 제외하고는 계약 후 출원인변경신고까지 하여야만 승계효력 발생

04 산업상 이용가능성

관련 조문

제29조(특허요건) ① 산업상 이용할 수 있는 발명으로서 다음 각 호의 어느 하나에 해당하는 것을 제외하고는 그 발명에 대하여 특허를 받을 수 있다.

1. 서설

특허법의 목적은 산업발전에 기여하는 데 있으므로(제1조), 산업상 이용가능성이 없는 것은 특허권을 받을 수 없다(제29조 제1항 본문).

산업은 경제활동의 대상이 되는 물건이나 서비스를 만들어 내는 행위를 말한다. 특허법상 산업은 농업의 1차 산업, 제조업의 2차 산업, 서비스의 3차 산업 모두를 포함하는 광범위한 개념으로 해석한다. 다만 우리나라는 의료행위만 산업에서 제외하는데, 이는 인간의 존엄성이라는 가치관 때문이다.

이용가능성은 출원된 발명이 장래에 산업으로 이용될 가능성이 있는지, 즉 산업으로의 실시화가 장래에 가능한지를 말한다.

2. 의료행위

(1) 취급

인간의 존엄성을 위해 모든 사람은 의사의 도움을 통하여 질병의 진단, 치료, 경감 또는 예방할 수 있는 의료방법을 선택하고 접근할 수 있는 권리가 보호되어야 한다. 그러나 의료행위에 관한 발명을 특허권의 대상으로 하게 되면 의사가 의료행위를 수행함에 있어 특허권의 침해 여부를 신경 쓰게 되어 의료행위에 대한 자유로운 접근이 어렵게 된다. 따라서 이러한 이유로 대한민국은 의료행위를 산업상 이용할 수 있는 발명으로 보지 않는다. 즉, 대한민국에서 의료행위 발명을 출원하면 특허청은 거절결정을 내리게 된다.

(2) 적용 대상을 인간을 제외한 동물로 한정한 발명의 경우

인간의 존엄성과 관계없는 동물용 의료방법 발명은 산업상 이용가능성이 인정되며, 특허권을 부여받을 수 있다.

(3) 비치료적 용도로만 한정한 발명의 경우

모발의 웨이브방법과 같이, 의료행위처럼 인체를 필수 구성요건으로 하고 있지만 질병에 관한 의료행위가 아니라 겉보기 모습 개선에 관한 미용행위에 해당하는 경우에는 산업상 이용가능성이 인정되며 특허권을 부여받을 수 있다. 다만 의료효과와 미용효과를 분리할 수 없는 방법은 미용행위가 아닌 의료행위로 간주되어 산업상 이용 가능한 것으로 인정하지 않는다.

(4) 의료기구, 장치, 의약 등 물건발명의 경우

인간 질병의 진단, 치료, 경감 또는 예방에 사용되더라도, 의료기기 그 자체, 의약품 그 자체 등(물건발명)은 의료행위(방법발명)와 구분하며, 산업상 이용 가능한 것으로 인정한다. 이는 인간의 존엄성을 떠나 제약회사의 투자물은 보호해 줘야 한다는 논리에서 비롯되었다.

05 신규성 및 진보성

관련 조문

제29조(특허요건) ① 산업상 이용할 수 있는 발명으로서 다음 각 호의 어느 하나에 해당하는 것을 제외하고는 그 발명에 대하여 특허를 받을 수 있다.

1. 특허출원 전에 국내 또는 국외에서 공지(公知)되었거나 공연(公然)히 실시된 발명
2. 특허출원 전에 국내 또는 국외에서 반포된 간행물에 게재되었거나 전기통신회선을 통하여 공중(公衆)이 이용할 수 있는 발명

② 특허출원 전에 그 발명이 속하는 기술분야에서 통상의 지식을 가진 사람이 제1항 각 호의 어느 하나에 해당하는 발명에 의하여 쉽게 발명할 수 있으면 그 발명에 대해서는 제1항에도 불구하고 특허를 받을 수 없다.

1. 신규성

신규성이란 새로운 성질을 뜻한다. 출원 시를 기준으로 이미 공개된 발명, 즉 출원 전 국내 또는 국외에서 ① 공지된 발명, ② 공연히 생산・판매・사용되어 실시된 발명, ③ 간행물에 게재된 발명 또는 ④ 전기통신회선을 통하여 공중이 이용할 수 있는 발명과 같이 신규하지 않아 출원한 자가 처음 공개한 것이라 볼 수 없는 발명에 대해서는 특허권을 부여하지 않는다(제29조 제1항 각 호). 신규하지 않은 발명을 출원하면 특허청은 거절결정을 한다. 참고로 여기서 공지와 공연실시는 발명 자체가 공개된 경우를 말하고, 간행물 게재와 전기통신회선은 매체를 통해 언어화 또는 도면화되어 발명이 공개된 경우를 말한다.

2. 진보성

진보성이란 더 나아진 성질을 뜻한다. 이미 공개된 발명과 대비하였을 때 더 나아진 것 없이 통상의 기술자가 쉽게 생각해 낼 수 있는 진보하지 않은 발명은 공개되더라도 기술의 발달에 공헌하지 않기 때문에 특허권을 부여하지 않는다(제29조 제2항). 신규성만이 아니라 진보성까지 갖춰야 특허권 받을 수 있으며, 신규하더라도 진보하지 않은 발명을 출원하면 특허청은 거절결정을 한다.

3. 판단방법

신규성과 진보성은 제29조 제1항 각 호 중 어느 하나의 공개된 종래기술과 대비하여 평가한다. 공개된 종래기술과 구성이 동일하다면 신규성이 없고, 구성이 동일하지 않으나 곤란하지 않다면 진보성이 없다. 이때 공개된 종래기술인지 여부는 출원 시를 기준으로 판단한다. 출원일이 아닌 특허청에 출원한 때의 시・분・초까지 고려하여 우리나라 시간으로 환산하였을 때, 출원 시보다 앞서 국내외에서 공개된 것은 공개된 종래기술이 된다.

신규성 판단 시 구성의 동일 여부는 전면적으로 일치하는 경우는 물론 실질적으로 동일한 경우도 포함한다. 즉, 공개된 종래기술의 구성을 단순 변경한 것에 불과하여 종래기술과 대비하였을 때 새로운 효과 발생이 없는 경우도 신규성이 없다고 본다.

진보성 판단 시 구성의 곤란 여부는 출원 시 기술수준으로 보아 통상의 기술자가 공개된 종래기술로부터 발명의 효과를 합리적으로 기대한 채 그 구성을 도출할 수 있는지에 따라 판단한다. 진보성은 신규성이 있음을 전제로 판단하는 것이어서, 실무에서는 구성의 동일성을 구성의 곤란성보다 선행하여 심사한다.

핵심 Summary

<table>
<tr><td rowspan="3">산업상 이용가능성
(산업상 이용 가능한 발명인지)</td><td>산업</td><td>의료행위는 산업으로 보지 않음</td></tr>
<tr><td>이용가능성</td><td>장래 기술발전에 힘입어 산업적 실시가 가능하게 되는 것은 포함하지 않음</td></tr>
<tr><td colspan="2">위반하고 출원할 경우 거절결정</td></tr>
<tr><td rowspan="2">신규성
(신규한 발명인지)</td><td colspan="2">출원 전 불특정 다수인이 인식할 수 있는 상태에 놓인 발명(제29조 제1항 각 호, 즉 공지발명, 공연실시발명, 반포된 간행물에 게재된 발명, 전기통신회선을 통해 공중이 이용할 수 있는 발명)과 대비하였을 때, ① 문언적으로 완전히 일치하는 단계, ② 문언적으로 일치하지는 않으나 그 차이가 주지관용기술의 변경 등에 불과하고 효과가 서로 유사한 단계, ③ 구성이 다른 단계, ④ 구성이 다르고 쉽게 창작할 수 없는 단계 중 ①, ②의 단계에 있을 때 신규하지 않다고 봄. 특히 ②의 단계를 제29조 제1항 각 호와 실질적으로 동일하다고 평가함</td></tr>
<tr><td colspan="2">위반하고 출원할 경우 거절결정</td></tr>
<tr><td rowspan="2">진보성
(진보한 발명인지)</td><td colspan="2">위 ③의 단계를 제29조 제1항 각 호보다 진보하지 않다고 봄</td></tr>
<tr><td colspan="2">위반하고 출원할 경우 거절결정</td></tr>
</table>

06 선출원주의

관련 조문

제36조(선출원) ① 동일한 발명에 대하여 다른 날에 둘 이상의 특허출원이 있는 경우에는 먼저 특허출원한 자만이 그 발명에 대하여 특허를 받을 수 있다.
② 동일한 발명에 대하여 같은 날에 둘 이상의 특허출원이 있는 경우에는 특허출원인 간에 협의하여 정한 하나의 특허출원인만이 그 발명에 대하여 특허를 받을 수 있다. 다만, 협의가 성립하지 아니하거나 협의를 할 수 없는 경우에는 어느 특허출원인도 그 발명에 대하여 특허를 받을 수 없다.
③ 특허출원된 발명과 실용신안등록출원된 고안이 동일한 경우 그 특허출원과 실용신안등록출원이 다른 날에 출원된 것이면 제1항을 준용하고, 그 특허출원과 실용신안등록출원이 같은 날에 출원된 것이면 제2항을 준용한다.
④ 특허출원 또는 실용신안등록출원이 다음 각 호의 어느 하나에 해당하는 경우 그 특허출원 또는 실용신안등록출원은 제1항부터 제3항까지의 규정을 적용할 때에는 처음부터 없었던 것으로 본다. 다만, 제2항 단서(제3항에 따라 준용되는 경우를 포함한다)에 해당하여 그 특허출원 또는 실용신안등록출원에 대하여 거절결정이나 거절한다는 취지의 심결이 확정된 경우에는 그러하지 아니하다.
1. 포기, 무효 또는 취하된 경우
2. 거절결정이나 거절한다는 취지의 심결이 확정된 경우
⑤ 발명자 또는 고안자가 아닌 자로서 특허를 받을 수 있는 권리 또는 실용신안등록을 받을 수 있는 권리의 승계인이 아닌 자가 한 특허출원 또는 실용신안등록출원은 제1항부터 제3항까지의 규정을 적용할 때에는 처음부터 없었던 것으로 본다.
⑥ 특허청장은 제2항의 경우에 특허출원인에게 기간을 정하여 협의의 결과를 신고할 것을 명하고, 그 기간에 신고가 없으면 제2항에 따른 협의는 성립되지 아니한 것으로 본다.

선(출)원주의는 서로 다른 자가 동일한 발명에 대해 중복으로 연구하였을 때 그들 중 누구에게 특허권을 부여할지 결정하는 기준으로서, 가장 먼저 특허청에 출원한 자에게 특허권을 부여하는 논리이다. 특허제도는 공개의 대가로 일정 기간 동안 독점권을 부여하는 제도인데, 하나의 기술사상에 이중으로 특허권을 부여하는 것은 독점이라는 특허제도의 본질에 반하므로 중복특허배제 원칙을 구현하기 위해 도입되었다.

선원주의는 서로 다른 출원의 청구범위에 기재된 동일성이 있는 발명 간에 적용한다. 발명이 동일한지 여부는 청구항에 기재된 발명(발명과 고안의 동일 여부를 포함한다) 간에 기술적 사상이 동일한가에 따라 정하며, 그 동일성 판단은 신규성 판단과 같다.

다만 선출원된 것이라고 하더라도, 그 선출원이 무효·취하·포기·거절결정확정·거절한다는 취지의 심결(거절결정불복심판의 기각심결)이 확정되어 특허권이 나오지 않고 절차가 종결된 경우는 선원의 지위를 소급적으로 소멸시킨다(제36조 제4항 본문). 선출원발명에 대해 특허권이 나오지 않고 출원절차가 종결되었다는 것은 특허권 발생 가능성이 소멸되었다는 것과 마찬가지이므로, 동일한 발명에 대한 후출원이 있다고 하더라도 중복특허의 염려가 없는바, 선원의 지위를 처음부터 없었던 것으로 보는 것이다.

한편, 동일한 발명에 대해 같은 날에 2 이상의 특허출원이 있는 때는 중복특허배제는 요구되나, 그 선·후 관계의 정립을 할 수 없으므로 특허청에서는 당사자에게 문제의 해결을 맡긴다. 즉, 특허청은 기간을 정하여 출원인 간에 협의해 보고 그 결과를 신고할 것을 명하여(제36조 제6항), 출원인 간의 협의에 의해서 정해진 하나의 출원만이 그 발명에 대해 특허권을 받을 수 있도록 유도한다. 만약 협의가 성립하지 아니하거나 협의를 할 수 없거나 지정된 기간 내에 협의 결과가 신고되지 않을 때는 어느 출원도 특허권을 받을 수 없도록 거절결정함으로써(제36조 제2항), 각 출원인들의 이해관계를 조율한다.

핵심 Summary

<table>
<tr><td rowspan="4">동일한 발명을 다른 날에 출원한 경우</td><td colspan="2">중복특허배제를 위해 나중에 출원한 출원이 선원주의에 위반되어 거절결정됨</td></tr>
<tr><td rowspan="3">선원의 지위</td><td>선출원의 청구범위에 기재된 발명에 대해 인정, 선출원의 청구범위를 보정할 경우 선원의 지위가 인정되는 발명의 내용이 변경됨</td></tr>
<tr><td>출원이 무효, 취하, 포기, 거절결정확정, 거절결정불복심판 기각심결확정된 경우 선원의 지위 소멸(단 제36조 제2항 단서에 해당하여 거절결정확정, 거절결정불복심판 기각심결확정된 경우는 제외)</td></tr>
<tr><td>무권리자 출원은 선원의 지위를 인정하지 않음</td></tr>
<tr><td>동일한 발명을 같은 날에 출원한 경우</td><td colspan="2">같은 날에 출원한 경우는 선·후출원의 관계가 성립하지 않으나 중복특허배제를 위해 협의에 의하여 정해진 하나의 출원만 특허 가능, 협의 불성립 시 모든 출원이 선원주의에 위반되어 거절결정됨</td></tr>
<tr><td>동일한 발명인지</td><td colspan="2">특허출원뿐 아니라 실용신안등록출원도 고려, 신규성 판단방법과 마찬가지로 실질적 동일의 범위까지 동일한 발명으로 해석</td></tr>
</table>

07 확대된 선출원주의

관련 조문

제29조(특허요건) ③ 특허출원한 발명이 다음 각 호의 요건을 모두 갖춘 다른 특허출원의 출원서에 최초로 첨부된 명세서 또는 도면에 기재된 발명과 동일한 경우에 그 발명은 제1항에도 불구하고 특허를 받을 수 없다. 다만, 그 특허출원의 발명자와 다른 특허출원의 발명자가 같거나 그 특허출원을 출원한 때의 출원인과 다른 특허출원의 출원인이 같은 경우에는 그러하지 아니하다.
1. 그 특허출원일 전에 출원된 특허출원일 것
2. 그 특허출원 후 제64조에 따라 출원공개되거나 제87조제3항에 따라 등록공고된 특허출원일 것

선출원 출원서에 최초로 첨부된 명세서 또는 도면에 기재되어 있는 발명은 특별한 사정이 없는 한 출원공개 또는 등록공고에 의하여 공개될 예정에 있으므로 그 발명은 이미 공개된 발명이라 볼 수 있다. 그런데 이렇게 공개될 발명을 제3자의 전유물로 하는 것은 부당할 뿐 아니라, 새로운 발명에 대한 공개의 대가로 일정 기간 동안 독점을 부여하는 특허제도의 취지에도 부합하지 않는다.

하지만 선원주의의 제도에서는 선출원의 청구범위에 기재된 발명과 동일한 발명을 후출원한 경우만 중복특허배제라는 취지하에서 선원의 지위로 후출원의 특허권 발생을 배제할 수 있을 뿐, 선출원의 청구범위에는 기재되어 있지 않으나 선출원의 출원서에 최초로 첨부된 명세서 또는 도면에 기재된 발명과 동일한 발명을 후출원한 경우는 선원의 지위로 이의 특허권 발생을 저지할 수가 없다. 그러나 마땅히 선출원의 출원서에 최초로 첨부된 명세서 또는 도면에 기재된 발명과 동일한 발명을 후출원한 경우도 이의 특허권 발생을 저지할 필요가 있는바, 확대된 선원주의를 도입한 것이다. 확대된 선원주의는 말 그대로 선원주의의 미비점을 보완한 논리이다. 확대된 선원의 지위는 출원서에 첨부된 최초 명세서 또는 도면에 기재된 발명에 대해 인정된다.

확대된 선원은 확대된 선원의 지위와 후출원한 발명이 동일한 경우에 적용한다. 동일성 판단 방법은 신규성에서 살핀 바와 같다. 즉, 신규성, 선원주의, 확대된 선원주의에서 '발명이 동일하다'고 함은 실질적으로 동일한 경우까지 포함한다.

핵심 Summary

<table>
<tr><td rowspan="3">동일한 발명을
다른 날에 출원한 경우</td><td colspan="2">실질적으로 신규하지 아니한 발명에 대해 특허권을 인정하지 않기 위해 나중에 출원한 출원이 확대된 선원주의에 위반되어 거절결정됨</td></tr>
<tr><td rowspan="2">확대된
선원의 지위</td><td>선출원의 최초 명세서 및 도면에 기재된 발명에 대해 인정, 선출원의 명세서 및 도면을 보정하더라도 확대된 선원의 지위가 인정되는 발명의 내용은 변경되지 않음</td></tr>
<tr><td>선출원이 출원공개 또는 등록공고가 되어야 확대된 선원의 지위가 인정됨. 출원공개 이후 출원이 무효, 취하, 포기, 거절결정확정, 거절결정불복심판 기각심결확정되더라도 확대된 선원의 지위는 소멸하지 않음</td></tr>
<tr><td>동일한 발명을
같은 날에 출원한 경우</td><td colspan="2">같은 날에 출원한 경우는 선·후출원의 관계가 성립하지 않아 확대된 선원주의를 적용하지 않음</td></tr>
<tr><td>동일한 발명인지</td><td colspan="2">신규성 판단방법과 마찬가지로 실질적 동일의 범위까지 동일한 발명으로 해석</td></tr>
</table>

08 불특허발명

관련 조문

제32조(특허를 받을 수 없는 발명) 공공의 질서 또는 선량한 풍속에 어긋나거나 공중의 위생을 해칠 우려가 있는 발명에 대해서는 제29조제1항에도 불구하고 특허를 받을 수 없다.

공공의 질서 또는 선량한 풍속에 어긋나거나 공중의 위생을 해칠 우려가 있는 발명은 출원하면 거절결정되며 특허권을 받을 수 없다(제32조). 이는 공익을 위함이다.

여기서 공공의 질서는 국가사회의 일반적 이익을 의미하고, 선량한 풍속은 사회의 일반적·도덕적 관념을 말한다.

당해 발명이 본래 공서양속을 문란하게 할 목적을 가진 경우뿐 아니라, 당해 발명의 공개 또는 사용이 공서양속에 반하는 경우도 본 규정에 해당하는 것으로 해석한다. 그러나 당해 발명의 본래 목적 이외에 부당하게 사용한 결과 공서양속을 문란하게 하는 경우까지 말하는 것은 아니라고 본다. 예를 들어 당해 발명에 관계되는 기구(빙고)가 순수한 오락용으로 제공되는 것을 목적으로 한 것이고, 도박행위 그 밖의 부정행위용으로 제공하는 것을 목적으로 한 것이 아님이 명세서의 기재내용상 분명하고, 또한 당해 발명의 내용에 비추어 당해 장치를 순수한 오락용으로 제공하고 부정행위용으로 제공하지 않는다는 것이 가능하다고 인정되는 경우는 당해 장치가 부정행위의 용도로 제공될 수 있다는 이유만으로 공서양속을 문란하게 할 염려가 있다고 하지 않는다(심사기준).

공중위생을 해칠 우려가 있는 발명도 공서양속을 문란하게 할 염려가 있는 발명의 경우와 동일하게 취급되며, 이에 해당하는지 아닌지의 판단도 전술한 공서양속을 문란하게 하는 경우에 준하여 고려한다(심사기준). 또한 당해 발명이 제조방법인 경우는 그 방법 자체가 공중위생을 해칠 우려가 있는지 아닌지를 판단하여야 할 뿐만 아니라 그 제조방법의 목적생성물이 공중위생을 해칠 염려가 있는지 아닌지에 대해서도 고려한다(심사기준).

09 발명의 설명 기재요건

관련 조문

제42조(특허출원) ③ 제2항에 따른 발명의 설명은 다음 각 호의 요건을 모두 충족하여야 한다.
1. 그 발명이 속하는 기술분야에서 통상의 지식을 가진 사람이 그 발명을 쉽게 실시할 수 있도록 명확하고 상세하게 적을 것
2. 그 발명의 배경이 되는 기술을 적을 것

1. 기재사항

특허의 출원절차는 특허권을 부여받고자 하는 자가 출원서, 명세서, 필요한 도면 및 요약서를 특허청에 제출하는 것으로 진행된다.

명세서에는 발명의 설명과 청구범위를 적는다(제42조 제2항). 발명의 설명이란 출원인이 출원서에 첨부하여 제출한 명세서에 기재된 사항 중 청구범위를 제외한 나머지 기재사항을 의미한다(심사기준). 발명의 설명은 발명의 기술적 내용을 공개하는 기술문헌으로서, 규정된 기재방법에 따라(제42조 제9항) 그 발명이 속하는 기술분야에서 통상의 지식을 가진 자가 그 발명을 쉽게 실시할 수 있도록 명확하고 상세하게 기재하여야 하며, 그 발명의 배경이 되는 기술을 기재하여야 한다(제42조 제3항).

발명의 설명 기재가 제42조 제3항을 만족하지 않는 경우 그 출원은 거절결정된다.

2. 제42조 제3항 제1호

본 규정은 발명이 속하는 기술분야에서 통상의 지식을 가진 사람이 과도한 시행착오나 별도의 개별적인 추가실험 없이도 발명의 설명만으로 특허출원된 발명의 내용을 쉽게 실시할 수 있도록 발명의 상세한 공개를 강제하는 것으로서, 특허권으로 보호받는 기술적 내용과 범위를 명확하게 하고, 그 발명을 공개해 중복연구를 방지하고, 개량연구 촉진의 계기를 만들어 산업발전에 이바지하기 위한 취지이다. 따라서 발명이 속하는 기술분야에서 통상의 지식을 가진 사람이 과도한 시행착오나 별도의 개별적인 추가실험 없이도 발명의 효과를 쉽게 이해할 수 있고, 그 효과를 나타내는 구성의 재현을 쉽게 할 수 있을 정도로 기재하면 된다. 이때 언어만으로 설명하는 데 한계가 있는 경우는 도면(형상에 대해)이나 기탁절차(미생물에 대해)를 이용할 수 있다.

참고로 화학이나 약학분야는 경우에 따라서 실험결과 없이는 효과를 이해하기가 곤란하여 효과의 입증자료가 요구되는 발명이 있다. 이런 경우는 발명을 실제로 실시하여 효과를 확인한 실시예가 기재되어야 있어야만 제42조 제3항 제1호가 만족될 수 있다. 물론 화학이나 약학분야라 하더라도 이와 같은 실시예 없이도 제42조 제3항 제1호가 만족될 수 있는 발명은 실시예의 기재를 생략해도 좋다.

3. 제42조 제3항 제2호

발명의 설명에 배경기술을 기재하지 않으면 제42조 제3항 제2호 위반으로 그 출원은 거절결정하며(제62조 제4호), 이로써 배경기술의 기재를 강제한다.

그 이유는 배경기술이란 출원일 이전에 공개된 종래기술로서, 출원인에 의한 배경기술의 설명이 종래기술의 동향을 참고하여 출원발명의 특징을 이해하는 데 도움이 되기 때문에(심사기준), 출원발명을 종래기술과 대비하여 신규성이나 진보성 등을 심사해야 하는 심사관의 심사 편의를 도모하고자 이의 기재를 강제한 것이다.

제42조 제3항 제2호의 만족을 위해서는 배경기술의 구체적 설명과 그 배경기술이 개시된 선행기술 문헌 정보를 기재하는 것이 좋다. 이때 배경기술은 특허권을 받고자 하는 발명에 관한 것이어야 한다(심사기준). 배경기술이 특허권을 받고자 하는 발명과 관련성이 있는지의 여부는 발명의 기술적 과제, 과제의 해결수단 및 발명의 효과를 전체적으로 고려하여 판단한다(심사기준).

한편, 종래기술과 전혀 다른 신규한 발상에 의해 창작된 발명이이시 배경기술을 특별히 알 수 없는 경우는 인접한 기술분야의 종래기술을 기재하거나 또는 적절하게 배경기술을 알 수 없다는 취지를 기재함으로써 해당 발명의 배경기술의 기재를 대신할 수 있다(심사기준).

배경기술의 기재가 부적법한 경우로는 배경기술을 전혀 적지 않은 경우, 특허권을 받고자 하는 발명에 관한 배경기술이 아닌 경우, 또는 기재가 불충분하여 출원발명의 특징을 이해하는 데 도움이 되지 않는 경우가 있다(심사기준).

핵심 Summary

발명의 설명	제42조 제3항 제1호	통상의 기술자가 발명을 쉽게 실시할 수 있도록 기재, 도면/기탁절차로 보완 가능, 위반 시 거절결정됨
	제42조 제3항 제2호	발명의 배경기술 기재, 위반 시 거절결정됨

10 청구범위 기재요건

관련 조문

제42조(특허출원) ④ 제2항에 따른 청구범위에는 보호받으려는 사항을 적은 항(이하 "청구항"이라 한다)이 하나 이상 있어야 하며, 그 청구항은 다음 각 호의 요건을 모두 충족하여야 한다.
1. 발명의 설명에 의하여 뒷받침될 것
2. 발명이 명확하고 간결하게 적혀 있을 것

시행령 제5조(청구범위의 기재방법) ① 법 제42조제8항에 따른 청구범위의 청구항(이하 "청구항"이라 한다)을 기재할 때에는 독립청구항(이하 "독립항"이라 한다)을 기재하여야 하며, 그 독립항을 한정하거나 부가하여 구체화하는 종속청구항(이하 "종속항"이라 한다)을 기재할 수 있다. 이 경우 필요한 때에는 그 종속항을 한정하거나 부가하여 구체화하는 다른 종속항을 기재할 수 있다.
② 청구항은 발명의 성질에 따라 적정한 수로 기재하여야 한다.
③ 삭제
④ 다른 청구항을 인용하는 청구항은 인용되는 항의 번호를 적어야 한다.
⑤ 2이상의 항을 인용하는 청구항은 인용되는 항의 번호를 택일적으로 기재하여야 한다.
⑥ 2이상의 항을 인용한 청구항에서 그 청구항의 인용된 항은 다시 2 이상의 항을 인용하는 방식을 사용하여서는 아니 된다. 2 이상의 항을 인용한 청구항에서 그 청구항의 인용된 항이 다시 하나의 항을 인용한 후에 그 하나의 항이 결과적으로 2 이상의 항을 인용하는 방식에 대하여도 또한 같다.
⑦ 인용되는 청구항은 인용하는 청구항보다 먼저 기재하여야 한다.
⑧ 각 청구항은 항마다 행을 바꾸어 기재하고, 그 기재하는 순서에 따라 아라비아숫자로 일련번호를 붙여야 한다.

시행령 제6조(1군의 발명에 대한 1특허출원의 요건) 법 제45조제1항 단서의 규정에 의한 1군의 발명에 대하여 1특허출원을 하기 위하여는 다음 각 호의 요건을 갖추어야 한다.
1. 청구된 발명간에 기술적 상호관련성이 있을 것
2. 청구된 발명들이 동일하거나 상응하는 기술적 특징을 가지고 있을 것. 이 경우 기술적 특징은 발명 전체로 보아 선행기술에 비하여 개선된 것이어야 한다.

1. 청구범위 기재요건

청구범위란 명세서에 기재하는 사항 중 하나로서 특허권으로 보호받으려는 사항을 기재하는 식별항목이다(제97조).

청구범위는 발명의 설명에서 공개한 발명 중 출원인이 스스로의 의사에 따라 특허권으로 보호받고자 하는 사항을 선택해 제42조 제8항에 규정된 기재형식에 따라 단일성을 만족하는 범위에서(제45조) 하나 이상의 청구항으로 명확하고 간결하도록 필요한 사항을 기재한다(제42조 제4항).

청구범위 기재가 제42조 제4항, 시행령 제5조, 시행령 제6조를 만족하지 않는 경우 그 출원은 거절결정된다.

2. 제42조 제4항 제1호

발명의 설명은 기술 공개서로서의 역할을 하고, 특허권은 통상의 기술자가 쉽게 실시할 수 있도록 공개한 발명에 대해서만 공개 대가로 부여하는바(제1조), 청구범위는 발명의 설명에 기재한 사항에서 선택하여 작성해야 한다(제42조 제4항 제1호). 만약 발명의 설명에 의해 뒷받침되지 않는 발명을 청구범위에 기재하여 특허권을 받게 되면 공개하지 아니한 발명에 대해 특허권이 부여되는 결과가 발생하기 때문이다.

청구범위가 발명의 설명에 의하여 뒷받침되고 있는지의 여부는, 그 발명이 속하는 기술분야에서 통상의 지식을 가진 자의 출원 시의 기술수준에서 청구범위에 기재된 발명과 대응되는 사항이 발명의 설명에 기재되어 있는지 여부에 의해 판단한다. ① 청구범위에 기재된 발명과 대응되는 사항이 발명의 설명에 기재되어 있지 않고, ② 출원 시의 기술상식에 비추어 보더라도 발명의 설명에 개시된 내용을 청구범위에 기재된 발명의 범위까지 확장할 수 없는 경우에는 청구범위가 발명의 설명에 의해 뒷받침되지 않는다고 본다.

3. 제42조 제4항 제2호

청구범위는 명확하고 간결하게 기재되어야 한다. 명확이란 청구범위에 기재된 용어의 해석이 통상의 기술자 입장에서 용이한가의 문제를 말하며, 대체로 그 용어가 뜻하는 의미가 분명한지가 쟁점이 된다. 간결이란 청구범위의 기재 그 자체가 간결하여야 한다는 것으로 특허권의 보호범위를 한눈에 바로 파악할 수 있게끔 하고자 강제하는 사항이다.

청구범위에 기재된 발명이 명확하고 간결하게 기재되어 있는지의 여부는 발명의 설명의 기재와 출원 시의 기술상식 등을 고려하여 그 발명이 속하는 기술분야의 통상의 지식을 가진 자의 입장에서 판단한다(심사기준).

4. 다항제

청구범위에는 청구항을 기재하며, 청구항은 2 이상 기재할 수 있는데 이를 다항제라 한다. 2 이상의 청구항을 기재할 때는 시행령 제5조의 방식으로 기재해야 한다.

(1) 시행령 제5조 제1항

청구범위에 청구항을 기재할 때는 독립청구항(독립항)을 기재하여야 하고, 필요에 따라 독립항에 이미 포함되어 있는 발명이라 할지라도 따로 독립항의 종속청구항(종속항) 또는 종속항의 종속항도 기재할 수 있다.

즉, 청구범위에 기재된 청구항은 ① 독립항과 ② 다른 항을 인용하면서 내용적으로 한정하거나 부가하여 구체화한 종속항으로 구분할 수 있다. 여기서 독립항을 한정하거나 부가하여 구체화한다는 것의 의미는 기술적 구성을 부가하거나 상위개념을 하위개념으로 한정함으로써 발명을 구체화하는 것을 말한다.

(2) 시행령 제5조 제2항

청구항은 발명의 성질에 따라 적정한 수로 기재하여야 한다. 이는 두 가지의 측면을 도모하기 위한 규정이다. 첫째는 청구항 수에 따라 심사청구절차에 관한 수수료가 책정되는데, 하나의 청구항에 과하게 많은 발명을 기재하면 특허청의 수입이 부당하게 줄어들게 되어 이를 막고자 함이다. 둘째는 적정한 수로 기재해야 특허권으로 보호받고자 하는 사항을 쉽게 해석할 수 있기 때문이다.

청구항이 적정한 수로 기재되지 않은 유형으로는 ① 하나의 청구항에 카테고리가 다른 2 이상의 발명이 기재된 경우, ② 하나의 청구항에 청구하는 대상이 2 이상인 경우, ③ 동일한 청구항을 중복하여 기재(단, 문언적으로 동일한 경우를 말하며 실질적으로 동일할 뿐 표현을 달리한 경우는 제외한다)하는 경우, ④ 하나의 청구항 내에서 다수의 청구항을 다중으로 인용하는 경우가 있다(심사기준).

(3) 시행령 제5조 제4항

다른 청구항을 인용하는 청구항은 인용되는 항의 번호를 적어야 한다. 우리나라는 2 이상의 청구항을 기재할 때, 중복되는 내용의 반복 기재를 생략하기 위해 다른 항을 인용하는 형식으로 청구항의 작성이 가능하다. 이때 인용하는 내용의 명확한 파악을 위해 다른 항을 인용할 때는 그 인용하는 항의 항 번호를 기재할 것을 강제한다.

예시

[청구범위]

[청구항 1]

엔진(engine)(독립항)

[청구항 2]

제1항에 있어서 알루미늄으로 만들어진 엔진(종속항)

[청구항 3]

삭제

[청구항 4]

전술한 항 중 어느 한 항의 엔진 연료가 가솔린인 엔진(종속항)

[청구항 5]

선루프, 미션 및 전술한 항 중 어느 항의 엔진을 갖는 자동차(독립항)

예시에서 청구항 4는 청구항 1(독립항)의 엔진 연료를 가솔린으로 한정하여 구체화하는 항(종속항)이나 인용하는 항 번호를 기재하지 않아, 시행령 제5조 제4항에 위배되어 출원이 거절결정된다. 청구항 5(독립항) 역시 다른 항을 인용하고 있으나 인용하는 항 번호를 구체적으로 특정하고 있지 않아 시행령 제5조 제4항에 위배되어 출원이 거절결정된다.

⑷ 시행령 제5조 제5항

2 이상의 항을 인용하는 청구항은 인용하는 항의 번호를 택일적으로 기재하여야 한다. 이는 어휘적으로 모순이 없게 하여, 그 발명의 해석에 있어서 조금이라도 불명료함을 남기지 않게 하기 위함이다.
택일적으로 기재한 유형으로는 ① "제1항 또는 제2항에 있어서", ② "제1항 내지 제3항 중 어느 한 항에 있어서", ③ "제1항, 제2항 또는 제3항 중 어느 한 항에 있어서", ④ "제1항, 제2항 또는 제3항에 있어서", ⑤ "제1항 내지 제7항 및 제9항 중 어느 한 항에 있어서"를 들 수 있다. 즉 "또는"으로 2 이상의 항 번호를 언급하거나, "및"이나 "내지"에 "중 어느 한 항에 있어서"를 덧붙여 2 이상의 항 번호를 언급하면, 택일적으로 인용하는 항 번호를 언급한 것이 된다.
반대로 ① "제1항, 제2항에 있어서", ② "제1항 및 제2항 또는 제3항에 있어서", ③ "제1항 및 제2항 또는 제3항 중 어느 한 항에 있어서"와 같은 경우는 택일적으로 기재하지 않은 유형으로 본다.
참고로 ","는 뒤에 따르는 단어에 따라 의미가 결정된다. "제1항, 제2항 또는 제3항"에서의 ","는 "또는"의 의미이고, "제1항, 제2항 및 제3항"에서의 ","는 "및"의 의미가 된다.

⑸ 시행령 제5조 제6항

2 이상의 항을 인용하는 청구항은 2 이상의 항을 인용한 다른 청구항을 인용할 수 없으며, 2 이상의 항을 인용한 청구항에서 그 청구항에 인용된 항이 다시 하나의 항을 인용한 후에 그 하나의 항이 결과적으로 2 이상의 항을 인용하는 것도 허용되지 않는다. 이는 하나의 청구항을 해석함에 있어서 다수의 다른 청구항을 참조하여야 하는 어려움을 방지하기 위함이다.
2 이상의 항을 인용하는 청구항이 2 이상의 항을 인용한 다른 청구항을 인용한 유형은 다음 예시에서 청구항 4와 같은 경우를 말한다.

예시

[청구범위]

[청구항 1]

... 장치

[청구항 2]

제1항에 있어서, ... 장치

[청구항 3]

제1항 또는 제2항에 있어서, ... 장치

[청구항 4]

제2항 또는 제3항에 있어서, ... 장치

2 이상의 항을 인용한 청구항에서 그 청구항에 인용된 항이 다시 하나의 항을 인용한 후에 그 하나의 항이 결과적으로 2 이상의 항을 인용한 유형은 다음 예시에서 청구항 5와 같은 경우를 말한다.

예시

[청구범위]

[청구항 1]

... 장치

[청구항 2]

제1항에 있어서, ... 장치

[청구항 3]

제1항 또는 제2항에 있어서, ... 장치

[청구항 4]

제3항에 있어서, ... 장치

[청구항 5]

제2항 또는 제4항에 있어서, ... 장치

[청구항 6]

제5항에 있어서, ... 장치

예시에서 이의 극복을 위해서는 청구항 5에서 제4항의 인용을 삭제하고, 필요하다면 청구항 7을 신설하여 제4항을 인용하는 발명을 청구하면 된다.

(6) 시행령 제5조 제7항

인용되는 청구항은 인용하는 청구항보다 먼저 기재해야 한다. 예컨대 청구항 3에서 제7항을 인용하면 안 된다. 이는 위에서부터 아래로 읽는 자연스러운 접근 순서에 따라 청구항에 기재된 발명을 파악하고자 함이다.

(7) 시행령 제5조 제8항

각 청구항은 항마다 행을 바꾸어 기재하고, 그 기재하는 순서에 따라 아라비아숫자로 일련번호를 붙여야 한다. 이렇게 기재하는 것이 보기에 가장 깔끔하기 때문이다.

5. 단일성

출원인 입장에서는 가능한 다수의 발명을 하나의 청구범위에 포함시켜 출원하는 것이 특허권 관리 측면에서 유리할 수 있으나, 특허청 입장에서는 심사 부담 측면에서 1출원 범위가 좁은 것이 유리하다. 제45조는 이러한 양 균형의 조화를 도모하고자 한 것이며, 하나의 총괄적 발명의 개념을 형성하는 1군의 발명에 대해 1특허출원이 가능하다고 규정한다.

제45조 제1항에서 규정하고 있는 하나의 총괄적 발명의 개념을 형성하는 1군의 발명(단일성)에 해당되는지의 여부는 시행령 제6조 제1호 및 제2호를 모두 만족하는지로 결정하는데, 이를 요약하면 동일하거나 상응하는 특별한 기술적 특징을 각 청구항마다 포함하고 있어, 각 청구항에 기재된 발명들이 기술적으로 상호관련성이 있는지이다. 여기서 특별한 기술적 특징이란 각 발명 전체로 보아 해당 출원 전 공지 등이 된 선행기술에 비해 신규성 및 진보성을 구비한 기술적 특징을 말한다.

핵심 Summary

<table>
<tr><td rowspan="14">청구범위</td><td>제42조 제4항 제1호</td><td colspan="2">발명의 설명에 의해 뒷받침되는 발명만 기재, 위반 시 거절결정됨</td></tr>
<tr><td>제42조 제4항 제2호</td><td colspan="2">발명을 명확하고 간결하게 기재, 위반 시 거절결정됨</td></tr>
<tr><td rowspan="9">제42조 제8항</td><td>시행령 제5조 제1항</td><td>종속항 기재할 수 있음, 위반 사항 아님</td></tr>
<tr><td>시행령 제5조 제2항</td><td>적정한 수로 기재</td></tr>
<tr><td>시행령 제5조 제4항</td><td>인용하는 항 번호 기재</td></tr>
<tr><td>시행령 제5조 제5항</td><td>항 번호 택일적으로 기재</td></tr>
<tr><td>시행령 제5조 제6항</td><td>2 이상의 항을 인용하는 항은 2 이상의 항을 인용한 항을 인용할 수 없음</td></tr>
<tr><td>시행령 제5조 제7항</td><td>먼저 기재한 항만 인용 가능</td></tr>
<tr><td>시행령 제5조 제8항</td><td>항마다 행을 바꾸어 기재하고, 항 번호는 기재하는 순서에 따라 아라비아숫자로 일련번호를 붙일 것</td></tr>
<tr><td colspan="2">제2항 및 제4항 내지 제8항 위반 시 거절결정됨</td></tr>
<tr><td style="display:none"></td></tr>
<tr><td rowspan="3">제45조</td><td>시행령 제6조 제1호</td><td>상호관련성이 있을 것</td></tr>
<tr><td>시행령 제6조 제2호</td><td>상호관련성이 선행기술에 비해 개선된 것일 것</td></tr>
<tr><td colspan="2">위반 시 거절결정됨</td></tr>
</table>

11 기타 특허요건

그 외 조약에 위반되는 경우, 명세서 및 도면 보정·분할출원·분리출원·변경출원 범위를 벗어나는 경우 거절결정된다.

기출로 다지기

1 발명은 자연법칙의 이용을 요건으로 한다. 다음 중 발명이라 볼 수 있는 것은? • 19회 기출

① 게임 규칙
② 암호작성방법
③ 영구기관
④ 만유인력의 법칙
⑤ 인체 침습용 의료기기

| ⑤ 의료기기는 발명으로 인정된다. ▶ ⑤

2 특허를 받을 수 있는 권리에 대한 설명 중 바르지 않은 것은? • 20회 기출

① 발명을 직접 수행한 자 이외에 발명을 한 자로부터 정당하게 특허를 받을 수 있는 권리를 승계한 자도 특허출원하여 등록을 받을 수 있다.
② 발명자가 아닌 자로서 특허를 받을 수 있는 권리의 정당한 승계인이 아닌 자는 특허출원하여도 등록을 받을 수 없다.
③ 무권리자가 특허출원한 후 일정한 요건하에서 정당권리자가 특허출원하면 무권리자 특허출원 사실은 정당권리자의 특허등록에 영향을 미치지는 아니한다.
④ 위 ③의 경우에도 무권리자 출원 후 정당권리자 출원 전에 제3자가 동일한 발명에 대해 특허출원하였다면 선원주의에 의해 정당권리자는 특허등록을 받을 수 없다.
⑤ 무권리자 출원이 착오로 등록되면 무효심판에 의해 무효로 될 수 있다.

| ④ 정당권리자의 출원은 무권리자 출원일로 출원일 소급효를 받는다. ▶ ④

3 실체적 특허요건으로서 산업상 이용가능성에 관한 설명으로 틀린 것은? • 18회 기출

㉠ 산업상 이용가능성이 없는 발명은 특허 등록을 받을 수 없다.
㉡ 산업상 이용가능성을 판단할 때 발명의 경제성 유무는 고려하지 않는다.
㉢ 특허출원일 당시에 반드시 실시할 수 있어야 산업상 이용가능성이 있다고 본다.
㉣ 인체로부터 분리하여 채취한 것을 이용한 진단방법은 산업상 이용가능성이 인정될 수 없다.
㉤ 의료분야의 경우 산업상 이용가능성이 부정되는 경우가 있다.

① ㉠, ㉡
② ㉡, ㉢
③ ㉢, ㉣
④ ㉣, ㉤
⑤ ㉠, ㉤

| ㉢ 특허출원 시에 실시할 수 없다고 하여도 장래에 실시할 수 있다면, 산업상 이용가능성이 있다.
㉣ 인체로부터 자연적으로 배출되거나 채취된 것을 처리하여, 질병의 진단 등을 하는 물건발명은 의료행위(방법발명)와 구분하며, 산업상 이용 가능한 것으로 인정한다. ▶ ③

4 다음은 특허요건 중 신규성에 대한 설명이다. 이 중 잘못된 것은? • 18회 기출

① 특허법상 공지란 발명이 불특정 다수인이 알 수 있는 상태에 놓여 있는 것을 말한다.
② 특허출원된 발명이 공지된 기술로부터 용이하게 발명할 수 있다면 신규성이 없다.
③ 간행물은 공중의 요구를 만족할 수 있을 정도의 부수가 복제되어 제공될 필요가 없다.
④ 비밀유지 의무가 있는 자가 알고 있는 것은 신규성의 상실에 해당하지 않는다.
⑤ 인터넷을 통해 공개, 공지된 것도 신규성의 상실에 해당한다.

| ② 특허출원된 발명이 공지된 기술로부터 용이하게 발명할 수 있다면 진보성이 없는 것이다. ▶ ②

5 특허요건 중 진보성에 대한 다음의 설명들 중 가장 적절하지 않은 것은? • 19회 기출

① 진보성이란 출원발명이 속하는 기술분야에서 통상의 지식을 가진 자가 선행기술로부터 출원발명을 쉽게 발명할 수 없는 정도를 말한다.
② 진보성은 특허출원 시를 기준으로 청구범위에 기재된 발명을 그 전에 공개된 발명으로부터 그 기술분야에서 통상의 지식을 가진 자가 쉽게 발명할 수 있는지 여부에 따라 판단한다.
③ 일반적으로 진보성의 판단은 목적, 구성 및 효과 중 발명의 구성에 중점을 두면서 목적 및 효과를 종합적으로 대비하여 판단하게 된다.
④ 진보성을 판단할 때에는 상업적 성공에 의한 모방품의 발생 사실이나 장기간의 미해결 과제를 해결하였다는 사실 등이 고려되는 경우는 없다.
⑤ 특허출원 전에 이미 공지가 된 발명의 경우, 일정한 요건을 만족하는 경우에는 예외적으로 해당 공지 사실을 진보성 판단의 선행기술로 취급하지 않을 수 있다.

| ④ 진보성 판단 시 상업적 성공이나 장기간 미해결 과제를 해결하였다는 사실 등을 참고적으로 활용할 수 있다. ▶ ④

6 다음은 특허법상 선출원주의에 관한 설명이다. 이 중 틀린 것을 고르시오. • 22회 기출

① 동일한 발명에 대하여 다른 날에 둘 이상의 특허출원이 있는 경우에는 먼저 특허출원한 자만이 그 발명에 대하여 특허를 받을 수 있다.
② 동일자에 동일발명이 경합되는 경우에는 시간상 먼저 출원한 자가 특허등록을 받을 수 있다.
③ 특허출원한 발명과 실용신안등록출원에 대한 고안이 동일한 경우 그 출원들이 다른 날에 출원된 것일 때에는 먼저 출원한 자만이 등록을 받을 수 있다.
④ 특허출원한 발명과 실용신안등록출원에 대한 고안이 동일한 경우 그 출원들이 동일자에 출원된 것일 때에는 협의에 의해 정하여진 1인만이 등록을 받을 수 있다.
⑤ 특허출원한 발명과 실용신안등록출원에 대한 고안이 동일한 경우 특허청장은 기간을 정하여 협의의 결과를 신고할 것을 명하여야 한다.

| ② 선출원주의는 '일' 단위로 적용된다. 따라서 동일자 출원 간에는 선·후출원 관계가 성립되지 않고 협의제에 의해 1인만이 등록이 가능하다. ▶ ②

7 甲은 2014년 1월 2일에 자동차(A)에 관한 디자인등록출원을 하였다. 甲의 디자인 A에 관한 출원은 2014년 7월 1일에 설정등록되었고 2014년 7월 3일에 디자인공보에 게재되어 등록공고되었다. 이러한 사실관계를 전제로 이하의 설문 중 틀린 것을 고르시오. (각 설문의 사실관계는 다른 지문의 고려 없이 독립적으로 판단하는 것으로 한다.) • 18회 기출

① 乙이 2014년 5월 1일 디자인 A와 유사한 디자인 A′에 관한 디자인등록출원을 하였다면, 乙의 출원은 선출원 규정 위반의 거절이유를 갖는다.
② 丙이 2014년 7월 4일 디자인 A와 유사한 디자인 A′에 관한 디자인등록출원을 하였다면, 丙의 출원은 신규성 규정 위반의 거절이유를 갖는다.
③ 丁이 2014년 5월 1일 디자인 A에 포함된 자동차 바퀴(a)에 관한 디자인과 유사한 디자인(a′)을 디자인등록출원한 경우 丁의 출원은 확대된 선출원 규정 위반의 거절이유를 갖는다.
④ 戊가 2014년 7월 4일 디자인 A에 포함된 자동차 바퀴(a)에 관한 디자인과 유사한 디자인(a′)을 디자인등록출원한 경우, 戊의 출원은 신규성 위반의 거절이유를 갖는다.
⑤ 甲이 2014년 5월 1일 디자인 A에 포함된 자동차 바퀴(a)에 관한 디자인과 유사한 디자인(a′)을 디자인등록출원한 경우 甲의 디자인 a에 관한 출원은 확대된 선출원 규정 위반의 거절이유를 갖는다.

| ⑤ 확대된 선출원 규정은 출원인이 동일한 경우에는 적용되지 않는다. 따라서 선·후출원 모두 甲의 출원인 경우에 후출원이 확대된 선출원 규정 위반이라고 판단한 ⑤는 틀린 지문에 해당한다. ▶ ⑤

8 발명자 갑은 A, B에 대한 발명을 하였고 발명의 설명에는 A, B를, 청구범위에는 A만을 기재하여 출원하였다. 한 달 후 을은 발명 B를 발명의 설명과 청구범위에 작성한 후 출원하였다. 다음 설명 중 옳은 것은? • 22회 기출

① 갑의 출원이 을이 발명한 것을 모방한 무권리자의 출원인 경우 정당권리자인 을의 출원은 갑의 출원에 의한 확대된 선출원주의(특허법 29조 3항)의 적용을 받지 않는다.
② 을이 갑의 출원을 양도받아 선출원과 동일한 출원인이 되면, 을의 출원은 확대된 선출원주의(특허법 29조 3항)의 적용을 받지 않는다.
③ 갑의 출원이 실용신안 출원이고, 을의 출원은 특허출원인 경우 을의 출원은 갑의 출원에 의한 확대된 선출원주의에 의하여 거절되지 않는다.
④ 갑이 출원공개 전 보정을 통해 B를 삭제한다면 을이 B를 청구범위에 기재하여 출원하는 경우 갑의 출원을 이유로 거절되지는 않는다.
⑤ 갑의 출원이 출원공개된 경우에만 확대된 선출원주의(특허법 29조 3항)에 적용된다.

▶ ①

9 현행 특허법상 특허를 받을 수 없는 발명(특허법 제32조)에 관한 서술 중 옳은 것은? • 19회 기출

① 현행법은 미생물을 이용하는 것에 관한 발명뿐 아니라 미생물 자체도 특허의 대상으로 하고 있다.
② 동물용 사료는 원칙적으로 특허대상이 된다고 볼 수 있으나, 동물과 사람에게 혼용될 위험성이 있는 경우에는 특허를 받을 수 없다.
③ 특허출원된 발명이 실시단계에서 제품에 대한 식품위생법 등 관련제품 허가법규에서 허가를 받을 수 있는 경우에는 특허출원의 심사단계에서 인체에 심각한 영향을 미칠 수 있다고 판단되는 경우에도 불특허 사유를 갖는 것은 아니다.
④ 과일칼이 살상용으로 사용될 수 있다고 판단되는 경우 특허등록을 받을 수 없다.
⑤ 불특허사유에 해당되는지 여부는 특허출원 시를 기준으로 판단한다.

▶ ①

10 다음은 명세서의 기재방법에 대하여 설명한 것이다. 이 중 가장 잘못된 것은? • 19회 기출

① 발명의 명칭은 발명의 내용을 고려하여 범주가 구분되도록 간단하고 명료하게 기재한다.
② 발명의 설명은 그 발명이 속하는 기술분야에서 통상의 지식을 가진 자가 쉽게 실시할 수 있도록 기재한다.
③ 발명의 설명의 기술분야 란에는 발명의 기술분야를 명확하고 간결하게 기재한다.
④ 도면의 간단한 설명에는 첨부한 도면들에 대해서 줄을 바꾸어 기재한다.
⑤ 청구범위에 발명의 설명에 기재되어 있지 않은 내용이 기재되더라도 명세서 기재방법에 위반된 것이 아니다.

| ⑤ 청구범위는 발명의 설명에 의하여 뒷받침되도록 기재하여야 한다. ▶ ⑤

11 다음과 같이 등록된 특허권의 청구범위가 기재되어 있다고 가정하고, 가장 적절하지 않은 설명은? • 20회 기출

> 청구항 제1항
> a+b+c를 포함하는 정수기.
> 청구항 제2항
> 제1항에 있어서,
> d를 더 포함하는 정수기.

① 청구항 제2항은 a+b+c+d로 이루어진 정수기에 대한 발명이다.
② 청구항 제1항은 독립항, 청구항 제2항은 종속항이라고 한다.
③ 제3자가 a+b+c+d로 이루어진 정수기를 생산 및 판매하는 경우 특허권의 침해에 해당한다.
④ 제3자가 a+b+d로 이루어진 정수기를 생산 및 판매하는 경우 특허권의 침해에 해당하지 않는다.
⑤ 제3자가 a+b+c+d+e로 이루어진 정수기를 생산 및 판매하는 경우 특허권의 침해에 해당하지 않는다.

| 구성요소완비의 원칙(All Elements Rule)은 특허발명과 확인대상발명 각각의 구성요소를 명확히 한 후 각 구성요소 전부가 동일 혹은 동일성이 있어야 상호 동일한 발명으로서 침해가 된다는 원칙으로, 구성요소가 부가된 발명의 실시는 침해이나 구성요소를 생략한 발명의 실시는 침해가 되지 않는다. 따라서 ④의 a+b+d는 구성요소를 생략한 발명의 실시이므로 특허권 침해가 되지 않으며, ③의 a+b+c+d와 ⑤의 a+b+c+d+e는 구성요소가 부가된 발명의 실시이므로 특허권 침해이다. ▶ ⑤

제3절 출원절차 등

01 출원

관련 조문

제42조(특허출원) ① 특허를 받으려는 자는 다음 각 호의 사항을 적은 특허출원서를 특허청장에게 제출하여야 한다.

1. 특허출원인의 성명 및 주소(법인인 경우에는 그 명칭 및 영업소의 소재지)
2. 특허출원인의 대리인이 있는 경우에는 그 대리인의 성명 및 주소나 영업소의 소재지[대리인이 특허법인·특허법인(유한)인 경우에는 그 명칭, 사무소의 소재지 및 지정된 변리사의 성명]
3. 발명의 명칭
4. 발명자의 성명 및 주소

② 제1항에 따른 특허출원서에는 발명의 설명·청구범위를 적은 명세서와 필요한 도면 및 요약서를 첨부하여야 한다.

출원은 (주체) 특허권을 받으려는 자가 (기간) 언제라도 (서면) 출원서, 명세서, 필요한 도면 및 요약서를 특허청에 제출하면 절차를 밟을 수 있다.

출원서란 발명에 대한 서지적 정보를 기재하는 서류를 말한다. 출원서에는 ① 특허권을 받고자 하는 출원인의 성명 및 주소, ② 대리인이 있는 경우에는 그 대리인의 성명 및 주소, ③ 발명의 명칭, ④ 발명자의 성명 및 주소를 적는다.

명세서란 발명의 내용을 기재하는 서류를 말한다. 임시명세서 출원이 아닌 이상 명세서에는 발명의 설명과 청구범위를 적고, 발명의 설명은 다음 목차에 따라 작성하여야 한다.

1. 발명의 명칭
2. 발명이 속한 기술분야(생략 가능)
3. 발명의 배경이 되는 기술
4. 발명의 내용(생략 가능)
   가. 해결하려는 과제
   나. 과제의 해결 수단
   다. 발명의 효과
5. 도면을 제출한 경우에는 도면의 간단한 설명(생략 가능)
6. 발명을 실시하기 위한 구체적인 내용(필요한 경우 실시예도 기재)
7. 기타 필요한 사항(생략 가능)

도면은 명세서 중 발명의 설명만으로 발명의 내용을 설명하는 데 한계가 있을 때 필요하면 보충하는 서류이다.

요약서는 명세서 중 발명의 설명의 내용을 요약하여 기재하는 서류를 말한다.

02 임시명세서 출원

관련 조문

제42조의2(특허출원일 등) ① 특허출원일은 명세서 및 필요한 도면을 첨부한 특허출원서가 특허청장에게 도달한 날로 한다. 이 경우 명세서에 청구범위는 적지 아니할 수 있으나, 발명의 설명은 적어야 한다.
② 특허출원인은 제1항 후단에 따라 특허출원서에 최초로 첨부한 명세서에 청구범위를 적지 아니한 경우에는 제64조제1항 각 호의 구분에 따른 날부터 1년 2개월이 되는 날까지 명세서에 청구범위를 적는 보정을 하여야 한다. 다만, 본문에 따른 기한 이전에 제60조제3항에 따른 출원심사 청구의 취지를 통지받은 경우에는 그 통지를 받은 날부터 3개월이 되는 날 또는 제64조제1항 각 호의 구분에 따른 날부터 1년 2개월이 되는 날 중 빠른 날까지 보정을 하여야 한다.
③ 특허출원인이 제2항에 따른 보정을 하지 아니한 경우에는 제2항에 따른 기한이 되는 날의 다음 날에 해당 특허출원을 취하한 것으로 본다.

임시명세서란 청구범위를 기재하지 않고 발명의 설명도 정해진 목차를 따르지 않은 채 임의 형식으로 작성한 명세서를 말한다. 이는 출원절차를 밟을 때 정해진 명세서 서식에 맞추어 작성할 필요 없이 발명자 연구노트 등을 그대로 제출할 수 있도록 함으로써 특허권을 부여받고자 하는 출원인이 해당 발명의 선출원지위를 빠르게 확보할 수 있도록 지원하고자 마련된 절차이다.

임시명세서의 출원은 (주체) 출원인이 (기간) 출원 시 (서면) 특허청에 제출하는 출원서에 임시명세서의 취지를 표시하면 출원절차를 밟을 수 있다.

다만, 임시명세서의 출원절차를 밟은 (주체) 출원인은 (기간) 우선일부터 1년 2개월 또는 제3자 심사청구취지를 통지받은 날부터 3개월 중 빠른 날까지 (서면) 보정서로 정식명세서를 제출하여야 한다. 위반 시 출원이 취하간주되어 특허권을 부여받을 수 없다. 취하란 그 절차가 처음부터 없던 것으로 되는 것을 말한다.

03 외국어 출원

관련 조문

제42조의3(외국어특허출원 등) ① 특허출원인이 명세서 및 도면(도면 중 설명부분에 한정한다. 이하 제2항 및 제5항에서 같다)을 국어가 아닌 산업통상자원부령으로 정하는 언어로 적겠다는 취지를 특허출원을 할 때 특허출원서에 적은 경우에는 그 언어로 적을 수 있다.

② 특허출원인이 특허출원서에 최초로 첨부한 명세서 및 도면을 제1항에 따른 언어로 적은 특허출원(이하 "외국어특허출원"이라 한다)을 한 경우에는 제64조제1항 각 호의 구분에 따른 날부터 1년 2개월이 되는 날까지 그 명세서 및 도면의 국어번역문을 산업통상자원부령으로 정하는 방법에 따라 제출하여야 한다. 다만, 본문에 따른 기한 이전에 제60조제3항에 따른 출원심사 청구의 취지를 통지받은 경우에는 그 통지를 받은 날부터 3개월이 되는 날 또는 제64조제1항 각 호의 구분에 따른 날부터 1년 2개월이 되는 날 중 빠른 날까지 제출하여야 한다.

④ 특허출원인이 제2항에 따른 명세서의 국어번역문을 제출하지 아니한 경우에는 제2항에 따른 기한이 되는 날의 다음 날에 해당 특허출원을 취하한 것으로 본다.

외국어 출원이란 명세서 및 도면을 외국어로 작성한 출원을 말한다. 이는 외국인이 출원절차를 밟을 때 한국어로 번역할 필요 없이 외국어 그대로 작성한 명세서 및 도면을 제출할 수 있도록 함으로써 국내에서 특허권을 부여받고자 하는 외국인 출원인이 해당 발명의 선출원지위를 빠르게 확보할 수 있도록 지원하고자 마련된 절차이다.

외국어 출원은 (주체) 출원인이 (기간) 출원 시 (서면) 특허청에 제출하는 출원서에 외국어 취지를 표시하면 출원절차를 밟을 수 있다.

다만, 외국어 출원절차를 밟은 (주체) 출원인은 (기간) 우선일부터 1년 2개월 또는 제3자 심사청구취지를 통지받은 날부터 3개월 중 빠른 날까지 (서면) 서류제출서에 명세서 및 도면의 국어번역문을 첨부하여 제출하여야 한다. 이를 위반할 경우 출원이 취하간주되어 특허권을 받을 수 없게 된다.

04 정당권리자 출원 및 특허권 이전등록청구

관련 조문

제34조(무권리자의 특허출원과 정당한 권리자의 보호) 발명자가 아닌 자로서 특허를 받을 수 있는 권리의 승계인이 아닌 자(이하 "무권리자"라 한다)가 한 특허출원이 제33조제1항 본문에 따른 특허를 받을 수 있는 권리를 가지지 아니한 사유로 제62조제2호에 해당하여 특허를 받지 못하게 된 경우에는 그 무권리자의 특허출원 후에 한 정당한 권리자의 특허출원은 무권리자가 특허출원한 때에 특허출원한 것으로 본다. 다만, 무권리자가 특허를 받지 못하게 된 날부터 30일이 지난 후에 정당한 권리자가 특허출원을 한 경우에는 그러하지 아니하다.

제35조(무권리자의 특허와 정당한 권리자의 보호) 제33조제1항 본문에 따른 특허를 받을 수 있는 권리를 가지지 아니한 사유로 제133조제1항제2호에 해당하여 특허를 무효로 한다는 심결이 확정된 경우에는 그 무권리자의 특허출원 후에 한 정당한 권리자의 특허출원은 무효로 된 그 특허의 출원 시에 특허출원한 것으로 본다. 다만, 심결이 확정된 날부터 30일이 지난 후에 정당한 권리자가 특허출원을 한 경우에는 그러하지 아니하다.

제99조의2(특허권의 이전청구) ① 특허가 제133조제1항제2호 본문에 해당하는 경우에 특허를 받을 수 있는 권리를 가진 자는 법원에 해당 특허권의 이전(특허를 받을 수 있는 권리가 공유인 경우에는 그 지분의 이전을 말한다)을 청구할 수 있다.
② 제1항의 청구에 기초하여 특허권이 이전등록된 경우에는 다음 각 호의 권리는 그 특허권이 설정등록된 날부터 이전등록을 받은 자에게 있는 것으로 본다.
1. 해당 특허권
2. 제65조제2항에 따른 보상금 지급 청구권
3. 제207조제4항에 따른 보상금 지급 청구권

정당권리자 출원이란 정당권리자 발명을 모인한(남의 발명을 자기 것처럼 속인) 무권리자가 먼저 출원한 경우 정당권리자의 보호를 위해 정당권리자 특허출원일자를 무권리자의 출원일로 소급해 주는 절차를 말한다. 출원일자란 출원서가 특허청에 접수된 날을 말하는데, 정당권리자 출원은 정당권리자 출원의 출원서가 특허청에 접수된 날이 아니라 무권리자 출원의 출원서가 특허청에 접수된 날을 출원일로 인정해 준다.

정당권리자 출원은 (주체) 정당권리자가 (기간) 무권리자 출원의 거절결정 또는 거절결정불복심판 기각심결확정일로부터 30일이 경과하기 전, 혹은 무권리자 특허권의 무효심결 확정일로부터 30일이 경과하기 전에 (서면) 특허청에 제출하는 출원서에 정당권리자의 출원 취지를 표시하면 출원절차를 밟을 수 있다.

한편, 무권리자가 먼저 출원한 경우 정당권리자를 보호해 주는 제도로서 특허권 이전청구 절차도 있다. 이는 무권리자 출원이 심사 누락으로 거절결정되지 않고 특허권 등록된 경우, 그 특허권을 정당권리자에게로 이전해 주는 절차를 말한다.

특허권 이전청구는 (주체) 정당권리자가 (기간) 언제라도 (서면) 무권리자를 상대로 법원에 특허권 이전청구를 구하는 소장을 제출하여 소송절차를 밟은 후 승소하면, 해당 판결문을 근거로 하여 특허청에서 특허권을 이전받을 수 있다.

05 분할출원

관련 조문

제52조(분할출원) ① 특허출원인은 둘 이상의 발명을 하나의 특허출원으로 한 경우에는 그 특허출원의 출원서에 최초로 첨부된 명세서 또는 도면에 기재된 사항의 범위에서 다음 각 호의 어느 하나에 해당하는 기간에 그 일부를 하나 이상의 특허출원으로 분할할 수 있다. 다만, 그 특허출원이 외국어특허출원인 경우에는 그 특허출원에 대한 제42조의3제2항에 따른 국어번역문이 제출된 경우에만 분할할 수 있다.

1. 제47조제1항에 따라 보정을 할 수 있는 기간
2. 특허거절결정등본을 송달받은 날부터 3개월(제15조제1항에 따라 제132조의17에 따른 기간이 연장된 경우 그 연장된 기간을 말한다) 이내의 기간
3. 제66조에 따른 특허결정 또는 제176조제1항에 따른 특허거절결정 취소심결(특허등록을 결정한 심결에 한정하되, 재심심결을 포함한다)의 등본을 송달받은 날부터 3개월 이내의 기간. 다만, 제79조에 따른 설정등록을 받으려는 날이 3개월보다 짧은 경우에는 그 날까지의 기간

② 제1항에 따라 분할된 특허출원(이하 "분할출원"이라 한다)이 있는 경우 그 분할출원은 특허출원한 때에 출원한 것으로 본다. 다만, 그 분할출원에 대하여 다음 각 호의 규정을 적용할 경우에는 해당 분할출원을 한 때에 출원한 것으로 본다.

1. 분할출원이 제29조제3항에 따른 다른 특허출원 또는 「실용신안법」 제4조제4항에 따른 특허출원에 해당하여 이 법 제29조제3항 또는 「실용신안법」 제4조제4항을 적용하는 경우
2. 제30조제2항을 적용하는 경우
3. 제54조제3항을 적용하는 경우
4. 제55조제2항을 적용하는 경우

③ 제1항에 따라 분할출원을 하려는 자는 분할출원을 할 때에 특허출원서에 그 취지 및 분할의 기초가 된 특허출원의 표시를 하여야 한다.

분할출원이란 2 이상의 발명을 포함하는 출원의 일부를 새로운 출원으로 나누는 제도를 말한다. 분할출원의 기초가 되는 출원을 원출원이라 하며, 분할출원은 출원일자를 원출원의 출원일자로 소급해 준다.

분할출원은 (주체) 원출원인이 (기간) 원출원 보정기간, 거절결정서를 받은 날부터 3개월, 특허결정서를 받은 날부터 3개월 또는 설정등록일 중 빠른 날까지 (서면) 특허청에 제출하는 출원서에 분할출원 취지 및 원출원을 표시하면 출원절차를 밟을 수 있다.

한편, 원출원의 최초 명세서 및 도면에 기재되어 있지 않은 발명을 분할출원하면 분할출원 범위 위반으로 해당 출원은 거절결정된다.

06 분리출원

관련 조문

제52조의2(분리출원) ① 특허거절결정을 받은 자는 제132조의17에 따른 심판청구가 기각된 경우 그 심결의 등본을 송달받은 날부터 30일(제186조제5항에 따라 심판장이 부가기간을 정한 경우에는 그 기간을 말한다) 이내에 그 특허출원의 출원서에 최초로 첨부된 명세서 또는 도면에 기재된 사항의 범위에서 그 특허출원의 일부를 새로운 특허출원으로 분리할 수 있다. 이 경우 새로운 특허출원의 청구범위에는 다음 각 호의 어느 하나에 해당하는 청구항만을 적을 수 있다.

1. 그 심판청구의 대상이 되는 특허거절결정에서 거절되지 아니한 청구항
2. 거절된 청구항에서 그 특허거절결정의 기초가 된 선택적 기재사항을 삭제한 청구항
3. 제1호 또는 제2호에 따른 청구항을 제47조제3항 각 호(같은 항 제4호는 제외한다)의 어느 하나에 해당하도록 적은 청구항
4. 제1호부터 제3호까지 중 어느 하나의 청구항에서 그 특허출원의 출원서에 최초로 첨부된 명세서 또는 도면에 기재된 사항의 범위를 벗어난 부분을 삭제한 청구항

분리출원이란 분할출원과 마찬가지로 2 이상의 발명을 포함하는 출원의 일부를 새로운 출원으로 나누는 제도를 말한다. 분리출원은 출원일자를 원출원의 출원일자로 소급해 준다.
분리출원은 (주체) 원출원인이 (기간) 원출원 거절결정불복심판 기각심결문을 받은 날부터 30일 내에 (서면) 특허청에 제출하는 출원서에 분리출원의 취지 및 원출원을 표시하면 출원절차를 밟을 수 있다.
한편, 원출원 최초 명세서 및 도면에 기재되어 있지 않은 발명을 분리출원하거나, 원출원 거절결정 당시 청구범위 내의 발명이 아닌 것을 분리출원하면, 분리출원 범위 위반으로 해당 출원은 거절결정된다.

07 변경출원

관련 조문

제53조(변경출원) ① 실용신안등록출원인은 그 실용신안등록출원의 출원서에 최초로 첨부된 명세서 또는 도면에 기재된 사항의 범위에서 그 실용신안등록출원을 특허출원으로 변경할 수 있다. 다만, 다음 각 호의 어느 하나에 해당하는 경우에는 그러하지 아니하다.

1. 그 실용신안등록출원에 관하여 최초의 거절결정등본을 송달받은 날부터 3개월(「실용신안법」 제3조에 따라 준용되는 이 법 제15조제1항에 따라 제132조의17에 따른 기간이 연장된 경우에는 그 연장된 기간을 말한다)이 지난 경우
2. 그 실용신안등록출원이 「실용신안법」 제8조의3제2항에 따른 외국어실용신안등록출원인 경우로서 변경하여 출원할 때 같은 항에 따른 국어번역문이 제출되지 아니한 경우

② 제1항에 따라 변경된 특허출원(이하 "변경출원"이라 한다)이 있는 경우에 그 변경출원은 실용신안등록출원을 한 때에 특허출원한 것으로 본다. 다만, 그 변경출원이 다음 각 호의 어느 하나에 해당하는 경우에는 그러하지 아니하다.
1. 제29조제3항에 따른 다른 특허출원 또는 「실용신안법」 제4조제4항에 따른 특허출원에 해당하여 이 법 제29조제3항 또는 「실용신안법」 제4조제4항을 적용하는 경우
2. 제30조제2항을 적용하는 경우
3. 제54조제3항을 적용하는 경우
4. 제55조제2항을 적용하는 경우
③ 제1항에 따라 변경출원을 하려는 자는 변경출원을 할 때 특허출원서에 그 취지 및 변경출원의 기초가 된 실용신안등록출원의 표시를 하여야 한다.
④ 변경출원이 있는 경우에는 그 실용신안등록출원은 취하된 것으로 본다.

변경출원이란 출원인이 선출원주의하에서 출원을 서두르거나 제도에 대한 오해 등으로 출원 형식(특허, 실용신안등록)을 잘못 선택한 경우, 출원 후에 출원일을 그대로 유지한 채 원출원의 형식을 보다 유리한 다른 형식으로 변경하는 제도이다. 변경출원은 출원일자를 원출원의 출원일자로 소급해 준다.
변경출원은 (주체) 원출원인이 (기간) 원출원 최초 거절결정서를 송달받은 날부터 3개월 내에 (서면) 특허청에 제출하는 출원서에 변경출원 취지 및 원출원을 표시하면 출원절차를 밟을 수 있다.
변경출원이 있는 경우 원출원은 취하된 것으로 본다(제53조 제4항). 이는 변경출원과 원출원 간 중복권리를 배제하기 위함이다.
한편, 원출원 최초 명세서 및 도면에 기재되어 있지 않은 발명을 변경출원하면 변경출원 범위 위반으로 해당 출원은 거절결정된다.

구분	분할출원	분리출원	변경출원
주체	원출원인	원출원인	원출원인
기간	보정기간, 거절결정서를 받은 날부터 3개월, 특허결정서를 받은 날부터 3개월 또는 설정등록일 중 빠른 날	거절결정불복심판 기각심결문을 받은 날부터 30일	최초 거절결정서를 받은 날부터 3개월
서면	출원서에 취지 및 원출원 표시	출원서에 취지 및 원출원 표시	출원서에 취지 및 원출원 표시
효과	원출원일로 출원일 소급	원출원일로 출원일 소급	원출원일로 출원일 소급
중복특허 취급	청구범위가 중복되는 경우 특허법 제36조 제2항 위반으로 거절결정	청구범위가 중복되는 경우 특허법 제36조 제2항 위반으로 거절결정	변경출원 시 원출원 취하간주
범위 (특허요건)	원출원 최초 명세서 및 도면에 기재된 발명 내에서 가능	원출원 최초 명세서 및 도면에 기재된 발명 + 원출원 거절결정 당시 청구범위 내에서 가능	원출원 최초 명세서 및 도면에 기재된 발명 내에서 가능

08 조약우선권주장출원

관련 조문

제54조(조약에 의한 우선권 주장) ① 조약에 따라 다음 각 호의 어느 하나에 해당하는 경우에는 제29조 및 제36조를 적용할 때에 그 당사국에 출원한 날을 대한민국에 특허출원한 날로 본다.

1. 대한민국 국민에게 특허출원에 대한 우선권을 인정하는 당사국의 국민이 그 당사국 또는 다른 당사국에 특허출원한 후 동일한 발명을 대한민국에 특허출원하여 우선권을 주장하는 경우
2. 대한민국 국민에게 특허출원에 대한 우선권을 인정하는 당사국에 대한민국 국민이 특허출원한 후 동일한 발명을 대한민국에 특허출원하여 우선권을 주장하는 경우

② 제1항에 따라 우선권을 주장하려는 자는 우선권 주장의 기초가 되는 최초의 출원일부터 1년 이내에 특허출원을 하지 아니하면 우선권을 주장할 수 없다.

③ 제1항에 따라 우선권을 주장하려는 자는 특허출원을 할 때 특허출원서에 그 취지, 최초로 출원한 국가명 및 출원의 연월일을 적어야 한다.

④ 제3항에 따라 우선권을 주장한 자는 제1호의 서류 또는 제2호의 서면을 특허청장에게 제출하여야 한다. 다만, 제2호의 서면은 산업통상자원부령으로 정하는 국가의 경우만 해당한다.

1. 최초로 출원한 국가의 정부가 인증하는 서류로서 특허출원의 연월일을 적은 서면, 발명의 명세서 및 도면의 등본
2. 최초로 출원한 국가의 특허출원의 출원번호 및 그 밖에 출원을 확인할 수 있는 정보 등 산업통상자원부령으로 정하는 사항을 적은 서면

⑤ 제4항에 따른 서류 또는 서면은 다음 각 호에 해당하는 날 중 최우선일(最優先日)부터 1년 4개월 이내에 제출하여야 한다.

1. 조약 당사국에 최초로 출원한 출원일
2. 그 특허출원이 제55조제1항에 따른 우선권 주장을 수반하는 경우에는 그 우선권 주장의 기초가 되는 출원의 출원일
3. 그 특허출원이 제3항에 따른 다른 우선권 주장을 수반하는 경우에는 그 우선권 주장의 기초가 되는 출원의 출원일

⑥ 제3항에 따라 우선권을 주장한 자가 제5항의 기간에 제4항에 따른 서류를 제출하지 아니한 경우에는 그 우선권 주장은 효력을 상실한다.

조약우선권주장은 동맹국 내 출원일자를 우리나라에서 우선일로 인정해 주는 제도를 말한다. 조약우선권주장출원은 출원일과 우선일 이렇게 2개의 일자가 부여되며, 특허요건인 선출원주의 등을 판단할 때 동맹국 내 출원된 발명과 동일 발명은 출원일이 아닌 우선일 기준으로 판단한다.

조약우선권주장출원은 (주체) 동맹국 출원인 또는 우선권주장 승계인이 (기간) 동맹국 출원일부터 1년 내에 국내출원하면서 (서면) 특허청에 제출하는 출원서에 조약우선권주장 취지, 최초 출원한 동맹국 국가명 및 동맹국에서의 출원일을 표시하고, 최우선일로부터 1년 4개월 내에 관련 증명서류를 제출하면 출원절차를 밟을 수 있다. 조약우선권주장은 2개 이상의 동맹국 출원에 대해서도 할 수 있는데, 조약우선권주장을 2개 이상하였을 때 가장 빠른 우선일을 최우선일이라고 한다.

핵심 Summary

조약우선권 주장	주체	동맹국 출원인 또는 우선권주장 승계인	
	서면	출원서에 취지, 기초출원 국가명, 기초출원 연월일 기재	
		증명서류 첨부 (둘 중의 어느 하나)	조약 당사국 정부가 인증하는 출원의 연월일을 적은 서면, 명세서 및 도면의 등본
			조약 당사국 출원의 출원번호 및 접근코드
	기간	기초출원일부터 1년 이내 출원	
	효과	기초출원의 최초 명세서 또는 도면에 기재된 발명은 기초출원일에 출원한 것으로 보고 심사 등을 진행	

09 국내우선권주장 출원

관련 조문

제55조(특허출원 등을 기초로 한 우선권 주장) ① 특허를 받으려는 자는 자신이 특허나 실용신안등록을 받을 수 있는 권리를 가진 특허출원 또는 실용신안등록출원으로 먼저 한 출원(이하 "선출원"이라 한다)의 출원서에 최초로 첨부된 명세서 또는 도면에 기재된 발명을 기초로 그 특허출원한 발명에 관하여 우선권을 주장할 수 있다. 다만, 다음 각 호의 어느 하나에 해당하는 경우에는 그러하지 아니하다.

1. 그 특허출원이 선출원의 출원일부터 1년이 지난 후에 출원된 경우
2. 선출원이 제52조제2항(「실용신안법」 제11조에 따라 준용되는 경우를 포함한다)에 따른 분할출원 또는 제52조의2제2항(「실용신안법」 제11조에 따라 준용되는 경우를 포함한다)에 따른 분리출원이거나 제53조제2항 또는 「실용신안법」 제10조제2항에 따른 변경출원인 경우
3. 그 특허출원을 할 때에 선출원이 포기·무효 또는 취하된 경우
4. 그 특허출원을 할 때에 선출원이 설정등록되었거나 특허거절결정, 실용신안등록거절결정 또는 거절한다는 취지의 심결이 확정된 경우

② 제1항에 따른 우선권을 주장하려는 자는 특허출원을 할 때 특허출원서에 그 취지와 선출원의 표시를 하여야 한다.

③ 제1항에 따른 우선권 주장을 수반하는 특허출원된 발명 중 해당 우선권 주장의 기초가 된 선출원의 출원서에 최초로 첨부된 명세서 또는 도면에 기재된 발명과 같은 발명에 관하여 제29조제1항·제2항, 같은 조 제3항 본문, 같은 조 제4항 본문, 제30조제1항, 제36조제1항부터 제3항까지, 제96조제1항제3호, 제98조, 제103조, 제105조제1항·제2항, 제129조 및 제136조제5항(제132조의3제3항 또는 제133조의2제4항에 따라 준용되는 경우를 포함한다), 「실용신안법」 제7조제3항·제4항 및 제25조, 「디자인보호법」 제95조 및 제103조제3항을 적용할 때에는 그 특허출원은 그 선출원을 한 때에 특허출원한 것으로 본다.

제56조(선출원의 취하 등) ① 제55조제1항에 따른 우선권 주장의 기초가 된 선출원은 그 출원일부터 1년 3개월이 지난 때에 취하된 것으로 본다. 다만, 그 선출원이 다음 각 호의 어느 하나에 해당하는 경우에는 그러하지 아니하다.

1. 포기, 무효 또는 취하된 경우
2. 설정등록되었거나 특허거절결정, 실용신안등록거절결정 또는 거절한다는 취지의 심결이 확정된 경우
3. 해당 선출원을 기초로 한 우선권 주장이 취하된 경우

국내우선권주장은 조약우선권주장과 역차별 논란이 없도록 국내 선출원을 기초로도 우선권 주장을 인정해 주는 제도를 말한다. 국내우선권주장출원도 출원일과 우선일 이렇게 2개의 일자가 부여되며, 특허요건인 선출원주의 등을 판단할 때 국내 선출원된 발명과 동일 발명은 출원일이 아닌 우선일 기준으로 판단한다.

국내우선권주장출원은 (주체) 선출원인이 (기간) 선출원일부터 1년 내에 출원하면서 (서면) 특허청에 제출하는 출원서에 국내우선권주장 취지 및 선출원을 표시하면 출원절차를 밟을 수 있다. 한편, 국내우선권주장출원이 있는 경우 선출원은 선출원일부터 1년 3개월이 지난 때 취하된 것으로 본다(제56조 제1항). 이는 국내우선권주장출원과 선출원 간 중복권리를 배제하기 위함이다.

핵심 Summary

국내우선권주장	주체	선출원인 또는 선출원인으로부터 특허를 받을 수 있는 권리를 실질적으로 승계받은 자
	서면	출원서에 취지, 선출원 표시
	기간	선출원일부터 1년 이내 출원
		선출원이 절차 계속 중일 것(제55조 제1항 제2호 내지 제4호)
	효과	선출원의 최초 명세서 또는 도면에 기재된 발명은 선출원일에 출원한 것으로 보고 심사 등을 진행

10 공지예외주장

관련 조문

제30조(공지 등이 되지 아니한 발명으로 보는 경우) ① 특허를 받을 수 있는 권리를 가진 자의 발명이 다음 각 호의 어느 하나에 해당하게 된 경우 그 날부터 12개월 이내에 특허출원을 하면 그 특허출원된 발명에 대하여 제29조 제1항 또는 제2항을 적용할 때에는 그 발명은 같은 조 제1항 각 호의 어느 하나에 해당하지 아니한 것으로 본다.

1. 특허를 받을 수 있는 권리를 가진 자에 의하여 그 발명이 제29조제1항 각 호의 어느 하나에 해당하게 된 경우. 다만, 조약 또는 법률에 따라 국내 또는 국외에서 출원공개되거나 등록공고된 경우는 제외한다.
2. 특허를 받을 수 있는 권리를 가진 자의 의사에 반하여 그 발명이 제29조제1항 각 호의 어느 하나에 해당하게 된 경우

② 제1항제1호를 적용받으려는 자는 특허출원서에 그 취지를 적어 출원하여야 하고, 이를 증명할 수 있는 서류를 산업통상자원부령으로 정하는 방법에 따라 특허출원일부터 30일 이내에 특허청장에게 제출하여야 한다.

③ 제2항에도 불구하고 산업통상자원부령으로 정하는 보완수수료를 납부한 경우에는 다음 각 호의 어느 하나에 해당하는 기간에 제1항제1호를 적용받으려는 취지를 적은 서류 또는 이를 증명할 수 있는 서류를 제출할 수 있다.

1. 제47조제1항에 따라 보정할 수 있는 기간
2. 제66조에 따른 특허결정 또는 제176조제1항에 따른 특허거절결정 취소심결(특허등록을 결정한 심결에 한정하되, 재심심결을 포함한다)의 등본을 송달받은 날부터 3개월 이내의 기간. 다만, 제79조에 따른 설정등록을 받으려는 날이 3개월보다 짧은 경우에는 그 날까지의 기간

공지예외주장이란 비록 발명이 출원 전 공개되었다 하더라도 일정요건 갖춘 경우 신규성이나 진보성 판단 시 공개되지 않은 것으로 예외 취급해 주는 제도를 말한다. 이 제도는 자신의 발명의 공개로 인하여 자신이 특허권을 받지 못하게 되는 것은 가혹하다는 측면을 고려한 것이다. 출원 전 자신의 발명이 공개될 수 있는 경우로는 의사에 의한 공지와 의사에 반한 공지가 있다. 의사에 의한 공지는 (주체) 출원인이 (기간) 공지일로부터 1년 내에 출원하면서 (서면) 특허청에 제출하는 출원서에 공지예외 취지를 표시하고, 출원일로부터 30일 내에 관련 증명서류를 제출하면 출원절차를 밟을 수 있다. 의사에 반한 공지는 (주체) 출원인이 (기간) 공지일로부터 1년 내에 출원만 하면 된다.

핵심 Summary

의사에 의한 공지	주체	출원인
	서면	출원서에 취지 기재, 증명서류 첨부(출원일부터 30일 이내 가능)
	기간	공지 등이 된 날부터 1년 이내 출원
	효과	공지 등이 되지 아니한 것으로 봄
	기타	조약 또는 법률에 따라 국내외에서 출원공개 또는 등록공고되어 공지된 경우는 제외
		출원 시 취지 기재, 증명서류의 제출을 누락하였어도 출원일부터 30일 이내에 명세서/도면 보정 가능, 특허결정서를 송달받고 그 받은 날부터 3개월 또는 설정등록일 중 빠른 날 이내에 보완 가능
의사에 반한 공지	주체	출원인
	서면	× (문제가 된 경우 의사에 반한 공지 증명)
	기간	공지 등이 된 날부터 1년 이내 출원
	효과	공지 등이 되지 아니한 것으로 봄

11 명세서 또는 도면 보정

관련 조문

제47조(특허출원의 보정) ① 특허출원인은 제66조에 따른 특허결정의 등본을 송달하기 전까지 특허출원서에 첨부한 명세서 또는 도면을 보정할 수 있다. 다만, 제63조제1항에 따른 거절이유통지(이하 "거절이유통지"라 한다)를 받은 후에는 다음 각 호의 구분에 따른 기간(제3호의 경우에는 그 때)에만 보정할 수 있다.

1. 거절이유통지(거절이유통지에 대한 보정에 따라 발생한 거절이유에 대한 거절이유통지는 제외한다)를 최초로 받거나 제2호의 거절이유통지가 아닌 거절이유통지를 받은 경우: 해당 거절이유통지에 따른 의견서 제출기간
2. 거절이유통지(제66조의3제2항에 따른 통지를 한 경우에는 그 통지 전의 거절이유통지는 제외한다)에 대한 보정에 따라 발생한 거절이유에 대하여 거절이유통지를 받은 경우: 해당 거절이유통지에 따른 의견서 제출기간
3. 제67조의2에 따른 재심사를 청구하는 경우: 청구할 때

② 제1항에 따른 명세서 또는 도면의 보정은 특허출원서에 최초로 첨부한 명세서 또는 도면에 기재된 사항의 범위에서 하여야 한다. 이 경우, 외국어특허출원에 대한 보정은 최종 국어번역문(제42조의3제6항 전단에 따른 정정이 있는 경우에는 정정된 국어번역문을 말한다) 또는 특허출원서에 최초로 첨부한 도면(도면 중 설명부분은 제외한다)에 기재된 사항의 범위에서도 하여야 한다.

명세서 또는 도면의 보정이란 명세서 또는 도면의 내용을 정정하는 것으로서, 선출원주의 때문에 출원을 서두르다 최초 명세서 등에 미흡이 있는 경우 이의 정정 기회를 부여함으로써 출원인을 보호하고자 도입된 제도이다. 다만 심사지연 및 제3자의 예상치 못한 불이익의 방지를 위해 보정 시기 및 범위에 제한이 있다.

보정은 (주체) 출원인이 (기간) 자진보정기간, 최초거절이유통지에 따른 의견서제출기간, 최후거절이유통지에 따른 의견서제출기간, 재심사청구 시 (서면) 특허청에 보정서를 제출하면 출원절차를 밟을 수 있다.

보정은 최초 명세서 또는 도면에 기재된 범위 내에서 하여야 하며, 위반 시 해당 출원은 거절결정된다.

기출로 다지기

1 특허출원 시 제출하는 명세서에 대한 설명 중 바르지 않은 것은? • 22회 기출

① 명세서에 기재된 발명의 설명에는 기술분야가 명시된다.
② 도면의 간단한 설명은 명세서에 기재하지 않고 도면에 간략히 첨부한다.
③ 발명의 명칭은 발명의 카테고리가 구분되도록 간단명료하게 명세서에 기재한다.
④ 명세서에 청구범위를 기재하여 보호범위를 특정한다.
⑤ 발명의 설명에는 실시예를 기재할 수 있다.

| ② 도면의 간단한 설명은 명세서 중 발명의 설명에 기재한다.

▶ ②

2 '갑'은 신기술 A(이하 A)를 발명하였고, 이를 동료인 '을'에게 비밀서약을 받은 후 공개하였다. 이후 '을'은 A를 도용하여 A에 대한 특허출원을 완료하였다. 다음의 설명 중 맞는 것은? • 18회 기출

① '갑'은 '을'에게 A를 공개하였는바, A는 신규성을 상실하였다.
② '갑'은 '을'의 A 특허출원에 대하여 무권리자의 특허출원을 주장하여 특허등록을 막을 수 있다.
③ '을'의 A 특허출원이 타인에게 승계된 경우에는 '갑'은 무권리자 출원을 주장할 수 없다.
④ '갑'은 '을'에게 공개한 행위에 대하여 공지예외주장을 하여야만 A 기술을 특허등록받을 수 있다.
⑤ '갑'은 선출원주의에 의해 어떠한 경우에도 A 기술을 특허등록받을 수 없다.

| ② '을'은 A를 모인출원한 무권리자로 '갑'은 이를 이유로 '을'의 특허등록을 저지할 수 있는 동시에, 기타 다른 하자가 없을 경우 특허등록도 가능하다.

▶ ②

3 국내우선권 및 분할출원에 대한 설명 중 틀린 것은? • 20회 기출

① 국내우선권 주장은 최초 출원일로부터 1년 이내에 하여야 한다.
② 국내우선권을 주장하면서 후출원한 경우, 국내우선권 주장의 기초가 되는 특허출원은 선출원일로부터 1년 3개월이 지나면 취하간주된다.
③ 최초 출원의 명세서 또는 도면에 없는 내용을 추가하면서 국내우선권을 주장하는 것도 인정될 수 있다.
④ 개념발명인 발명 A를 선출원한 후, 발명 A를 구체화한 발명 B를 출원하고자 하는데, 발명 B의 내용이 발명 A와 전혀 다르게 변형된 경우 국내우선권 주장을 하는 것이 바람직하다.
⑤ 분할출원이 적법한 경우에 분할출원의 출원일은 원칙적으로 원출원의 출원일로 소급된다.

| ④ 국내우선권주장출원은 통상 유사한 기술 특성을 갖는 발명들을 일괄적으로 관리할 수 있도록 하기 위해 마련된 제도이다. 만약, 전혀 다르게 변형된 발명을 하나의 출원으로 하게 되면 발명의 단일성 요건을 만족하지 않아 거절될 가능성도 있으므로 별도의 출원으로 하는 것이 바람직하다.

▶ ④

4 특허출원에 대한 변경출원에 관한 설명 중 적절하지 않은 것은? • 20회 기출

① 특허출원인은 최초로 첨부된 명세서 또는 도면의 범위 내에서 실용신안출원으로 변경출원할 수 있다.
② 변경출원을 한 경우에 원출원은 취하된 것으로 간주된다.
③ 변경출원은 최초로 원출원한 때에 출원한 것으로 간주된다.
④ 실용신안출원도 특허출원으로 변경출원이 가능하다.
⑤ 출원의 변경은 최초의 거절결정등본을 송달받은 날로부터 90일 이내에 하여야 한다.

| ⑤ 변경출원은 최초의 거절결정등본 송달일로부터 30일 내에 해야 한다. ▶ ⑤

5 특허를 받으려는 자가 기본발명을 국내에 특허출원한 후에 이를 개량·추가하는 발명을 하였을 때 기본발명과 개량발명을 국내에서 하나의 출원으로 보호하고자 할 경우에 이용할 수 있는 제도로서, 기본발명에 관한 출원일로부터 1년 이내에 가능한 것은 무엇인가? • 19회 기출

① 분할출원
② 변경출원
③ 조약우선권주장출원
④ 국내우선권주장출원
⑤ 존속기간연장등록출원

| ④ 선출원에 포함된 기본발명을 구체화하거나 개량, 추가하는 발명을 하였을 때 기술개발의 진전이 현저한 현 실정에 비추어, 기본발명과 개량발명을 하나의 출원으로 보호할 수 있는, 국내우선권주장출원제도에 관한 설명이다. ▶ ④

6 다음 중 특허권에 대한 설명으로 잘못된 것은? • 18회 기출

① 최초 출원명세서에 포함되어 있지 않은 신규한 내용이라도 추후에 보정을 통해 추가할 수 있다.
② 특허권은 설정등록으로 발생한다.
③ 신규성의 지역적 기준은 국내 또는 국외이다.
④ 동일한 발명이 동일한 날짜에 출원된 경우 당사자 간의 협의에 의하고, 협의가 성립되지 않으면 모두 거절한다.
⑤ 선행기술에 비하여 진보된 발명이여야 특허등록이 가능하다.

| ① 보정을 통해 새로운 내용을 추가할 수는 없다. ▶ ①

제4절 심사 및 공개

01 심사제도 및 공개제도

우리나라 특허법은 심사제도와 공개제도를 채택하고 있다. 심사제도란 특허요건을 심사하여 특허권을 부여하는 제도로서, 특허요건의 심사 없이 특허권을 부여하는 무심사제도와 대비되는 개념이다. 공개제도란 발명을 공개하는 제도로서 비공개제도와 대비되는 개념이다. 참고로 우리나라는 공개제도를 채택하고 있으나, 예외적으로 국가 핵심기술인 국방상 필요한 발명에 한하여는 출원된 발명을 비공개하고 있다.

02 심사청구 및 우선심사신청

관련 조문

제59조(특허출원심사의 청구) ① 특허출원에 대하여 심사청구가 있을 때에만 이를 심사한다.
② 누구든지 특허출원에 대하여 특허출원일부터 3년 이내에 특허청장에게 출원심사의 청구를 할 수 있다. 다만, 특허출원인은 다음 각 호의 어느 하나에 해당하는 경우에는 출원심사의 청구를 할 수 없다. 〈개정 2016. 2. 29.〉
1. 명세서에 청구범위를 적지 아니한 경우
2. 제42조의3제2항에 따른 국어번역문을 제출하지 아니한 경우(외국어특허출원의 경우로 한정한다)
③ 제34조 및 제35조에 따른 정당한 권리자의 특허출원, 분할출원, 분리출원 또는 변경출원에 관하여는 제2항에 따른 기간이 지난 후에도 정당한 권리자가 특허출원을 한 날, 분할출원을 한 날, 분리출원을 한 날 또는 변경출원을 한 날부터 각각 30일 이내에 출원심사의 청구를 할 수 있다. 〈개정 2021. 10. 19.〉
④ 출원심사의 청구는 취하할 수 없다.
⑤ 제2항 또는 제3항에 따라 출원심사의 청구를 할 수 있는 기간에 출원심사의 청구가 없으면 그 특허출원은 취하한 것으로 본다.

제60조(출원심사의 청구절차) ① 출원심사의 청구를 하려는 자는 다음 각 호의 사항을 적은 출원심사청구서를 특허청장에게 제출하여야 한다.
1. 청구인의 성명 및 주소(법인인 경우에는 그 명칭 및 영업소의 소재지)
2. 출원심사의 청구대상이 되는 특허출원의 표시
② 특허청장은 출원공개 전에 출원심사의 청구가 있으면 출원공개 시에, 출원공개 후에 출원심사의 청구가 있으면 지체 없이 그 취지를 특허공보에 게재하여야 한다.
③ 특허청장은 특허출원인이 아닌 자로부터 출원심사의 청구가 있으면 그 취지를 특허출원인에게 알려야 한다.

제61조(우선심사) 특허청장은 다음 각 호의 어느 하나에 해당하는 특허출원에 대해서는 심사관에게 다른 특허출원에 우선하여 심사하게 할 수 있다.
1. 제64조에 따른 출원공개 후 특허출원인이 아닌 자가 업(業)으로서 특허출원된 발명을 실시하고 있다고 인정되는 경우
2. 대통령령으로 정하는 특허출원으로서 긴급하게 처리할 필요가 있다고 인정되는 경우
3. 대통령령으로 정하는 특허출원으로서 재난의 예방·대응·복구 등에 필요하다고 인정되는 경우

우리나라 특허법은 심사청구가 있는 출원에 대해서만 심사를 진행한다(제59조 제1항). 심사청구는 (주체) 누구든지 (기간) 출원일부터 3년 내(정당권리자 출원, 분할출원, 분리출원, 변경출원의 경우는 각 출원을 한 날부터 30일 이내에도 가능)에 (서면) 심사청구서를 특허청에 제출하면 출원절차를 밟을 수 있다. 만약 기간 내에 심사청구하지 않으면 출원이 취하간주되어 특허권을 부여받을 수 없다.
심사는 심사청구 순서에 따라 진행된다. 다만 심사청구 순서에 관계없이 우선적으로 심사받고자 하는 경우는 우선심사신청을 할 수 있다. 우선심사신청은 (주체) 누구든지 (기간) 심사청구 후 (서면) 우선심사신청서를 특허청에 제출하면 출원절차를 밟을 수 있고, 정해진 우선심사사유에 해당할 경우 우선심사결정이 나온 뒤 우선심사가 진행된다.

03 심사방법

심사는 출원에 거절이유가 존재하는지를 살피며, 심사대상확정(보정여부/보정각하여부), 기존에 통지한 거절이유 극복 여부, 기존에 통지한 거절이유가 없거나 기존에 통지한 거절이유가 극복된 경우 새로운 거절이유의 존재 여부의 순서로 진행하고, 거절결정 또는 특허결정함으로써 종료한다.

1. 심사대상확정

관련 조문

제47조(특허출원의 보정) ③ 제1항제2호 및 제3호에 따른 보정 중 청구범위에 대한 보정은 다음 각 호의 어느 하나에 해당하는 경우에만 할 수 있다.
1. 청구항을 한정 또는 삭제하거나 청구항에 부가하여 청구범위를 감축하는 경우
2. 잘못 기재된 사항을 정정하는 경우
3. 분명하지 아니하게 기재된 사항을 명확하게 하는 경우
4. 제2항에 따른 범위를 벗어난 보정에 대하여 그 보정 전 청구범위로 되돌아가거나 되돌아가면서 청구범위를 제1호부터 제3호까지의 규정에 따라 보정하는 경우

④ 제1항제1호 또는 제2호에 따른 기간에 보정을 하는 경우에는 각각의 보정절차에서 마지막 보정 전에 한 모든 보정은 취하된 것으로 본다.

제51조(보정각하) ① 심사관은 제47조제1항제2호 및 제3호에 따른 보정이 같은 조 제2항 또는 제3항을 위반하거나 그 보정(같은 조 제3항제1호 및 제4호에 따른 보정 중 청구항을 삭제하는 보정은 제외한다)에 따라 새로운 거절이유가 발생한 것으로 인정하면 결정으로 그 보정을 각하하여야 한다. 다만, 다음 각 호의 어느 하나에 해당하는 보정인 경우에는 그러하지 아니하다.
1. 제66조의2에 따른 직권보정을 하는 경우: 그 직권보정 전에 한 보정
2. 제66조의3에 따른 직권 재심사를 하는 경우: 취소된 특허결정 전에 한 보정
3. 제67조의2에 따른 재심사의 청구가 있는 경우: 그 청구 전에 한 보정

보정이 없는 경우에는 최초 명세서 등으로 심사에 착수한다. 보정이 있는 경우에는 보정을 승인하면 보정된 내용으로 심사에 착수하고, 보정을 각하하면 보정 전 내용으로 심사에 착수한다.
자진보정 또는 최초거절이유통지에 따른 보정이 있는 경우는 보정을 승인하고 보정된 내용으로 심사에 착수한다. 자진보정이 2회 이상 있으면 각각 보정을 유효하게 승인하여 보정된 내용을 살피고, 최초거절이유통지에 따른 보정이 2회 이상 있으면 마지막 보정으로 보정된 내용을 살핀다.
최후거절이유통지에 따른 보정 또는 재심사청구 시 보정이 있는 경우는 제47조 제2항, 제47조 제3항, 제51조 제1항 위반 여부를 살펴, 위반이 없는 경우 보정을 승인하고 보정된 내용으로 심사에 착수하며, 위반이 있는 경우 보정을 각하한 후 보정 전 내용으로 심사에 착수한다. 최후거절이유통지에 따른 보정이 2회 이상 있으면 마지막 보정으로 보정 승인 여부 및 보정된 내용을 살핀다. 재심사청구 시 보정이 2회 이상 있으면 처음 보정으로 보정 승인 여부 및 보정된 내용을 살핀다.

핵심 Summary

자진보정기간	제47조 제2항 위반 시 거절이유	기간 내에 여러 번 보정한 경우 각각 유효
최초거절이유통지에 따른 의견서 제출기간	제47조 제2항 위반 시 거절이유	기간 내에 여러 번 보정한 경우 마지막 보정 전에 한 모든 보정은 취하간주
최후거절이유통지에 따른 의견서 제출기간	제47조 제2항, 제47조 제3항, 제51조 제1항 위반 시 보정각하결정	
거절결정에 따른 재심사 청구 시		기간 내에 여러 번 보정한 경우 처음 보정만 유효

2. 거절이유통지

관련 조문

제63조(거절이유통지) ① 심사관은 다음 각 호의 어느 하나에 해당하는 경우 특허출원인에게 거절이유를 통지하고, 기간을 정하여 의견서를 제출할 수 있는 기회를 주어야 한다. 다만, 제51조제1항에 따라 각하결정을 하려는 경우에는 그러하지 아니하다.

1. 제62조에 따라 특허거절결정을 하려는 경우
2. 제66조의3제1항에 따른 직권 재심사를 하여 취소된 특허결정 전에 이미 통지한 거절이유로 특허거절결정을 하려는 경우

② 심사관은 청구범위에 둘 이상의 청구항이 있는 특허출원에 대하여 제1항 본문에 따라 거절이유를 통지할 때에는 그 통지서에 거절되는 청구항을 명확히 밝히고, 그 청구항에 관한 거절이유를 구체적으로 적어야 한다.

(1) 취지

심사관은 출원을 심사한 결과 그 출원이 제62조 각 호의 어느 하나에 해당되어 특허권을 부여할 수 없어 거절결정을 하고자 할 때, 출원인에게 거절이유를 통지하고 기간을 정하여 의견서를 제출할 수 있는 기회를 주어야 한다(제63조). 출원에 대해 특허권을 부여할지의 특허요건 판단은 고도의 전문지식을 요구하는데, 심사관이 그와 같은 지식을 두루 갖출 수는 없으므로, 이로 인한 과오를 예방하기 위함이다. 또한 선출원주의 제도에서 야기되기 쉬운 과오를 보정할 기회도 주지 않고 곧바로 거절결정하는 것은 출원인에게 지나치게 가혹하기 때문이다.

거절결정을 하기 전 거절이유를 통지하여 의견서의 제출기회를 주는 것은 강행규정이며, 의견서의 제출기회를 주지 않고 된 거절결정에 대해서는 출원인이 거절결정에 대한 불복심판을 청구하여 그 절차적 위법을 주장할 수 있다.

(2) 거절이유통지의 종류

특허법은 심사지연의 방지를 위해 거절이유통지를 최초와 최후로 구분하며, 최후거절이유통지 후에는 보정범위가 더 제한된다. 최후거절이유통지 후 더 제한되는 그 보정범위를 만족하지 않을 경우 해당 보정은 각하된다.

최초 거절이유는 최초 심사 시 통지할 수 있었던 거절이유를 말하며, 최후 거절이유는 최초 심사 후 보정에 의해 새롭게 발생한 거절이유로서 최초 심사 시 통지할 수 없었던 거절이유를 말한다.

3. 거절결정 및 특허결정

관련 조문

제62조(특허거절결정) 심사관은 특허출원이 다음 각 호의 어느 하나의 거절이유(이하 "거절이유"라 한다)에 해당하는 경우에는 특허거절결정을 하여야 한다.

1. 제25조 · 제29조 · 제32조 · 제36조제1항부터 제3항까지 또는 제44조에 따라 특허를 받을 수 없는 경우
2. 제33조제1항 본문에 따른 특허를 받을 수 있는 권리를 가지지 아니하거나 같은 항 단서에 따라 특허를 받을 수 없는 경우
3. 조약을 위반한 경우
4. 제42조제3항 · 제4항 · 제8항 또는 제45조에 따른 요건을 갖추지 아니한 경우
5. 제47조제2항에 따른 범위를 벗어난 보정인 경우
6. 제52조제1항에 따른 범위를 벗어난 분할출원 또는 제52조의2제1항에 따른 범위를 벗어나는 분리출원인 경우
7. 제53조제1항에 따른 범위를 벗어난 변경출원인 경우

제66조(특허결정) 심사관은 특허출원에 대하여 거절이유를 발견할 수 없으면 특허결정을 하여야 한다.

거절이유통지 후 의견서제출기간을 부여하였음에도 불구하고 통지한 거절이유가 극복되지 않은 경우 거절결정을 한다. 청구범위가 여러 개의 청구항으로 되어 있는 경우는 하나의 청구항에라도 거절이유가 극복되지 않았다면 그 출원 전부를 거절결정한다.
반대로 거절이유가 없는 경우는 특허로 결정한다.

4. 거절결정 및 특허결정 후 절차

(1) 재심사청구

관련 조문

제67조의2(재심사의 청구) ① 특허출원인은 그 특허출원에 관하여 특허결정의 등본을 송달받은 날부터 제79조에 따른 설정등록을 받기 전까지의 기간 또는 특허거절결정등본을 송달받은 날부터 3개월(제15조제1항에 따라 제132조의17에 따른 기간이 연장된 경우 그 연장된 기간을 말한다) 이내에 그 특허출원의 명세서 또는 도면을 보정하여 해당 특허출원에 관한 재심사(이하 "재심사"라 한다)를 청구할 수 있다. 다만, 다음 각 호의 어느 하나에 해당하는 경우에는 그러하지 아니하다.

1. 재심사를 청구할 때에 이미 재심사에 따른 특허여부의 결정이 있는 경우
2. 제132조의17에 따른 심판청구가 있는 경우(제176조제1항에 따라 특허거절결정이 취소된 경우는 제외한다)
3. 그 특허출원이 분리출원인 경우

② 특허출원인은 제1항에 따른 재심사의 청구와 함께 의견서를 제출할 수 있다.

③ 제1항에 따라 재심사가 청구된 경우 그 특허출원에 대하여 종전에 이루어진 특허결정 또는 특허거절결정은 취소된 것으로 본다. 다만, 재심사의 청구절차가 제16조제1항에 따라 무효로 된 경우에는 그러하지 아니하다.

재심사청구란 거절결정 또는 특허결정으로 심사가 종결되었어도 출원인이 명세서 또는 도면의 보정을 원하는 경우에 밟는 절차이다. 거절결정서 또는 특허결정서를 받은 (주체) 출원인은 (기간) 거절결정서를 받은 날부터 3개월, 특허결정서를 받은 날부터 3개월 또는 설정등록 전까지 (서면) 특허청에 보정서를 제출하면서 재심사청구 취지를 표시하면 재심사청구를 할 수 있다. 재심사가 청구되면 그 출원에 대하여 종전에 이루어진 거절결정 또는 특허결정은 취소된 것으로 되며, 다시 심사가 진행된다.

(2) 거절결정불복심판청구

관련 조문

제132조의17(특허거절결정 등에 대한 심판) 특허거절결정 또는 특허권의 존속기간의 연장등록거절결정을 받은 자가 결정에 불복할 때에는 그 결정등본을 송달받은 날부터 3개월 이내에 심판을 청구할 수 있다.

거절결정불복심판이란 거절결정의 부당성을 출원인이 다투고자 할 때 밟는 절차로서, 만약 거절결정이 부당한 경우는 거절결정취소 심결 등이 나온 뒤 다시 심사가 진행될 수 있다. 거절결정서를 받은 (주체) 출원인은 (기간) 거절결정서를 받은 날부터 3개월 내에 (서면) 특허심판원에 심판청구서를 제출하면 거절결정불복심판청구 절차를 밟을 수 있다.

(3) 직권보정 후 재심사

관련 조문

제66조의2(직권보정 등) ① 심사관은 제66조에 따른 특허결정을 할 때에 특허출원서에 첨부된 명세서, 도면 또는 요약서에 적힌 사항이 명백히 잘못된 경우에는 직권으로 보정(이하 "직권보정"이라 한다)할 수 있다. 이 경우 직권보정은 제47조제2항에 따른 범위에서 하여야 한다.
② 제1항에 따라 심사관이 직권보정을 하려면 제67조제2항에 따른 특허결정의 등본 송달과 함께 그 직권보정 사항을 특허출원인에게 알려야 한다.
③ 특허출원인은 직권보정 사항의 전부 또는 일부를 받아들일 수 없으면 제79조제1항에 따라 특허료를 낼 때까지 그 직권보정 사항에 대한 의견서를 특허청장에게 제출하여야 한다.
④ 특허출원인이 제3항에 따라 의견서를 제출한 경우 해당 직권보정 사항의 전부 또는 일부는 처음부터 없었던 것으로 본다. 이 경우 그 특허결정도 함께 취소된 것으로 본다. 다만, 특허출원서에 첨부된 요약서에 관한 직권보정 사항의 전부 또는 일부만 처음부터 없었던 것으로 보는 경우에는 그러하지 아니하다.
⑤ 삭제
⑥ 직권보정이 제47조제2항에 따른 범위를 벗어나거나 명백히 잘못되지 아니한 사항을 직권보정한 경우 그 직권보정은 처음부터 없었던 것으로 본다.

심사관은 특허결정할 때 명세서, 도면 또는 요약서에 적힌 사항이 명백히 잘못된 경우 직권으로 보정할 수 있다. 이때 출원인은 직권보정 사항의 전부 또는 일부를 받아들일 수 없으면 특허료를 납부할 때까지 그 직권보정 사항에 대한 거부의 의견서를 제출할 수 있는데, 명세서 또는 도면에 대한 직권보정 사항을 거부한 경우는 특허결정이 취소되고 다시 심사가 진행된다.

(4) 직권 재심사

관련 조문

제66조의3(특허결정 이후 직권 재심사) ① 심사관은 특허결정된 특허출원에 관하여 명백한 거절이유를 발견한 경우에는 직권으로 특허결정을 취소하고, 그 특허출원을 다시 심사(이하 "직권 재심사"라 한다)할 수 있다. 다만, 다음 각 호의 어느 하나에 해당하는 경우에는 그러하지 아니하다.

1. 거절이유가 제42조제3항제2호, 같은 조 제8항 및 제45조에 따른 요건에 관한 것인 경우
2. 그 특허결정에 따라 특허권이 설정등록된 경우
3. 그 특허출원이 취하되거나 포기된 경우

② 제1항에 따라 심사관이 직권 재심사를 하려면 특허결정을 취소한다는 사실을 특허출원인에게 통지하여야 한다.

③ 특허출원인이 제2항에 따른 통지를 받기 전에 그 특허출원이 제1항제2호 또는 제3호에 해당하게 된 경우에는 특허결정의 취소는 처음부터 없었던 것으로 본다.

심사관은 특허결정을 하였어도 특허권이 발생하기 전까지 명백한 거절이유를 발견하면 특허결정을 취소하고 직권으로 재심사할 수 있다.

04 심사협력

관련 조문

제58조(전문기관의 등록 등) ① 특허청장은 출원인이 특허출원할 때 필요하거나 특허출원을 심사(국제출원에 대한 국제조사 및 국제예비심사를 포함한다)할 때에 필요하다고 인정하면 제2항에 따른 전문기관에 미생물의 기탁・분양, 선행기술의 조사, 특허분류의 부여, 그 밖에 대통령령으로 정하는 업무를 의뢰할 수 있다.

제63조의2(특허출원에 대한 정보제공) 특허출원에 관하여 누구든지 그 특허출원이 거절이유에 해당하여 특허될 수 없다는 취지의 정보를 증거와 함께 특허청장에게 제공할 수 있다. 다만, 제42조제3항제2호, 같은 조 제8항 및 제45조에 따른 요건을 갖추지 아니한 경우에는 그러하지 아니하다.

제63조의3(외국의 심사결과 제출명령) 심사관은 제54조에 따른 우선권 주장을 수반한 특허출원의 심사에 필요한 경우에는 기간을 정하여 그 우선권 주장의 기초가 되는 출원을 한 국가의 심사결과에 대한 자료(그 심사결과가 없는 경우에는 그 취지를 적은 의견서를 말한다)를 산업통상자원부령으로 정하는 방법에 따라 제출할 것을 특허출원인에게 명할 수 있다.

특허법은 심사협력제도를 두고 있다. 특허요건 판단의 심사는 심사관이 담당하나, 심사관은 심사에 필요한 업무를 전문기관에 의뢰할 수 있고, 공중으로부터 정보를 제공받아 이를 참고할 수 있으며, 동일발명에 대해 외국 심사결과가 있을 경우 그 자료를 참고할 수 있다.

05 출원공개

1. 출원공개 대상

관련 조문

제64조(출원공개) ① 특허청장은 다음 각 호의 구분에 따른 날부터 1년 6개월이 지난 후 또는 그 전이라도 특허출원인이 신청한 경우에는 산업통상자원부령으로 정하는 바에 따라 그 특허출원에 관하여 특허공보에 게재하여 출원공개를 하여야 한다.
1. 제54조제1항에 따른 우선권 주장을 수반하는 특허출원의 경우: 그 우선권 주장의 기초가 된 출원일
2. 제55조제1항에 따른 우선권 주장을 수반하는 특허출원의 경우: 선출원의 출원일
3. 제54조제1항 또는 제55조제1항에 따른 둘 이상의 우선권 주장을 수반하는 특허출원의 경우: 해당 우선권 주장의 기초가 된 출원일 중 최우선일
4. 제1호부터 제3호까지의 어느 하나에 해당하지 아니하는 특허출원의 경우: 그 특허출원일

② 제1항에도 불구하고 다음 각 호의 어느 하나에 해당하는 경우에는 출원공개를 하지 아니한다.
1. 명세서에 청구범위를 적지 아니한 경우
2. 제42조의3제2항에 따른 국어번역문을 제출하지 아니한 경우(외국어특허출원의 경우로 한정한다)
3. 제87조제3항에 따라 등록공고를 한 특허의 경우

③ 제41조제1항에 따라 비밀취급된 특허출원의 발명에 대해서는 그 발명의 비밀취급이 해제될 때까지 그 특허출원의 출원공개를 보류하여야 하며, 그 발명의 비밀취급이 해제된 경우에는 지체 없이 제1항에 따라 출원공개를 하여야 한다. 다만, 그 특허출원이 설정등록된 경우에는 출원공개를 하지 아니한다.
④ 제1항의 출원공개에 관하여 출원인의 성명·주소 및 출원번호 등 특허공보에 게재할 사항은 대통령령으로 정한다.

출원공개란 기산일부터 1년 6개월 지난 후, 또는 그 전이라도 출원인이 조기공개신청한 경우 최초 명세서 및 도면을 특허공보에 게재하여 공개하는 제도이다(제64조). ① 조약우선권주장(제54조) 또는 국내우선권주장(제55조)을 수반하는 출원의 경우는 최우선일, ② 정당권리자 출원(제34조, 제35조)의 경우는 무권리자 출원일, ③ 분할출원(제52조), 분리출원(제52조의2) 또는 변경출원(제53조)의 경우는 원출원일, ④ 그 이외는 출원일을 기산일로 한다. 이는 발명을 공개하여 중복연구를 방지하기 위한 것이다.

출원공개 시점에 출원이 계속되고 있는 모든 출원은 출원공개의 대상이 된다. 다만 ① 정식명세서로 전문보정을 하지 아니한 임시명세서 출원의 경우, ② 국어번역문을 제출하지 아니한 외국어 출원의 경우, ③ 제87조 제3항에 따라 등록공고한 특허권의 경우는 출원공개를 하지 아니한다(제64조 제2항). 또한 국방상 필요한 발명으로서 제41조 제1항에 따라 비밀취급된 출원발명에 대해서는 그 발명의 비밀취급이 해제될 때까지 출원공개를 보류하며(제64조 제3항), 공공의 질서 또는 선량한 풍속을 문란하게 하거나 공중의 위생을 해할 염려가 있다고 인정되는 사항은 공개하지 아니한다(시행령 제19조 제3항).

2. 출원공개 효과 – 보상금청구권

관련 조문

제65조(출원공개의 효과) ① 특허출원인은 출원공개가 있은 후 그 특허출원된 발명을 업으로서 실시한 자에게 특허출원된 발명임을 서면으로 경고할 수 있다.
② 특허출원인은 제1항에 따른 경고를 받거나 제64조에 따라 출원공개된 발명임을 알고 그 특허출원된 발명을 업으로 실시한 자에게 그 경고를 받거나 출원공개된 발명임을 알았을 때부터 특허권의 설정등록을 할 때까지의 기간 동안 그 특허발명의 실시에 대하여 합리적으로 받을 수 있는 금액에 상당하는 보상금의 지급을 청구할 수 있다.
③ 제2항에 따른 청구권은 그 특허출원된 발명에 대한 특허권이 설정등록된 후에만 행사할 수 있다.
④ 제2항에 따른 청구권의 행사는 특허권의 행사에 영향을 미치지 아니한다.
⑤ 제2항에 따른 청구권을 행사하는 경우에는 제127조 · 제129조 · 제132조 및 「민법」 제760조 · 제766조를 준용한다. 이 경우 「민법」 제766조제1항 중 "피해자나 그 법정대리인이 그 손해 및 가해자를 안 날"은 "해당 특허권의 설정등록일"로 본다.
⑥ 제64조에 따른 출원공개 후 다음 각 호의 어느 하나에 해당하는 경우에는 제2항에 따른 청구권은 처음부터 발생하지 아니한 것으로 본다.
1. 특허출원이 포기 · 무효 또는 취하된 경우
2. 특허출원에 대하여 제62조에 따른 특허거절결정이 확정된 경우
3. 제132조의13제1항에 따른 특허취소결정이 확정된 경우
4. 제133조에 따른 특허를 무효로 한다는 심결(같은 조 제1항제4호에 따른 경우는 제외한다)이 확정된 경우

출원인은 출원공개가 있은 후 그 출원된 발명을 업으로서 생산 · 판매 · 사용 등을 실시한 자에게 출원된 발명임을 서면으로 경고할 수 있다. 또한 서면경고를 받거나 출원공개된 발명임을 알고도 그 출원된 발명을 업으로 실시한 자에게, 경고를 받거나 출원공개된 발명임을 알았을 때부터 특허권의 설정등록때까지의 기간 동안 그 발명의 실시에 대하여 합리적으로 받을 수 있는 금액에 상당하는 보상금의 지급을 청구할 수 있다. 이를 보상금청구권이라 하며, 발명의 공개 강제에 대한 보호개념이라 할 수 있다.

보상금청구권은 특허권이 설정등록된 후에만 행사할 수 있다. 설정등록 후 행사할 수 있도록 규정한 것은 심사가 완료되지 않은 상태에서 발생된 권리로서, 부당한 권리행사를 방지하기 위한 것이다.

출원공개 후라도 ① 출원이 무효 · 취하 또는 포기된 경우, ② 출원에 대하여 제62조에 따른 거절결정이 확정되거나 거절결정불복심판 기각심결이 확정된 경우, ③ 제132조의13 제1항에 따른 특허취소결정이 확정된 경우, ④ 제133조에 따른 특허를 무효로 한다는 심결(같은 조 제1항 제4호에 따른 경우는 제외한다)이 확정된 경우에는 보상금청구권은 처음부터 발생하지 아니한 것으로 본다.

기출로 다지기

1 김발명 씨는 컴퓨터 마우스의 휠과 마우스의 광출력에 대한 발명을 하고 특허출원하였다. 그러나 발명의 단일성이 없다는 이유로 거절결정되었다. 이에 대한 김발명 씨의 조치와 효과로서 다음 중 틀린 것은? • 18회 기출

청구항은 아래 표와 같다.

청구항 제1항	(휠에 대한 발명)
청구항 제2항	(광출력에 대한 발명)

① 청구항 제1항과 제2항을 분할출원하면서 재심사청구를 한다.
② 단일성에 위배되지 않음을 주장하면서 거절결정에 대한 불복심판청구를 한다.
③ 재심사를 청구하는 경우 원래 심사를 하였던 심사관이 곧바로 재심사하므로 절차가 간소화된다.
④ 거절결정불복심판을 청구하면 비용과 기간이 많이 소요된다.
⑤ 재심사청구할 수 있는 기간은 의견서제출 기간과 같이 통상 2개월이다.

| ⑤ 재심사청구 기간은 거절결정등본을 송달받은 날로부터 30일 내에 가능하다. ▶ ⑤

2 특허출원을 하여 특허청에서 심사를 하는 중에 출원된 발명이 등록받을 수 없는 사유가 있어 심사관이 거절이유를 명시하여 거절이유통지서를 발송하는 경우가 있다. 이에 대해 출원인이 하여야 할 조치 중 가장 타당하지 않은 것은? • 19회 기출

① 거절이유통지서에 기재된 거절이유가 청구된 발명 모두가 등록받을 수 없다고 기재되어 있으면 출원인의 입장에서 일부 이견이 있더라도 심사관의 의견을 존중하여 출원을 포기한다.
② 거절이유통지서에서 심사관이 출원된 발명이 진보성을 결여한 것이라고 기재하고 있는데, 출원인이 판단하기에 심사관이 제시한 선행기술과 출원된 발명을 비교해 보면 발명의 목적, 구성, 효과 면에서 차이가 있다고 생각되면 이러한 주장을 기재한 의견서를 제출할 수 있다.
③ 심사관의 거절이유통지서가 일부 청구항은 등록이 가능하고 일부 청구항에 대해서만 거절이유가 있다는 통지이고, 출원인의 입장에서는 하루빨리 특허등록을 받아야 한다면 등록가능한 청구항만 남기고 나머지 거절이유가 있는 청구항은 삭제하여 빠른 등록을 받을 수 있다.
④ 위 지문 ③의 경우 출원인은 등록받을 수 있는 청구항을 남기고 등록받을 수 없다고 통지된 청구항을 분할출원할 수 있다.
⑤ 심사관의 거절이유통지서에서 심사관이 지적한 거절이유 외에 출원인이 볼 때 출원서류 중 명세서의 발명의 설명에 오타가 발견되면 보정서를 제출할 때 이를 정정하여 제출한다.

| ① 심사 과정에서 거절이유통지서가 오면 출원인은 이에 대해 반박하는 의견서를 제출하거나, 의견서와 함께 특허청구항을 보정하는 보정서를 제출할 수 있다. 또한 거절이유를 지적받은 청구항은 분할출원하여 별도의 출원으로 등록을 추진할 수 있다. ▶ ①

3 다음은 우선심사에 관한 설명이다. 다음 중 옳은 것은? • 20회 기출

① 청구범위 청구항 중 하나라도 우선심사대상으로 인정되면 출원 전체를 우선심사대상으로 인정한다.
② 우선심사는 심사청구 후에 신청하여야 하며, 심사청구와 동시에 신청할 수는 없다.
③ 우선심사신청이 각하 또는 무효처분되거나 불수리된 경우에는 우선심사신청료 전액을 반환한다.
④ 우선심사 여부 결정은 최초 출원 시 청구항을 기준으로 판단한다.
⑤ 우선심사신청이 부적격 각하된 경우에 출원인은 이에 대한 불복심판을 제기할 수 있다.

| ② 우선심사는 심사청구된 출원을 대상으로 하므로 심사청구 후에 신청할 수 있을 뿐만 아니라, 심사청구와 동시에도 우선심사신청을 할 수 있다.
③ 무효처분되거나 불수리된 경우와는 달리 우선심사신청이 각하된 경우에는 우선심사신청료 전액에서 우선심사 여부 결정비용은 제외된다.
④ 우선심사 여부 결정은 우선심사결정 시까지 보정된 청구항으로 판단한다.
⑤ 불복심판을 제기할 수 없으며, 심사청구순서에 의해 심사가 진행될 뿐이다. ▶ ①

4 특허출원공개에 관한 설명 중 가장 틀린 것은? • 20회 기출

① 특허출원공개가 되어야만 제3자는 그 특허출원에 대해 정보제공을 할 수 있다.
② 특허출원은 원칙적으로 출원일로부터 1년 6월이 경과한 후 공개된다.
③ 특허출원인은 출원일 후 1년 6월 이전이라도 출원의 공개를 신청할 수 있다.
④ 특허출원인이 출원일 후 1년 6월이 경과하기 전에 취하하는 경우 특허출원은 공개되지 않는다.
⑤ 특허출원의 공개를 출원인이 아닌 자가 신청할 수는 없다.

| ① 출원공개 여부와 무관하게 정보제공을 할 수 있다. ▶ ①

제5절 특허권의 내용

01 특허권의 발생

관련 조문

제87조(특허권의 설정등록 및 등록공고) ① 특허권은 설정등록에 의하여 발생한다.
② 특허청장은 다음 각 호의 어느 하나에 해당하는 경우에는 특허권을 설정하기 위한 등록을 하여야 한다.
1. 제79조제1항에 따라 특허료를 냈을 때
2. 제81조제1항에 따라 특허료를 추가로 냈을 때
3. 제81조의2제2항에 따라 특허료를 보전하였을 때
4. 제81조의3제1항에 따라 특허료를 내거나 보전하였을 때
5. 제83조제1항제1호 및 같은 조 제2항에 따라 그 특허료가 면제되었을 때

특허권은 설정등록에 의해 발생(제87조 제1항)하며, 청구범위에 적혀 있는 특허발명(제97조)을 출원일부터 20년간(제88조 제1항) 독점적으로 실시할 수 있는 권리이다(제94조). 설정등록은 특허결정서를 받고 특허료를 납부하면 특허청장이 하게 된다(제87조 제2항).

02 특허료 납부

관련 조문

제79조(특허료) ① 제87조제1항에 따른 특허권의 설정등록을 받으려는 자는 설정등록을 받으려는 날(이하 "설정등록일"이라 한다)부터 3년분의 특허료를 내야 하고, 특허권자는 그 다음 해부터의 특허료를 해당 권리의 설정등록일에 해당하는 날을 기준으로 매년 1년분씩 내야 한다.
② 제1항에도 불구하고 특허권자는 그 다음 해부터의 특허료는 그 납부연도 순서에 따라 수년분 또는 모든 연도분을 함께 낼 수 있다.

특허료는 특허권의 설정등록을 받으려는 자 또는 특허권자가 국가에 납부해야 하는 금액을 말하며, 출원인이 설정등록을 받기 위해 납부하는 비용인 등록료와 특허권자가 특허를 존속시키기 위해 납부하는 비용인 유지료로 나눌 수 있다. 청구항 수에 따라 등록료는 3년, 유지료는 1년 단위로 특허료가 책정된다.
특허권의 설정등록을 받으려는 자는 설정등록일부터 3년분의 특허료를 내야 하고, 특허권자는 그 다음 해부터의 특허료를 해당 권리의 설정등록일에 해당하는 날을 기준으로 매년 1년분씩 그 전년도에 내야 하며, 수년분 또는 모든 연차분을 일괄적으로 납부할 수도 있다.
특허료를 내지 아니한 경우에는 특허권의 설정등록을 받으려는 자의 출원은 포기한 것으로 보며, 특허권자의 특허권은 이미 낸 특허료에 해당되는 기간이 끝나는 날의 다음 날로 소급하여 소멸된 것으로 본다. 즉, 특허료의 납부는 특허권의 발생요건 및 존속요건이다.

03 특허권의 효력범위

1. 특허권의 효력

관련 조문

제94조(특허권의 효력) ① 특허권자는 업으로서 특허발명을 실시할 권리를 독점한다. 다만, 그 특허권에 관하여 전용실시권을 설정하였을 때에는 제100조제2항에 따라 전용실시권자가 그 특허발명을 실시할 권리를 독점하는 범위에서는 그러하지 아니하다.

특허권의 효력은 실시권과 배타권이 있다. 실시권은 해당 특허발명을 본인이 실시할 수 있는 권리를 말하고, 배타권은 해당 특허발명을 남이 실시하지 못하게 하는 권리를 말한다.

2. 효력의 내용적 범위

(1) 특허발명 보호범위

관련 조문

제97조(특허발명의 보호범위) 특허발명의 보호범위는 청구범위에 적혀 있는 사항에 의하여 정하여진다.

특허발명의 보호범위는 청구범위의 청구항에 적혀 있는 사항에 의해 정해지며, 대표적으로 문언범위와 균등범위가 있다.

문언범위는 청구항에 기재된 각 구성요소와 그 구성요소 간의 유기적 결합관계가 그대로 포함된 경우를 말한다. 예컨대, “[청구항 1] A + B인 연필”일 때 “A + B인 연필”은 특허발명 보호범위 중 문언범위에 해당한다.

균등범위는 청구항에 기재된 구성 중 변경된 부분이 있는 경우에도 양 발명에서 과제의 해결원리가 동일하고, 그러한 변경에 의하더라도 특허발명에서와 실질적으로 동일한 작용효과를 나타내며, 그와 같이 변경하는 것이 통상의 기술자라면 누구나 쉽게 생각해 낼 수 있는 정도인 경우를 말한다. 예컨대, “[청구항 1] A + B인 연필”일 때 “A′ + B인 연필”은 A를 A′ 구성으로 변경하더라도 이 요건을 모두 만족하면 특허발명 보호범위 중 균등범위에 해당할 수 있다. 단, 이 요건을 모두 만족하지 않으면 “A′ + B인 연필”은 특허발명의 보호범위에 해당하지 않게 된다.

(2) 실시

관련 조문

제2조(정의) 이 법에서 사용하는 용어의 뜻은 다음과 같다.
3. "실시"란 다음 각 목의 구분에 따른 행위를 말한다.
가. 물건의 발명인 경우: 그 물건을 생산·사용·양도·대여 또는 수입하거나 그 물건의 양도 또는 대여의 청약(양도 또는 대여를 위한 전시를 포함한다. 이하 같다)을 하는 행위
나. 방법의 발명인 경우: 그 방법을 사용하는 행위 또는 그 방법의 사용을 청약하는 행위
다. 물건을 생산하는 방법의 발명인 경우: 나목의 행위 외에 그 방법에 의하여 생산한 물건을 사용·양도·대여 또는 수입하거나 그 물건의 양도 또는 대여의 청약을 하는 행위

실시란 발명의 카테고리에 따라 다음과 같이 정의된다.

① **물건발명의 경우**: 그 물건을 생산·사용·양도·대여·수입·양도나 대여의 청약(전시 포함)을 하는 행위

② **방법발명의 경우**: 그 방법을 사용하는 행위, 그 방법의 사용을 청약하는 행위

③ **물건을 생산하는 방법발명의 경우**: 그 방법을 사용하는 행위, 그 방법의 사용을 청약하는 행위, 그 방법에 의해 생산한 물건을 사용·양도·대여·수입·양도나 대여의 청약(전시 포함)을 하는 행위

물건의 생산은 무형의 기술적 사상인 발명을 이용하여 유형화된 물건을 만들어 내는 행위를 말한다.
물건 또는 방법의 사용은 발명이 추구하는 본래의 목적을 달성하거나 작용·효과를 나타내도록 그 발명을 이용하는 것을 말한다.
물건의 양도는 생산된 발명품의 소유권을 의사표시에 의하여 타인에게 유상 또는 무상으로 이전하는 것을 말한다. 유상의 경우는 판매, 무상의 경우는 증여가 된다.
물건의 대여라 함은 특허발명을 유상 또는 무상으로 일정한 시기에 반환할 것을 조건으로 타인에게 빌려주는 것을 말한다. 유상의 경우는 임대차, 무상의 경우는 사용대차가 된다.
물건의 수입은 해외에서 생산된 특허발명을 국내로 사들이는 행위를 말한다. 수입은 곧 국내에서의 사용, 양도, 대여 등의 전제가 될 수 있는바, 발명의 실시행위로 보아 배타권으로 제한할 수 있도록 한다. 다만, 수출은 발명의 실시행위로 보지 않는다. 이는 해외로 반출하는 것이기 때문에 국내에서의 그 발명의 사용과 무관하기 때문이다.
물건의 양도·대여의 청약이란 특허발명을 양도 또는 대여하기 위해 계약을 성립시킬 것을 목적으로 하는 의사표시를 말한다. 여기서 청약은 양도 또는 대여나 마찬가지라고 보면 된다.
물건의 전시란 발명을 양도하거나 대여할 목적으로 불특정 다수인이 인식할 수 있는 상태에 두는 것을 말한다.
방법사용의 청약이란 방법발명으로 특허받은 컴퓨터 관련 특허발명을 전송받아 사용하고자 할 때 전송 전에 행하는 청약을 말한다. 이는 정당권리가 없는 제3자의 컴퓨터 관련 특허발명의 전송행위를 차단하기 위해 도입된 개념이다.

3. 효력의 시간적 범위

관련 조문

제88조(특허권의 존속기간) ① 특허권의 존속기간은 제87조제1항에 따라 특허권을 설정등록한 날부터 특허출원일 후 20년이 되는 날까지로 한다.
② 정당한 권리자의 특허출원이 제34조 또는 제35조에 따라 특허된 경우에는 제1항의 특허권의 존속기간은 무권리자의 특허출원일의 다음 날부터 기산한다.

특허권의 존속기간은 허가 등 또는 등록지연에 따른 사유로 연장되지 않는 한 설정등록이 있는 날부터 특허출원일 후 20년이 되는 날까지이다(제88조 제1항). 한편, 분할, 분리 또는 변경출원의 경우는 원출원일을 기준으로 기산하고, 정당권리자주장 출원의 경우는 무권리자의 특허출원일의 다음 날부터 기산한다(제88조 제2항).

4. 효력의 지역적 범위

속지주의 원칙상 우리나라 영토에서만 미친다.

04 특허권의 효력범위 제한

1. 실시권 제한

관련 조문

제94조(특허권의 효력) ① 특허권자는 업으로서 특허발명을 실시할 권리를 독점한다. 다만, 그 특허권에 관하여 전용실시권을 설정하였을 때에는 제100조제2항에 따라 전용실시권자가 그 특허발명을 실시할 권리를 독점하는 범위에서는 그러하지 아니하다.

제98조(타인의 특허발명 등과의 관계) 특허권자·전용실시권자 또는 통상실시권자는 특허발명이 그 특허발명의 특허출원일 전에 출원된 타인의 특허발명·등록실용신안 또는 등록디자인이나 그 디자인과 유사한 디자인을 이용하거나 특허권이 그 특허발명의 특허출원일 전에 출원된 타인의 디자인권 또는 상표권과 저촉되는 경우에는 그 특허권자·실용신안권자·디자인권자 또는 상표권자의 허락을 받지 아니하고는 자기의 특허발명을 업으로서 실시할 수 없다.

특허권자라 하더라도 자신의 실시권이 타인의 배타권과 충돌되면 실시권이 제한되는 경우가 있다. 전용실시권을 설정하였을 때에는 배타적 효력이 있는 전용실시권 범위 내의 실시가 제한된다. 또한 배타적 효력이 있는 타인의 선출원 특허권, 실용신안권, 디자인권의 이용관계에 있거나, 배타적 효력이 있는 타인의 선출원 디자인권, 상표권과 저촉관계에 있는 경우 실시가 제한된다.

2. 배타권 제한

관련 조문

제96조(특허권의 효력이 미치지 아니하는 범위) ① 특허권의 효력은 다음 각 호의 어느 하나에 해당하는 사항에는 미치지 아니한다.

1. 연구 또는 시험(「약사법」에 따른 의약품의 품목허가・품목신고 및 「농약관리법」에 따른 농약의 등록을 위한 연구 또는 시험을 포함한다)을 하기 위한 특허발명의 실시
2. 국내를 통과하는데 불과한 선박・항공기・차량 또는 이에 사용되는 기계・기구・장치, 그 밖의 물건
3. 특허출원을 한 때부터 국내에 있는 물건

② 둘 이상의 의약[사람의 질병의 진단・경감・치료・처치(處置) 또는 예방을 위하여 사용되는 물건을 말한다. 이하 같다]이 혼합되어 제조되는 의약의 발명 또는 둘 이상의 의약을 혼합하여 의약을 제조하는 방법의 발명에 관한 특허권의 효력은 「약사법」에 따른 조제행위와 그 조제에 의한 의약에는 미치지 아니한다.

특허권자라 하더라도 배타권이 제한되는 경우가 있다. 이 중 제96조에 대해 살핀다.

연구 또는 시험(약사법에 따른 의약품의 품목허가・품목신고 및 농약관리법에 따른 농약의 등록을 위한 연구 또는 시험을 포함)을 하기 위한 특허발명의 실시에는 배타권 효력이 미치지 아니한다. 이는 특허발명의 기술적 진보를 도모하여 산업발전에 이바지하기 위한 규정이다.

국내를 통과하는 데 불과한 선박・항공기・차량 또는 이에 사용되는 기계・기구・장치, 그 밖의 물건에는 배타권 효력이 미치지 아니한다. 이는 파리협약을 반영한 것으로 국제교통의 원활화를 도모하기 위한 것이다.

선원주의의 보완 규정으로 특허출원 시 존재하였던 물건에 대해서는 배타권 효력이 미치지 아니한다.

둘 이상의 의약이 혼합되어 제조되는 의약의 발명 또는 둘 이상의 의약을 혼합하여 의약을 제조하는 방법의 발명에 관한 배타권 효력은 약사법에 따른 조제행위와 그 조제에 의한 의약에는 미치지 아니한다. 이는 인도적 차원에서 국민의 건강을 우선시하기 위한 것이다.

05 특허권의 이전, 실시권 설정

1. 이전

관련 조문

제99조(특허권의 이전 및 공유 등) ① 특허권은 이전할 수 있다.
② 특허권이 공유인 경우에는 각 공유자는 다른 공유자 모두의 동의를 받아야만 그 지분을 양도하거나 그 지분을 목적으로 하는 질권을 설정할 수 있다.

제101조(특허권 및 전용실시권의 등록의 효력) ① 다음 각 호의 어느 하나에 해당하는 사항은 등록하여야만 효력이 발생한다.
1. 특허권의 이전(상속이나 그 밖의 일반승계에 의한 경우는 제외한다), 포기에 의한 소멸 또는 처분의 제한

특허권은 이전이 가능하다. 단, 양도에 의한 이전은 등록하여야만 효력이 발생하며(제101조 제1항 제1호), 특허권이 공유인 경우 자신의 지분을 양도할 때는 다른 공유자의 지분 가치에 영향을 줄 수 있으므로 다른 공유자의 동의를 받도록 하고 있다.
상속이나 기타 일반승계에 의한 이전은 이전등록하지 않더라도 효력이 발생한다. 또한 지분에 대해서도 다른 공유자의 동의 없이 일반승계가 가능하다.

2. 실시권 설정

관련 조문

제100조(전용실시권) ① 특허권자는 그 특허권에 대하여 타인에게 전용실시권을 설정할 수 있다.

제101조(특허권 및 전용실시권의 등록의 효력) ① 다음 각 호의 어느 하나에 해당하는 사항은 등록하여야만 효력이 발생한다.
2. 전용실시권의 설정·이전(상속이나 그 밖의 일반승계에 의한 경우는 제외한다)·변경·소멸(혼동에 의한 경우는 제외한다) 또는 처분의 제한

제102조(통상실시권) ① 특허권자는 그 특허권에 대하여 타인에게 통상실시권을 허락할 수 있다.

제118조(통상실시권의 등록의 효력) ① 통상실시권을 등록한 경우에는 그 등록 후에 특허권 또는 전용실시권을 취득한 자에 대해서도 그 효력이 발생한다.

특허권자는 전용실시권 또는 통상실시권을 타인에게 설정할 수 있다. 이때 실시권은 당사자 간의 설정계약의 범위에 따라 정해진다.
전용실시권은 특허권과 같이 배타권과 실시권이 모두 인정되는 권리로서, 전용실시권자는 설정행위로 정한 범위에서 특허권자의 실시도 제한할 수 있다(제100조 제2항, 제94조 단서).
전용실시권은 특허권자와의 계약(허락)을 기초로 특허원부에 등록해야만 발생한다.

통상실시권은 배타권은 없고 실시권만 인정되는 권리로서, 설정행위로 정한 범위(허락실시권)에서 업으로서 그 특허발명을 실시할 수 있는 권리를 말한다(제102조 제2항). 통상실시권은 특허원부에 등록하지 않아도 발생하나, 등록하면 대항력을 취득할 수 있다.

3. 법정실시권 및 강제실시권

통상실시권 중에는 법정실시권과 강제실시권도 있다. 이는 특허권자가 설정해 준 통상실시권이 아니고, 법에 의해 또는 강제로 설정된 통상실시권을 말한다.

06 특허권의 소멸

1. 장래를 향하여 소멸하는 경우

특허권이 장래를 향하여 소멸하는 경우는 다음과 같다.

① 존속기간 만료

② 특허료 불납

③ 특허권자가 개인인 경우 특허권 상속이 개시된 때 상속인이 없거나, 특허권자가 법인인 경우 법인이 청산된 때

④ 특허권 포기

⑤ 특허결정된 후 그 특허권자가 외국인의 권리능력에 따라 특허권을 누릴 수 없는 자로 되거나 그 특허가 조약을 위반하여 특허무효심결이 확정된 경우

2. 소급하여 소멸하는 경우

특허권이 처음부터 없던 것으로 소멸하는 경우는 다음과 같다.

① 특허무효심결이 확정된 경우(후발적 무효사유 제외)

② 특허취소결정이 확정된 경우

기출로 다지기

1 갑은 "음성부호화 방법 송수신회로"와 관련된 발명을 해서 2012년 2월 13일에 특허청에 특허출원을 완료하였고, 그 이후, 해당 발명은 2014년 5월 15일에 특허청에 설정등록이 완료되어, 현재 유효하게 존속 중이다. 이 경우, "음성부호화 방법 송수신회로"에 대한 갑의 특허권의 존속기한은 언제까지인지 고르시오. • 18회 기출

① 2034년 5월 15일
② 2022년 2월 13일
③ 2032년 2월 13일
④ 2024년 5월 15일
⑤ 2029년 5월 15일

| ③ 특허권의 존속기간은 특허권의 설정등록일로부터 특허출원일 후 20년이 될 때까지이다. ▶ ③

2 특허권의 효력을 제한하는 사항으로서 틀린 것은? • 20회 기출

① 특허출원을 한 때부터 국내에 있었던 물건
② 연구 또는 시험을 위한 특허발명의 실시
③ 국내 통과에 불과한 선박, 항공기, 차량 또는 이에 이용되는 기계, 장치 등
④ 둘 이상의 의약이 혼합되어 제조되는 의약 특허발명에 있어서 약사법에 의한 조제행위와 그 조제에 의한 의약
⑤ 위 지문 중 특허권의 효력을 제한할 수 있는 사항은 없음

▶ ⑤

3 지식재산의 실시와 관련하여 다음 설명 중 틀린 것은? • 18회 기출

① 전용실시권을 설정하더라도 원 특허권자는 전용실시권자와는 무관하게 실시할 수 있다.
② 통상실시권 설정은 등록하지 않아도 되지만 등록하면 제3자에 대항할 수 있다.
③ 라이선시(licensee)가 실시 중 개량한 기술도 라인선서에 귀속되는 것으로 하면 좋다.
④ 라이선스 계약은 전용실시권이나 통상실시권 어느 것이나 가능하다.
⑤ 동일 지역 및 동일 기간의 통상실시권을 중복해서 설정해도 무방하다.

| ① 전용실시권은 독점배타적인 권리로 전용실시권이 설정된 범위 내에서는 특허권자라도 특허발명을 실시할 수 없다. ▶ ①

제6절 PCT 출원

01 해외출원의 방법

해외출원의 방법은 외국 특허청에 직접 출원하는 방법과 PCT 국제출원을 하는 방법이 있다.

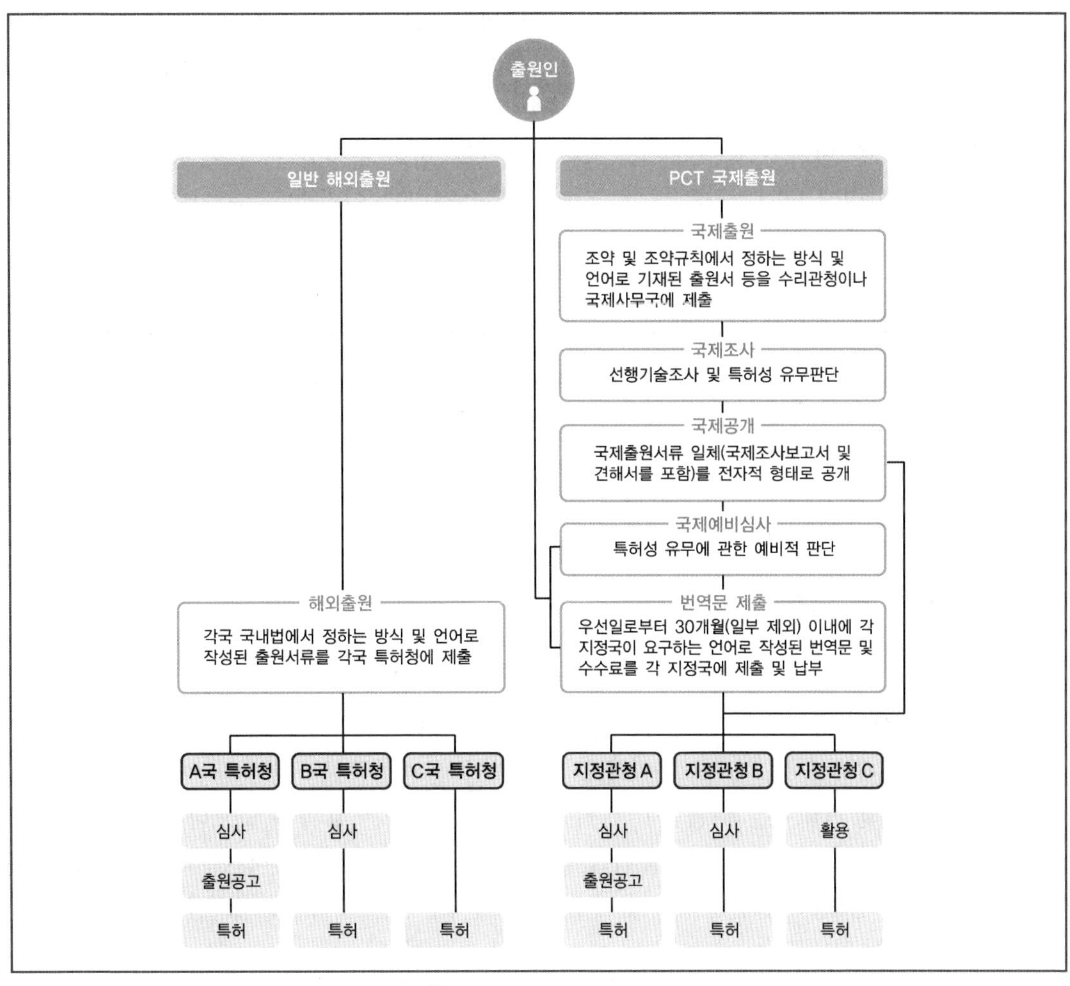

PCT 국제출원절차와 일반 해외출원절차 비교도 1)

1) 특허청 홈페이지

02 PCT 국제출원(Patent Cooperation Treaty)

PCT 국제출원이란 특허협력조약(Patent Cooperation Treaty)에 따른 출원을 말하며, 국제출원에 의해 국제출원일이 인정되면 특허권을 받고자 하는 지정국에서 직접 출원한 것과 동일한 효과가 발생한다.

출원인은 소정의 수리관청을 거쳐 국제출원을 할 수 있다(PCT 10, PCT규칙 19(a)). 이 경우 출원인은 ① 자신이 거주하고 있는 체약국의 국내관청 또는 그 체약국을 위하여 업무를 수행하는 국내관청이나 ② 자신의 국적이 있는 체약국의 국내관청 또는 그 체약국을 위하여 업무를 수행하는 국내관청을 수리관청으로 선택하여 국제출원에 관한 서류를 제출함으로써 국제출원절차를 밟을 수 있다. 선출원에 대한 우선권을 주장하여 출원하는 경우, 선출원의 출원일로부터 12개월 이내에 PCT 국제출원을 하여야만 우선권을 인정받을 수 있다.

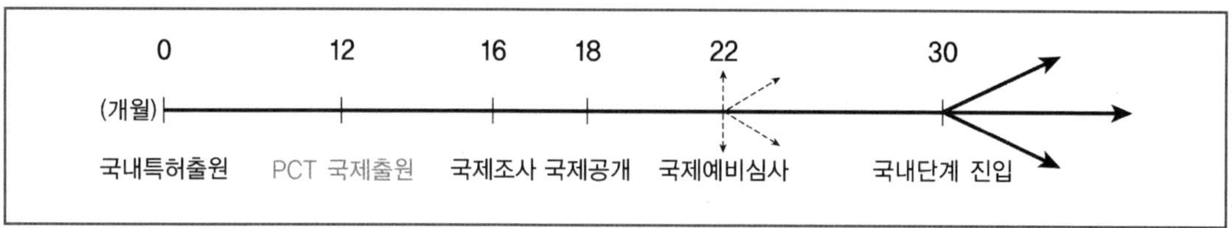

PCT에 의한 출원방법 [2)]

03 국제조사 및 국제공개

모든 국제출원은 국제조사의 대상이 되며, 국제조사는 관련이 있는 선행기술 발견과 신규성, 진보성 및 산업상 이용가능성의 특허요건을 판단하는 것을 목적으로 한다(PCT 15(1)(2)). 국제조사결과는 국제조사보고서 및 견해서로 작성되어 출원인 및 국제사무국에 송부된다. 이 국제조사보고서 및 견해서는 출원인이나 지정관청을 구속하는 효과는 없으나 각 지정국에서의 본격적인 절차를 개시하기 전에 출원인에게 자신의 출원과 관련된 선행기술의 존재 또는 특허요건에 대한 정보를 미리 알려주어, 출원인이 절차진행의 계속 여부를 결정하는 데 참고자료로 활용할 수 있다.

국제사무국은 수리관청으로부터 국제출원에 관한 서류를 송부받아 국제공개를 한다(PCT 21(1)). 국제공개는 출원공개에 대한 국내법상의 요청을 국제출원에 있어서도 만족시키고자 한 것으로서 새로운 기술정보의 확산을 조기에 달성하고자 하는 목적이 있다.

국제공개는 원칙적으로 우선일로부터 18개월이 경과한 후에 국제사무국에서 진행한다. 그러나 국제사무국은 우선일로부터 18개월 전이라도 출원인이 조기공개신청을 하면 즉시 공개하게 된다(PCT 21(2)(3)). 국제출원의 국제공개가 행하여지기 전에는 어떠한 자 또는 당국에 대하여서도 국제사무국은 국제출원을 공개하여서는 안 된다. 다만, 출원인의 청구에 의한 경우 또는 그의 승낙을 얻은 경우는 예외가 된다(PCT 30(1)).

2) 특허청 홈페이지

04 지정국 진입

각 지정국에서 특허권을 받기 위해서는 해당 지정국에 진입한 후 다시 심사를 받아야 한다. 지정국이 우리나라인 경우는 우선일부터 2년 7월 이내에 국제출원일에 제출한 발명의 설명·청구범위·도면(도면 중 설명 부분에 한한다) 및 요약서의 국어번역문을 특허청장에게 제출하여야 하며, 진입한 후 심사를 받아야 특허권을 부여받을 수 있다(제201조 제1항 본문).

기출로 다지기

PCT 국제출원에 대한 설명으로 틀린 것은? • 20회 기출

① 지정국에서 실제 특허를 획득하는 시기를 앞당길 수 있다.
② PCT 국제출원을 했다 하더라도 각 지정국에서 특허를 받기 위해서는 각국마다 별도로 번역문을 제출하고 해당 국가의 심사를 통과해야 한다.
③ PCT 국제출원은 특허와 실용신안에 대해서만 인정된다.
④ 국제조사보고서를 받은 후 청구범위를 보정할 수 있다.
⑤ PCT 국제출원에서도 우선권 주장을 할 수 있다.

| ① 국제출원을 위한 절차가 추가되므로 실제 지정국에서 특허를 획득하는 시기는 늦어진다. ▶ ①

제7절 실용신안제도

01 실용신안등록제도의 취지

발명은 자연법칙을 이용한 기술적 사상의 창작으로서 고도한 것이다. 기술적 사상은 물건(물질 포함), 방법, 제조방법의 3가지 카테고리로 분류할 수 있다(제2조 제3호). 이 중 물건에는 그 물건의 형상, 구조, 조합이 특징인 것도 포함된다.

고도의 여부는 발명의 성립성(제29조 제1항 본문)이 아닌 진보성의 영역(제29조 제2항)에서 판단한다. 그러므로 고도란 진보를 뜻한다고 보면 된다. 제29조 제2항의 진보란 종래 공개된 발명보다 곤란성이 있는 경우에 인정된다. 곤란성이란 공개된 발명으로부터 쉽게 도출해 낼 수 없는 구성을 말하며, 구성을 쉽게 도출할 수 있는지의 여부는 그 구성 특유의 효과를 참작하여 판단한다. 예를 들어 예측할 수 없었던 현저한 효과를 나타내거나, 더 나은 효과가 없더라도 그와 같은 효과를 나타낼 것임을 기대할 수 없었던 구성이면 곤란성이 있는 구성으로 본다. 결국 예측 곤란한 효과가 있으면 진보를 인정받을 수 있다.

그런데 물건 카테고리 중 물품의 형상, 구조, 조합에 관한 것은 그 구성을 보면 어떠한 효과를 나타낼 것인지가 쉽게 예측 가능한 경우가 많아서, 특허법상의 진보를 인정받지 못할 우려가 있다. 하지만 누구도 시도하지 않았던 물품의 형상, 구조, 조합을 제시해 인간의 보편적인 삶의 편의를 증진시켰다면 마땅히 모방을 억제해 주어 그와 같은 물품의 형상, 구조, 조합의 추가 공개를 장려할 필요가 있다. 이러한 취지에서 특허로는 보호받기가 쉽지 않으나 산업발전에는 기여하는 바가 있는 신규 물품의 형상, 구조, 조합을 따로 보호해 주고자 마련한 제도가 실용신안등록이다.

02 고안의 개념

특허법은 발명을 대상으로 하고, 실용신안법은 고안을 대상으로 한다. 여기서 고안이라 함은 물품의 형상, 구조 또는 조합에 관한 자연법칙을 이용한 기술적 사상의 창작으로서, 특허법이 정하는 자연을 정복하고 자연력을 이용하여 일정한 효과를 창출하고 이에 따라 인간의 수요를 충족하는 기술적 사상의 창작인 발명과 그 성질에서는 같으나 다만 고도 여부에 따라 구분되는 기술적 사상이다.

고안과 발명을 구별 짓는 핵심적 기준은 '고도' 여부이다. 고안과 발명은 '고도'라는 잣대에 따라 나눈다. 고도하지 못한 물품의 형상, 구조, 조합에 대해서도 모방을 방지할 권리를 주고자 고안의 개념을 도입하였다. 구체적으로 발명이 특허로서 보호받기 위해서는 그 창작이 통상의 지식을 가진 사람의 입장에서 출원 시 기술수준으로 보아 쉽게 할 수 있는 것이 아니어야 한다(제29조 제2항). 여기서 쉽게 할 수 없다고 함은 그와 같은 발명을 구성적으로 도출해 내기가 곤란한지를 특유의 효과의 예측 가능 여부 등을 고려해 평가한다. 그런데 물품의 형상, 구조, 조합 같은 경우는 기존에 있던 물품에 새로운 형상이나 구조를 가미한 것이거나, 기존에 있던 물품을 조합한 것이어서 성질상 어떻게 보면 효과를 예측한 채 그 구성의 도출이 용이한 경우가 많을 수 있어 특허로서 보호받을 수 있는 기본 요건의 충족이 어렵다. 그러나 창작된 기술적 사상이면서 그것이 인간생활에 새로운 편의를 제공하였다면 모방으로부터 보호해 줌으로써 연구 의욕을 고취시키는 것이 산업발전에 이바지하는 길임은 분명하기에, 실용신안이라는 절차를 따로 운영한다. 이에 특허법과 달리 실용신안법에서는 통상의 지식을 가진 사람이 출원 시 기술수준으로 보아 극히 쉽게 고안할 수 있는 것이 아니면 등록가능하다(실용신안법 제4조 제2항).

한편, 실용신안으로 등록받을 수 있는 대상은 물품의 형상·구조 또는 조합에 관한 고안으로 한정된다(실용신안법 제4조 제1항). 기술적 사상은 물건, 방법, 물건을 제조하는 방법의 3 종류의 카테고리가 있으나, 고안은 이 중 일정한 형상을 띄는 물건 카테고리만 해당한다. 물론 특허의 대상인 발명은 이러한 한정 없이, 형상을 띄는 물건은 물론이거니와 형상을 띄지 않는 물질이나 방법도 모두 포함한다(제2조 제3호).

03 물품의 형상·구조 또는 조합의 의미

물품에 대한 문언적인 정의 규정은 없으나, 통상 공간적으로 일정한 형(型)을 가진 것으로서, 일반 상거래의 대상이 되고 사용목적이 명확한 것이라 해석한다(심사기준).

형상이란 선이나 면 등으로 표현된 외형적인 형태를 말한다. 예를 들어 캠(cam)의 형태, 치차의 치형 같은 것이 형상이다.

구조란 공간적, 입체적으로 조립된 구성으로서 물품의 외관만이 아니고 평면도, 측면도, 정면도 및 경우에 따라서는 단면도를 이용하여 표현되는 구성을 말한다. 구조상의 특징은 외관상 명료할 것을 필요로 하지 않으며, 절단함으로써 또는 물리적·화학적 분석에 의하여 구별할 수 있는 경우 외관이 동일하여도 구조상 차이가 있는 것으로 본다. 전자제품 등의 회로인 경우도 물품의 구조로 보아 실용신안의 대상으로 하고 있다.

조합이란 물품의 사용 시 또는 불사용 시에 2개 또는 그 이상의 물품이 공간적으로 분리된 형태로 있고, 또 이들은 각각 독립적으로 일정한 구조 또는 형상을 가지며, 사용에 의하여 이들이 기능적으로 서로 관련되어 사용가치를 발휘하는 것을 말한다. 예를 들어, 볼트와 너트를 조합한 체결구 같은 것을 생각할 수 있다.

04 특허법과 실용신안법의 대비

특허법과 실용신안법은 법리가 대체로 유사하다. 왜냐하면 발명과 고안은 자연법칙을 이용한 기술적 사상의 창작이라는 점에서 공통되기 때문이다. 다만 "고도하지 못한 물품의 형상, 구조, 조합"이 보호대상이라는 점에서 실용신안법은 다음과 같이 특허법과 약간 다른 규정이 있다.

첫째, 물품의 형상, 구조, 조합은 물품의 외형이 특징이 되며, 외형은 제42조 제3항 제1호를 만족하도록 공개하는 데 있어서 언어보다 도면을 통해 설명하는 편이 효율적이므로, 실용신안법은 도면을 강제로 첨부한다.

둘째, 물품의 형상, 구조, 조합과 같이 물품의 외형이 특징인 것은 공적인 명예 등이 훼손되지 않도록 국기나 훈장과 동일하거나 유사한 것의 등록을 금한다(실용신안법 제6조 제1호).

셋째, 고안은 발명보다 고도하지 못하다. 이에 진보성 요건이 특허법보다 완화되어 있고(실용신안법 제4조 제2항), 존속기간이 짧다. 물품의 형상, 구조, 조합은 진보 여부에 따라 발명이 될 수 있고, 고안이 될 수 있다. 출원인은 선택에 따라 하나의 제도를 이용해 배타권을 허여받으면 된다. 만약 특허로써 보호받기가 쉽지 않을 것 같다면 존속기간이 짧은 대신 실용신안이라도 이용하여 등록을 받으면 되고, 특허로써 보호받을 가능성이 있다면 특허등록을 받는 것이 유리하다.

넷째, 고안은 의약과 같은 특징적인 외형이 없는 물건이나 방법 카테고리는 포함하지 않으므로, 실용신안법에는 허가 등에 따른 특허권의 존속기간의 연장제도(제89조), 약사법에 따른 조제행위와 그 조제에 의한 의약에 대한 특허권의 효력 제한(제96조 제2항), 방법 발명에 관한 간접침해제도(제127조 제2호), 생산방법추정(제129조) 등의 규정이 없고, 우선심사사유에 있어서 차이가 있다.

구분	특허법	실용신안법
대상	발명 (물건, 방법, 제조방법 카테고리 포함) (제2조 제3호)	물품의 형상, 구조, 조합에 관한 고안 (물품성 수반하는 협의의 물건 카테고리만 해당) (제4조 제1항)
성립 요건	고도성 要 (제2조 제1호 → 제29조 제2항에서 평가)	고도성 不要 (제2조 제1호 → 제4조 제2항의 문구가 특허법 제29조 제2항과 상이)
진보성	쉽게(제29조 제2항)	극히 쉽게(제4조 제2항)
부등록사유	공서양속 문란, 공중의 위생을 해할 염려 있는 발명 (제32조)	공서양속 문란, 공중의 위생을 해할 염려 있는 발명 + 국기, 훈장과 동일, 유사 고안 (제6조)
도면첨부 要不	필요한 경우만 (제42조 제2항)	필수 / 미제출 시 반려 (제8조 제2항 / 시행규칙 제17조 제1항)
존속기간	설정등록이 있는 날부터 특허출원일 후 20년 (제88조 제1항)	설정등록이 있는 날부터 실용신안등록출원일 후 10년(제22조 제1항)

기출로 다지기

1 실용신안등록을 받을 수 있는 고안에 해당하는 것은? • 20회 기출

① 국기 또는 훈장과 동일하거나 유사한 고안
② 머리를 염색하는 방법에 관한 고안
③ 컵의 구조에 관한 고안
④ 공공의 질서 또는 선량한 풍속을 문란하게 할 염려가 있는 고안
⑤ 공중의 위생을 해할 염려가 있는 고안

| 실용신안법은 물품에 관한 고안만을 보호대상으로 하며, 방법에 관한 고안은 보호대상이 아니다. ▶ ③

2 특허와 실용신안에 대한 비교 설명 중 틀린 것은? • 22회 기출

① 의약품 조성물은 특허로 출원이 가능하나 실용신안으로는 출원할 수 없다.
② 특허는 설정등록일로부터 출원일 후 20년까지 권리가 존속되는 반면, 실용신안은 설정등록일로부터 출원일 후 10년까지 권리가 존속된다.
③ 특허와 실용신안 모두 심사를 통해 등록 여부가 결정된다.
④ 특허로 출원한 후에 실용신안으로의 변경은 가능하지만, 실용신안으로 출원한 후에 특허로의 변경은 불가능하다.
⑤ 출원료 및 등록료에 있어서 실용신안이 특허보다 저렴하다.

| ④ 변경출원제도에 따라 특허에서 실용신안으로, 실용신안에서 특허로 출원 변경이 가능하다. ▶ ④

제3장 디자인제도 및 권리화

제1절 디자인제도의 개요

01 디자인보호법의 목적

관련 조문

디자인보호법 제1조(목적) 이 법은 디자인의 보호와 이용을 도모함으로써 디자인의 창작을 장려하여 산업발전에 이바지함을 목적으로 한다.

특허법 및 실용신안법의 보호대상인 기술적 사상뿐 아니라, 디자인 또한 산업적 가치 증대에 큰 역할을 하고 있다. 이 점을 고려하여, 디자인보호법은 디자인의 보호 및 이용을 도모함으로써 디자인의 창작을 장려하고자 도입되었다(제1조).

02 특허(실용신안)제도, 상표제도 및 디자인제도의 구분

예컨대 LED마스크를 개발하였을 때 경제적 이익을 얻는 산업 행위 과정에서 보호받을 수 있는 각 산업재산권은 다음과 같다.

① 특허권 또는 실용신안권(기술적 사상) : LED마스크의 탈착이 용이하고, LED 빛이 사용자의 눈에 들어가는 것을 방지할 수 있는 기술적 효과 발명 또는 고안 시[3)]

예시

[청구항 1] 중앙부가 개방된 프론트 커버; 상기 프론트 커버의 중앙부를 덮도록 상기 프론트 커버에 결합된 페이스 커버; 상기 페이스 커버에 형성된 한 쌍의 눈구멍을 덮도록 상기 페이스 커버에 결합된 외부 아이커버; 상기 프론트 커버와 페이스 커버의 내측면에 결합되어 사용자의 안면 전방을 덮는 내부 케이스; 및 사용자의 안면을 향해 빛을 조사하는 복수의 LED를 포함하는 LED마스크.

3) 기술적 효과의 창작 난이도가 고도하다면 특허권(발명), 고도하지 않다면 실용신안권(고안)으로 구분한다.

② 디자인권(디자인) : 미감을 일으키게 하는 형상 창작 시

예시

[도면]

③ 상표권(상표) : 타인 제품과 구분할 수 있는 제품명(표장) 선택 시

예시

[상표] 프라엘

제2절 디자인등록요건

01 디자인심사등록과 디자인일부심사등록 구분

관련 조문

제2조(정의) 이 법에서 사용하는 용어의 뜻은 다음과 같다.

4. "디자인등록"이란 디자인심사등록 및 디자인일부심사등록을 말한다.
5. "디자인심사등록"이란 디자인등록출원이 디자인등록요건을 모두 갖추고 있는지를 심사하여 등록하는 것을 말한다.
6. "디자인일부심사등록"이란 디자인등록출원이 디자인등록요건 중 일부만을 갖추고 있는지를 심사하여 등록하는 것을 말한다.

제37조(디자인등록출원) ④ 디자인일부심사등록출원을 할 수 있는 디자인은 물품류 구분 중 산업통상자원부령으로 정하는 물품으로 한정한다. 이 경우 해당 물품에 대하여는 디자인일부심사등록출원으로만 출원할 수 있다.

유행성이 강한 일부 물품에 대해서는 일부심사등록제도를 이용할 수 있다. 일부심사등록제도란 등록제도와 달리 등록요건 중 일부만 심사하여 조속히 등록해 주는 제도를 말한다. 이는 유행성 강한 물품에 대한 신속한 권리화를 통해 디자인창작자를 보호해 주고자 도입되었다. 디자인일부심사등록출원은 식품, 의류, 여행용품, 직물지, 포장용기, 쥬얼리, 문구류에 속하는 물품에 관한 디자인에 대해 가능하다. 일부심사등록출원이 가능한 물품이 아닌 물품은 심사등록출원만 가능하며, 일부심사등록출원으로 출원하면 해당 출원이 거절결정된다.

일부심사등록출원은 제3자의 정보제공이 없는 한 등록요건 중 신규성, 창작성 중 공지 등이 된 디자인에 의한 용이창작, 확대된 선출원주의, 관련디자인심사등록요건 및 선출원주의를 심사하지 않는다.

디자인심사등록출원에 대한 거절결정 사유별 적용조문 비교표

거절결정 사유	심사등록출원적용	일부심사등록출원	
		적용	미적용
제3조 제1항 본문	○	○	
제27조	○	○	
제33조	○	• 제1항 본문에 따른 공업상 이용가능성이 없는 경우 • 제2항 제2호(주지형상 등에 의한 창작비용이성)	• 제1항(신규성) 각 호 • 제2항 제1호(공지디자인 등에 의한 창작비용이성) • 제3항(확대된 선출원)
제34조	○	○	
제35조	○	• 관련디자인을 기본디자인으로 표시 • 기본디자인의 소멸, 거절결정, 무효, 취하, 포기 • 기본디자인과 출원인(권리자) 상이 • 기본디자인과 비유사 • 기본디자인의 출원일로부터 1년 경과 후 출원 • 제3항	• 제1항의 규정 중 자기의 기본디자인과만 유사한 디자인 • 제2항(자기의 관련디자인과만 유사한 디자인)
제37조 제4항	○	○	
제39조	○	○	
제40조	○	○	
제41조	○	○	
제42조	○	○	
제46조 제1항 및 제2항	○		○
조약에 위반된 경우	○	○	

02 디자인의 성립성

관련 조문

제2조(정의) 이 법에서 사용하는 용어의 뜻은 다음과 같다.
1. "디자인"이란 물품[물품의 부분, 글자체 및 화상을 포함한다. 이하 같다]의 형상·모양·색채 또는 이들을 결합한 것으로서 시각을 통하여 미감을 일으키게 하는 것을 말한다.

디자인보호법은 디자인을 보호한다. 디자인이 아닌 것에 대해 디자인권의 부여를 요구하며 특허청에 등록을 출원하면, 특허청은 해당 출원의 거절결정을 하게 된다.
디자인이란 물품(물품의 부분, 글자체 및 화상을 포함)의 형상·모양·색채 또는 이들을 결합한 것으로서 시각을 통하여 미감(美感)을 일으키게 하는 것을 말한다(제2조 제1호).
물품은 공간적으로 일정한 형태를 가지며 독립거래대상이 되는 유체물이어야 한다. 다만 독립하여 거래대상이 될 수 없는 물품의 부분일지라도 거래대상이 될 수 있는 물품의 부분디자인으로는 등록 가능하다. 이를 부분디자인제도라 한다.

예시

부분디자인

등록번호 30-1050986 [정면도]	[물품명칭] 양말 [디자인설명] 1. 재질은 섬유, 실리콘 및 합성수지제임. 2. 본원 디자인은 양말 뒤꿈치부분으로 충격흡수 및 미끄럼 방지를 위해 양말 뒤꿈치부분에 실리콘 또는 합성수지로 코팅한 양말에 관한 것임. 3. 본원 디자인은 부분디자인으로서, 점선으로 표현된 부분을 제외한 나머지 실선으로 표현된 양말 뒤꿈치 실리콘 코팅 부분을 등록받고자 하는 부분이고, 점선 부분은 등록을 받고자 하는 부분이 아님. (이하 생략) ※ 설명의 편의상 이외의 도면은 생략함

형상은 물품이 공간을 점유하고 있는 윤곽을 말한다. 디자인은 물품과 불가분적 관계에 있으므로, 형상이 필수적 구성요소이다. 다만 디자인권으로 보호되는 글자체 및 화상은 물품성이 의제되어 형상을 수반하지 않는다. 여기서 글차체란 기록이나 표시 또는 인쇄 등에 사용하기 위하여 공통적인 특징을 가진 형태로 만들어진 한 벌의 글자꼴(숫자, 문장부호 및 기호 등의 형태 포함)을 말하고, 화상이란 디지털 기술 또는 전자적 방식으로 표현된 도형·기호 등을 말하며, 기기의 조작에 이용되거나 기능이 발휘되는 것을 말한다.
모양은 물품의 외관에 나타나는 선도, 색구분, 색흐림을 말한다. 선도는 선으로 그린 도형, 색구분은 공간을 선이 아닌 색채로 구획한 것, 색흐림은 색과 색의 경계를 흐리게 하여 색이 자연스럽게 옮아가는 것 같이 보이게 한 것을 뜻한다.

색채는 물체에 반사되는 빛에 의해 인간의 망막을 자극하는 물체의 성질이다. 무채색과 유채색으로 구분되며 투명색과 금속색을 포함한다. 한편, 색채는 디자인의 임의적 구성요소이다. 글자체 및 화상을 제외하고는 형상이 디자인의 필수적 구성요소이며, 형상 + 모양 결합, 형상 +색채 결합, 형상 + 모양 + 색채 결합 또는 형상만으로 된 것이 디자인으로 인정된다.

03 권리능력

관련 조문

제27조(외국인의 권리능력) 재외자인 외국인은 다음 각 호의 어느 하나에 해당하는 경우를 제외하고 디자인권 또는 디자인에 관한 권리를 누릴 수 없다.

1. 그 외국인이 속하는 국가에서 대한민국 국민에 대하여 그 국민과 같은 조건으로 디자인권 또는 디자인에 관한 권리를 인정하는 경우
2. 대한민국이 그 외국인에 대하여 디자인권 또는 디자인에 관한 권리를 인정하는 경우에는 그 외국인이 속하는 국가에서 대한민국 국민에 대하여 그 국민과 같은 조건으로 디자인권 또는 디자인에 관한 권리를 인정하는 경우
3. 조약 및 이에 준하는 것(이하 "조약"이라 한다)에 따라 디자인권 또는 디자인에 관한 권리가 인정되는 경우

재외자 중 외국인은 ① 그 외국인이 속하는 국가에서 대한민국 국민에 대하여 그 국가의 국민과 같은 조건으로 디자인권을 인정하는 경우, ② 대한민국이 그 외국인에 대하여 디자인권을 인정하자 그 외국인이 속하는 국가에서도 대한민국 국민에 대하여 그 국가의 국민과 같은 조건으로 디자인권을 인정하는 경우, ③ 대한민국이 가입한 조약의 효력에 따라 디자인권을 인정하는 경우를 제외하고는 대한민국에서 디자인등록을 받을 수 없다. 이 조건을 만족하지 않는 재외자 중 외국인이 출원하면 해당 출원은 거절결정된다.

04 디자인등록을 받을 수 있는 권리

관련 조문

제3조(디자인등록을 받을 수 있는 자) ① 디자인을 창작한 사람 또는 그 승계인은 이 법에서 정하는 바에 따라 디자인등록을 받을 수 있는 권리를 가진다. 다만, 특허청 또는 특허심판원 직원은 상속 또는 유증(遺贈)의 경우를 제외하고는 재직 중 디자인등록을 받을 수 없다.

제39조(공동출원) 디자인등록을 받을 수 있는 권리가 공유인 경우에는 공유자 모두가 공동으로 디자인등록출원을 하여야 한다.

1. 창작자

디자인등록을 받을 수 있는 권리는 디자인을 창작함과 동시에 창작자에게 발생한다. 공동창작한 경우는 공동창작자가 디자인등록을 받을 수 있는 권리를 지분 비율에 따라 공유한다.

2. 승계인

창작자는 디자인등록을 받을 수 있는 권리를 전부 또는 지분별로 이전할 수 있다. 이때 출원 전 승계는 이전계약 후 효력이 발생하는 반면, 출원 후 승계는 상속 기타 일반승계를 제외하고는 이전계약 후 특허청에 출원인변경신고까지 완료하여야 효력이 발생한다.

3. 거절결정 사안

남의 디자인을 모인한(남의 것을 자기 것처럼 꾸미어 속인) 자는 창작자도 승계인도 아닌 자로서 디자인등록을 받을 수 있는 권리가 없는 자이다. 모인자가 남의 디자인에 대해 출원하면 해당 출원은 거절결정된다.

창작자 또는 승계인이라 하더라도 디자인등록을 받을 수 있는 권리의 일부 지분만을 가진 자가 다른 공유자를 제외하고 등록을 출원하면 해당 출원은 거절결정된다. 디자인등록을 받을 수 있는 권리를 공유하고 있는 경우는 공유자 모두가 함께 출원하여 디자인권을 함께 공유하여야만 한다.

창작자 또는 승계인이라 하더라도 특허청 직원은 상속의 경우를 제외하고는 재직 중 디자인권을 받을 수 없으며, 출원을 하더라도 해당 출원은 거절결정된다. 이는 특허청 직원이 자신의 공직 직분을 남용할 우려가 있기 때문이다.

05 공업상 이용가능성

관련 조문

제33조(디자인등록의 요건) ① 공업상 이용할 수 있는 디자인으로서 다음 각 호의 어느 하나에 해당하는 것을 제외하고는 그 디자인에 대하여 디자인등록을 받을 수 있다.

공업상 이용가능성이란 공업적 생산방법에 의하여 동일 물품이 양산될 수 있는 것을 말한다. 예컨대 박제나 수석 장식품처럼 자연물을 디자인 형태의 구성 주체로 사용하면서 다량 생산할 수 없는 것은 공업상 이용가능성이 없는 것으로 취급하며, 출원하더라도 해당 출원은 거절결정된다. 또한 출원 시 제출하는 도면에 디자인의 전체적 형태가 명확하게 표현되지 않아 어떤 부분이 추측 상태로 남아 있는 경우 디자인의 표현이 구체적이지 않다는 이유로 공업상 이용가능성 없는 것으로 취급한다.

06 신규성 및 창작비용이성

관련 조문

제33조(디자인등록의 요건) ① 공업상 이용할 수 있는 디자인으로서 다음 각 호의 어느 하나에 해당하는 것을 제외하고는 그 디자인에 대하여 디자인등록을 받을 수 있다.

1. 디자인등록출원 전에 국내 또는 국외에서 공지(公知)되었거나 공연(公然)히 실시된 디자인
2. 디자인등록출원 전에 국내 또는 국외에서 반포된 간행물에 게재되었거나 전기통신회선을 통하여 공중(公衆)이 이용할 수 있게 된 디자인
3. 제1호 또는 제2호에 해당하는 디자인과 유사한 디자인

② 디자인등록출원 전에 그 디자인이 속하는 분야에서 통상의 지식을 가진 사람이 다음 각 호의 어느 하나에 따라 쉽게 창작할 수 있는 디자인(제1항 각 호의 어느 하나에 해당하는 디자인은 제외한다)은 제1항에도 불구하고 디자인등록을 받을 수 없다.

1. 제1항제1호·제2호에 해당하는 디자인 또는 이들의 결합
2. 국내 또는 국외에서 널리 알려진 형상·모양·색채 또는 이들의 결합

1. 신규성

출원 전 공개된 디자인과 동일 또는 유사한 디자인을 출원하면 심사등록출원은 신규성 위반으로 거절결정된다. 동일 또는 유사 여부는 외관을 전체적으로 대비관찰하여 보는 사람으로 하여금 상이한 심미감을 느끼게 하는지 여부로 판단한다.

2. 창작비용이성

출원 전 공개된 디자인으로부터 쉽게 창작할 수 있는 디자인을 출원하면 심사등록출원은 창작성 위반으로 거절결정된다. 출원 전 공개된 디자인 또는 널리 알려진 디자인을 거의 그대로 모방하거나, 가하여진 변화가 단순한 상업적·기능적 변형 혹은 그 디자인이 속하는 분야에서 흔한 창작수법이나 표현방법에 의해 변형한 것에 불과하면 창작 수준이 낮은 것으로 본다.

한편, 일부심사등록출원은 제3자 정보제공이 없는 한 국내외에 널리 알려진 형상·모양·색채 또는 이들의 결합으로부터 쉽게 창작할 수 있는 경우만 거절결정된다.

07 선출원주의

관련 조문

제46조(선출원) ① 동일하거나 유사한 디자인에 대하여 다른 날에 2 이상의 디자인등록출원이 있는 경우에는 먼저 디자인등록출원한 자만이 그 디자인에 관하여 디자인등록을 받을 수 있다.

② 동일하거나 유사한 디자인에 대하여 같은 날에 2 이상의 디자인등록출원이 있는 경우에는 디자인등록출원인이 협의하여 정한 하나의 디자인등록출원인만이 그 디자인에 대하여 디자인등록을 받을 수 있다. 협의가 성립하지 아니하거나 협의를 할 수 없는 경우에는 어느 디자인등록출원인도 그 디자인에 대하여 디자인등록을 받을 수 없다.

③ 디자인등록출원이 무효·취하·포기되거나 제62조에 따른 디자인등록거절결정 또는 거절한다는 취지의 심결이 확정된 경우 그 디자인등록출원은 제1항 및 제2항을 적용할 때에는 처음부터 없었던 것으로 본다. 다만, 제2항 후단에 해당하여 제62조에 따른 디자인등록거절결정이나 거절한다는 취지의 심결이 확정된 경우에는 그러하지 아니하다.

④ 무권리자가 한 디자인등록출원은 제1항 및 제2항을 적용할 때에는 처음부터 없었던 것으로 본다.

⑤ 특허청장은 제2항의 경우에 디자인등록출원인에게 기간을 정하여 협의의 결과를 신고할 것을 명하고 그 기간 내에 신고가 없으면 제2항에 따른 협의는 성립되지 아니한 것으로 본다.

동일 또는 유사한 디자인에 대하여 2 이상의 출원이 있는 경우에는 먼저 출원한 자만이 디자인등록을 받을 수 있고, 후출원은 선출원주의 위반으로 거절결정된다. 이는 중복권리를 배제하기 위한 것이다. 다만 선출원된 것이라고 하더라도, 그 선출원이 무효·취하·포기·거절결정확정·거절한다는 취지의 심결(거절결정불복심판의 기각심결)이 확정되어 디자인이 등록되지 않고 절차가 종결된 경우는 선원의 지위를 소급적으로 소멸시킨다.

한편, 동일 또는 유사한 디자인에 대해 같은 날에 2 이상의 출원이 있는 때는 출원인 간에 협의하여 정한 하나의 출원만이 디자인등록을 받을 수 있으며, 특허청장이 각 출원인들에게 협의결과를 신고할 것을 명하였으나 기간 내 협의가 성립하지 않으면 모든 출원이 거절결정된다. 다만, 이는 심사등록출원에 한해 적용하고 제3자 정보제공이 없는 한 일부심사등록출원에서는 적용하지 않는다.

08 확대된 선출원주의

관련 조문

제33조(디자인등록의 요건) ③ 디자인등록출원한 디자인이 그 출원을 한 후에 제52조, 제56조 또는 제90조제3항에 따라 디자인공보에 게재된 다른 디자인등록출원(그 디자인등록출원일 전에 출원된 것으로 한정한다)의 출원서의 기재사항 및 출원서에 첨부된 도면·사진 또는 견본에 표현된 디자인의 일부와 동일하거나 유사한 경우에 그 디자인은 제1항에도 불구하고 디자인등록을 받을 수 없다. 다만, 그 디자인등록출원의 출원인과 다른 디자인등록출원의 출원인이 같은 경우에는 그러하지 아니하다.

선출원디자인이 후출원디자인의 출원 후에 출원공개 또는 등록공고되어 디자인공보에 게재되고, 후출원디자인이 선출원디자인의 일부와 동일하거나 유사한 경우 그 후출원디자인은 선출원과 후출원의 출원인이 동일하지 않는 한 확대된 선출원주의 위반으로 거절결정된다. 다만, 이는 심사등록출원에 한해 적용하고 제3자 정보제공이 없는 한 일부심사등록출원에서는 적용하지 않는다.

09 부등록디자인

관련 조문

제34조(디자인등록을 받을 수 없는 디자인) 다음 각 호의 어느 하나에 해당하는 디자인에 대하여는 제33조에도 불구하고 디자인등록을 받을 수 없다.

1. 국기, 국장(國章), 군기(軍旗), 훈장, 포장, 기장(記章), 그 밖의 공공기관 등의 표장과 외국의 국기, 국장 또는 국제기관 등의 문자나 표지와 동일하거나 유사한 디자인
2. 디자인이 주는 의미나 내용 등이 일반인의 통상적인 도덕관념이나 선량한 풍속에 어긋나거나 공공질서를 해칠 우려가 있는 디자인
3. 타인의 업무와 관련된 물품과 혼동을 가져올 우려가 있는 디자인
4. 물품의 기능을 확보하는 데에 불가결한 형상만으로 된 디자인

국기·국장·군기·훈장·포장·기장 기타 공공기관 등의 표장과 외국의 국기·국장 또는 국제기관 등의 문자나 표지와 동일하거나 유사한 디자인은 등록받을 수 없다. 이는 국가의 존엄성을 유지하고 공공기관 등이 지향하는 이념과 목적을 존중하는 공익적인 견지에서 비롯된 내용이다. 출원된 디자인이 주는 의미나 내용 등이 일반인의 통상적인 도덕관념인 선량한 풍속에 어긋나거나 공공질서를 해칠 우려가 있는 경우에도 등록받을 수 없다(제34조 제2호). 이 역시 공익보호를 위한 것이다.

타인의 업무와 관계되는 물품과 혼동을 가져올 염려가 있는 디자인도 등록받을 수 없다(제34조 제3호). 이는 타인의 업무상 신용과 이익을 보호하고, 수요자 출처 오인·혼동을 방지하기 위한 것이다.

물품의 기능을 확보하는 데에 불가결한 형상만으로 된 디자인도 등록받을 수 없다(제34조 제4호). 이러한 디자인은 특허법이나 실용신안법에 의해 보호함이 타당하기 때문이다.

이러한 부등록사유에 해당하는 디자인에 대해서는 심사등록출원이나 일부심사등록출원에 관계없이 출원이 거절결정된다.

예시

출원된 디자인이 주는 의미나 내용 등이 일반인의 통상적인 도덕관념인 선량한 풍속에 어긋나거나 공공질서를 해칠 우려가 있는 경우에도 등록받을 수 없다(제34조 제2호). 이 역시 공익보호를 위한 것이다.
타인의 업무와 관계되는 물품과 혼동을 가져올 염려가 있는 디자인도 등록받을 수 없다(제34조 제3호). 이는 타인의 업무상 신용과 이익을 보호하고, 수요자의 출처에 대한 오인·혼동을 방지하기 위함이다.

물품의 기능을 확보하는 데에 불가결한 형상만으로 된 디자인도 등록받을 수 없다(제34조 제4호). 이는 특허법이나 실용신안법에 의해 보호함이 타당하기 때문이다.
이러한 부등록사유에 해당하는 디자인은 심사등록출원이건 일부심사등록출원이건 출원이 거절결정된다.

10 관련디자인

관련 조문

제35조(관련디자인) ① 디자인권자 또는 디자인등록출원인은 자기의 등록디자인 또는 디자인등록출원한 디자인(이하 "기본디자인"이라 한다)과만 유사한 디자인(이하 "관련디자인"이라 한다)에 대하여는 그 기본디자인의 디자인등록출원일부터 3년 이내에 디자인등록출원된 경우에 한하여 제33조제1항 각 호 및 제46조제1항・제2항에도 불구하고 관련디자인으로 디자인등록을 받을 수 있다. 다만, 해당 관련디자인의 디자인권을 설정등록할 때에 기본디자인의 디자인권이 설정등록되어 있지 아니하거나 기본디자인의 디자인권이 취소, 포기 또는 무효심결 등으로 소멸한 경우에는 그러하지 아니하다.
② 제1항에 따라 디자인등록을 받은 관련디자인 또는 디자인등록출원된 관련디자인과만 유사한 디자인은 디자인등록을 받을 수 없다.
③ 기본디자인의 디자인권에 제97조에 따른 전용실시권(이하 "전용실시권"이라 한다)이 설정되어 있는 경우에는 그 기본디자인에 관한 관련디자인에 대하여는 제1항에도 불구하고 디자인등록을 받을 수 없다.
④ 제1항에 따라 기본디자인과만 유사한 둘 이상의 관련디자인등록출원이 있는 경우에 이들 디자인 사이에는 제33조제1항 각 호 및 제46조제1항・제2항은 적용하지 아니한다.

디자인에는 단독디자인과 관련디자인이 있다. 관련디자인이란 자기의 등록디자인이나 출원디자인(이를 기본디자인이라 한다)과 유사한 디자인을 말하며, 이는 기본디자인의 보호 강화를 위해 도입되었다.

관련디자인은 심사등록요건 또는 일부심사등록요건 이외 특유 등록요건이 추가된다. 특유 등록요건은 다음과 같다.

① 관련디자인은 관련디자인 출원인이 기본디자인의 디자인권자 또는 출원인과 다르거나, 기본디자인과 유사하지 않거나 기본디자인의 디자인등록출원일부터 3년이 지난 후 출원하면 거절결정된다. 또 관련디자인등록출원 등록 여부 결정 시 기본디자인권이 소멸되었거나, 기본디자인의 출원이 무효・취하・포기・거절결정확정된 경우도 거절결정된다.

② 기본디자인과 유사하지 않고 관련디자인과만 유사한 디자인은 거절결정된다.

③ 기본디자인의 디자인권에 전용실시권이 설정되어 있으면 거절결정된다.

11 1디자인 1출원

관련 조문

제40조(1디자인 1디자인등록출원) ① 디자인등록출원은 1디자인마다 1디자인등록출원으로 한다.

제41조(복수디자인등록출원) 디자인등록출원을 하려는 자는 제40조제1항에도 불구하고 산업통상자원부령으로 정하는 물품류 구분에서 같은 물품류에 속하는 물품에 대하여는 100 이내의 디자인을 1디자인등록출원(이하 "복수디자인등록출원"이라 한다)으로 할 수 있다. 이 경우 1 디자인마다 분리하여 표현하여야 한다.

제42조(한 벌의 물품의 디자인) ① 2 이상의 물품이 한 벌의 물품으로 동시에 사용되는 경우 그 한 벌의 물품의 디자인이 한 벌 전체로서 통일성이 있을 때에는 1디자인으로 디자인등록을 받을 수 있다.

출원은 일반적으로 1디자인으로 하여야 한다(제40조 제1항). 1디자인이란 1물품에 대한 1형태를 말한다. 1물품에 관한 다-형태, 다-물품에 관한 1형태・다-형태에 관한 디자인은 복수디자인(제41조) 또는 한 벌 물품의 디자인(제42조)이 아닌 이상 등록받을 수 없고, 심사등록출원이건 일부심사등록출원이건 거절결정된다.

복수디자인이란 100개 이내의 디자인을 1출원할 수 있는 제도를 말하고, 한 벌 물품의 디자인이란 한복 세트처럼 2 이상의 물품이 한 벌의 물품으로 동시에 사용되는 경우 각 물품에 관한 디자인을 말한다.

예시

한 벌의 물품 디자인

"한 벌의 샐러드 그릇 및 포크 세트"에서 샐러드 그릇 및 포크가 서로 결합하여 하나의 그릇 현상을 표현한 것 등

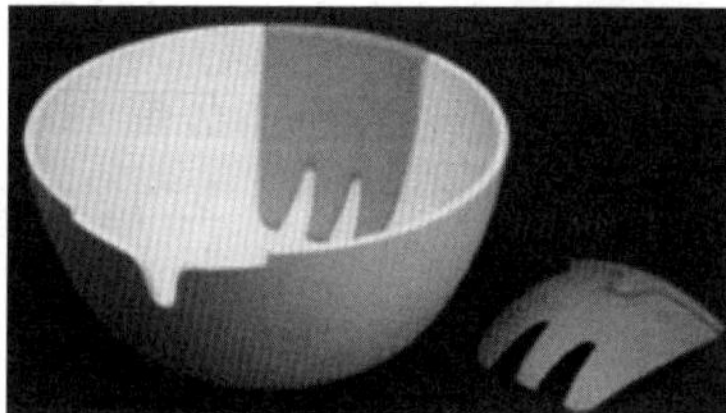

12 정당한 물품류 및 물품명 기재

관련 조문

제40조(1디자인 1디자인등록출원) ② 디자인등록출원을 하려는 자는 산업통상자원부령으로 정하는 물품류 구분에 따라야 한다.

출원 시 디자인의 대상이 되는 물품의 물품류와 물품명을 기재하여야 하는데, 이는 산업통상자원부령으로 정하는 물품류 구분에 따라야 한다. 물품류는 로카르노협정에 따라 제1류부터 제31류까지 있다. 예컨대 제1류는 식품이고, 제2류는 의류 및 패션잡화용품이다. 기재된 물품류나 물품명이 명확하지 않은 경우는 심사등록출원이건 일부심사등록출원이건 출원이 거절결정된다.

디자인 로카르노 분류 14판 기준(2023. 01.)

* 로카르노 분류의 구성 : 류(Class) · 군(Subclass) 물품목록

1류	식품
01-01	빵, 비스킷, 페스트리, 파스타, 그 밖의 가공곡물, 초콜릿, 과자류, 빙과류
01-02	과일, 야채
01-03	치즈, 버터 및 버터대용품, 그 밖의 유제품
01-04	육류(돼지고기 제품 포함) 및 생선
01-05	두부 및 두부제품
01-06	동물용 사료
01-99	그 밖의 식품
2류	의류 및 패션잡화용품
02-01	내의, 란제리, 코르셋, 브래지어, 잠옷
02-02	의류
02-03	모자류
02-04	신발류, 양말 및 스타킹
02-05	넥타이, 스카프, 목도리 및 손수건
02-06	장갑
02-07	패션잡화 및 의류 액세서리
02-99	그 밖의 의류 및 패션잡화 용품
3류	다른 류에 명기되지 않는 여행용품, 케이스, 파라솔 및 신변용품
03-01	트렁크, 여행가방, 서류가방, 핸드백, 키홀더, 제품전용 케이스, 지갑 및 유사한 물품
03-02	[공란]
03-03	우산, 파라솔, 차양 및 지팡이
03-04	부채
03-05	유아용 운반 및 보행기구
03-99	그 밖의 다른 류에 명기되지 않는 여행용품, 케이스, 파라솔 및 신변용품
4류	브러시 제품
04-01	청소용 브러시 및 빗자루
04-02	욕실용 브러시, 의류용 브러시, 신발용 브러시
04-03	기계용 브러시
04-04	미술용 브러시, 조리용 브러시
04-99	그 밖의 브러시 제품

5류	섬유제품, 인조 및 천연 시트직물류
05-01	방사 제품(Spun articles)
05-02	레이스
05-03	자수
05-04	리본, 장식용 끈, 그 밖의 장식용 트리밍
05-05	직물
05-06	인조 또는 천연 시트직물류
05-99	그 밖의 섬유제품, 인조 및 천연 시트직물류
6류	가구 및 침구류
06-01	의자
06-02	침대
06-03	테이블 및 유사 가구
06-04	수납 가구
06-05	조합 가구
06-06	그 밖의 가구 및 가구 부품
06-07	거울 및 프레임
06-08	의류걸이
06-09	매트리스 및 쿠션
06-10	커튼 및 실내 블라인드
06-11	양탄자, 매트 및 깔개
06-12	태피스트리
06-13	담요 및 그 밖의 커버용 직물, 가정용 린넨 및 식탁용 린넨
06-99	그 밖의 가구 및 침구류
7류	다른 류에 명기되지 않는 가정용품
07-01	도자기, 유리제품, 접시 및 그 밖의 유사한 용품
07-02	조리용 기기, 조리용 용기, 조리용 기구
07-03	테이블 커트러리
07-04	음식 또는 음료 조리용 수동기구 및 용구
07-05	다림용 인두, 세탁 · 청소 및 건조기기
07-06	그 밖의 주방 및 식탁용구
07-07	그 밖의 가정용 용기
07-08	벽난로용 기구
07-09	가정용 조리기구 스탠드 및 홀더
07-10	냉장 및 동결기기, 보온용기
07-99	그 밖의 다른 류에 명기되지 않는 가정용품

8류	공구 및 철물류
08-01	천공, 절삭 또는 채굴용 공구 및 기구
08-02	망치 및 그 밖의 유사한 공구 및 기구
08-03	절단용 공구 및 기구
08-04	스크류드라이버 및 그 밖의 유사한 공구 및 기구
08-05	그 밖의 공구 및 기구
08-06	핸들, 손잡이 및 경첩
08-07	잠금 및 폐쇄 장치
08-08	그 밖의 다른 류에 포함되지 않는 고정장치 또는 지지장치
08-09	다른 류에 포함되지 않는 문, 창, 가구 및 유사품의 금속부품 등
08-10	자전거 및 오토바이 보관대
08-11	커튼용 하드웨어
08-99	그 밖의 공구 및 철물류
9류	물품 운송·처리용 포장 및 용기
09-01	병, 플라스크, 포트, 대형 유리병(carboys), 목이 가는 대형 유리병(demijohns) 및 압력용기
09-02	저장용 캔, 드럼통 및 통(casks)
09-03	상자, 케이스, 컨테이너, (보존용) 깡통
09-04	광주리, 나무상자 및 바구니
09-05	자루, 일회분 포장봉지(sachets), 튜브 및 캡슐
09-06	로프 및 고정용 테(hooping materials)
09-07	포장용 잠금장치 및 부속품
09-08	지게차용 팔레트 및 작업대
09-09	폐품통 및 쓰레기통, 폐품·쓰레기통 스탠드
09-10	포장재 및 포장용기의 운반·취급용 핸들 및 그립
09-99	그 밖의 물품 운송·처리용 포장 및 용기
10류	시계, 휴대용시계, 그 밖의 계측기구, 검사기구 및 신호기구
10-01	시계 및 알람시계
10-02	휴대용 시계 및 손목시계
10-03	그 밖의 시간 측정기구
10-04	그 밖의 계측도구, 기구 및 장치
10-05	검사, 안전 또는 시험을 위한 도구, 기구 및 장치
10-06	신호기구 및 기기
10-07	케이싱, 케이스, 표지판(dial), 시계바늘, 그 밖의 계측·검사·신호를 위한 기구의 부품 및 부속품
10-99	그 밖의 시계, 휴대용 시계, 계측기구, 검사 및 신호기구

11류	장식용품
11-01	장신구
11-02	소형 장식품, 테이블·벽난로 및 벽 장식품, 화병 및 화분
11-03	메달 및 배지
11-04	조화, 모조과일 및 모조식물
11-05	깃발, 축제 장식물
11-99	그 밖의 장식용품
12류	운송 또는 승강 수단
12-01	동물에 의해 움직이는 운송수단
12-02	핸드카트, 일륜수레
12-03	기관차 및 철도용 차량
12-04	공중 케이블카, 좌식 리프트 및 스키 리프트
12-05	적재 또는 운반용 엘리베이터 및 승강기(hoist)
12-06	선박 및 보트
12-07	항공기 및 우주선
12-08	자동차, 버스 및 화물자동차
12-09	트렉터
12-10	차량용 트레일러
12-11	자전거 및 오토바이
12-12	유모차, 휠체어, 들것
12-13	특수목적 차량
12-14	그 밖의 차량
12-15	차량용 타이어 및 미끄럼방지용 체인
12-16	다른 류나 군에 포함되지 않는 운송수단용 부품, 장비 및 부속품
12-17	철도 기반시설 부품
12-99	그 밖의 운송 또는 승강 수단
13류	전기의 발전, 공급 또는 변전을 위한 장치
13-01	발전기 및 모터
13-02	전력변압기, 정류기, 배터리 및 축전지
13-03	전력 공급 및 제어기기
13-04	태양열 장치
13-99	그 밖의 전기의 발전, 공급 또는 변천을 위한 장치
14류	레코딩, 통신 및 데이터처리 기기
14-01	음향 또는 영상 저장 및 재생장치
14-02	데이터 처리장치 및 주변기기
14-03	통신용 장비, 무선원격제어기기 및 고주파증폭기
14-04	기기조작 화상 및 기능발휘 화상
14-05	레코딩 및 데이터 저장용 미디어
14-06	다른 류에 포함되지 않는 전자장비용 홀더, 스탠드 및 지지구
14-99	그 밖의 저장, 통신 또는 정보검색 장비

15류	다른 류에 명기되지 않는 기계
15-01	엔진
15-02	펌프 및 컴프레서
15-03	농업 및 임업기계
15-04	건설 및 광업기계
15-05	세탁, 청소 및 건조용 기계
15-06	방직, 재봉, 편물 및 자수용 기계 및 구성부품
15-07	냉장기계 및 기기
15-08	[공란]
15-09	공작기계, 연마기 및 주조기
15-10	주입 및 포장용기계
15-99	그 밖의 다른 류에 명기되지 않는 기계
16류	**사진촬영기, 영상촬영기 및 광학기기**
16-01	사진촬영기 및 영상촬영기
16-02	프로젝터 및 뷰어
16-03	복사기기 및 확대기
16-04	현상용 기기 및 장비
16-05	액세서리
16-06	광학제품
16-99	그 밖의 사진촬영기, 영상촬영기 및 광학기기
17류	**악기**
17-01	건반악기
17-02	관악기
17-03	현악기
17-04	타악기
17-05	자동연주악기
17-99	그 밖의 악기
18류	**인쇄 및 사무용 기계**
18-01	타자기 및 계산기
18-02	인쇄기계
18-03	활자 및 글자체
18-04	제본기, 인쇄기용 스테이플링기, 제본용 절단기 및 트리머
18-99	그 밖의 인쇄 및 사무용 기계
19류	**문방구, 사무용품, 미술재료, 교재**
19-01	필기용지, 서신용 카드 및 알림 카드
19-02	사무용품
19-03	달력
19-04	서적 및 그 밖의 유사한 외관을 가진 물품
19-05	[공란]
19-06	필기, 제도, 회화, 조각, 판화 및 그 밖의 미술기법을 위한 재료 및 기구
19-07	교재 및 교습구
19-08	그 밖의 인쇄물
19-99	그 밖의 문방구, 사무용품, 미술재료, 교재

20류	판매 및 광고용 장비, 표지판
20-01	자동판매기
20-02	진열 및 판매용구
20-03	표지판, 간판 및 광고용 장치
20-99	그 밖의 판매 및 광고용 장비, 표지판
21류	**게임용품, 완구, 텐트 및 스포츠용품**
21-01	게임용품 및 완구
21-02	운동·스포츠용구 및 기구
21-03	그 밖의 오락용품
21-04	텐트 및 텐트 부속품
21-99	그 밖의 게임용품, 완구, 텐트 및 스포츠용품
22류	**무기, 화학제품, 사냥·낚시 및 살충용품**
22-01	발사무기
22-02	그 밖의 무기
22-03	탄약, 로켓 및 화약제품
22-04	과녁 및 부속품
22-05	사냥 및 낚시장비
22-06	덫(올가미), 살충제품
22-99	그 밖의 무기 및 화약제품, 사냥·낚시 및 살충용품
23류	**유체공급기, 위생, 난방, 환기 및 공기조절기, 고체연료**
23-01	유체공급기
23-02	[공란]
23-03	난방 기기
23-04	환기 및 공기조절기
23-05	고체연료
23-06	위생용 기기
23-07	배뇨 및 배변용 장비
23-08	다른 류 및 군에 포함되지 않는 기타 위생장비 및 부품
23-99	그 밖의 유체공급기, 위생설비용품, 난방기기, 환기 및 공조기기, 고체연료
24류	**의료 및 실험실용 기구**
24-01	의사, 병원 및 실험실용 기기 및 기구
24-02	의료기구, 실험실용 기기 및 용구
24-03	의료용 보철용품
24-04	상처치료, 간호 및 의료용품
24-05	보행보조기구
24-99	그 밖의 의료 및 실험실용 기구

25류	건축 유닛 및 건설 자재
25-01	건축재료
25-02	조립식 또는 사전 조립된 건축 부자재
25-03	가옥, 차고 및 그 밖의 건축물
25-04	층계, 사다리 및 비계
25-99	그 밖의 건축 유닛 및 부자재
26류	조명기기
26-01	촛대 및 나뭇가지형 촛대
26-02	횃불, 손전등, 랜턴
26-03	공공조명기기, 옥외 조명, 무대조명
26-04	전기식 또는 비전기식 광원
26-05	램프, 전기스탠드, 샹들리에, 벽 부착등 및 천장 부착등, 사진 및 영사기 투광 램프
26-06	차량용 조명기기
26-07	다른 류나 군에 포함되지 않는 조명기기 부품 및 부속품
26-99	그 밖의 조명 기기
27류	담배 및 흡연용품
27-01	담배, 시가, 궐련
27-02	파이프, 시가 및 궐련대
27-03	재떨이
27-04	성냥
27-05	라이터
27-06	시가 케이스, 궐련 케이스, 담배 단지 및 주머니
27-07	전자담배 및 전자담배용품
27-99	그 밖의 담배 및 흡연용품

28류	의약품 및 화장품, 욕실·미용용품 및 기기
28-01	의약품
28-02	화장품
28-03	욕실용품 및 미용기구
28-04	가발 및 인조미용용품
28-05	방향제
28-06	헤어 스타일링 기기 및 기구
28-99	그 밖의 의약품 및 화장품, 욕실·미용용품 및 기기
29류	소방, 사고방지 및 구조용 장치 및 장비
29-01	소화장치 및 기구
29-02	다른 류에 명기되지 않는 사고방지 및 구조용 장비
29-99	그 밖의 소방, 사고방지 및 구조용 장치 및 장비
30류	동물 관리 및 사육용품
30-01	동물용 의류
30-02	동물용 우리, 새장, 개집 및 유사한 물품
30-03	사료 공급기 및 물 공급기
30-04	마구
30-05	채찍 및 가축 몰이용 막대
30-06	동물용 침대, 둥지 및 가구
30-07	횃대 및 새장 부속품
30-08	표식, 식별표 및 족쇄
30-09	말 등을 매는 말뚝
30-10	동물용 털 손질기기
30-11	동물용 배설물 제거용 기기 및 변기
30-12	동물용 장난감 및 훈련용 장비
30-99	그 밖의 동물 관리 및 사육용품
31류	다른 류에 명기되지 않는 음식 또는 음료조리용 기계 및 기구
31-00	다른 류에 명기되지 않는 음식 또는 음료조리용 기계 및 기구

13 기타 등록요건

그 외 조약에 위반되는 경우 해당 심사등록출원(일부심사 포함)은 거절결정된다.

1 다음은 글자체디자인에 관한 설명이다. 이 중 틀린 것은? • 18회 기출

① 글자체디자인이란 폰트, 서예, 로고와 같은 문자로 이루어진 디자인을 말한다.
② 글자체디자인은 물품으로 보며 형상을 수반하지 않는다.
③ 한글글자체, 영문자글자체, 한문글자체, 숫자글자체 및 기타 외국문자 글자체 상호 간은 비유사한 물품으로 본다.
④ 글자체디자인의 유사판단에 있어 글자체디자인은 구조적으로 디자인을 크게 변형시키기 어려운 특성이 있으므로 이와 같은 고유한 특성을 충분히 참작하여 디자인의 유사 여부를 판단하여야 한다.
⑤ 글자체디자인의 디자인등록출원에 있어, 지정글자도면, 보기문장도면 및 대표글자도면은 모두 필수적으로 제출하여야 하는 도면이다.

| ① 글자체디자인이란 기록, 표시 또는 인쇄 등에 사용하기 위하여 공통적인 특징을 가진 형태로 만들어진 한 벌의 글자꼴을 의미하며, 서예와 같은 미적 감상대상이나 로고와 같은 출처표시의 하나인 문자는 글자체디자인으로 성립되지 못한다. ▶ ①

2 디자인보호법상 '물품'에 대한 설명으로 가장 옳은 것은? • 19회 기출

① 일정한 형체가 없는 것도 물품에 해당한다.
② 시멘트, 설탕도 물품에 해당한다.
③ 일상생활에서 쓰이는 다양한 의미의 '물품'과 달리, 디자인보호법은 '물품'의 정의 규정을 별도로 두고 있다.
④ 디자인보호법상 물품은 '독립성이 있는 구체적인 유체동산'으로 해석되고 있다.
⑤ 현장 시공을 통해 건축되는 부동산은 디자인보호법상 물품에 해당한다.

| ④ 물품에 대해 디자인보호법은 별도의 정의 규정을 두고 있지 않지만, 현재 디자인권제도 실무의 확고한 입장은 물품을 '독립성이 있는 구체적인 유체동산'으로 해석하고 있다. ▶ ④

3 디자인등록요건으로서 '공업상 이용가능성'에 대한 설명으로 옳지 않은 것은? • 19회 기출

① 공업상 이용가능성이란 공업적 생산방법에 의하여 동일 물품이 양산될 수 있는 것을 말한다.
② 디자인보호법은 물품의 수요 증대를 통한 산업발전이라는 디자인보호법의 목적을 위해 디자인의 공업상 이용가능성을 디자인의 등록요건으로 한다.
③ 공업이란 소재를 가공하여 새로운 재화를 생산하는 산업의 일종으로 수공업적, 상업적, 농업적 생산방법을 포함하는 개념이다.
④ 박제처럼 자연물을 디자인 형태의 구성 주체로 사용하면서 다량 생산할 수 없는 것은 공업상 이용가능성이 없는 것으로 취급된다.
⑤ 디자인 실무는 도면에 의해 등록받고자 하는 디자인을 전체적으로 명확하게 표현하지 않아 일부분이 추측 상태에 남을 정도면 그 출원디자인은 공업상 이용가능성이 없는 것으로 본다.

| ③ 공업이란 소재를 가공하여 새로운 재화를 생산하는 산업의 일종으로 상업적, 농업적 생산방법에 의한 것은 제외된다. ▶ ③

4 다음 물품 중 디자인의 등록요건인 공업상 이용가능성, 신규성, 창작성을 만족시키더라도 디자인등록을 받지 못하는 디자인은? • 22회 기출

① 표면에 태극기 문양을 음각으로 가공한 화목난로
② 회사 로고를 표면에 표시한 식품용기
③ 꽃무늬가 표면에 표시된 벽지
④ 자동차의 타이어
⑤ 조립 가옥

| ① 국기, 국장, 공공단체의 표장 등과 동일하거나 유사한 것은 등록될 수 없다. ▶ ①

5 디자인의 권리범위에 대한 설명으로 옳지 않은 것은? • 19회 기출

① 디자인은 상대적으로 모방이 용이하고, 모방과 창작의 경계가 애매하여 침해가 빈번하게 발생한다.
② 등록디자인의 보호범위가 상대적으로 협소한 특징을 고려하여 디자인보호법은 등록디자인의 보호범위를 유사 영역까지 미칠 수 있도록 규정하고 있다.
③ 등록디자인의 유사 영역이란 등록디자인과 전체적인 외관이 동일하진 않더라도 일반 수요자가 동일한 심미감을 느낄 수 있을 정도의 디자인 영역을 의미한다.
④ 관련디자인제도를 활용하면 기본디자인과만 유사한 디자인을 관련디자인으로 등록받을 수 있다.
⑤ 관련디자인을 등록하더라도 기본디자인의 유사 영역을 넘어 권리범위를 인정받을 수 있는 것은 아니다.

| ⑤ 디자인보호법 개정(2014. 7. 1. 시행)에 따라 관련디자인제도를 활용하게 되면 기본디자인과만 유사한 디자인을 관련디자인으로 등록받을 수 있어서 관련디자인과만 유사한 디자인, 즉 기본디자인과 비유사한 영역까지도 권리범위를 인정받을 수 있게 되어 기본디자인을 중심으로 상당히 큰 권리범위를 인정받을 수 있다. ▶ ⑤

6 다음 중 디자인등록의 대상이 되지 않는 것을 모두 고른 것은? • 18회 기출

㉠ 이동식 화장실	㉡ 동물박제
㉢ 유리잔	㉣ 초콜릿
㉤ 솜사탕	㉥ 개량된 특이한 형태의 장미꽃
㉦ 현장시공만으로 시공이 가능한 한증막	

① ㉠, ㉤, ㉦
② ㉡, ㉢, ㉤
③ ㉢, ㉣, ㉦
④ ㉤, ㉥, ㉦
⑤ ㉡, ㉥, ㉦

| ㉡ 동물박제는 자연물의 형태로서 인간이 창작한 형태가 아니므로 디자인보호법상 등록의 대상이 되는 물품이 아니다.
㉥ 장미꽃은 천연자연물로서 디자인보호법상 등록의 대상이 되는 물품이 아니다.
㉦ 현장시공만으로 시공이 가능한 한증막은 부동산으로서 이동의 가능성 및 동일 물품의 다량생산의 가능성이 없으므로 디자인보호법상 등록의 대상이 되는 물품이 아니다. ▶ ⑤

7 다음은 디자인보호법상 특유 제도를 설명한 것이다. 옳은 것을 모두 고른 것은? • 20회 기출

> ㉠ 디자인보호법은 물품의 부분을 물품으로 간주하여 보호한다.
> ㉡ 최초 개발디자인(A)을 특허청에 출원한 후, 이와 유사한 디자인(A′)을 관련 디자인으로 출원하면, 그 이후 그 관련디자인(A′)과만 유사한 디자인(A′′)은 디자인등록이 불가능하다.
> ㉢ 타자, 조판 또는 인쇄 등의 통상적인 과정에서 글자체를 사용하는 행위는 글자체디자인권을 침해하는 것이 아니다.
> ㉣ 타자, 조판 또는 인쇄 등의 통상적인 과정에서 글자체의 사용으로 생산된 결과물에는 디자인권의 효력이 미치지 아니한다.

① ㉠, ㉡, ㉢, ㉣
② ㉠, ㉢, ㉣
③ ㉠, ㉡, ㉣
④ ㉠, ㉡, ㉢
⑤ ㉡, ㉢, ㉣

| ㉠ 부분디자인(디자인보호법 제2조 제1호 괄호), ㉡ 관련디자인(디자인보호법 제35조 제2항), ㉢㉣ 글자체디자인(디자인보호법 제94조 제2항)에 관한 내용으로 모두 옳은 지문이다. ▶ ①

제3절 출원절차 등

01 출원

관련 조문

제37조(디자인등록출원) ① 디자인등록을 받으려는 자는 다음 각 호의 사항을 적은 디자인등록출원서를 특허청장에게 제출하여야 한다.

1. 디자인등록출원인의 성명 및 주소(법인인 경우에는 그 명칭 및 영업소의 소재지)
2. 디자인등록출원인의 대리인이 있는 경우에는 그 대리인의 성명 및 주소나 영업소의 소재지(대리인이 특허법인·특허법인(유한)인 경우에는 그 명칭, 사무소의 소재지 및 지정된 변리사의 성명)
3. 디자인의 대상이 되는 물품 및 제40조제2항에 따른 물품류(이하 "물품류"라 한다)
4. 단독의 디자인등록출원 또는 관련디자인의 디자인등록출원(이하 "관련디자인등록출원"이라 한다) 여부
5. 기본디자인의 디자인등록번호 또는 디자인등록출원번호(제35조제1항에 따라 관련디자인으로 디자인등록을 받으려는 경우만 해당한다)
6. 디자인을 창작한 사람의 성명 및 주소
7. 제41조에 따른 복수디자인등록출원 여부
8. 디자인의 수 및 각 디자인의 일련번호(제41조에 따라 복수디자인등록출원을 하는 경우에만 해당한다)
9. 제51조제3항에 규정된 사항(우선권 주장을 하는 경우만 해당한다)

② 제1항에 따른 디자인등록출원서에는 각 디자인에 관한 다음 각 호의 사항을 적은 도면을 첨부하여야 한다.

1. 디자인의 대상이 되는 물품 및 물품류
2. 디자인의 설명 및 창작내용의 요점
3. 디자인의 일련번호(제41조에 따라 복수디자인등록출원을 하는 경우에만 해당한다)

③ 디자인등록출원인은 제2항의 도면을 갈음하여 디자인의 사진 또는 견본을 제출할 수 있다.

출원은 (주체) 디자인권을 받고자 하는 자가 (기간) 언제라도 (서면) 출원서에 등록받고자 하는 디자인에 관한 일정 사항을 기재한 도면을 첨부해서 제출하면 밟을 수 있다(제37조 제2항). 이 경우 도면을 갈음하여 디자인의 사진 또는 견본을 제출할 수 있다(제37조 제3항).

02 정당권리자출원

관련 조문

제44조(무권리자의 디자인등록출원과 정당한 권리자의 보호) 디자인 창작자가 아닌 자로서 디자인등록을 받을 수 있는 권리의 승계인이 아닌 자(이하 "무권리자"라 한다)가 한 디자인등록출원이 제62조제1항제1호에 해당하여 디자인등록거절결정 또는 거절한다는 취지의 심결이 확정된 경우에는 그 무권리자의 디자인등록출원 후에 한 정당한 권리자의 디자인등록출원은 무권리자가 디자인등록출원한 때에 디자인등록출원한 것으로 본다. 다만, 디자인등록거절결정 또는 거절한다는 취지의 심결이 확정된 날부터 30일이 지난 후에 정당한 권리자가 디자인등록출원을 한 경우에는 그러하지 아니하다.

제45조(무권리자의 디자인등록과 정당한 권리자의 보호) 무권리자라는 사유로 디자인등록에 대한 취소결정 또는 무효심결이 확정된 경우에는 그 디자인등록출원 후에 한 정당한 권리자의 디자인등록출원은 취소 또는 무효로 된 그 등록디자인의 디자인등록출원 시에 디자인등록출원을 한 것으로 본다. 다만, 취소결정 또는 무효심결이 확정된 날부터 30일이 지난 후에 디자인등록출원을 한 경우에는 그러하지 아니하다.

정당권리자출원이란 정당권리자의 디자인을 모인(남의 것을 자기 것처럼 꾸미어 속인)한 무권리자가 먼저 출원한 경우 정당권리자의 보호를 위해 출원일자를 무권리자 출원일로 소급해 주는 절차이다.

정당권리자의 출원은 (주체) 정당권리자가 (기간) 무권리자 출원의 거절결정・거절결정불복심판 기각심결확정일로부터 30일이 경과하기 전, 혹은 무권리자 디자인권의 취소결정・무효심결 확정일로부터 30일이 경과하기 전에 (서면) 특허청에 제출하는 출원서에 정당권리자의 출원 취지를 표시하면 출원절차를 밟을 수 있다.

03 분할출원

관련 조문

제50조(출원의 분할) ① 다음 각 호의 어느 하나에 해당하는 자는 디자인등록출원의 일부를 1 이상의 새로운 디자인등록출원으로 분할하여 디자인등록출원을 할 수 있다.

1. 제40조를 위반하여 2 이상의 디자인을 1디자인등록출원으로 출원한 자
2. 복수디자인등록출원을 한 자

② 제1항에 따라 분할된 디자인등록출원(이하 "분할출원"이라 한다)이 있는 경우 그 분할출원은 최초에 디자인등록출원을 한 때에 출원한 것으로 본다. 다만, 제51조제3항 및 제4항을 적용할 때에는 그러하지 아니하다.

③ 제1항에 따른 디자인등록출원의 분할은 제48조제4항에 따른 보정을 할 수 있는 기간에 할 수 있다.

분할출원이란 1디자인 1출원주의를 위반한 출원 또는 복수디자인출원의 2 이상의 디자인을 포함하는 출원의 일부를 새로운 출원으로 나누는 제도이다. 분할출원의 기초가 되는 출원을 원출원이라 하며, 분할출원은 출원일자를 원출원의 출원일자로 소급해 준다.
분할출원은 (주체) 원출원인이 (기간) 원출원 제48조 제4항의 보정기간에 (서면) 특허청에 제출하는 출원서에 분할출원 취지 및 원출원을 표시하면 출원절차를 밟을 수 있다.

04 조약우선권주장출원

관련 조문

제51조(조약에 따른 우선권 주장) ① 조약에 따라 대한민국 국민에게 출원에 대한 우선권을 인정하는 당사국의 국민이 그 당사국 또는 다른 당사국에 출원한 후 동일한 디자인을 대한민국에 디자인등록출원하여 우선권을 주장하는 경우에는 제33조 및 제46조를 적용할 때 그 당사국 또는 다른 당사국에 출원한 날을 대한민국에 디자인등록출원한 날로 본다. 대한민국 국민이 조약에 따라 대한민국 국민에게 출원에 대한 우선권을 인정하는 당사국에 출원한 후 동일한 디자인을 대한민국에 디자인등록출원한 경우에도 또한 같다.
② 제1항에 따라 우선권을 주장하려는 자는 우선권 주장의 기초가 되는 최초의 출원일부터 6개월 이내에 디자인등록출원을 하지 아니하면 우선권을 주장할 수 없다.
③ 제1항에 따라 우선권을 주장하려는 자는 디자인등록출원 시 디자인등록출원서에 그 취지와 최초로 출원한 국명 및 출원연월일을 적어야 한다.
④ 제3항에 따라 우선권을 주장한 자는 제1호의 서류 또는 제2호의 서면을 디자인등록출원일부터 3개월 이내에 특허청장에게 제출하여야 한다. 다만, 제2호의 서면은 산업통상자원부령으로 정하는 국가의 경우만 해당한다.
1. 최초로 출원한 국가의 정부가 인증하는 서류로서 디자인등록출원의 연월일을 적은 서면 및 도면의 등본
2. 최초로 출원한 국가의 디자인등록출원의 출원번호 및 그 밖에 출원을 확인할 수 있는 정보 등 산업통상자원부령으로 정하는 사항을 적은 서면

⑤ 제3항에 따라 우선권을 주장한 자가 정당한 사유로 제4항의 기간 내에 같은 항에 규정된 서류 또는 서면을 제출할 수 없었던 경우에는 그 기간의 만료일부터 2개월 이내에 같은 항에 규정된 서류 또는 서면을 특허청장에게 제출할 수 있다.

조약우선권주장은 동맹국 내 출원일자를 우리나라에서 우선일로 인정해 주는 제도이다. 조약우선권주장출원은 출원일과 우선일, 이렇게 2개의 일자가 부여되며, 등록요건을 판단할 때 동맹국 내 출원된 디자인과 동일 디자인은 출원일이 아닌 우선일을 기준으로 판단한다.
조약우선권주장출원은 (주체) 동맹국 출원인 또는 우선권주장 승계인이 (기간) 동맹국 출원일부터 6개월 내에 국내에 출원하면서 (서면) 특허청에 제출하는 출원서에 조약우선권주장 취지, 최초 출원한 동맹국 국가명 및 동맹국에서의 출원일을 표시하고, 정당한 사유가 없는 한 출원일로부터 3개월 내에 관련 증명서류를 제출하면 출원절차를 밟을 수 있다.

05 공지예외주장(신규성 상실의 예외)

관련 조문

제36조(신규성 상실의 예외) ① 디자인등록을 받을 수 있는 권리를 가진 자의 디자인이 제33조제1항제1호 또는 제2호에 해당하게 된 경우 그 디자인은 그날부터 12개월 이내에 그 자가 디자인등록출원한 디자인에 대하여 같은 조 제1항 및 제2항을 적용할 때에는 같은 조 제1항제1호 또는 제2호에 해당하지 아니한 것으로 본다. 다만, 그 디자인이 조약이나 법률에 따라 국내 또는 국외에서 출원공개 또는 등록공고된 경우에는 그러하지 아니하다.

디자인등록을 받을 수 있는 권리를 가진 자의 디자인이 출원 전 공지 등이 된 경우, 그 디자인은 그날부터 12개월 이내에 그 자가 디자인등록출원한 디자인에 대하여 신규성 및 창작에 대한 비용 이상을 적용할 때에는 공지 등이 되지 아니한 것으로 본다(제36조 제1항 본문). 이는 (주체) 출원인이 (기간) 공지일로부터 1년 내에 출원하면 된다.

06 보정

관련 조문

제48조(출원의 보정과 요지변경) ① 디자인등록출원인은 최초의 디자인등록출원의 요지를 변경하지 아니하는 범위에서 디자인등록출원서의 기재사항, 디자인등록출원서에 첨부한 도면, 도면의 기재사항이나 사진 또는 견본을 보정할 수 있다.

② 디자인등록출원인은 관련디자인등록출원을 단독의 디자인등록출원으로, 단독의 디자인등록출원을 관련디자인등록출원으로 변경하는 보정을 할 수 있다.

③ 디자인등록출원인은 디자인일부심사등록출원을 디자인심사등록출원으로, 디자인심사등록출원을 디자인일부심사등록출원으로 변경하는 보정을 할 수 있다.

④ 제1항부터 제3항까지의 규정에 따른 보정은 다음 각 호에서 정한 시기에 할 수 있다.

1. 제62조에 따른 디자인등록거절결정 또는 제65조에 따른 디자인등록결정(이하 "디자인등록여부결정"이라 한다)의 통지서가 발송되기 전까지
2. 제64조에 따른 재심사 청구기간
3. 제120조에 따라 디자인등록거절결정에 대한 심판을 청구하는 경우에는 그 청구일부터 30일 이내

⑤ 제1항부터 제3항까지의 규정에 따른 보정이 최초의 디자인등록출원의 요지를 변경하는 것으로 디자인권의 설정등록 후에 인정된 경우에는 그 디자인등록출원은 그 보정서를 제출한 때에 디자인등록출원을 한 것으로 본다.

제49조(보정각하) ① 심사관은 제48조에 따른 보정이 디자인등록출원의 요지를 변경하는 것일 때에는 결정으로 그 보정을 각하하여야 한다.

보정은 (주체) 출원인이 (기간) 거절결정 또는 등록결정서 발송 전, 재심사 청구기간, 거절결정 불복심판청구일부터 30일 이내 (서면) 특허청에 보정서를 제출하면 출원절차를 밟을 수 있다. 출원인은 최초 출원의 요지를 변경하지 아니하는 범위에서 ① 출원서의 기재사항, ② 출원서에 첨부한 도면, ③ 도면의 기재사항이나 사진 또는 견본을 보정할 수 있다. 이를 실체보정이라고도 한다. 또한 ① 관련디자인출원과 단독디자인출원 간에 서로 변경하는 보정을 할 수 있고(제48조 제2항), ② 일부심사등록출원과 심사등록출원 간에 서로 변경하는 보정도 할 수 있다(제48조 제3항).

심사관은 실체보정이 출원의 요지를 변경하는 것일 때는 결정으로 보정각하한다. 보정각하결정이 확정되면 보정 전 내용으로 심사가 진행된다.

기출로 다지기

디자인 등록출원 시 출원인은 도면 대신에 디자인의 ( ) 또는 ( )을/를 제출할 수 있다. 이때 괄호 안에 적당한 것은? • 19회 기출

① 사진, 디자인의 설명
② 견본, 청구항
③ 청구항, 디자인의 설명
④ 사진, 견본
⑤ 설명서, 요약서

| ④ 디자인등록출원인은 제2항의 도면을 갈음하여 디자인의 사진 또는 견본을 제출할 수 있다. ▶ ④

제4절 심사 및 공개

01 우선심사신청

관련 조문

제61조(우선심사) ① 특허청장은 다음 각 호의 어느 하나에 해당하는 디자인등록출원에 대하여는 심사관에게 다른 디자인등록출원에 우선하여 심사하게 할 수 있다.
1. 제52조에 따른 출원공개 후 디자인등록출원인이 아닌 자가 업으로서 디자인등록출원된 디자인을 실시하고 있다고 인정되는 경우
2. 대통령령으로 정하는 디자인등록출원으로서 긴급하게 처리할 필요가 있다고 인정되는 경우

② 특허청장은 복수디자인등록출원에 대하여 제1항에 따라 우선심사를 하는 경우에는 제1항 각 호의 어느 하나에 해당하는 일부 디자인만 우선하여 심사하게 할 수 있다.

심사는 출원 순서에 따라 진행된다. 다만 출원 순서에 관계없이 우선적으로 심사받고자 하는 경우는 우선심사신청할 수 있다. 우선심사신청은 (주체) 누구든지 (기간) 출원 후 (서면) 우선심사신청서를 특허청에 제출하면 출원절차를 밟을 수 있고, 정해진 우선심사사유에 해당할 경우 우선심사결정이 나온 뒤 우선심사가 진행된다.

02 심사방법

1. 거절이유통지, 보정각하결정, 거절결정 및 등록결정

관련 조문

제49조(보정각하) ① 심사관은 제48조에 따른 보정이 디자인등록출원의 요지를 변경하는 것일 때에는 결정으로 그 보정을 각하하여야 한다.
② 심사관은 제1항에 따른 각하결정을 한 경우에는 제119조에 따른 보정각하결정에 대한 심판청구기간이 지나기 전까지는 그 디자인등록출원(복수디자인등록출원된 일부 디자인에 대하여 각하결정을 한 경우에는 그 일부 디자인을 말한다)에 대한 디자인등록여부결정을 하여서는 아니 된다.
③ 심사관은 디자인등록출원인이 제1항에 따른 각하결정에 대하여 제119조에 따라 심판을 청구한 경우에는 그 심결이 확정될 때까지 그 디자인등록출원(복수디자인등록출원된 일부 디자인에 대한 각하결정에 대하여 심판을 청구한 경우에는 그 일부 디자인을 말한다)의 심사를 중지하여야 한다.

제62조(디자인등록거절결정) ① 심사관은 디자인심사등록출원이 다음 각 호의 어느 하나에 해당하는 경우에는 디자인등록거절결정을 하여야 한다.
1. 제3조제1항 본문에 따른 디자인등록을 받을 수 있는 권리를 가지지 아니하거나 같은 항 단서에 따라 디자인등록을 받을 수 없는 경우
2. 제27조, 제33조부터 제35조까지, 제37조제4항, 제39조부터 제42조까지 및 제46조제1항·제2항에 따라 디자인등록을 받을 수 없는 경우
3. 조약에 위반된 경우

② 심사관은 디자인일부심사등록출원이 다음 각 호의 어느 하나에 해당하는 경우에는 디자인등록거절결정을 하여야 한다.
1. 제3조제1항 본문에 따른 디자인등록을 받을 수 있는 권리를 가지지 아니하거나 같은 항 단서에 따라 디자인등록을 받을 수 없는 경우
2. 제27조, 제33조(제1항 각 호 외의 부분 및 제2항제2호만 해당한다), 제34조, 제37조제4항 및 제39조부터 제42조까지의 규정에 따라 디자인등록을 받을 수 없는 경우
3. 조약에 위반된 경우

③ 심사관은 디자인일부심사등록출원으로서 제35조에 따른 관련디자인등록출원이 제2항 각 호의 어느 하나 또는 다음 각 호의 어느 하나에 해당하는 경우에는 디자인등록거절결정을 하여야 한다.
1. 디자인등록을 받은 관련디자인 또는 디자인등록출원된 관련디자인을 기본디자인으로 표시한 경우
2. 기본디자인의 디자인권이 소멸된 경우
3. 기본디자인의 디자인등록출원이 무효·취하·포기되거나 디자인등록거절결정이 확정된 경우
4. 관련디자인의 디자인등록출원인이 기본디자인의 디자인권자 또는 기본디자인의 디자인등록출원인과 다른 경우
5. 기본디자인과 유사하지 아니한 경우
6. 기본디자인의 디자인등록출원일부터 3년이 지난 후에 디자인등록출원된 경우
7. 제35조제3항에 따라 디자인등록을 받을 수 없는 경우

제63조(거절이유통지) ① 심사관은 다음 각 호의 어느 하나에 해당하는 경우에는 디자인등록출원인에게 미리 거절이유(제62조제1항부터 제3항까지에 해당하는 이유를 말하며, 이하 "거절이유"라 한다)를 통지하고 기간을 정하여 의견서를 제출할 수 있는 기회를 주어야 한다.
1. 제62조에 따라 디자인등록거절결정을 하려는 경우
2. 제66조의2제1항에 따른 직권 재심사를 하여 취소된 디자인등록결정 전에 이미 통지한 거절이유로 디자인등록거절결정을 하려는 경우

② 복수디자인등록출원된 디자인 중 일부 디자인에 대하여 거절이유가 있는 경우에는 그 디자인의 일련번호, 디자인의 대상이 되는 물품 및 거절이유를 구체적으로 적어야 한다.

제65조(디자인등록결정) 심사관은 디자인등록출원에 대하여 거절이유를 발견할 수 없을 때에는 디자인등록결정을 하여야 한다. 이 경우 복수디자인등록출원된 디자인 중 일부 디자인에 대하여 거절이유를 발견할 수 없을 때에는 그 일부 디자인에 대하여 디자인등록결정을 하여야 한다.

심사는 출원에 거절이유가 존재하는지를 살피며, 심사대상확정(보정여부/보정각하여부), 기존에 통지한 거절이유 극복 여부, 기존에 통지한 거절이유가 없거나 기존에 통지한 거절이유가 극복된 경우 새로운 거절이유의 존재 여부의 순서로 진행하고, 거절결정 또는 등록결정함으로써 종료한다. 한편, 보정각하결정이 있는 때는 그 결정이 확정될 때까지 심사가 중지된다.

2. 보정각하결정, 거절결정 및 등록결정 후 절차

(1) 재심사청구

관련 조문

제64조(재심사의 청구) ① 디자인등록출원인은 그 디자인등록출원에 관하여 디자인등록거절결정(재심사에 따른 디자인등록거절결정은 제외한다) 등본을 송달받은 날부터 3개월(제17조제1항에 따라 제120조에 따른 기간이 연장된 경우에는 그 연장된 기간을 말한다) 이내에 제48조제1항부터 제3항까지의 규정에 따른 보정을 하여 디자인등록출원에 대하여 재심사를 청구할 수 있다. 다만, 제120조에 따른 심판청구가 있는 경우에는 그러하지 아니하다.
② 디자인등록출원인은 제1항에 따른 재심사의 청구와 함께 의견서를 제출할 수 있다.
③ 제1항 본문에 따른 요건을 갖추어 재심사가 청구된 경우 그 디자인등록출원에 대하여 종전에 이루어진 디자인등록거절결정은 취소된 것으로 본다.

거절결정서를 받은 (주체) 출원인은 (기간) 거절결정서를 받은 날부터 3개월 이내에 (서면) 특허청에 보정서를 제출하면서 재심사청구의 취지를 표시하면 재심사를 청구할 수 있다. 재심사가 청구되면 그 출원에 대하여 종전에 이루어진 거절결정은 취소된 것으로 되며, 다시 심사가 진행된다.

(2) 거절결정불복심판청구

관련 조문

제119조(보정각하결정에 대한 심판) 제49조제1항에 따른 보정각하결정을 받은 자가 그 결정에 불복할 때에는 그 결정등본을 송달받은 날부터 3개월 이내에 심판을 청구할 수 있다.

제120조(디자인등록거절결정 또는 디자인등록취소결정에 대한 심판) 디자인등록거절결정 또는 디자인등록취소결정을 받은 자가 불복할 때에는 그 결정등본을 송달받은 날부터 3개월 이내에 심판을 청구할 수 있다.

보정각하결정 또는 거절결정서를 받은 (주체) 출원인은 그 부당성을 다투고자 할 때 (기간) 보정각하결정 또는 거절결정서를 받은 날부터 3개월 내에 (서면) 특허심판원에 심판청구서를 제출하여 각 결정에 대한 불복심판청구 절차를 밟을 수 있다. 각 결정이 부당한 것으로 판단되면 해당 결정이 취소되고 다시 심사가 재개될 수 있다.

(3) 직권보정 후 재심사

관련 조문

제66조(직권보정) ① 심사관은 제65조에 따른 디자인등록결정을 할 때에 디자인등록출원서 또는 도면에 적힌 사항이 명백히 잘못된 경우에는 직권으로 보정(이하 "직권보정"이라 한다)을 할 수 있다. 이 경우 직권보정은 제48조제1항에 따른 범위에서 하여야 한다.
② 제1항에 따라 심사관이 직권보정을 한 경우에는 제67조제2항에 따른 디자인등록결정 등본의 송달과 함께 그 직권보정 사항을 디자인등록출원인에게 알려야 한다.
③ 디자인등록출원인은 직권보정 사항의 전부 또는 일부를 받아들일 수 없는 경우에는 제79조제1항에 따라 디자인등록료를 낼 때까지 그 직권보정 사항에 대한 의견서를 특허청장에게 제출하여야 한다.
④ 디자인등록출원인이 제3항에 따라 의견서를 제출한 경우 해당 직권보정 사항의 전부 또는 일부는 처음부터 없었던 것으로 본다.
⑤ 제4항에 따라 직권보정의 전부 또는 일부가 처음부터 없었던 것으로 보는 경우 심사관은 그 디자인등록결정을 취소하고 처음부터 다시 심사하여야 한다.
⑥ 직권보정이 제48조제1항에 따른 범위를 벗어나거나 명백히 잘못되지 아니한 사항을 직권보정한 경우 그 직권보정은 처음부터 없었던 것으로 본다.

심사관은 등록결정할 때 출원서 또는 도면에 적힌 사항이 명백히 잘못된 경우 직권으로 보정할 수 있다. 이때 출원인은 직권보정 사항의 전부 또는 일부를 받아들일 수 없으면 등록료를 낼 때까지 그 직권보정 사항에 대한 거부의 의견서를 제출할 수 있는데, 의견서를 제출하여 직권보정 사항을 거부한 경우는 등록결정이 취소되고 다시 심사가 진행된다.

(4) 직권 재심사

관련 조문

제66조의2(디자인등록결정 이후의 직권 재심사) ① 심사관은 디자인등록결정을 한 출원에 대하여 명백한 거절이유를 발견한 경우에는 직권으로 디자인등록결정을 취소하고 그 디자인등록출원을 다시 심사(이하 "직권 재심사"라 한다)할 수 있다. 다만, 다음 각 호의 어느 하나에 해당하는 경우에는 그러하지 아니하다.
1. 거절이유가 제35조제1항, 제37조제4항, 제40조부터 제42조까지에 해당하는 경우
2. 그 디자인등록결정에 따라 디자인권이 설정등록된 경우
3. 그 디자인등록출원이 취하되거나 포기된 경우
② 제1항에 따라 심사관이 직권 재심사를 하려면 디자인등록결정을 취소한다는 사실을 디자인등록출원인에게 통지하여야 한다.
③ 디자인등록출원인이 제2항에 따른 통지를 받기 전에 그 디자인등록출원이 제1항제2호 또는 제3호에 해당하게 된 경우에는 디자인등록결정의 취소는 처음부터 없었던 것으로 본다.

심사관은 등록결정을 하였어도 디자인권이 발생하기 전까지 명백한 거절이유를 발견하면 해당 등록결정을 취소하고 직권으로 재심사할 수 있다.

3. 심사협력

관련 조문

제59조(전문기관의 지정 등) ① 특허청장은 디자인등록출원을 심사할 때에 필요하다고 인정하면 전문기관을 지정하여 선행디자인의 조사, 그 밖에 대통령령으로 정하는 업무를 의뢰할 수 있다.

제55조(정보 제공) 누구든지 디자인등록출원된 디자인이 제62조제1항 각 호의 어느 하나에 해당되어 디자인등록될 수 없다는 취지의 정보를 증거와 함께 특허청장 또는 특허심판원장에게 제공할 수 있다.

디자인보호법은 심사협력제도를 두고 있다. 심사에 필요한 경우 관련 업무를 전문기관에 의뢰할 수 있고, 공중으로부터 정보를 제공받아 이를 참고할 수 있다.

4. 출원공개

(1) 출원공개 대상

관련 조문

제52조(출원공개) ① 디자인등록출원인은 산업통상자원부령으로 정하는 바에 따라 자기의 디자인등록출원에 대한 공개를 신청할 수 있다. 이 경우 복수디자인등록출원에 대한 공개는 출원된 디자인의 전부 또는 일부에 대하여 신청할 수 있다.
② 특허청장은 제1항에 따른 공개신청이 있는 경우에는 그 디자인등록출원에 관하여 제212조에 따른 디자인공보(이하 "디자인공보"라 한다)에 게재하여 출원공개를 하여야 한다. 다만, 디자인등록출원된 디자인이 제34조제2호에 해당하는 경우에는 출원공개를 하지 아니할 수 있다.
③ 제1항에 따른 공개신청은 그 디자인등록출원에 대한 최초의 디자인등록여부결정의 등본이 송달된 후에는 할 수 없다.

출원공개는 출원인의 신청에 의하여 출원디자인의 내용을 디자인 공보에 게재하여 공개하고, 효과로서 일정한 법률적 보호를 부여하는 제도이다(제52조). 특허청에 계속 중인 출원에 대하여 출원공개를 신청할 수 있다. 심사등록출원뿐만 아니라 일부심사등록출원에 대해서도 제한 없이 출원공개를 신청할 수 있으며, 복수디자인등록출원의 경우는 출원된 디자인의 전부 또는 일부에 대하여 신청할 수 있다.
다만, 출원디자인이 공서양속에 반할 우려가 있는 경우에는 공개하지 않을 수 있다(제52조 제2항 단서). 이에 해당하는지 여부는 제34조 제2호를 적용하는 기준에 따라 판단하고, 출원공개를 하지 않는 경우에는 그 취지와 이유를 출원인에게 통지하여야 한다.
출원공개신청은 (주체) 출원인이 (기간) 최초 등록여부결정서 송달 전까지 (서면) 출원공개신청서를 특허청에 제출하면 밟을 수 있다.

(2) 출원공개 효과 – 보상금청구권

관련 조문

제53조(출원공개의 효과) ① 디자인등록출원인은 제52조에 따른 출원공개가 있은 후 그 디자인등록출원된 디자인 또는 이와 유사한 디자인을 업으로서 실시한 자에게 디자인등록출원된 디자인임을 서면으로 경고할 수 있다.
② 디자인등록출원인은 제1항에 따라 경고를 받거나 제52조에 따라 출원공개된 디자인임을 알고 그 디자인등록출원된 디자인 또는 이와 유사한 디자인을 업으로서 실시한 자에게 그 경고를 받거나 제52조에 따라 출원공개된 디자인임을 안 때부터 디자인권의 설정등록 시까지의 기간 동안 그 등록디자인 또는 이와 유사한 디자인의 실시에 대하여 합리적으로 받을 수 있는 금액에 상당하는 보상금의 지급을 청구할 수 있다.
③ 제2항에 따른 청구권은 그 디자인등록출원된 디자인에 대한 디자인권이 설정등록된 후가 아니면 행사할 수 없다.
④ 제2항에 따른 청구권의 행사는 디자인권의 행사에 영향을 미치지 아니한다.
⑤ 제2항에 따른 청구권을 행사하는 경우에는 제114조, 제118조 또는 「민법」 제760조·제766조를 준용한다. 이 경우 「민법」 제766조제1항 중 "피해자나 그 법정대리인이 그 손해 및 가해자를 안 날"은 "해당 디자인권의 설정등록일"로 본다.
⑥ 디자인등록출원이 제52조에 따라 출원공개된 후 다음 각 호의 어느 하나에 해당하는 경우에는 제2항에 따른 청구권은 처음부터 발생하지 아니한 것으로 본다.
1. 디자인등록출원이 포기·무효 또는 취하된 경우
2. 디자인등록출원에 대하여 제62조에 따른 디자인등록거절결정이 확정된 경우
3. 제73조제3항에 따른 디자인등록취소결정이 확정된 경우
4. 제121조에 따른 디자인등록을 무효로 한다는 심결(제121조제1항제4호에 따른 경우는 제외한다)이 확정된 경우

출원인은 출원공개가 있은 후 그 출원된 디자인 또는 이와 유사한 디자인을 업으로서 실시한 자에게 출원된 디자인임을 서면으로 경고할 수 있다. 또한 출원인은 서면경고를 받거나 출원공개된 디자인임을 알고도 그 출원된 디자인을 업으로 실시한 자에게 경고를 받거나 출원공개된 디자인임을 알았을 때부터 디자인권의 설정등록 때까지의 기간 동안 그 디자인 또는 이와 유사한 디자인의 실시에 대하여 합리적으로 받을 수 있는 금액에 상당하는 보상금의 지급을 청구할 수 있다. 이를 보상금청구권이라 하며, 디자인의 공개에 대한 보호개념이라 할 수 있다.

보상금청구권은 디자인권이 설정등록된 후에만 행사할 수 있다. 또 출원공개 후라도 ① 출원이 무효·취하 또는 포기된 경우, ② 출원에 대하여 제62조에 따른 거절결정이 확정된 경우, ③ 제73조 제3항에 따른 디자인등록취소결정이 확정된 경우, ④ 제121조에 따른 디자인등록을 무효로 한다는 심결(같은 조 제1항 제4호에 따른 경우는 제외한다)이 확정된 경우에는 보상금청구권은 처음부터 발생하지 아니한 것으로 본다.

(3) 비밀디자인

관련 조문

제43조(비밀디자인) ① 디자인등록출원인은 디자인권의 설정등록일부터 3년 이내의 기간을 정하여 그 디자인을 비밀로 할 것을 청구할 수 있다. 이 경우 복수디자인등록출원된 디자인에 대하여는 출원된 디자인의 전부 또는 일부에 대하여 청구할 수 있다.
② 디자인등록출원인은 디자인등록출원을 한 날부터 최초의 디자인등록료를 내는 날까지 제1항의 청구를 할 수 있다. 다만, 제86조제1항제1호 및 제2항에 따라 그 등록료가 면제된 경우에는 제90조제2항 각 호의 어느 하나에 따라 특허청장이 디자인권을 설정등록할 때까지 할 수 있다.

출원인은 디자인권의 설정등록일부터 3년 이내의 기간을 정하여 그 디자인을 비밀로 할 것을 청구할 수 있다(제43조). 디자인은 물품의 미적 외관으로서 타인의 모방이 용이하고 유행에 민감한 특성이 있어, 일정기간 동안 디자인을 비밀로 함으로써 타인의 모방을 차단하고, 제품의 사업화에 내한 준비기산을 선택할 수 있도록 디자인권자를 보호하기 위해 비밀디자인 제도가 도입되었다.
비밀디자인 청구는 (주체) 출원인이 (기간) 최초 등록료를 납부하는 날까지 (서면) 출원서에 비밀디자인 취지를 표시하거나, 비밀디자인청구서를 특허청에 제출하면 된다.
한편, 출원인이 비밀디자인을 청구하였어도 이후 출원공개를 신청하면 비밀디자인 청구는 철회된 것으로 본다.

기출로 다지기

다음 중 디자인일부심사등록출원의 경우의 심사관에 의해 원칙적으로 심사되는 등록요건만으로 묶인 것은? • 22회 기출

> a. 공업상 이용할 수 없는 디자인인지의 여부
> b. 출원 전에 국내에서 널리 알려진 디자인으로부터 용이하게 창작할 수 있는지의 여부
> c. 선출원된 디자인과 동일하거나 유사한지의 여부
> d. 출원 전 공지된 디자인과 동일한지의 여부

① a　　② a, b
③ a, b, c　　④ a, b, c, d
⑤ 없다

| 일부심사등록출원의 경우 선행디자인의 검색이 요구되는 등록요건은 원칙적으로 심사에서 제외된다. c, d는 선행디자인의 검색이 요구되므로 일부심사등록출원의 원칙적인 심사사항이 아니다. 다만, 정보제공이 있는 경우에는 심사관이 제공된 정보 및 증거를 근거로 모든 등록요건을 심사할 수 있다. ▶ ①

제5절 디자인권의 내용

01 디자인권의 발생

관련 조문

제90조(디자인권의 설정등록) ① 디자인권은 설정등록에 의하여 발생한다.
② 특허청장은 다음 각 호의 어느 하나에 해당하는 경우에는 디자인권을 설정하기 위한 등록을 하여야 한다.
1. 제79조제1항에 따라 등록료를 냈을 때
2. 제82조제1항에 따라 등록료를 추가납부하였을 때
3. 제83조제2항에 따라 등록료를 보전하였을 때
4. 제84조제1항에 따라 등록료를 내거나 보전하였을 때
5. 제86조제1항제1호 또는 제2항에 따라 그 등록료가 면제되었을 때

디자인권은 설정등록에 의해 발생(제90조 제1항)하며, 출원일부터 20년간(제91조 제1항) 독점적으로 실시할 수 있는 권리이다(제92조). 등록결정서를 받고 등록료를 납부하면 특허청장에 의해 설정등록된다(제90조 제2항).

02 등록료의 납부

관련 조문

제79조(디자인등록료) ① 제90조제1항에 따른 디자인권의 설정등록을 받으려는 자는 설정등록을 받으려는 날부터 3년분의 디자인등록료(이하 "등록료"라 한다)를 내야 하며, 디자인권자는 그 다음 해부터의 등록료를 그 권리의 설정등록일에 해당하는 날을 기준으로 매년 1년분씩 내야 한다.
② 제1항에도 불구하고 디자인권자는 그 다음 해부터의 등록료는 그 납부연도 순서에 따라 수년분 또는 모든 연도분을 함께 낼 수 있다.

등록료는 디자인권의 설정등록을 받으려는 자 또는 디자인권자가 국가에 납부해야 하는 금액을 말한다. 등록료는 출원인이 설정등록을 받기 위해 납부하는 비용인 설정등록료와 디자인권자가 디자인권을 존속시키기 위해 납부하는 비용인 유지료로 나눌 수 있다. 비용은 설정등록료는 3년, 유지료는 1년 단위로 책정된다.
디자인권의 설정등록을 받으려는 자는 설정등록일부터 3년분의 등록료를 내야 하고, 디자인권자는 그 다음 해부터의 등록료를 해당 권리의 설정등록일에 해당하는 날을 기준으로 매년 1년분씩 그 전년도에 내야 하며, 수년분 또는 모든 연차분을 일괄적으로 납부할 수도 있다.

등록료를 내지 아니한 경우에는 디자인권의 설정등록을 받으려는 자의 출원은 포기한 것으로 보며, 디자인권자의 디자인권은 이미 낸 등록료에 해당되는 기간이 끝나는 날의 다음 날로 소급하여 소멸된 것으로 본다.

03 디자인권의 효력범위

1. 디자인권의 효력

관련 조문

제92조(디자인권의 효력) 디자인권자는 업으로서 등록디자인 또는 이와 유사한 디자인을 실시할 권리를 독점한다. 다만, 그 디자인권에 관하여 전용실시권을 설정하였을 때에는 제97조제2항에 따라 전용실시권자가 그 등록디자인 또는 이와 유사한 디자인을 실시할 권리를 독점하는 범위에서는 그러하지 아니하다.

디자인권의 효력에는 실시권과 배타권이 있다. 실시권은 해당 디자인 또는 이와 유사한 디자인을 본인이 실시할 수 있는 권리를 말하고, 배타권은 해당 디자인 또는 이와 유사한 디자인을 남이 실시하지 못하게 하는 권리를 말한다.

2. 효력의 내용적 범위

(1) 디자인 보호범위

관련 조문

제93조(등록디자인의 보호범위) 등록디자인의 보호범위는 디자인등록출원서의 기재사항 및 그 출원서에 첨부된 도면・사진 또는 견본과 도면에 적힌 디자인의 설명에 따라 표현된 디자인에 의하여 정하여진다.

디자인의 보호범위는 출원서의 기재사항, 그 출원서에 첨부된 도면 등 및 도면에 적힌 디자인의 설명에 의해 정해지며, 동일디자인 및 유사디자인에 미친다. 디자인의 유사 여부는 디자인을 구성하는 요소들을 각 부분으로 분리하여 대비할 것이 아니라 전체와 전체를 대비 관찰하여, 보는 사람의 마음에 환기될 미적 느낌과 인상이 유사한지 여부에 따라 판단하되, 그 물품의 성질, 용도, 사용형태 등에 비추어 보는 사람의 시선과 주의를 가장 끌기 쉬운 부분을 중심으로 대비 관찰하여 일반 수요자의 심미감에 차이가 생기게 하는지 여부의 관점에서 판단한다.

(2) 실시

관련 조문

제2조(정의) 이 법에서 사용하는 용어의 뜻은 다음과 같다.

7. "실시"란 다음 각 목의 구분에 따른 행위를 말한다.
   가. 디자인의 대상이 물품(화상은 제외한다)인 경우 그 물품을 생산·사용·양도·대여·수출 또는 수입하거나 그 물품을 양도 또는 대여하기 위하여 청약(양도나 대여를 위한 전시를 포함한다. 이하 같다)하는 행위
   나. 디자인의 대상이 화상인 경우 그 화상을 생산·사용 또는 전기통신회선을 통한 방법으로 제공하거나 그 화상을 전기통신회선을 통한 방법으로 제공하기 위하여 청약(전기통신회선을 통한 방법으로 제공하기 위한 전시를 포함한다. 이하 같다)하는 행위 또는 그 화상을 저장한 매체를 양도·대여·수출·수입하거나 그 화상을 저장한 매체를 양도·대여하기 위하여 청약(양도나 대여를 위한 전시를 포함한다. 이하 같다)하는 행위

실시란 디자인의 대상에 따라 다음과 같이 정의된다.

① 물품의 경우

그 물품을 생산·사용·양도·대여·수출·수입·양도나 대여의 청약(전시 포함)을 하는 행위

② 화상의 경우

그 화상을 생산·사용·전기통신회선을 통한 방법으로 제공·전기통신회선을 통한 방법으로 제공하기 위하여 청약(전기통신회선을 통한 방법으로 제공하기 위한 전시를 포함)하는 행위 또는 그 화상을 저장한 매체를 양도·대여·수출·수입하거나 그 화상을 저장한 매체를 양도·대여하기 위하여 청약(양도나 대여를 위한 전시를 포함)하는 행위

3. 효력의 시간적 범위

관련 조문

제91조(디자인권의 존속기간) ① 디자인권은 제90조제1항에 따라 설정등록한 날부터 발생하여 디자인등록출원일 후 20년이 되는 날까지 존속한다. 다만, 제35조에 따라 관련디자인으로 등록된 디자인권의 존속기간 만료일은 그 기본디자인의 디자인권 존속기간 만료일로 한다.

② 정당한 권리자의 디자인등록출원이 제44조 및 제45조에 따라 디자인권이 설정등록된 경우에는 제1항의 디자인권 존속기간은 무권리자의 디자인등록출원일 다음 날부터 기산한다.

디자인권의 존속기간은 설정등록이 있는 날부터 출원일 후 20년이 되는 날까지이고, 연장되지 않는다. 한편, 분할출원의 경우는 원출원일을 기준으로 기산하고, 정당권리자주장 출원의 경우는 무권리자의 출원일의 다음 날부터 기산한다.

관련디자인의 디자인권 존속기간은 그 기본디자인의 디자인권 존속기간과 같다.

4. 효력의 지역적 범위

속지주의의 원칙에 따라 우리나라에 등록된 디자인권은 우리나라 영토에서만 미친다.

04 디자인권의 효력범위 제한

1. 실시권 제한

관련 조문

제92조(디자인권의 효력) 디자인권자는 업으로서 등록디자인 또는 이와 유사한 디자인을 실시할 권리를 독점한다. 다만, 그 디자인권에 관하여 전용실시권을 설정하였을 때에는 제97조제2항에 따라 전용실시권자가 그 등록디자인 또는 이와 유사한 디자인을 실시할 권리를 독점하는 범위에서는 그러하지 아니하다.

제95조(타인의 등록디자인 등과의 관계) ① 디자인권자・전용실시권자 또는 통상실시권자는 등록디자인이 그 디자인등록출원일 전에 출원된 타인의 등록디자인 또는 이와 유사한 디자인・특허발명・등록실용신안 또는 등록상표를 이용하거나 디자인권이 그 디자인권의 디자인등록출원일 전에 출원된 타인의 특허권・실용신안권 또는 상표권과 저촉되는 경우에는 그 디자인권자・특허권자・실용신안권자 또는 상표권자의 허락을 받지 아니하거나 제123조에 따르지 아니하고는 자기의 등록디자인을 업으로서 실시할 수 없다.
② 디자인권자・전용실시권자 또는 통상실시권자는 그 등록디자인과 유사한 디자인이 그 디자인등록출원일 전에 출원된 타인의 등록디자인 또는 이와 유사한 디자인・특허발명・등록실용신안 또는 등록상표를 이용하거나 그 디자인권의 등록디자인과 유사한 디자인이 디자인등록출원일 전에 출원된 타인의 디자인권・특허권・실용신안권 또는 상표권과 저촉되는 경우에는 그 디자인권자・특허권자・실용신안권자 또는 상표권자의 허락을 받지 아니하거나 제123조에 따르지 아니하고는 자기의 등록디자인과 유사한 디자인을 업으로서 실시할 수 없다.
③ 디자인권자・전용실시권자 또는 통상실시권자는 등록디자인 또는 이와 유사한 디자인이 그 디자인등록출원일 전에 발생한 타인의 저작물을 이용하거나 그 저작권에 저촉되는 경우에는 저작권자의 허락을 받지 아니하고는 자기의 등록디자인 또는 이와 유사한 디자인을 업으로서 실시할 수 없다.

디자인권자라 하더라도 자신의 실시권이 타인의 배타권과 충돌되면 실시권이 제한되는 경우가 있다. 전용실시권을 설정하였을 때는 배타적 효력이 있는 전용실시권 범위 내의 실시가 제한된다. 또한 배타적 효력이 있는 타인의 선출원 권리와 이용・저촉관계에 있는 경우 실시가 제한된다.

2. 배타권 제한

관련 조문

제94조(디자인권의 효력이 미치지 아니하는 범위) ① 디자인권의 효력은 다음 각 호의 어느 하나에 해당하는 사항에는 미치지 아니한다.
1. 연구 또는 시험을 하기 위한 등록디자인 또는 이와 유사한 디자인의 실시
2. 국내를 통과하는 데에 불과한 선박·항공기·차량 또는 이에 사용되는 기계·기구·장치, 그 밖의 물건
3. 디자인등록출원 시부터 국내에 있던 물건

② 글자체가 디자인권으로 설정등록된 경우 그 디자인권의 효력은 다음 각 호의 어느 하나에 해당하는 경우에는 미치지 아니한다.
1. 타자·조판 또는 인쇄 등의 통상적인 과정에서 글자체를 사용하는 경우
2. 제1호에 따른 글자체의 사용으로 생산된 결과물인 경우

디자인권자라 하더라도 배타권이 제한되는 경우가 있다. 이 중 디자인보호법 제94조에 대해 살핀다.

연구 또는 시험을 하기 위한 등록디자인 또는 이와 유사한 디자인의 실시에는 배타권의 효력이 미치지 아니한다. 또 국내를 통과하는 데 불과한 선박·항공기·차량 또는 이에 사용되는 기계·기구·장치, 그 밖의 물건에도 배타권의 효력이 미치지 아니하며, 선원주의의 보완 규정으로 출원 시 존재하였던 물건에 대해서도 배타권의 효력이 미치지 아니한다. 한편, 글자체디자인의 경우 타자, 조판, 인쇄 등 통상적 과정에서 글자체를 사용하는 경우나 당해 사용으로 생산된 결과물에 대해서는 디자인권의 배타적 효력을 제한한다. 이는 글자체는 출판 및 인쇄업계뿐 아니라 일반사용자들에게 미치는 영향이 상당하기 때문에 이를 고려하여 글자체디자인권의 배타적 효력을 글자체 자체의 생산·양도행위 등에만 미치도록 제한한 것이다.

05 디자인권의 이전, 실시권 설정

1. 이전

관련 조문

제96조(디자인권의 이전 및 공유 등) ① 디자인권은 이전할 수 있다. 다만, 기본디자인의 디자인권과 관련디자인의 디자인권은 같은 자에게 함께 이전하여야 한다.
② 디자인권이 공유인 경우에 각 공유자는 다른 공유자의 동의를 받지 아니하면 그 지분을 이전하거나 그 지분을 목적으로 하는 질권을 설정할 수 없다.
⑤ 복수디자인등록된 디자인권은 각 디자인권마다 분리하여 이전할 수 있다.

제98조(디자인권 및 전용실시권 등록의 효력) ① 다음 각 호에 해당하는 사항은 등록하지 아니하면 효력이 발생하지 아니한다.
1. 디자인권의 이전(상속이나 그 밖의 일반승계에 의한 경우는 제외한다), 포기에 의한 소멸 또는 처분의 제한

디자인권은 이전이 가능하다. 단 양도에 의한 이전은 등록하여야만 효력이 발생하며, 디자인권이 공유인 경우 자신의 지분을 양도할 때는 다른 공유자의 지분 가치에 영향을 줄 수 있으므로 다른 공유자의 동의를 받도록 하고 있다.
상속이나 기타 일반승계에 의한 이전은 이전등록하지 않더라도 효력이 발생한다. 또한 지분에 대해서도 다른 공유자의 동의 없이 일반승계가 가능하다.
한편, 기본디자인권과 관련디자인권은 같은 자에게 함께 이전하여야 하며, 복수디자인등록된 디자인권은 각 디자인권마다 분리하여 이전할 수 있다.

2. 실시권 설정

관련 조문

제97조(전용실시권) ① 디자인권자는 그 디자인권에 대하여 타인에게 전용실시권을 설정할 수 있다. 다만, 기본디자인의 디자인권과 관련디자인의 디자인권에 대한 전용실시권은 같은 자에게 동시에 설정하여야 한다.

제98조(디자인권 및 전용실시권 등록의 효력) ① 다음 각 호에 해당하는 사항은 등록하지 아니하면 효력이 발생하지 아니한다.
2. 전용실시권의 설정·이전(상속이나 그 밖의 일반승계에 의한 경우는 제외한다)·변경·소멸(혼동에 의한 경우는 제외한다) 또는 처분의 제한

제99조(통상실시권) ① 디자인권자는 그 디자인권에 대하여 타인에게 통상실시권을 허락할 수 있다.

제104조(통상실시권 등록의 효력) ① 통상실시권을 등록한 경우에는 그 등록 후에 디자인권 또는 전용실시권을 취득한 자에 대하여도 그 효력이 발생한다.

디자인권자는 전용실시권 또는 통상실시권을 타인에게 설정할 수 있다. 이때 실시권은 당사자 간의 설정계약의 범위에 따라 정해진다.
전용실시권은 디자인권과 같이 배타권과 실시권이 모두 인정되는 권리로서, 전용실시권자는 설정행위로 정한 범위에서 디자인권자의 실시도 제한할 수 있다. 전용실시권은 디자인권자와의 계약(허락)을 기초로 등록원부에 등록해야만 발생한다.
통상실시권은 배타권은 없고 실시권만 인정되는 권리로서, 설정행위로 정한 범위(허락실시권)에서 업으로서 그 디자인 또는 유사디자인을 실시할 수 있는 권리를 말한다. 통상실시권은 등록원부에 등록하지 않아도 발생하나, 등록하면 대항력을 취득할 수 있다.

3. 법정실시권 및 강제실시권

통상실시권 중에는 법정실시권뿐만 아니라 강제실시권이 있다. 강제실시권은 디자인권자가 설정해 준 통상실시권이 아니고, 법에 의해 또는 강제로 설정된 통상실시권을 말한다.

06 디자인권의 소멸

1. 장래를 향하여 소멸하는 경우

디자인권이 장래를 향하여 소멸하는 경우는 다음과 같다.

① 존속기간 만료

② 등록료 불납

③ 디자인권자가 개인인 경우 디자인권 상속이 개시된 때 상속인이 없거나, 디자인권자가 법인인 경우 법인이 청산된 때

④ 디자인권 포기

⑤ 디자인등록된 후 그 디자인권자가 외국인의 권리능력에 따라 특허권을 누릴 수 없는 자로 되거나 그 특허가 조약을 위반하여 특허무효심결이 확정된 경우

2. 소급하여 소멸하는 경우

디자인권이 처음부터 없던 것으로 소멸하는 경우는 다음과 같다.

① 디자인등록무효심결이 확정된 경우(후발적 무효사유 제외)

② 디자인등록취소결정이 확정된 경우

제6절 국제출원

01 해외출원의 방법

디자인권의 해외출원은 외국 특허청에 직접 출원하는 방법과 국제출원하는 방법이 있다.

02 국제출원

디자인에는 헤이그 국제출원 시스템이 있다. 출원인은 소정의 수리관청을 거쳐 국제출원할 수 있다. 국제출원은 하나의 언어로 작성한 하나의 출원서를 하나의 기관에 제출함으로써 다수의 지정국에 출원한 효과를 볼 수 있다.

03 국제등록 및 국제공개

국제출원에 대해 국제사무국은 국제출원서에 형식적인 사항이 제대로 기재되어 있는지 방식심사하게 된다. 국제출원서가 형식적인 요건을 충족하면 국제사무국은 국제등록부를 생성하여 국제등록하고 국제출원인 측의 즉시공개 또는 공개연기신청이 없는 한 국제등록일부터 일정 기간 경과 후 국제공개한다.

04 지정관청에서의 심사

국제등록 후 각 지정국의 관청은 자국법에 따른 실체심사(등록요건)를 진행한다. 심사결과에 따라 해당 지정관청은 보호거절 여부를 국제사무국에 통지할 수 있으며, 그 지정국의 등록요건을 만족하지 않아 거절되면 그 지정국에서는 등록의 효력이 없어진다.

제4장 상표제도 및 권리화

제1절 상표제도 개요

01 상표제도의 목적

관련 조문

상표법 제1조(목적) 이 법은 상표를 보호함으로써 상표 사용자의 업무상 신용 유지를 도모하여 산업발전에 이바지하고 수요자의 이익을 보호함을 목적으로 한다.

상표법은 상표 사용에 관한 독점권을 부여함으로써 상표권자의 이익과 상품 선택에 관한 소비자의 신뢰를 동시에 보호함을 목적으로 한다.

02 부정경쟁방지법과의 구분

관련 조문

부정경쟁방지 및 영업비밀보호에 관한 법률 제1조(목적) 이 법은 국내에 널리 알려진 타인의 상표・상호(商號) 등을 부정하게 사용하는 등의 부정경쟁행위와 타인의 영업비밀을 침해하는 행위를 방지하여 건전한 거래질서를 유지함을 목적으로 한다.

부정경쟁을 방지하고 건전한 상거래질서의 확립을 목적으로 하는 경업질서법이라는 점에서 상표법과 부정경쟁방지법은 상표의 명성과 신용의 보호 및 출처혼동 방지의 공통된 목적을 가진다.
다만 ① 부정경쟁방지법은 국내에 널리 인식된 상품 또는 영업표지와의 구체적 오인・혼동행위 및 저명상표의 희석화 행위 등을 금지시키는 데 반해, ② 상표법은 등록주의에 따라 등록에 의하여 독점권을 부여하고 등록상표와 동일・유사한 상표 사용에 한해 금지시킨다는 점에서 차이가 있다.

03 상표법상 보호되는 상표

관련 조문

제2조(정의) ① 이 법에서 사용하는 용어의 뜻은 다음과 같다.

3. "단체표장"이란 상품을 생산 · 제조 · 가공 · 판매하거나 서비스를 제공하는 자가 공동으로 설립한 법인이 직접 사용하거나 그 소속 단체원에게 사용하게 하기 위한 표장을 말한다.
4. "지리적 표시"란 상품의 특정 품질 · 명성 또는 그 밖의 특성이 본질적으로 특정지역에서 비롯된 경우에 그 지역에서 생산 · 제조 또는 가공된 상품임을 나타내는 표시를 말한다.
6. "지리적 표시 단체표장"이란 지리적 표시를 사용할 수 있는 상품을 생산 · 제조 또는 가공하는 자가 공동으로 설립한 법인이 직접 사용하거나 그 소속 단체원에게 사용하게 하기 위한 표장을 말한다.
7. "증명표장"이란 상품의 품질, 원산지, 생산방법 또는 그 밖의 특성을 증명하고 관리하는 것을 업(業)으로 하는 자가 타인의 상품에 대하여 그 상품이 품질, 원산지, 생산방법 또는 그 밖의 특성을 충족한다는 것을 증명하는 데 사용하는 표장을 말한다.
8. "지리적 표시 증명표장"이란 지리적 표시를 증명하는 것을 업으로 하는 자가 타인의 상품에 대하여 그 상품이 정해진 지리적 특성을 충족한다는 것을 증명하는 데 사용하는 표장을 말한다.
9. "업무표장"이란 영리를 목적으로 하지 아니하는 업무를 하는 자가 그 업무를 나타내기 위하여 사용하는 표장을 말한다.

상표법으로 보호되는 대상으로는 상표, 단체표장, 지리적 표시 단체표장, 증명표장, 지리적 표시 증명표장 및 업무표장이 있다. 다만 단체표장, 증명표장 및 업무표장은 특별한 경우를 제외하고 상표에 관한 규정을 적용하며, 상표법에서 가장 근간이 되는 내용은 상표에 관한 것이다. 이에 다음에서는 상표에 관한 규정을 중심으로 살핀다.

예시

상표

1. 문자상표

SAMSUNG

삼성전자

2. 도형상표

애플

3. 문자+도형 결합상표

스타벅스

단체표장

대한한의사협회

지리적 표시 단체표장

공주밤

공주시 밤 연합회

증명표장

한국육계협회

지리적 표시 증명표장	업무표장
광주김치	
광주광역시	대한민국(국세청장)

기출로 다지기

1 다음은 상표법과 부정경쟁방지법을 비교한 것이다. 옳지 않은 부분은? • 19회 기출

구분	상표법	부정경쟁방지법
보호 목적	등록상표의 보호	부정경쟁의 방지
보호 대상	상표법에서 정의하는 상표	③ 상품이나 영업 출처를 표시하는 일체의 표지
보호 조건	① 등록	④ 등록과 주지성의 획득
금지 대상	② 상표권·전용사용권 침해행위	⑤ 개별적인 부정경쟁행위

| ④ 부정경쟁방지법은 등록유무를 불문하고 거래계에서 주지로 된 표지의 모용행위를 금지함으로써 부정한 경쟁행위를 억제하여 수요자 보호를 꾀하는 점에서 근본적인 차이를 보인다.

▶ ④

2 상표법은 상표 이외의 권리도 보호를 하고 있다. 상표법상 "상품이나 서비스업의 품질, 원산지, 생산방법이나 그 밖의 특성의 증명을 업으로 하는 자가 상품의 생산·제조·가공 또는 판매를 업으로 하는 자의 상품이나 서비스업을 영위하는 자의 서비스업이 정하여진 품질, 원산지, 생산방법이나 그 밖의 특성을 충족하는 것을 증명하는 데 사용하게 하기 위한 표장"은 무엇인가? • 22회 기출

① 증명표장 ② 단체표장
③ 지리적 표시 증명표장 ④ 지리적 표시 단체표장
⑤ 업무표장

| ① 증명표장에 대한 설명이다.

▶ ①

제2절 상표등록요건

01 상표의 성립성

관련 조문

제2조(정의) ① 이 법에서 사용하는 용어의 뜻은 다음과 같다.
1. "상표"란 자기의 상품(지리적 표시가 사용되는 상품의 경우를 제외하고는 서비스 또는 서비스의 제공에 관련된 물건을 포함한다. 이하 같다)과 타인의 상품을 식별하기 위하여 사용하는 표장(標章)을 말한다.
2. "표장"이란 기호, 문자, 도형, 소리, 냄새, 입체적 형상, 홀로그램·동작 또는 색채 등으로서 그 구성이나 표현방식에 상관없이 상품의 출처(出處)를 나타내기 위하여 사용하는 모든 표시를 말한다.

상표에는 일반상표(기호, 문자, 도형, 색채가 결합한 상표), 입체상표(3차원적으로 구성된 상표), 색채만으로 된 상표(단일색채 또는 색채의 조합으로만 구성된 상표), 홀로그램 상표(홀로그램을 이용하여 보는 각도에 따라 다양한 문자나 모양 등을 나타내는 상표), 동작상표(일정한 시간의 흐름에 따라서 변화하는 일련의 그림이나 동적 이미지 등을 기록한 것으로 구성되는 상표), 소리상표(소리만으로 된 상표) 및 냄새상표(냄새만으로 된 상표) 등이 있다.
각 정의규정에 위반되는 출원은 거절결정된다. 예컨대 홀로그램 상표로 출원하였으나 상표견본과 설명서를 보고도 홀로그램 상표로 인정할 수 없는 때에는 정의규정 위반으로 거절결정된다.

02 권리능력

관련 조문

제27조(외국인의 권리능력) 재외자인 외국인은 다음 각 호의 어느 하나에 해당하는 경우를 제외하고는 상표권 또는 상표에 관한 권리를 누릴 수 없다.
1. 그 외국인이 속하는 국가에서 대한민국 국민에 대하여 그 국민과 같은 조건으로 상표권 또는 상표에 관한 권리를 인정하는 경우
2. 대한민국이 그 외국인에 대하여 상표권 또는 상표에 관한 권리를 인정하는 경우에는 그 외국인이 속하는 국가에서 대한민국 국민에 대하여 그 국민과 같은 조건으로 상표권 또는 상표에 관한 권리를 인정하는 경우
3. 조약 및 이에 준하는 것(이하 "조약"이라 한다)에 따라 상표권 또는 상표에 관한 권리를 인정하는 경우

재외자 중 외국인은 ① 그 외국인이 속하는 국가에서 대한민국 국민에 대하여 그 국가의 국민과 같은 조건으로 상표권을 인정하는 경우, ② 대한민국이 그 외국인에 대하여 상표권을 인정하자 그 외국인이 속하는 국가에서도 대한민국 국민에 대하여 그 국가의 국민과 같은 조건으로 상표권을 인정하는 경우, ③ 대한민국이 가입한 조약의 효력에 따라 상표권을 인정하는 경우를 제외하고는 대한민국에서 상표권을 받을 수 없다. 이 조건을 만족하지 않는 재외자 중 외국인이 출원하면 거절결정된다.

03 사용의사

관련 조문

제3조(상표등록을 받을 수 있는 자) ① 국내에서 상표를 사용하는 자 또는 사용하려는 자는 자기의 상표를 등록받을 수 있다. 다만, 특허청 직원과 특허심판원 직원은 상속 또는 유증(遺贈)의 경우를 제외하고는 재직 중에 상표를 등록받을 수 없다.

국내에서 상표를 사용하는 자 또는 사용하려는 자는 자기의 상표를 등록받을 수 있다. 이는 실제 사용하지 않거나 사용할 의사 없이 상표를 선점하거나 타인의 등록을 배제할 목적으로 출원하는 문제점을 보완하기 위함이다.

상표를 사용하려는 의사의 유무는 출원인의 주관적, 내면적인 의사를 중심으로 하되, 출원인의 경력, 지정상품의 특성, 출원인이 다수의 상표를 출원・등록한 경우에는 그 지정상품과의 관계 등과 같이 외형적으로 드러나는 사정까지 종합적으로 고려하여 판단한다. 상표에 대한 사용의사는 출원인의 주관적, 내면적인 의사에 해당하므로 외형적으로 드러나는 사정에 의하여 객관적으로 결정하여야 하고, 등록상표가 출원인의 상표 사용의사 없이 출원되어 등록되었다는 점은 선불리 추정되어서는 아니 되며, 객관적인 증거에 기반하여 엄격하고 신중하게 인정되어야 한다. 사용의사가 없는 출원은 거절결정된다.

한편, 특허청 직원은 사용의사가 있더라도 상속의 경우를 제외하고는 재직 중 상표권을 받을 수 없으며, 출원하면 거절결정된다.

04 식별력

관련 조문

제33조(상표등록의 요건) ① 다음 각 호의 어느 하나에 해당하는 상표를 제외하고는 상표등록을 받을 수 있다.
1. 그 상품의 보통명칭을 보통으로 사용하는 방법으로 표시한 표장만으로 된 상표
2. 그 상품에 대하여 관용(慣用)하는 상표
3. 그 상품의 산지(産地)·품질·원재료·효능·용도·수량·형상·가격·생산방법·가공방법·사용방법 또는 시기를 보통으로 사용하는 방법으로 표시한 표장만으로 된 상표
4. 현저한 지리적 명칭이나 그 약어(略語) 또는 지도만으로 된 상표
5. 흔히 있는 성(姓) 또는 명칭을 보통으로 사용하는 방법으로 표시한 표장만으로 된 상표
6. 간단하고 흔히 있는 표장만으로 된 상표
7. 제1호부터 제6호까지에 해당하는 상표 외에 수요자가 누구의 업무에 관련된 상품을 표시하는 것인가를 식별할 수 없는 상표

② 제1항제3호부터 제7호까지에 해당하는 상표라도 상표등록출원 전부터 그 상표를 사용한 결과 수요자 간에 특정인의 상품에 관한 출처를 표시하는 것으로 식별할 수 있게 된 경우에는 그 상표를 사용한 상품에 한정하여 상표등록을 받을 수 있다.

③ 제1항제3호(산지로 한정한다) 또는 제4호에 해당하는 표장이라도 그 표장이 특정 상품에 대한 지리적 표시인 경우에는 그 지리적 표시를 사용한 상품을 지정상품(제38조제1항에 따라 지정한 상품 및 제86조제1항에 따라 추가로 지정한 상품을 말한다. 이하 같다)으로 하여 지리적 표시 단체표장등록을 받을 수 있다.

식별력이 없는 상표는 특정인에게 독점시키는 것이 부당하기 때문에 출원하면 거절결정된다. 식별력이 없는 상표로는 그 상품의 보통명칭을 보통으로 사용하는 방법으로 표시한 표장만으로 된 상표, 그 상품에 대하여 관용하는 상표, 그 상품의 품질 등을 보통으로 사용하는 방법으로 표시한 표장만으로 된 상표, 현저한 지리적 명칭 등만으로 된 상표, 흔히 있는 성 등을 보통으로 사용하는 방법으로 표시한 표장만으로 된 상표, 간단하고 흔히 있는 표장만으로 된 상표 및 그 밖에 누구의 업무에 관련된 상품을 표시하는 것인가를 식별할 수 없는 상표가 있다.
"보통으로 사용하는 방법으로 표시"되어 있다는 것은 상표의 외관, 호칭, 관념을 통해 상품의 보통명칭 등으로 직감할 수 있도록 표시된 경우를 의미한다. 예컨대 출원상표가 일반인의 특별한 주의를 끌 정도로 독특한 서체·도안 및 구성으로 표시되어 있어 문자의 의미를 직감할 수 없을 정도로 도안화된 경우에는 이에 해당하지 않는 것으로 본다.
"~만으로 된 상표"란 다른 식별력 있는 문자나 도형 등이 결합되어 있어 전체적으로 식별력이 인정되는 경우가 아닌 상표를 말한다.

예시	상표	지정상품
보통명칭	랩	포장용 필름
관용표장	데코시트	장식용 시트
성질표시	EARTH FRIENDLY PRODUCTS	세탁용 세제
현저한 지리적 명칭	사리원면옥	냉면전문식당업
흔히 있는 성	김노인 마포상회	수의
간단하고 흔히 있는 표장	H	강철

05 부등록사유

관련 조문

제34조(상표등록을 받을 수 없는 상표) ① 제33조에도 불구하고 다음 각 호의 어느 하나에 해당하는 상표에 대해서는 상표등록을 받을 수 없다.

1. 국가의 국기(國旗) 및 국제기구의 기장(記章) 등으로서 다음 각 목의 어느 하나에 해당하는 상표
   가. 대한민국의 국기, 국장(國章), 군기(軍旗), 훈장, 포장(褒章), 기장, 대한민국이나 공공기관의 감독용 또는 증명용 인장(印章)·기호와 동일·유사한 상표
   나. 「공업소유권의 보호를 위한 파리 협약」(이하 "파리협약"이라 한다) 동맹국, 세계무역기구 회원국 또는 「상표법조약」 체약국(이하 이 항에서 "동맹국등"이라 한다)의 국기와 동일·유사한 상표
   다. 국제적십자, 국제올림픽위원회 또는 저명(著名)한 국제기관의 명칭, 약칭, 표장과 동일·유사한 상표. 다만, 그 기관이 자기의 명칭, 약칭 또는 표장을 상표등록출원한 경우에는 상표등록을 받을 수 있다.
   라. 파리협약 제6조의3에 따라 세계지식재산기구로부터 통지받아 특허청장이 지정한 동맹국등의 문장(紋章), 기(旗), 훈장, 포장 또는 기장이나 동맹국등이 가입한 정부 간 국제기구의 명칭, 약칭, 문장, 기, 훈장, 포장 또는 기장과 동일·유사한 상표. 다만, 그 동맹국등이 가입한 정부 간 국제기구가 자기의 명칭·약칭, 표장을 상표등록출원한 경우에는 상표등록을 받을 수 있다.
   마. 파리협약 제6조의3에 따라 세계지식재산기구로부터 통지받아 특허청장이 지정한 동맹국등이나 그 공공기관의 감독용 또는 증명용 인장·기호와 동일·유사한 상표로서 그 인장 또는 기호가 사용되고 있는 상품과 동일·유사한 상품에 대하여 사용하는 상표
2. 국가·인종·민족·공공단체·종교 또는 저명한 고인(故人)과의 관계를 거짓으로 표시하거나 이들을 비방 또는 모욕하거나 이들에 대한 평판을 나쁘게 할 우려가 있는 상표
3. 국가·공공단체 또는 이들의 기관과 공익법인의 비영리 업무나 공익사업을 표시하는 표장으로서 저명한 것과 동일·유사한 상표. 다만, 그 국가 등이 자기의 표장을 상표등록출원한 경우에는 상표등록을 받을 수 있다.
4. 상표 그 자체 또는 상표가 상품에 사용되는 경우 수요자에게 주는 의미와 내용 등이 일반인의 통상적인 도덕관념인 선량한 풍속에 어긋나는 등 공공의 질서를 해칠 우려가 있는 상표
5. 정부가 개최하거나 정부의 승인을 받아 개최하는 박람회 또는 외국정부가 개최하거나 외국정부의 승인을 받아 개최하는 박람회의 상패·상장 또는 포장과 동일·유사한 표장이 있는 상표. 다만, 그 박람회에서 수상한 자가 그 수상한 상품에 관하여 상표의 일부로서 그 표장을 사용하는 경우에는 상표등록을 받을 수 있다.
6. 저명한 타인의 성명·명칭 또는 상호·초상·서명·인장·아호(雅號)·예명(藝名)·필명(筆名) 또는 이들의 약칭을 포함하는 상표. 다만, 그 타인의 승낙을 받은 경우에는 상표등록을 받을 수 있다.
7. 선출원(先出願)에 의한 타인의 등록상표와 동일·유사한 상표로서 그 지정상품과 동일·유사한 상품에 사용하는 상표. 다만, 그 타인으로부터 상표등록에 대한 동의를 받은 경우(동일한 상표로서 그 지정상품과 동일한 상품에 사용하는 상표에 대하여 동의를 받은 경우는 제외한다)에는 상표등록을 받을 수 있다.
9. 타인의 상품을 표시하는 것이라고 수요자들에게 널리 인식되어 있는 상표와 동일·유사한 상표로서 그 타인의 상품과 동일·유사한 상품에 사용하는 상표
11. 수요자들에게 현저하게 인식되어 있는 타인의 상품이나 영업과 혼동을 일으키게 하거나 그 식별력 또는 명성을 손상시킬 염려가 있는 상표
12. 상품의 품질을 오인하게 하거나 수요자를 기만할 염려가 있는 상표
13. 국내 또는 외국의 수요자들에게 특정인의 상품을 표시하는 것이라고 인식되어 있는 상표와 동일·유사한 상표로서 부당한 이익을 얻으려 하거나 그 특정인에게 손해를 입히려고 하는 등 부정한 목적으로 사용하는 상표

15. 상표등록을 받으려는 상품 또는 그 상품의 포장의 기능을 확보하는 데 꼭 필요한(서비스의 경우에는 그 이용과 목적에 꼭 필요한 경우를 말한다) 입체적 형상, 색채, 색채의 조합, 소리 또는 냄새만으로 된 상표
17. 「식물신품종 보호법」 제109조에 따라 등록된 품종명칭과 동일·유사한 상표로서 그 품종명칭과 동일·유사한 상품에 대하여 사용하는 상표
20. 동업·고용 등 계약관계나 업무상 거래관계 또는 그 밖의 관계를 통하여 타인이 사용하거나 사용을 준비 중인 상표임을 알면서 그 상표와 동일·유사한 상표를 동일·유사한 상품에 등록출원한 상표
21. 조약당사국에 등록된 상표와 동일·유사한 상표로서 그 등록된 상표에 관한 권리를 가진 자와의 동업·고용 등 계약관계나 업무상 거래관계 또는 그 밖의 관계에 있거나 있었던 자가 그 상표에 관한 권리를 가진 자의 동의를 받지 아니하고 그 상표의 지정상품과 동일·유사한 상품을 지정상품으로 하여 등록출원한 상표

② 제1항은 다음 각 호의 어느 하나에 해당하는 결정(이하 "상표등록여부결정"이라 한다)을 할 때를 기준으로 하여 결정한다. 다만, 제1항제11호·제13호·제14호·제20호 및 제21호의 경우는 상표등록출원을 한 때를 기준으로 하여 결정하되, 상표등록출원인(이하 "출원인"이라 한다)이 제1항의 타인에 해당하는지는 상표등록여부결정을 할 때를 기준으로 하여 결정한다.
1. 제54조에 따른 상표등록거절결정
2. 제68조에 따른 상표등록결정

③ 상표권자 또는 그 상표권자의 상표를 사용하는 자는 제119조제1항제1호부터 제3호까지, 제5호, 제5호의2 및 제6호부터 제9호까지의 규정에 해당한다는 이유로 상표등록의 취소심판이 청구되고 그 청구일 이후에 다음 각 호의 어느 하나에 해당하게 된 경우 그 상표와 동일·유사한 상표[동일·유사한 상품(지리적 표시 단체표장의 경우에는 동일하다고 인정되는 상품을 말한다)을 지정상품으로 하여 다시 등록받으려는 경우로 한정한다]에 대해서는 그 청구일부터 다음 각 호의 어느 하나에 해당하게 된 날 이후 3년이 지나기 전에 출원하면 상표등록을 받을 수 없다.
1. 존속기간이 만료되어 상표권이 소멸한 경우
2. 상표권자가 상표권 또는 지정상품의 일부를 포기한 경우
3. 상표등록 취소의 심결(審決)이 확정된 경우

1. 제34조 제1항 제1호

국가의 국기 및 국제기구의 기장 등과 동일·유사한 상표는 다목, 라목에서 본인이 본인의 명칭 등을 출원한 경우를 제외하고 상표권을 받을 수 없다. 이는 각 국기 또는 기장 등의 존엄성과 권위를 유지하고, 오인·혼동으로부터 수요자를 보호하기 위함이다.

2. 제34조 제1항 제2호

국가·인종·민족·공공단체·종교 또는 저명한 고인(故人)과의 관계를 거짓으로 표시하거나 이들을 비방 또는 모욕하거나 이들에 대한 평판을 나쁘게 할 우려가 있는 상표는 상표권을 받을 수 없다. 이는 국가·인종·민족 등에 대한 권위와 존엄을 인정하여 국제적인 신의를 유지하고, 저명한 고인이나 그 유족의 명예와 인격을 보호하기 위함이다.

3. 제34조 제1항 제3호

국가·공공단체 또는 이들의 기관과 공익법인의 비영리 업무나 공익사업을 표시하는 표장으로서 저명한 것과 동일·유사한 상표는 상표권을 받을 수 없다. 다만, 그 국가 등이 자기의 표장을 출원한 경우에는 상표권을 받을 수 있다. 이는 저명한 업무를 표시하는 표장을 가진 국가나 공익단체의 업무상의 신용과 권위를 보호하고, 그것이 상품에 사용되면 일반수요자에게 상품출처에 대한 오인·혼동을 일으키게 할 염려가 있으므로 이로부터 일반공중을 보호하기 위함이다.

4. 제34조 제1항 제4호

상표 그 자체 또는 상표가 상품에 사용되는 경우 수요자에게 주는 의미와 내용 등이 일반인의 통상적인 도덕관념인 선량한 풍속에 어긋나는 등 공공의 질서를 해칠 우려가 있는 상표는 상표권을 받을 수 없다. 이는 자타상품의 식별력을 갖춘 상표라도 공익적 견지에서 상표권을 받을 수 없도록 한 규정이다. 상표 그 자체가 수요자에게 주는 의미나 내용 등이 일반인의 통상적인 도덕관념인 선량한 풍속에 어긋나거나 공공의 질서를 해칠 우려가 있는 때 또는 상표 그 자체는 공서양속을 해칠 우려가 없더라도 그 상표가 지정상품에 사용될 때 수요자에게 주는 의미나 내용 등이 일반인의 통상적인 도덕관념인 선량한 풍속에 어긋나거나 공공의 질서를 해칠 우려가 있는 때 본 규정을 적용한다.

5. 제34조 제1항 제5호

정부가 개최하거나 정부의 승인을 받아 개최하는 박람회 또는 외국정부가 개최하거나 외국정부의 승인을 받아 개최하는 박람회의 상패·상장 또는 포장과 동일·유사한 표장이 있는 상표는 상표권을 받을 수 없다. 다만 그 박람회에서 수상한 자가 그 수상한 상품에 관하여 상표의 일부로서 그 표장을 사용하는 경우에는 상표권을 받을 수 있다. 이는 박람회에서 시상한 상패·상장 등의 권위를 보호하고 동시에 박람회의 상패·상장 등은 품질을 보증하는 성격이 강하다고 할 수 있으므로 품질오인으로부터 수요자의 이익을 보호하기 위한 규정이다.

6. 제34조 제1항 제6호

저명한 타인의 성명·명칭 또는 상호·초상·서명·인장·아호·예명·필명 또는 이들의 약칭을 포함하는 상표는 상표권을 받을 수 없다. 다만, 그 타인의 승낙을 받은 경우에는 상표권을 받을 수 있다. 이는 상품의 출처의 오인·혼동을 방지하기 위한 규정이라기보다는 저명한 타인의 성명·명칭 등을 보호함으로써 타인의 인격권을 보호하기 위한 규정이다.

7. 제34조 제1항 제7호 – 선출원 등록상표 보호

선출원에 의한 타인의 등록상표(등록된 지리적 표시 단체표장은 제외한다)와 동일·유사한 상표로서 그 지정상품과 동일·유사한 상품에 사용하는 상표는 상표권을 받을 수 없다. 다만, 그 타인으로부터 상표등록에 대한 동의를 받은 경우(동일한 상표로서 그 지정상품과 동일한 상품에 사용하는 상표에 대하여 동의를 받은 경우는 제외한다)에는 상표권을 받을 수 있다. 이는 선등록상표권자의 상표권을 보호하기 위한 규정이다.

한편, 우리나라에도 해외 주요국에서 시행 중인 상표권 공존 동의제도가 도입되어 선등록상표권자가 동의하면 동일·유사한 후출원상표에 대해 상표권을 받을 수 있다. 다만, 상표 및 지정상품이 모두 동일한 경우는 불가하다.

8. 제34조 제1항 제9호, 제11호, 제12호, 제13호 – 선사용상표 보호

타인의 상품을 표시하는 것이라고 국내 수요자들에게 널리 인식되어 있는 상표[4](지리적 표시는 제외한다)와 동일·유사한 상표로서 그 타인의 상품과 동일·유사한 상품에 사용하는 상표(제9호), 국내 수요자들에게 현저하게 인식되어 있는[5] 타인의 상품이나 영업과 혼동을 일으키게 할 염려가 있는 상표(제11호), 국내 수요자를 기만할 염려가 있는 상표(제12호), 및 국내 또는 외국의 수요자들에게 특정인의 상품을 표시하는 것이라고 인식되어 있는 상표와 동일·유사한 상표로서 부당한 이익을 얻으려 하거나 그 특정인에게 손해를 입히려고 하는 등 부정한 목적으로 사용하는 상표(제13호)는 상표권을 받을 수 없다. 이는 선사용상표와의 오인·혼동을 방지하기 위함이다.

제9호의 주지상표라 함은 반드시 수요자가 그 상표사용인이 누구인가를 구체적으로 인식할 필요는 없다 하더라도 적어도 그 상표가 특정인의 상품에 사용되는 것임이 국내 수요자 간에 널리 인식되어 있는 것을 말한다.

제11호의 저명상표라 함은 당해 상품이나 영업에 관한 수요자뿐 아니라 이종상품이나 이종영업에 걸친 국내 일반수요자 대부분에게까지 알려져 있는 것을 말한다.

제12호의 수요자 기만 염려 상표라 함은 반드시 저명하여야 하는 것은 아니지만 적어도 국내 일반거래에 있어서 수요자에게 그 상표나 상품이라고 하면 곧 특정인의 상표나 상품이라고 인식될 수 있을 정도로는 알려져 있는 선사용상표와 동일·유사한 상표를 동일·유사 혹은 경제적 견련 관계의 상품에 사용한 상표를 말한다.

제13호는 국외에서 특정인의 상표라고 인식되어 있는 상표와 동일·유사한 상표에 대해서도 적용 가능한 것이 특징으로서, 이는 외국의 정당한 상표사용자가 국내시장에 진입하는 것을 방해하는 상표 브로커 등을 차단하고자 도입되었다.

---
4) 이를 주지상표라 한다.
5) 이를 저명상표라 한다.

9. 第34조 第1항 第15호

상표등록을 받으려는 상품 또는 그 상품의 포장의 기능을 확보하는 데 꼭 필요한 입체적 형상, 색채, 색채의 조합, 소리 또는 냄새만으로 된 상표는 상표권을 받을 수 없다. 기능, 즉 기술적 효과는 특허권·실용신안권으로 보호되다가 존속기간만료 후에는 제3자가 자유로이 사용할 수 있도록 함으로써 관련 산업의 발전과 자유로운 경쟁을 보장하는 것이 원칙이므로, 존속기간갱신등록을 통해 반영구적으로 보호 가능한 상표권으로의 보호를 배제한다.

10. 第34조 第1항 第17호

식물신품종 보호법 제109조에 따라 등록된 품종명칭과 동일·유사한 상표로서 그 품종명칭과 동일·유사한 상품에 대하여 사용하는 상표는 상표권을 받을 수 없다. 이는 상표법과 식물신품종 보호법과의 저촉을 피하고 등록상표와 품종명칭의 중복으로 인한 오인·혼동을 방지하기 위해 도입된 규정이다.

11. 第34조 第1항 第20호 및 第21호

동업·고용 등 계약관계나 업무상 거래관계 또는 그 밖의 관계를 통하여 타인이 사용하거나 사용을 준비 중인 상표임을 알면서 그 상표와 동일·유사한 상표를 동일·유사한 상품에 출원한 상표는 상표권을 받을 수 없다. 이는 타인과의 계약이나 거래관계 등 특정한 관계에 있던 자가 이를 통해 알게 된 타인의 상표를 자기가 출원하는 등 신의성실 원칙에 위반한 상표에 대하여 등록을 불허하기 위한 규정으로, 신의칙에 어긋나는 상표출원 자체를 거절하기 위해 도입되었다.

또 조약당사국에 등록된 상표와 동일·유사한 상표로서 그 등록된 상표에 관한 권리를 가진 자와의 동업·고용 등 계약관계나 업무상 거래관계 또는 그 밖의 관계에 있거나 있었던 자가 그 상표에 관한 권리를 가진 자의 동의를 받지 아니하고 그 상표의 지정상품과 동일·유사한 상품을 지정상품으로 하여 출원한 상표도 상표권을 받을 수 없다. 이는 파리협약 제6조의7을 반영하여 1980년 개정법에서 도입되었는데, 조약당사국의 정당한 권리자를 보호하기 위한 파리협약상의 규정을 준수하고 공정한 국제거래를 확립하기 위한 규정이다.

12. 第34조 第3항

상표권자 또는 그 상표권자의 상표를 사용하는 자는 제119조 제1항 제1호부터 제3호까지, 제5호, 제5호의2 및 제6호부터 제9호까지의 규정에 해당한다는 이유로 상표등록의 취소심판이 청구되고 그 청구일 이후에 ① 존속기간이 만료되어 상표권이 소멸한 경우, ② 상표권자가 상표권 또는 지정상품의 일부를 포기한 경우, ③ 상표등록 취소의 심결이 확정된 경우 그 상표와 동일·유사한 상표[동일·유사한 상품을 지정상품으로 하여 다시 등록받으려는 경우로 한정한다]에 대해서는 ①, ②, ③ 중 어느 하나에 해당한 날부터 3년이 지난 후에 출원해야만 상표권을 받을 수 있다. 만약 3년 내 출원하면 거절결정된다. 이는 등록상표의 불사용 등 상표권자의 의무위반에 대한 제재적 성격이 강한 규정으로서 이를 통하여 취소심판제도의 실효성을 확보하고자 하기 위함이다.

06 선출원주의

관련 조문

제35조(선출원) ① 동일·유사한 상품에 사용할 동일·유사한 상표에 대하여 다른 날에 둘 이상의 상표등록출원이 있는 경우에는 먼저 출원한 자만이 그 상표를 등록받을 수 있다.

② 동일·유사한 상품에 사용할 동일·유사한 상표에 대하여 같은 날에 둘 이상의 상표등록출원이 있는 경우에는 출원인의 협의에 의하여 정하여진 하나의 출원인만이 그 상표에 관하여 상표등록을 받을 수 있다. 협의가 성립하지 아니하거나 협의를 할 수 없는 때에는 특허청장이 행하는 추첨에 의하여 결정된 하나의 출원인만이 상표등록을 받을 수 있다.

③ 상표등록출원이 다음 각 호의 어느 하나에 해당되는 경우에는 그 상표등록출원은 제1항 및 제2항을 적용할 때에 처음부터 없었던 것으로 본다.

1. 포기 또는 취하된 경우
2. 무효로 된 경우
3. 제54조에 따른 상표등록거절결정 또는 거절한다는 취지의 심결이 확정된 경우

④ 특허청장은 제2항의 경우에는 출원인에게 기간을 정하여 협의의 결과를 신고할 것을 명하고, 그 기간 내에 신고가 없는 경우에는 제2항에 따른 협의는 성립되지 아니한 것으로 본다.

⑥ 제1항 및 제2항에도 불구하고 먼저 출원한 자 또는 협의·추첨에 의하여 정하여지거나 결정된 출원인으로부터 상표등록에 대한 동의를 받은 경우(동일한 상표로서 그 지정상품과 동일한 상품에 사용하는 상표에 대하여 동의를 받은 경우는 제외한다)에는 나중에 출원한 자 또는 협의·추첨에 의하여 정하여지거나 결정된 출원인이 아닌 출원인도 상표를 등록받을 수 있다.

동일·유사한 상품에 대한 동일·유사한 상표에 대하여 2 이상의 출원이 있는 경우에는 먼저 출원한 자만이 상표등록받을 수 있고, 후출원은 선출원주의 위반으로 거절결정된다. 이는 중복권리배제 위함이다. 다만 선출원된 것이라고 하더라도, 그 선출원이 무효·취하·포기·거절결정확정·거절한다는 취지의 심결(거절결정불복심판의 기각심결)이 확정되어 상표권이 나오지 않고 절차가 종결된 경우는 선원의 지위를 소급적으로 소멸시킨다.

동일·유사한 상품에 대한 동일·유사한 상표에 대해 같은 날에 2 이상의 출원이 있는 때는 출원인 간 협의하여 정한 하나의 출원만이 상표등록받을 수 있으며, 특허청장이 각 출원인들에게 협의결과를 신고할 것을 명하였으나 기간 내 협의가 성립하지 않으면 추첨에 의해 결정된 하나의 출원만 상표등록받을 수 있다.

한편, 상표권 공존 동의제도에 따라 선출원자 또는 협의·추첨에 따라 정해진 자가 동의하면 동일·유사한 후출원상표 또는 동일자상표에 대해서도 상표권을 받을 수 있다. 다만, 상표 및 지정상품이 모두 동일한 경우는 불가하다.

07 1상표 1출원 및 정당한 상품류 · 상품명 기재

관련 조문

제38조(1상표 1출원) ① 상표등록출원을 하려는 자는 상품류의 구분에 따라 1류 이상의 상품을 지정하여 1상표마다 1출원을 하여야 한다.

출원은 상품류 구분에 따라 1류 이상의 상품을 지정하여 1상표마다 1출원 하여야 한다(제38조 제1항).

하나의 상표에 1개의 상품류에 속하는 다수의 상품을 기재하여 출원하거나, 다수의 상품류에 각 류에 속하는 다수의 상품을 지정하여 출원하는 것은 가능하나, 2 이상의 상표를 기재하여 출원하면 거절결정된다.

또 출원 시 지정한 상품은 그 상품류와 상품명을 산업통상자원부령으로 정하는 상품류 구분에 따라 기재하여야 하는데, 기재된 상품류나 상품명이 명확하지 않은 경우 거절결정된다.

08 기타 등록요건

그 외 조약 위반, 단체표장 · 증명표장 · 업무표장 특유 등록요건 위반, 지리적 표시 특유 등록요건 위반, 분할이전출원 특유 등록요건에 위반되는 경우 거절결정된다.

기출로 다지기

1 다음은 무엇에 관한 설명인가? • 19회 기출

> 처음에는 특정인의 상표였던 것이 주지 · 저명한 상표로 되었다가 상표권자가 상표관리를 허술히 함으로써 동업자들이 자유롭게 사용하게 된 상표를 말한다.

① 관용상표
② 자유상표
③ 성질표시 상표
④ 기타 식별력 없는 상표
⑤ 간단하고 흔한 상표

| 대법원은 "오복채는 한일식품공업 주식회사의 상표이었으나 이 사건 등록상표의 지정상품인 장아찌의 일종인 오복채 제품을 생산 · 판매하는 동업자들이 자유롭고 관용적으로 사용하여, 이 사건 등록상표의 등록결정 당시인 1999. 2. 24.경에는 관용표장이 되었으므로, 이 사건 등록상표에는 상표법 제33조 제1항 제2호의 등록무효사유가 있다(2003후243)"고 판시하여 동업자들이 자유롭고 관용적으로 사용하게 된 상표를 관용상표라고 표현하고 있다.

▶ ①

2 갑은 A라는 브랜드로 화장품과 자동차를 지정 상품으로 하여 상표출원하였다. 그런데 특허청으로부터 화장품에 선등록된 유사상표(이하 인용상표)가 있다는 거절이유를 통지받았다. 이에 대해 갑이 취할 수 있는 행동 중 틀린 것은? • 18회 기출

① 출원상표가 인용상표와 유사하지 않다는 점을 적극적으로 주장하는 내용의 의견서를 제출한다.
② 인용상표가 실제 사용되고 있는지를 조사한 후 3년 동안 사용된 사실이 없다면 인용상표에 대한 불사용취소심판을 제기한다.
③ 지정상품 중 화장품을 삭제하는 보정을 한다.
④ 인용상표에 대하여 무효 심판을 청구한다.
⑤ 거절결정이 내려질 경우 재심사청구를 하여 보정절차를 통해 상표의 일부 표장을 변경한다.

| ⑤ 상표법상에는 재심사청구제도가 없으며 상표의 일부 표장을 변경하는 것은 요지의 변경으로 허용되지 않는다. ▶ ⑤

3 상표출원에 관한 다음 설명 중 옳지 않은 것은? • 18회 기출

① 상표출원은 상품류구분상 1류구분 이상의 상품을 지정하여 상표마다 출원하여야 한다.
② 하나의 출원서에는 하나의 상표만 기재해야 되고, 상품의 개수에도 제한이 있다.
③ 상표출원에 대해 심사를 받기 위해서는 별도의 심사청구를 할 필요가 없다.
④ 하나의 출원서에 상품과 서비스업을 동시에 기재하는 것도 가능하다.
⑤ 상표출원 시에도 우선권주장출원이 가능하다.

| ①② 우리 법은 '1상표 다류 1출원주의'를 채택하고 있으므로, 상품의 개수에는 제한이 없다.
③ 상표는 심사청구제도가 존재하지 않는다.
⑤ 상표의 경우도 조약에 의한 우선권주장출원이 가능하다. ▶ ②

4 우리나라의 상표제도에 관한 설명 중 가장 잘못된 것은? • 22회 기출

① 우리나라의 상표제도는 출원주의를 취하고 있고, 예외적으로 선의의 선사용자를 보호하기 위한 규정도 두고 있다.
② 소리, 냄새 등도 상표로서 보호될 수 있다.
③ 저명한 타인의 성명, 상호, 초상, 서명 등을 포함한 상표는 등록될 수 없다.
④ 식별력이 없는 표장은 원칙적으로 상표등록을 받을 수 없다.
⑤ 동일한 표장에 대해 2 이상의 출원이 경합된 경우 선출원인보다 후출원인이 먼저 사용한 사실을 입증할 경우 후출원인이 상표권을 받을 수 있다.

| ⑤ 우리나라 상표법은 선사용주의가 아닌 선출원주의를 채택하고 있으므로 동일한 표장에 대해 2 이상의 출원이 경합된 경우 선출원인보다 후출원인이 먼저 사용한 사실을 입증하였는지 여부에 관계없이 선출원인이 상표권을 받을 수 있다. ▶ ⑤

제3절 출원절차 등

01 출원

관련 조문

제36조(상표등록출원) ① 상표등록을 받으려는 자는 다음 각 호의 사항을 적은 상표등록출원서를 특허청장에게 제출하여야 한다.

1. 출원인의 성명 및 주소(법인인 경우에는 그 명칭 및 영업소의 소재지를 말한다)
2. 출원인의 대리인이 있는 경우에는 그 대리인의 성명 및 주소나 영업소의 소재지[대리인이 특허법인·특허법인(유한)인 경우에는 그 명칭, 사무소의 소재지 및 지정된 변리사의 성명을 말한다]
3. 상표
4. 지정상품 및 산업통상자원부령으로 정하는 상품류(이하 "상품류"라 한다)
5. 제46조제3항에 따른 사항(우선권을 주장하는 경우만 해당한다)
6. 그 밖에 산업통상자원부령으로 정하는 사항

② 상표등록을 받으려는 자는 제1항 각 호의 사항 외에 산업통상자원부령으로 정하는 바에 따라 그 표장에 관한 설명을 상표등록출원서에 적어야 한다.

출원은 (주체) 상표권을 받고자 하는 자가 (기간) 언제라도 (서면) 출원서에 등록받고자 하는 상표 및 상품에 관한 일정 사항 등을 기재하여 제출하면 밟을 수 있다.
참고로 상품류는 다음과 같다.

류	류제목
1	공업/과학 및 사진용 및 농업/원예 및 영업용 화학제; 미가공 인조수지, 미가공 플라스틱; 소화 및 화재예방용 조성물; 조질제 및 땜납용 조제; 수피용 무두질제; 공어용 접착제; 퍼티 및 기타 페이스트 충전제; 퇴비, 거름, 비료; 산업용 및 과학용 생물학적 제제
2	페인트, 니스, 래커; 방청제 및 목재 보존제; 착색제, 염료; 인쇄, 표시 및 판화용 잉크; 미가공 천연수지; 도장용/장식용/인쇄용/미술용 금속박(箔) 및 금속분(粉)
3	비의료용 화장품 및 세면용품; 비의료용 치약; 향료; 에센셜 오일; 표백제 및 기타 세탁용 제제; 세정/광택 및 연마재
4	공업용 오일 및 그리스, 왁스; 윤활제; 먼지흡수제; 먼지습윤제 및 먼지흡착제; 연료 및 발광체; 조영용 양초 및 심지
5	약제, 의료용 및 수의과용 제제; 의료용 위생제; 의료용 또는 수의과용 식이요법 식품 및 제제, 유아용 식품; 인체용 및 동물용 식이보충제; 플라스터, 와상치료용 재료; 치과용 충전재료, 치과용 왁스; 소독제; 해충구제제; 살균제, 제초제
6	일반금속 및 합금, 광석; 금속제 건축 및 구축용 재료; 금속제 이동식 건축물; 비전기용 일반금속제 케이블 및 와이어; 소형금속제품; 저장 또는 운반용 금속제 용기; 금고
7	기계, 공장기계, 전동공구; 모터 및 엔진(육상차량용은 제외); 기계 커플링 및 전동장치 부품(육상차량용은 제외); 농기구(수동식 수공구는 제외); 부란기(孵卵器); 자동판매기
8	수동식 수공구 및 수동기구; 커틀러리; 휴대 무기(화기는 제외); 면도기

9	과학, 연구, 항법, 측량, 사진, 영화, 시청각, 광학, 계량, 측정, 신호, 탐지, 시험, 검사, 구명 및 교육용 기기; 전기 분배 또는 전기 사용의 전도, 전환, 변형, 축적, 조절 또는 통제를 위한 기기; 음향/영상 또는 데이터의 기록/전송/재생 또는 처리용 장치 및 기구; 기록 및 내려받기 가능한 미디어, 컴퓨터 소프트웨어, 빈 디지털 또는 아날로그 기록 및 저장매체; 동전작동식 기계장치; 금전등록기, 계산기; 컴퓨터 및 컴퓨터주변기기; 잠수복, 잠수마스크, 잠수용 귀마개, 다이버 및 수영용 노즈클립, 잠수용 장갑, 잠수용 호흡장치; 소화기기
10	외과용, 내과용, 치과용 및 수의과용 기계기구; 의지(義肢), 의안(義眼) 및 의치(義齒); 정형외과용품; 봉합용 재료; 장애인용 치료 및 재활보조장치; 안마기; 유아수유용 기기 및 용품; 성활동용 기기 및 용품
11	조명용, 가열용, 냉각용, 증기발생용, 조리용, 건조용, 환기용, 급수용, 위생용 장치 및 설비
12	수송기계기구; 육상, 항공 또는 해상을 통해 이동하는 수송수단
13	화기(火器); 탄약 및 발사체; 폭약; 폭죽
14	귀금속 및 그 합금; 보석, 귀석 및 반귀석; 시계용구
15	악기; 악보대 및 악기용 받침대; 지휘봉
16	종이 및 판지; 인쇄물; 제본재료; 사진; 문방구 및 사무용품(가구는 제외); 문방구용 또는 가정용 접착제; 제도용구 및 미술용 재료; 회화용 솔; 교재; 포장용 플라스틱제 시트, 필름 및 가방; 인쇄활자, 프린팅블록
17	미가공 및 반가공 고무, 구타페르카, 고무액(gum), 석면, 운모(雲母) 및 이들의 제품; 제조용 압출성 형형태의 플라스틱 및 수지; 충전용, 마개용 및 절연용 재료; 비금속제 신축관, 튜브 및 호스
18	가죽 및 모조가죽; 수피; 수하물가방 및 운반용 가방; 우산 및 파라솔; 걷기용 지팡이; 채찍 및 마구(馬具); 동물용 목걸이, 가죽끈 및 의류
19	건축용 및 구축용 비금속제 건축재료; 건축용 비금속제 경질관(硬質管); 아스팔트, 피치, 타르 및 역청; 비금속제 이동식 건축물; 비금속제 기념물
20	가구, 거울, 액자; 보관 또는 운송용 비금속제 컨테이너; 미가공 또는 반가공 뼈, 뿔, 고래수염 또는 나전(螺鈿); 패각; 해포석(海泡石); 호박(琥珀)(원석)
21	가정용 또는 주방용 기구 및 용기; 조리기구 및 식기(포크, 나이프 및 스푼은 제외); 빗 및 스펀지; 솔(페인트 솔은 제외); 솔 제조용 재료; 청소용구; 비건축용 미가공 또는 반가공 유리; 유리제품, 도자기제품 및 토기제품
22	로프 및 노끈; 망(網); 텐트 및 타폴린; 직물제 또는 합성재료제 차양; 돛; 하역물운반용 및 보관용 포대; 충전재료(고무/플라스틱/종이 및 판지제는 제외; 직물용 미가공 섬유 및 그 대용품
23	직물용 실(絲)
24	직물 및 직물대용품; 가정용 린넨; 직물 또는 플라스틱제 커튼
25	의류, 신발, 모자
26	레이스, 장식용 끈 및 자수포, 의류장식용 리본 및 나비매듭리본; 단추, 훅 및 아이(hooks and eyes), 핀 및 바늘; 조화(造花); 머리장식품; 가발
27	카펫, 융단, 매트, 리놀륨 및 기타 바닥깔개용 재료; 비직물제 벽걸이
28	오락용구, 장난감; 비디오게임장치; 체조 및 스포츠용품; 크리스마스트리용 장식품
29	식육, 생선, 가금 및 엽조수; 고기진액; 보존처리/냉동/건조 및 조리된 과일 및 채소; 젤리, 잼, 콩폿; 달걀; 우유, 치즈, 버터, 요구르트 및 기타 유품; 식용유지(油脂)

30	커피, 차(茶), 코코아 및 그 대용품; 쌀, 파스타 및 국수; 타피오카 및 사고(sago); 곡물 및 곡물 조제품; 빵, 페이스트리 및 과자; 초콜릿; 아이스크림, 셔벗 및 기타 식용 얼음; 설탕, 꿀, 당밀(糖蜜); 식품용 이스트, 베이킹파우더; 소금, 조미료, 향신료, 보존처리된 허브; 식초, 소스 및 기타 조미료; 얼음
31	미가공 농업, 수산양식, 원예 및 임업 생산물; 미가공 곡물 및 종자; 신선한 과실 및 채소, 신선한 허브; 살아있는 식물 및 꽃; 구근(球根), 모종 및 재배용 곡물종자; 살아있는 동물; 동물용 사료 및 음료; 맥아
32	맥주; 비알코올성 음료; 광천수 및 탄산수; 과실음료 및 과실주스; 시럽 및 비알코올성 음료용 제제
33	알코올성 음료(맥주는 제외); 음료제조용 알코올성 제제
34	담배 및 대용담배; 권연 및 여송연; 흡연자용 전자담배 및 기화기; 흡연용구; 성냥
35	광고업; 사업관리/조직 및 경영업; 사무처리업
36	금융, 통화 및 은행업; 보험서비스업; 부동산업
37	건축서비스업; 설치 및 수리서비스업; 채광업/석유 및 가스 시추업
38	통신서비스업
39	운송업; 상품의 포장 및 보관업; 여행알선업
40	재료처리업; 폐기물 재생업; 공기 정화 및 물 처리업; 인쇄 서비스업; 음식 및 음료수 보존업
41	교육업; 훈련제공업; 연예오락업; 스포츠 및 문화활동업
42	과학적 · 기술적 서비스업 및 관련 연구, 디자인업; 산업분석, 산업연구 및 산업디자인 서비스업; 품질관리 및 인증 서비스업; 컴퓨터 하드웨어 및 소프트웨어의 디자인 및 개발업
43	식음료제공서비스업; 임시숙박시설업
44	의료업; 수의업; 인간 또는 동물을 위한 위생 및 미용업; 농업, 수산양식, 원예 및 임업 서비스업
45	법무 서비스업; 유형의 재산 및 개인을 물리적으로 보호하기 위한 보안서비스업; 이성(異性) 소개업, 온라인 소셜 네트워킹 서비스업; 장례업; 베이비시팅업

02 분할출원

관련 조문

제45조(출원의 분할) ① 출원인은 둘 이상의 상품을 지정상품으로 하여 상표등록출원을 한 경우에는 제40조제1항 각 호 및 제41조제1항 각 호에서 정한 기간 내에 둘 이상의 상표등록출원으로 분할할 수 있다.
② 제1항에 따라 분할하는 상표등록출원(이하 "분할출원"이라 한다)이 있는 경우 그 분할출원은 최초에 상표등록출원을 한 때에 출원한 것으로 본다. 다만, 제46조제3항·제4항 또는 제47조제2항을 적용할 때에는 분할출원한 때를 기준으로 한다.

분할출원이란 2 이상의 상품을 지정상품으로 하여 출원한 경우 보정기간 이내에 2 이상의 출원으로 분할하는 것을 말한다. 분할출원의 기초가 되는 출원을 원출원이라 하며, 분할출원은 출원일자를 원출원의 출원일자로 소급해 준다.
분할출원은 (주체) 원출원인이 (기간) 원출원 제40조 제1항 각 호 및 제41조 제1항 각 호의 보정기간에 (서면) 특허청에 제출하는 출원서에 분할출원 취지 및 원출원 표시를 하면 밟을 수 있다.

03 분할이전출원

관련 조문

제48조(출원의 승계 및 분할이전 등) ② 상표등록출원은 그 지정상품마다 분할하여 이전할 수 있다. 이 경우 유사한 지정상품은 함께 이전하여야 한다.
④ 상표등록출원이 공유인 경우에는 각 공유자는 다른 공유자 전원의 동의를 받지 아니하면 그 지분을 양도할 수 없다.
⑤ 제2항에 따라 분할하여 이전된 상표등록출원은 최초의 상표등록출원을 한 때에 출원한 것으로 본다. 다만, 제46조제1항에 따른 우선권 주장이 있거나 제47조제1항에 따른 출원 시의 특례를 적용하는 경우에는 그러하지 아니하다.

분할이전출원이란 2 이상의 상품을 지정상품으로 하여 출원한 경우 지정상품마다 분할하여 타인에게 이전하는 출원을 말한다. 분할출원과 마찬가지로 출원일자를 원출원의 출원일자로 소급해 준다. 다만 분할출원과 다르게 유사한 지정상품은 함께 이전하여야만 하는 제한이 있다.
분할이전출원은 (주체) 이전받은 자가 (기간) 원출원 출원 계속 중 (서면) 특허청에 제출하는 출원서에 분할이전출원 취지 및 원출원 표시를 하면 밟을 수 있다.

04 변경출원

관련 조문

제44조(출원의 변경) ① 다음 각 호의 어느 하나에 해당하는 출원을 한 출원인은 그 출원을 다음 각 호의 어느 하나에 해당하는 다른 출원으로 변경할 수 있다.
1. 상표등록출원
2. 단체표장등록출원(지리적 표시 단체표장등록출원은 제외한다)
3. 증명표장등록출원(지리적 표시 증명표장등록출원은 제외한다)

② 지정상품추가등록출원을 한 출원인은 상표등록출원으로 변경할 수 있다. 다만, 지정상품추가등록출원의 기초가 된 등록상표에 대하여 무효심판 또는 취소심판이 청구되거나 그 등록상표가 무효심판 또는 취소심판 등으로 소멸된 경우에는 그러하지 아니하다.
③ 제1항 및 제2항에 따라 변경된 출원(이하 "변경출원"이라 한다)은 최초의 출원을 한 때에 출원한 것으로 본다. 다만, 제46조제3항·제4항 또는 제47조제2항을 적용할 때에는 변경출원한 때를 기준으로 한다.
④ 제1항 및 제2항에 따른 출원의 변경은 최초의 출원에 대한 등록여부결정 또는 심결이 확정된 후에는 할 수 없다.
⑧ 변경출원의 경우 최초의 출원은 취하된 것으로 본다.

변경출원이란 출원 후에 출원일을 그대로 유지한 채 원출원의 형식을 보다 유리한 다른 형식으로 변경하는 제도이다. 상표출원·단체표장출원·증명표장출원 상호 간의 출원변경이나, 지정상품추가등록출원의 상표출원으로의 변경이 가능하다. 변경출원은 출원일자를 원출원의 출원일자로 소급해 준다.
변경출원은 (주체) 원출원인이 (기간) 최초 출원에 대한 등록여부결정 또는 심결 확정 전까지 (서면) 특허청에 제출하는 출원서에 변경출원 취지 및 원출원 표시를 하면 밟을 수 있다.

05 지정상품추가등록출원

관련 조문

제86조(지정상품추가등록출원) ① 상표권자 또는 출원인은 등록상표 또는 상표등록출원의 지정상품을 추가하여 상표등록을 받을 수 있다. 이 경우 추가등록된 지정상품에 대한 상표권의 존속기간 만료일은 그 등록상표권의 존속기간 만료일로 한다.
② 제1항에 따라 지정상품의 추가등록을 받으려는 자는 다음 각 호의 사항을 적은 지정상품의 추가등록출원서를 특허청장에게 제출하여야 한다.
1. 제36조제1항제1호·제2호·제5호 및 제6호의 사항
2. 상표등록번호 또는 상표등록출원번호
3. 추가로 지정할 상품 및 그 상품류

상표권자 또는 출원인은 지정상품추가등록출원을 통해 등록상표 또는 상표출원에 지정상품을 더 추가하여 상표권을 받을 수 있다. 이 경우 추가등록된 지정상품에 대한 상표권의 존속기간 만료일은 그 등록상표권의 존속기간 만료일로 한다(제86조 제1항). 이는 상품면에서의 상표권 효력의 확장 제도이다.
지정상품추가등록출원은 (주체) 원상표권자 또는 원출원인이 (기간) 원상표권 또는 원출원이 적법하게 존재하는 동안 (서면) 특허청에 제출하는 출원서에 지정상품추가등록출원 취지 및 원상표권・원출원 표시를 하면 밟을 수 있다.

06 조약우선권주장출원

관련 조문

제46조(조약에 따른 우선권 주장) ① 조약에 따라 대한민국 국민에게 상표등록출원에 대한 우선권을 인정하는 당사국의 국민이 그 당사국 또는 다른 당사국에 상표등록출원을 한 후 같은 상표를 대한민국에 상표등록출원하여 우선권을 주장하는 경우에는 제35조를 적용할 때 그 당사국에 출원한 날을 대한민국에 상표등록출원한 날로 본다. 대한민국 국민이 조약에 따라 대한민국 국민에게 상표등록출원에 대한 우선권을 인정하는 당사국에 상표등록출원한 후 같은 상표를 대한민국에 상표등록출원한 경우에도 또한 같다.
② 제1항에 따라 우선권을 주장하려는 자는 우선권 주장의 기초가 되는 최초의 출원일부터 6개월 이내에 출원하지 아니하면 우선권을 주장할 수 없다.
③ 제1항에 따라 우선권을 주장하려는 자는 상표등록출원 시 상표등록출원서에 그 취지, 최초로 출원한 국가명 및 출원 연월일을 적어야 한다.
④ 제3항에 따라 우선권을 주장한 자는 최초로 출원한 국가의 정부가 인정하는 상표등록출원의 연월일을 적은 서면, 상표 및 지정상품의 등본을 상표등록출원일부터 3개월 이내에 특허청장에게 제출하여야 한다.
⑤ 제3항에 따라 우선권을 주장한 자가 제4항의 기간 내에 같은 항에 따른 서류를 제출하지 아니한 경우에는 그 우선권 주장은 효력을 상실한다.

조약우선권주장은 동맹국 내 출원일자를 우리나라에서 우선일로 인정해 주는 제도이다. 조약우선권주장출원은 출원일과 우선일, 이렇게 2개의 일자가 부여되며, 제35조의 선출원주의를 판단할 때 동맹국 내 출원된 상표와 동일 상표는 출원일이 아닌 우선일 기준으로 판단한다.
조약우선권주장출원은 (주체) 동맹국 출원인 또는 우선권주장 승계인이 (기간) 동맹국 출원일부터 6개월 내에 국내출원하면서 (서면) 특허청에 제출하는 출원서에 조약우선권주장 취지, 최초 출원한 동맹국 국가명 및 동맹국에서의 출원일 표시하고, 출원일로부터 3개월 내 관련 증명서류를 제출하면 밟을 수 있다.

07 출원 시 특례

관련 조문

제47조(출원 시의 특례) ① 상표등록을 받을 수 있는 자가 다음 각 호의 어느 하나에 해당하는 박람회에 출품한 상품에 사용한 상표를 그 출품일부터 6개월 이내에 그 상품을 지정상품으로 하여 상표등록출원을 한 경우에는 그 상표등록출원은 그 출품을 한 때에 출원한 것으로 본다.

1. 정부 또는 지방자치단체가 개최하는 박람회
2. 정부 또는 지방자치단체의 승인을 받은 자가 개최하는 박람회
3. 정부의 승인을 받아 국외에서 개최하는 박람회
4. 조약당사국의 영역(領域)에서 그 정부나 그 정부로부터 승인을 받은 자가 개최하는 국제박람회

② 제1항을 적용받으려는 자는 그 취지를 적은 상표등록출원서를 특허청장에게 제출하고, 이를 증명할 수 있는 서류를 상표등록출원일부터 30일 이내에 특허청장에게 제출하여야 한다.

상표등록을 받을 수 있는 자가 제47조 제1항 각 호의 어느 하나에 해당하는 박람회에 출품한 상품에 사용한 상표를 그 출품일부터 6개월 이내에 그 상품을 지정상품으로 하여 상표등록출원을 한 경우 그 출원은 그 출품을 한 때에 출원한 것으로 본다(제47조). 이는 파리협약의 규정을 이행하기 위해 도입한 것으로서, 박람회에 출품한 상품에 사용한 상표에 대해서는 일정 기간 동안 선출원주의의 예외를 인정함으로써 박람회의 권위와 박람회에 출품한 자를 보호하기 위해 마련된 제도이다.

출원 시 특례는 (주체) 출원인이 (기간) 박람회 출품일로부터 6개월 이내에 (서면) 특허청에 제출하는 출원서에 출원 시 특례 취지를 표시하고, 출원일로부터 30일 내에 관련 증명서류를 제출하면 밟을 수 있다.

08 보정

관련 조문

제40조(출원공고결정 전의 보정) ① 출원인은 다음 각 호의 구분에 따른 때까지는 최초의 상표등록출원의 요지를 변경하지 아니하는 범위에서 상표등록출원서의 기재사항, 상표등록출원에 관한 지정상품 및 상표를 보정할 수 있다.

1. 제55조의2에 따른 재심사를 청구하는 경우: 재심사의 청구기간

1의2. 제57조에 따른 출원공고의 결정이 있는 경우: 출원공고의 때까지

2. 제57조에 따른 출원공고의 결정이 없는 경우: 제54조에 따른 상표등록거절결정의 때까지
3. 제116조에 따른 거절결정에 대한 심판을 청구하는 경우: 그 청구일부터 30일 이내
4. 제123조에 따라 거절결정에 대한 심판에서 심사규정이 준용되는 경우: 제55조제1항·제3항 또는 제87조제2항·제3항에 따른 의견서 제출기간

② 제1항에 따른 보정이 다음 각 호의 어느 하나에 해당하는 경우에는 상표등록출원의 요지를 변경하지 아니하는 것으로 본다.

1. 지정상품의 범위의 감축(減縮)
2. 오기(誤記)의 정정
3. 불명료한 기재의 석명(釋明)
4. 상표의 부기적(附記的)인 부분의 삭제
5. 그 밖에 제36조제2항에 따른 표장에 관한 설명 등 산업통상자원부령으로 정하는 사항

제41조(출원공고결정 후의 보정) ① 출원인은 제57조제2항에 따른 출원공고결정 등본의 송달 후에 다음 각 호의 어느 하나에 해당하게 된 경우에는 해당 호에서 정하는 기간 내에 최초의 상표등록출원의 요지를 변경하지 아니하는 범위에서 지정상품 및 상표를 보정할 수 있다.

1. 제54조에 따른 상표등록거절결정 또는 제87조제1항에 따른 지정상품의 추가등록거절결정의 거절이유에 나타난 사항에 대하여 제116조에 따른 심판을 청구한 경우: 심판청구일부터 30일
2. 제55조제1항 및 제87조제2항에 따른 거절이유의 통지를 받고 그 거절이유에 나타난 사항에 대하여 보정하려는 경우: 해당 거절이유에 대한 의견서 제출기간

2의2. 제55조의2에 따른 재심사를 청구하는 경우: 재심사의 청구기간

3. 이의신청이 있는 경우에 그 이의신청의 이유에 나타난 사항에 대하여 보정하려는 경우: 제66조제1항에 따른 답변서 제출기간

제42조(보정의 각하) ① 심사관은 제40조 및 제41조에 따른 보정이 제40조제2항 각 호의 어느 하나에 해당하지 아니하는 것인 경우에는 결정으로 그 보정을 각하(却下)하여야 한다.

② 심사관은 제1항에 따른 각하결정을 한 경우에는 제115조에 따른 보정각하결정에 대한 심판청구기간이 지나기 전까지는 그 상표등록출원에 대한 상표등록여부결정을 해서는 아니 되며, 출원공고할 것을 결정하기 전에 제1항에 따른 각하결정을 한 경우에는 출원공고결정도 해서는 아니 된다.

③ 심사관은 출원인이 제1항에 따른 각하결정에 대하여 제115조에 따라 심판을 청구한 경우에는 그 심판의 심결이 확정될 때까지 그 상표등록출원의 심사를 중지하여야 한다.

실체보정에는 출원공고결정 전 보정과 출원공고결정 후 보정이 있다. 출원공고결정 전 보정은 (주체) 출원인이 (기간) 재심사청구하는 경우 재심사 청구기간, 출원공고결정이 있는 경우 출원공고 때까지, 출원공고결정이 없는 경우 거절결정 때까지, 거절결정불복심판을 청구하는 경우 그 청구일부터 30일 이내, 거절결정불복심판에서의 의견서 제출기간에 (서면) 특허청에 보정서를 제출하면 밟을 수 있으며, 이때 출원인은 최초 출원의 요지를 변경하지 아니하는 범위에서 ① 출원서의 기재사항, ② 지정상품 및 ③ 상표를 보정할 수 있다.
출원공고결정 후 보정은 (주체) 출원인이 (기간) 거절결정불복심판을 청구하는 경우 그 청구일부터 30일 이내, 거절이유통지를 받은 경우 의견서 제출기간, 재심사청구하는 경우 재심사 청구기간에 (서면) 특허청에 보정서를 제출하면 밟을 수 있으며, 이때 출원인은 최초 출원의 요지를 변경하지 아니하는 범위에서 ① 지정상품 및 ② 상표를 보정할 수 있다.
심사관은 실체보정이 출원의 요지를 변경하는 것일 때는 결정으로 보정각하한다. 보정각하결정이 확정되면 보정 전 내용으로 심사가 진행된다.

기출로 다지기

상표등록출원의 요지변경에 해당하는 경우는? • 19회 기출

① 외국어로 된 상표에 한글 음역을 병기하는 경우
② 지정상품의 범위의 감축(減縮)
③ 오기(誤記)의 정정
④ 불명료한 기재의 석명(釋明)
⑤ 상표의 부기적(附記的)인 부분의 삭제

| ① 외국어로 된 상표에 한글 음역을 병기하는 경우는 심사에 영향을 미칠 수 있으므로 요지변경에 해당한다. ▶ ①

제4절 심사 및 공개

01 우선심사신청

관련 조문

제53조(심사의 순위 및 우선심사) ① 상표등록출원에 대한 심사의 순위는 출원의 순위에 따른다.
② 특허청장은 다음 각 호의 어느 하나에 해당하는 상표등록출원에 대해서는 제1항에도 불구하고 심사관으로 하여금 다른 상표등록출원보다 우선하여 심사하게 할 수 있다.
1. 상표등록출원 후 출원인이 아닌 자가 상표등록출원된 상표와 동일·유사한 상표를 동일·유사한 지정상품에 정당한 사유 없이 업으로서 사용하고 있다고 인정되는 경우
2. 출원인이 상표등록출원한 상표를 지정상품의 전부에 사용하고 있는 등 대통령령으로 정하는 상표등록출원으로서 긴급한 처리가 필요하다고 인정되는 경우

심사는 출원 순서에 따라 진행된다. 다만 출원 순서에 관계없이 우선적으로 심사받고자 하는 경우는 우선심사신청할 수 있다. 우선심사신청은 (주체) 출원인 또는 이해관계인은 (기간) 출원 후 (서면) 우선심사신청서를 특허청에 제출하면 밟을 수 있고, 정해진 우선심사사유에 해당할 경우 우선심사결정이 나온 뒤 우선심사가 진행된다.

02 심사방법

1. 거절이유통지, 보정각하결정, 거절결정 및 등록결정

관련 조문

제42조(보정의 각하) ① 심사관은 제40조 및 제41조에 따른 보정이 제40조제2항 각 호의 어느 하나에 해당하지 아니하는 것인 경우에는 결정으로 그 보정을 각하(却下)하여야 한다.
② 심사관은 제1항에 따른 각하결정을 한 경우에는 제115조에 따른 보정각하결정에 대한 심판청구기간이 지나기 전까지는 그 상표등록출원에 대한 상표등록여부결정을 해서는 아니 되며, 출원공고할 것을 결정하기 전에 제1항에 따른 각하결정을 한 경우에는 출원공고결정도 해서는 아니 된다.
③ 심사관은 출원인이 제1항에 따른 각하결정에 대하여 제115조에 따라 심판을 청구한 경우에는 그 심판의 심결이 확정될 때까지 그 상표등록출원의 심사를 중지하여야 한다.

제54조(상표등록거절결정) 심사관은 상표등록출원이 다음 각 호의 어느 하나에 해당하는 경우에는 상표등록거절결정을 하여야 한다. 이 경우 상표등록출원의 지정상품 일부가 다음 각 호의 어느 하나에 해당하는 경우에는 그 지정상품에 대하여만 상표등록거절결정을 하여야 한다.

1. 제2조제1항에 따른 상표, 단체표장, 지리적 표시, 지리적 표시 단체표장, 증명표장, 지리적 표시 증명표장 또는 업무표장의 정의에 맞지 아니하는 경우
2. 조약에 위반된 경우
3. 제3조, 제27조, 제33조부터 제35조까지, 제38조제1항, 제48조제2항 후단, 같은 조 제4항 또는 제6항부터 제8항까지의 규정에 따라 상표등록을 할 수 없는 경우
4. 제3조에 따른 단체표장, 증명표장 및 업무표장의 등록을 받을 수 있는 자에 해당하지 아니한 경우
5. 지리적 표시 단체표장등록출원의 경우에 그 소속 단체원의 가입에 관하여 정관에 의하여 단체의 가입을 금지하거나 정관에 충족하기 어려운 가입조건을 규정하는 등 단체의 가입을 실질적으로 허용하지 아니한 경우
6. 제36조제3항에 따른 정관에 대통령령으로 정하는 단체표장의 사용에 관한 사항의 전부 또는 일부를 적지 아니하였거나 같은 조 제4항에 따른 정관 또는 규약에 대통령령으로 정하는 증명표장의 사용에 관한 사항의 전부 또는 일부를 적지 아니한 경우
7. 증명표장등록출원의 경우에 그 증명표장을 사용할 수 있는 자에 대하여 정당한 사유 없이 정관 또는 규약으로 사용을 허락하지 아니하거나 정관 또는 규약에 충족하기 어려운 사용조건을 규정하는 등 실질적으로 사용을 허락하지 아니한 경우

제55조(거절이유통지) ① 심사관은 다음 각 호의 어느 하나에 해당하는 경우에는 출원인에게 미리 거절이유(제54조 각 호의 어느 하나에 해당하는 이유를 말하며, 이하 "거절이유"라 한다)를 통지하여야 한다. 이 경우 출원인은 산업통상자원부령으로 정하는 기간 내에 거절이유에 대한 의견서를 제출할 수 있다.

1. 제54조에 따라 상표등록거절결정을 하려는 경우
2. 제68조의2제1항에 따른 직권 재심사를 하여 취소된 상표등록결정 전에 이미 통지한 거절이유로 상표등록거절결정을 하려는 경우

② 심사관은 제1항에 따라 거절이유를 통지하는 경우에 지정상품별로 거절이유와 근거를 구체적으로 적어야 한다.

③ 제1항 후단에 따른 기간 내에 의견서를 제출하지 못한 출원인은 그 기간의 만료일부터 2개월 내에 상표에 관한 절차를 계속 진행할 것을 신청하고, 거절이유에 대한 의견서를 제출할 수 있다.

제57조(출원공고) ① 심사관은 상표등록출원에 대하여 거절이유를 발견할 수 없는 경우(일부 지정상품에 대하여 거절이유가 있는 경우에는 그 지정상품에 대한 거절결정이 확정된 경우를 말한다)에는 출원공고결정을 하여야 한다. 다만, 다음 각 호의 어느 하나에 해당하는 경우에는 출원공고결정을 생략할 수 있다.

1. 제2항에 따른 출원공고결정의 등본이 출원인에게 송달된 후 그 출원인이 출원공고된 상표등록출원을 제45조에 따라 둘 이상의 상표등록출원으로 분할한 경우로서 그 분할출원에 대하여 거절이유를 발견할 수 없는 경우
2. 제54조에 따른 상표등록거절결정에 대하여 취소의 심결이 있는 경우로서 해당 상표등록출원의 지정상품에 대하여 이미 출원공고된 사실이 있고 다른 거절이유를 발견할 수 없는 경우

② 특허청장은 제1항 각 호 외의 부분 본문에 따른 결정이 있을 경우에는 그 결정의 등본을 출원인에게 송달하고 그 상표등록출원에 관하여 상표공보에 게재하여 출원공고를 하여야 한다.

③ 특허청장은 제2항에 따라 출원공고를 한 날부터 2개월간 상표등록출원 서류 및 그 부속 서류를 특허청에서 일반인이 열람할 수 있게 하여야 한다.

제68조(상표등록결정) 심사관은 상표등록출원에 대하여 거절이유를 발견할 수 없는 경우(일부 지정상품에 대하여 거절이유가 있는 경우에는 그 지정상품에 대한 거절결정이 확정된 경우를 말한다)에는 상표등록결정을 하여야 한다.

심사는 출원에 거절이유가 존재하는지를 살피며, 심사대상확정(보정여부/보정각하여부), 기존에 통지한 거절이유 극복 여부, 기존에 통지한 거절이유가 없거나 기존에 통지한 거절이유가 극복된 경우 새로운 거절이유의 존재 여부의 순서로 진행하고, 거절결정 또는 출원공고결정 후 등록결정함으로써 종료한다.
이때 심사대상확정과 관련하여 출원공고결정 전 보정에 대한 보정각하결정이 있는 때는 그 결정이 확정될 때까지 심사가 중지된다. 출원공고결정 후 보정에 대한 보정각하결정이 있는 때는 심사 중지 없이 보정 전 내용으로 심사를 계속한다.
한편, 출원공고란 상표등록 전 출원내용을 공중에 공고하여 심사의 공정성과 완전성을 담보하고, 등록 후 발생할 수 있는 분쟁을 미연에 방지하고자 도입된 제도로서, 특별한 사정이 없는 한 출원공고결정은 심사관이 상표등록출원에 대하여 거절이유를 발견할 수 없는 경우에 한다.

2. 보정각하결정, 거절결정 및 등록결정 후 절차

(1) 재심사청구

관련 조문

제55조의2(재심사의 청구) ① 제54조에 따른 상표등록거절결정을 받은 자는 그 결정 등본을 송달받은 날부터 3개월(제17조제1항에 따라 제116조에 따른 기간이 연장된 경우에는 그 연장된 기간을 말한다) 이내에 지정상품 또는 상표를 보정하여 해당 상표등록출원에 관한 재심사를 청구할 수 있다. 다만, 재심사를 청구할 때 이미 재심사에 따른 거절결정이 있거나 제116조에 따른 심판청구가 있는 경우에는 그러하지 아니하다.
③ 제1항에 따라 재심사가 청구된 경우 그 상표등록출원에 대하여 종전에 이루어진 상표등록거절결정은 취소된 것으로 본다. 다만, 재심사의 청구절차가 제18조제1항에 따라 무효로 된 경우에는 그러하지 아니하다.

거절결정서를 받은 (주체) 출원인은 (기간) 거절결정서를 받은 날부터 3개월 이내에 (서면) 특허청에 보정서를 제출하면서 재심사청구 취지를 표시하면 재심사청구할 수 있다.
재심사청구되면 그 출원에 대하여 종전에 이루어진 거절결정은 취소된 것으로 되며, 다시 심사가 진행된다.

(2) 거절결정불복심판청구

관련 조문

제115조(보정각하결정에 대한 심판) 제42조제1항에 따른 보정각하결정을 받은 자가 그 결정에 불복할 경우에는 그 결정등본을 송달받은 날부터 3개월 이내에 심판을 청구할 수 있다.

제116조(거절결정에 대한 심판) 제54조에 따른 상표등록거절결정, 지정상품추가등록 거절결정 또는 상품분류전환등록 거절결정(이하 "거절결정"이라 한다)을 받은 자가 불복하는 경우에는 그 거절결정의 등본을 송달받은 날부터 3개월 이내에 거절결정된 지정상품의 전부 또는 일부에 관하여 심판을 청구할 수 있다.

보정각하결정 또는 거절결정서를 받은 (주체) 출원인은 그 부당성을 다투고자 할 때 (기간) 보정각하결정 또는 거절결정서를 받은 날부터 3개월 내에 (서면) 특허심판원에 심판청구서를 제출하여 각 결정에 대한 불복심판청구 절차를 밟을 수 있다. 각 결정이 부당한 것으로 판단되면 해당 결정이 취소되고 다시 심사가 재개될 수 있다.
다만, 출원공고결정 전 보정에 대해서는 별도의 보정각하불복심판이 가능함에 반해, 출원공고결정 후 보정에 대해서는 거절결정불복심판에서만 보정각하결정의 부당성을 함께 다툴 수 있다.

(3) 직권보정 후 재심사

관련 조문

제59조(직권보정 등) ① 심사관은 제57조에 따른 출원공고결정을 할 때에 상표등록출원서에 적힌 사항이 명백히 잘못된 경우에는 직권으로 보정(이하 이 조에서 "직권보정"이라 한다)을 할 수 있다. 이 경우 직권보정은 제40조제2항에 따른 범위에서 하여야 한다.
② 제1항에 따라 심사관이 직권보정을 하려면 제57조제2항에 따른 출원공고결정 등본의 송달과 함께 그 직권보정 사항을 출원인에게 알려야 한다.
③ 출원인은 직권보정 사항의 전부 또는 일부를 받아들일 수 없는 경우에는 제57조제3항에 따른 기간 내에 그 직권보정 사항에 대한 의견서를 특허청장에게 제출하여야 한다.
④ 출원인이 제3항에 따라 의견서를 제출한 경우 해당 직권보정 사항의 전부 또는 일부는 처음부터 없었던 것으로 본다. 이 경우 그 출원공고결정도 함께 취소된 것으로 본다.
⑤ 직권보정이 제40조제2항에 따른 범위를 벗어나거나 명백히 잘못되지 아니한 사항을 직권보정한 경우 그 직권보정은 처음부터 없었던 것으로 본다.

심사관은 출원공고결정할 때 출원서에 적힌 사항이 명백히 잘못된 경우 직권으로 보정할 수 있다. 이때 출원인은 직권보정 사항의 전부 또는 일부를 받아들일 수 없으면 출원공고를 한 날부터 2개월 내에 그 직권보정 사항에 대한 거부의 의견서를 제출할 수 있는데, 의견서를 제출하여 직권보정 사항을 거부한 경우는 출원공고결정이 취소되고 다시 심사가 진행된다.

(4) 직권 재심사

관련 조문

제68조의2(상표등록결정 이후의 직권 재심사) ① 심사관은 상표등록결정을 한 출원에 대하여 명백한 거절이유를 발견한 경우에는 직권으로 상표등록결정을 취소하고 그 상표등록출원을 다시 심사(이하 "직권 재심사"라 한다)할 수 있다. 다만, 다음 각 호의 어느 하나에 해당하는 경우에는 그러하지 아니하다.

1. 거절이유가 제38조제1항에 해당하는 경우
2. 그 상표등록결정에 따라 상표권이 설정등록된 경우
3. 그 상표등록출원이 취하되거나 포기된 경우

② 제1항에 따라 심사관이 직권 재심사를 하려면 상표등록결정을 취소한다는 사실을 출원인에게 통지하여야 한다.

③ 출원인이 제2항에 따른 통지를 받기 전에 그 상표등록출원이 제1항제2호 또는 제3호에 해당하게 된 경우에는 상표등록결정의 취소는 처음부터 없었던 것으로 본다.

심사관은 등록결정하였어도 상표권이 발생하기 전까지 명백한 거절이유를 발견하면 등록결정을 취소하고 직권으로 재심사할 수 있다.

03 심사협력

관련 조문

제51조(상표전문기관의 등록 등) ① 특허청장은 상표등록출원의 심사에 필요하다고 인정하면 제2항에 따른 전문기관에 다음 각 호의 업무를 의뢰할 수 있다.

1. 상표검색
2. 상품분류
3. 그 밖에 상표의 사용실태 조사 등 대통령령으로 정하는 업무

제49조(정보의 제공) 누구든지 상표등록출원된 상표가 제54조 각 호의 어느 하나에 해당되어 상표등록될 수 없다는 취지의 정보를 증거와 함께 특허청장 또는 특허심판원장에게 제공할 수 있다.

제60조(이의신청) ① 출원공고가 있는 경우에는 누구든지 출원공고일부터 2개월 내에 다음 각 호의 어느 하나에 해당한다는 것을 이유로 특허청장에게 이의신청을 할 수 있다.

1. 제54조에 따른 상표등록거절결정의 거절이유에 해당한다는 것
2. 제87조제1항에 따른 추가등록거절결정의 거절이유에 해당한다는 것

상표법은 심사협력제도를 두고 있다. 심사에 필요한 경우 관련 업무를 전문기관에 의뢰할 수 있고, 공중으로부터 정보제공 또는 이의신청을 받아 이를 참고할 수 있다.
참고로 정보제공은 출원 후 등록여부결정 전까지 가능한 반면, 이의신청은 출원공고일부터 2개월 이내에 가능하다. 정보제공은 기존 심사관이 담당하는 반면, 이의신청은 3인으로 구성된 이의신청 전담 심사관합의체가 담당한다.

04 손실보상청구권

관련 조문

제58조(손실보상청구권) ① 출원인은 제57조제2항(제88조제2항 및 제123조제1항에 따라 준용되는 경우를 포함한다)에 따른 출원공고가 있은 후 해당 상표등록출원에 관한 지정상품과 동일·유사한 상품에 대하여 해당 상표등록출원에 관한 상표와 동일·유사한 상표를 사용하는 자에게 서면으로 경고할 수 있다. 다만, 출원인이 해당 상표등록출원의 사본을 제시하는 경우에는 출원공고 전이라도 서면으로 경고할 수 있다.
② 제1항에 따라 경고를 한 출원인은 경고 후 상표권을 설정등록할 때까지의 기간에 발생한 해당 상표의 사용에 관한 업무상 손실에 상당하는 보상금의 지급을 청구할 수 있다.
③ 제2항에 따른 청구권은 해당 상표등록출원에 대한 상표권의 설정등록 전까지는 행사할 수 없다.
④ 제2항에 따른 청구권의 행사는 상표권의 행사에 영향을 미치지 아니한다.
⑤ 제2항에 따른 청구권을 행사하는 경우의 등록상표 보호범위 등에 관하여는 제91조, 제108조, 제113조 및 제114조와 「민법」 제760조 및 제766조를 준용한다. 이 경우 「민법」 제766조제1항 중 "피해자나 그 법정대리인이 그 손해 및 가해자를 안 날"은 "해당 상표권의 설정등록일"로 본다.
⑥ 상표등록출원이 다음 각 호의 어느 하나에 해당하는 경우에는 제2항에 따른 청구권은 처음부터 발생하지 아니한 것으로 본다.
1. 상표등록출원이 포기·취하 또는 무효가 된 경우
2. 상표등록출원에 대한 제54조에 따른 상표등록거절결정이 확정된 경우
3. 제117조에 따라 상표등록을 무효로 한다는 심결(같은 조 제1항제5호부터 제7호까지의 규정에 따른 경우는 제외한다)이 확정된 경우

출원인은 그 출원의 지정상품과 동일·유사한 상품에 대하여 그 출원의 상표와 동일·유사한 상표를 사용하는 자에게 서면으로 경고할 수 있으며, 경고받고도 해당 상표를 사용한 자에게 경고 후 상표권 설정등록할 때까지의 기간에 발생한 업무상 손실에 상당하는 보상금의 지급을 청구할 수 있다. 이를 손실보상청구권이라 한다.

손실보상청구권은 상표권이 설정등록된 후에만 행사할 수 있다. ① 출원이 무효·취하 또는 포기된 경우, ② 출원에 대하여 제54조에 따른 거절결정이 확정된 경우, ③ 제117조에 따른 상표등록을 무효로 한다는 심결(같은 조 제1항 제5호부터 제7호까지의 규정에 따른 경우는 제외한다)이 확정된 경우에는 손실보상청구권은 처음부터 발생하지 아니한 것으로 본다.

기출로 다지기

다음은 상표등록출원 및 심사에 관한 설명이다. 가장 부적합한 것은 무엇인가? • 20회 기출

① 상표등록출원은 그 지정상품마다 분할하여 이전할 수 있으나, 유사한 지정상품은 함께 이전하여야 한다.

② 상표의 부기적인 부분을 삭제하는 보정은 허용된다.

③ 상표등록출원을 증명표장등록출원으로 변경할 수는 있으나, 지리적 표시 단체표장등록출원을 지리적 표시 증명표장등록출원으로 변경할 수는 없다.

④ 천재지변이나 기타 출원인이 책임질 수 없는 사유로 거절이유에 대한 의견서 제출기한 내에 의견서를 제출하지 못한 경우에 한하여 해당 출원인은 그 기간의 만료일로부터 2개월 이내에 상표에 관한 절차를 계속 신청하고, 그 기간 내에 거절이유에 대한 의견서를 제출할 수 있다.

⑤ 심사관은 출원공고결정을 할 때에 상표등록출원서에 적힌 사항이 명백히 잘못된 경우에는 직권으로 보정할 수 있다.

| ④ 천재지변이나 기타 출원인이 책임질 수 없는 사유뿐 아니라, 원래의 의견서 제출기한 내에 의견서를 제출하지 아니한 출원인은 어느 경우라 하여도 그 기간의 만료일로부터 2개월 이내에 상표에 관한 절차를 계속 신청하고, 그 기간 내에 거절이유에 대한 의견서를 제출할 수 있다. ▶ ④

제5절 상표권 내용

01 상표권 발생

관련 조문

제82조(상표권의 설정등록) ① 상표권은 설정등록에 의하여 발생한다.
② 특허청장은 다음 각 호의 어느 하나에 해당하는 경우에는 상표권을 설정하기 위한 등록을 하여야 한다.
1. 제72조제3항 또는 제74조에 따라 상표등록료(제72조제1항 각 호 외의 부분 후단에 따라 분할납부하는 경우에는 1회차 상표등록료를 말하며, 이하 이 항에서 같다)를 낸 경우
2. 제76조제2항에 따라 상표등록료를 보전하였을 경우
3. 제77조제1항에 따라 상표등록료를 내거나 보전하였을 경우

상표권은 설정등록에 의해 발생(제82조 제1항)하며, 설정등록이 있는 날부터 10년씩(제83조 제1항) 독점적으로 사용할 수 있는 권리이다(제89조). 설정등록은 등록결정서를 받고 등록료를 납부하면 특허청장이 해준다(제82조 제2항).

02 등록료 납부

관련 조문

제72조(상표등록료) ① 다음 각 호의 어느 하나에 해당하는 상표권의 설정등록 등을 받으려는 자는 상표등록료를 내야 한다. 이 경우 제1호 또는 제2호에 해당할 때에는 상표등록료를 2회로 분할하여 낼 수 있다.
1. 제82조에 따른 상표권의 설정등록
2. 존속기간갱신등록
3. 제86조에 따른 지정상품의 추가등록

등록료는 상표권의 설정등록을 받으려는 자가 국가에 납부해야 하는 금액을 말한다. 등록료는 일시납 또는 2회 분납으로 납부 가능하다.
등록료 또는 분할납부의 경우 1회차 등록료를 내지 아니한 경우에는 상표권의 설정등록을 받으려는 자의 출원은 포기한 것으로 보며, 분할납부의 경우 2회차 등록료를 내지 아니한 경우에는 등록일부터 5년이 지나면 상표권이 소멸한다.

03 상표권 효력범위

1. 상표권 효력

관련 조문

제89조(상표권의 효력) 상표권자는 지정상품에 관하여 그 등록상표를 사용할 권리를 독점한다. 다만, 그 상표권에 관하여 전용사용권을 설정한 때에는 제95조제3항에 따라 전용사용권자가 등록상표를 사용할 권리를 독점하는 범위에서는 그러하지 아니하다.

상표권 효력은 사용권과 배타권이 있다. 사용권은 지정상품에 관하여 해당 상표를 본인이 사용할 수 있는 권리를 말하고, 배타권은 지정상품에 관하여 해당 상표를 남이 사용하지 못하게 하는 권리를 말한다. 한편, 상표권의 배타권은 실시권과 달리 상표 및 지정상품의 유사범위까지 미친다(제108조 제1항 제1호).

2. 효력의 내용적 범위

(1) 상표 및 지정상품 보호범위

관련 조문

제91조(등록상표 등의 보호범위) ① 등록상표의 보호범위는 상표등록출원서에 적은 상표 및 기재사항에 따라 정해진다.
② 지정상품의 보호범위는 상표등록출원서 또는 상품분류전환등록신청서에 기재된 상품에 따라 정해진다.

상표 및 지정상품 보호범위는 출원서의 기재사항 등에 의해 정해진다.

(2) 사용

관련 조문

제2조(정의) ① 이 법에서 사용하는 용어의 뜻은 다음과 같다.
11. "상표의 사용"이란 다음 각 목의 어느 하나에 해당하는 행위를 말한다.
가. 상품 또는 상품의 포장에 상표를 표시하는 행위
나. 상품 또는 상품의 포장에 상표를 표시한 것을 양도·인도하거나 전기통신회선을 통하여 제공하는 행위 또는 이를 목적으로 전시하거나 수출·수입하는 행위
다. 상품에 관한 광고·정가표(定價表)·거래서류, 그 밖의 수단에 상표를 표시하고 전시하거나 널리 알리는 행위
② 제1항제11호 각 목에 따른 상표를 표시하는 행위에는 다음 각 호의 어느 하나의 방법으로 표시하는 행위가 포함된다.
1. 표장의 형상이나 소리 또는 냄새로 상표를 표시하는 행위
2. 전기통신회선을 통하여 제공되는 정보에 전자적 방법으로 표시하는 행위

상표의 사용에는 표시행위, 유통행위, 광고행위가 있다. 표시행위는 상품 또는 상품의 포장에 상표를 표시하는 행위를 말하고, 유통행위는 상품 또는 상품의 포장에 상표를 표시한 것을 양도하는 행위 등을 말하며, 광고행위는 상품에 관한 광고에 상표를 표시하여 전시하는 행위 등을 말한다.

3. 효력의 시간적 범위

관련 조문

제83조(상표권의 존속기간) ① 상표권의 존속기간은 제82조제1항에 따라 설정등록이 있는 날부터 10년으로 한다.
② 상표권의 존속기간은 존속기간갱신등록신청에 의하여 10년씩 갱신할 수 있다.

상표권의 존속기간은 설정등록이 있는 날부터 10년이 되는 날까지이고, 갱신등록신청에 의하여 10년씩 갱신할 수 있다.

4. 효력의 지역적 범위

속지주의 원칙상 우리나라 영토에서만 미친다.

04 상표권 효력범위 제한

1. 사용권 제한

관련 조문

제89조(상표권의 효력) 상표권자는 지정상품에 관하여 그 등록상표를 사용할 권리를 독점한다. 다만, 그 상표권에 관하여 전용사용권을 설정한 때에는 제95조제3항에 따라 전용사용권자가 등록상표를 사용할 권리를 독점하는 범위에서는 그러하지 아니하다.

제92조(타인의 디자인권 등과의 관계) ① 상표권자·전용사용권자 또는 통상사용권자는 그 등록상표를 사용할 경우에 그 사용상태에 따라 그 상표등록출원일 전에 출원된 타인의 특허권·실용신안권·디자인권 또는 그 상표등록출원일 전에 발생한 타인의 저작권과 저촉되는 경우에는 지정상품 중 저촉되는 지정상품에 대한 상표의 사용은 특허권자·실용신안권자·디자인권자 또는 저작권자의 동의를 받지 아니하고는 그 등록상표를 사용할 수 없다.
② 상표권자·전용사용권자 또는 통상사용권자는 그 등록상표의 사용이 「부정경쟁방지 및 영업비밀보호에 관한 법률」 제2조제1호파목에 따른 부정경쟁행위에 해당하는 경우에는 같은 목에 따른 타인의 동의를 받지 아니하고는 그 등록상표를 사용할 수 없다.

상표권자라 하더라도 자신의 사용권이 타인의 배타권과 충돌되면 사용권이 제한되는 경우가 있다. 전용사용권을 설정하였을 때는 배타적 효력이 있는 전용사용권 범위 내의 사용이 제한된다. 또한 배타적 효력이 있는 타인의 선출원 권리와 저촉관계에 있거나, 부정경쟁행위에 해당하는 경우 사용이 제한된다.

2. 배타권 제한

관련 조문

제90조(상표권의 효력이 미치지 아니하는 범위) ① 상표권(지리적 표시 단체표장권은 제외한다)은 다음 각 호의 어느 하나에 해당하는 경우에는 그 효력이 미치지 아니한다.

1. 자기의 성명·명칭 또는 상호·초상·서명·인장 또는 저명한 아호·예명·필명과 이들의 저명한 약칭을 상거래 관행에 따라 사용하는 상표
2. 등록상표의 지정상품과 동일·유사한 상품의 보통명칭·산지·품질·원재료·효능·용도·수량·형상·가격 또는 생산방법·가공방법·사용방법 및 시기를 보통으로 사용하는 방법으로 표시하는 상표
3. 입체적 형상으로 된 등록상표의 경우에는 그 입체적 형상이 누구의 업무에 관련된 상품을 표시하는 것인지 식별할 수 없는 경우에 등록상표의 지정상품과 동일·유사한 상품에 사용하는 등록상표의 입체적 형상과 동일·유사한 형상으로 된 상표
4. 등록상표의 지정상품과 동일·유사한 상품에 대하여 관용하는 상표와 현저한 지리적 명칭 및 그 약어 또는 지도로 된 상표
5. 등록상표의 지정상품 또는 그 지정상품 포장의 기능을 확보하는 데 불가결한 형상, 색채, 색채의 조합, 소리 또는 냄새로 된 상표

③ 제1항제1호는 상표권의 설정등록이 있은 후에 부정경쟁의 목적으로 자기의 성명·명칭 또는 상호·초상·서명·인장 또는 저명한 아호·예명·필명과 이들의 저명한 약칭을 사용하는 경우에는 적용하지 아니한다.

상표권자라 하더라도 상표권으로 독점시키기에 적합하지 아니한 사안에 대해서는 배타권이 제한되는 경우가 있다. 이 중 상표법 제90조에 대해 살핀다.

① 자기의 성명 등을 상거래 관행에 따라 사용하는 상표에 대하여는 상표권 설정등록 후 부정경쟁목적으로 사용한 경우가 아닌 이상 배타권 효력이 미치지 아니한다.

② 등록상표의 지정상품과 동일·유사한 상품의 품질 등을 보통으로 사용하는 방법으로 표시하는 상표에 대하여는 배타권 효력이 미치지 아니한다.

③ 입체적 형상과 문자 또는 도형 등이 결합된 입체상표에 있어서 그 입체적 형상 자체에 식별력이 없는 경우라면 배타권 효력은 식별력 없는 입체적 형상과 동일·유사한 형상으로 된 상표에 미치지 아니한다.

④ 관용상표나 현저한 지리적 명칭 등에는 배타권 효력이 미치지 아니한다.

⑤ 상품 또는 그 상품의 포장의 기능을 확보하는 데 불가결한 상표에는 배타권 효력이 미치지 아니한다.

05 상표권의 이전, 사용권 설정

1. 이전

관련 조문

제93조(상표권 등의 이전 및 공유) ① 상표권은 그 지정상품마다 분할하여 이전할 수 있다. 이 경우 유사한 지정상품은 함께 이전하여야 한다.
② 상표권이 공유인 경우에는 각 공유자는 다른 공유자 모두의 동의를 받지 아니하면 그 지분을 양도하거나 그 지분을 목적으로 하는 질권을 설정할 수 없다.

제96조(상표권 등의 등록의 효력) ① 다음 각 호에 해당하는 사항은 등록하지 아니하면 그 효력이 발생하지 아니한다.
1. 상표권의 이전(상속이나 그 밖의 일반승계에 의한 경우는 제외한다)·변경·포기에 의한 소멸, 존속기간의 갱신, 상품분류전환, 지정상품의 추가 또는 처분의 제한

상표권은 이전 가능하다. 지정상품마다 분할하여 이전하는 것도 가능하다. 단, 분할 이전은 유사한 지정상품을 함께 이전하여야 하며, 양도에 의한 이전은 등록하여야만 효력이 발생하고, 상표권이 공유인 경우 자신의 지분을 양도할 때는 다른 공유자의 지분 가치에 영향을 줄 수 있으므로 다른 공유자의 동의를 받도록 하고 있다.
상속 기타 일반승계에 의한 이전은 이전등록하지 않더라도 효력이 발생한다. 또한 지분에 대해서도 다른 공유자의 동의 없이 일반승계가 가능하다.

2. 사용권 설정

관련 조문

제95조(전용사용권) ① 상표권자는 그 상표권에 관하여 타인에게 전용사용권을 설정할 수 있다.

제97조(통상사용권) ① 상표권자는 그 상표권에 관하여 타인에게 통상사용권을 설정할 수 있다.

제100조(전용사용권·통상사용권 등의 등록의 효력) ① 다음 각 호에 해당하는 사항은 등록하지 아니하면 제3자에게 대항할 수 없다.
1. 전용사용권 또는 통상사용권의 설정·이전(상속이나 그 밖의 일반승계에 의한 경우는 제외한다)·변경·포기에 의한 소멸 또는 처분의 제한

상표권자는 전용사용권 또는 통상사용권을 타인에게 설정할 수 있다. 이때 사용권은 당사자 간의 설정계약의 범위에 따라 정해진다.
전용사용권은 상표권과 같이 배타권과 사용권이 모두 인정되는 권리로서, 전용사용권자는 설정행위로 정한 범위에서 상표권자의 사용도 제한할 수 있다.
통상사용권은 배타권은 없고 사용권만 인정되는 권리로서, 설정행위로 정한 범위(허락실시권)에서 지정상품에 관하여 상표를 사용할 수 있는 권리를 말한다.
전용사용권 및 통상사용권은 등록원부에 등록하지 않아도 발생하나, 등록하면 대항력을 취득할 수 있다.

3. 법정사용권

통상사용권 중에는 법정사용권도 있다. 이는 상표권자가 설정해 준 통상사용권이 아니고, 법에 의해 설정된 통상사용권을 말한다.

06 상표권의 소멸

1. 장래를 향하여 소멸하는 경우

상표권이 장래를 향하여 소멸하는 경우는 다음과 같다.

① 존속기간 만료(갱신신청하지 않았거나 갱신등록이 무효로 된 경우)

② 분할납부에 있어 2회차 등록료 불납

③ 상표권자가 개인인 경우 상표권 상속이 개시된 때 상속인이 없거나, 상표권자가 법인인 경우 법인이 청산된 때

④ 상표권 포기

⑤ 상표등록된 후 그 상표권자가 외국인의 권리능력에 따라 특허권을 누릴 수 없는 자로 되거나 그 상표가 식별력을 상실하여 상표등록무효심결이 확정된 경우

2. 소급하여 소멸하는 경우

상표권이 처음부터 없던 것으로 소멸하는 경우는 다음과 같다.

① 상표등록무효심결이 확정된 경우(후발적 무효사유 제외)

② 상표등록취소결정이 확정된 경우

기출로 다지기

1 상표권 및 상표권의 존속기간에 관한 설명이다. 다음 중 옳은 것은 모두 몇 개인가? • 20회 기출

> ㉠ 상표권의 존속기간은 설정등록이 있는 날부터 10년이다.
> ㉡ 상표권의 존속기간은 존속기간 갱신등록신청에 따라 갱신할 수 있다.
> ㉢ 상표권의 존속기간 갱신등록신청의 횟수는 10회로 제한되어 있다.
> ㉣ 상표권은 등록결정에 의해 발생한다.
> ㉤ 상표권은 지정상품마다 분할하여 이전할 수 없는 것이 원칙이다.

① 1개
② 2개
③ 3개
④ 4개
⑤ 5개

| ㉠ 10년이다.
㉡ 상표권은 갱신이 가능하다.
㉢ 갱신신청의 횟수는 제한이 없다.
㉣ 상표등록 결정 후 등록료 납부를 완료해야 상표권이 발생한다.
㉤ 상표권은 지정상품마다 분할하여 이전할 수 있다.

▶ ②

2 다음은 상표권의 효력에 대한 설명이다. 이들 중 가장 맞지 않는 것은? • 18회 기출

① 상표권자는 지정상품에 관하여 그 등록상표를 사용할 권리를 독점한다.
② 상표권 역시 재산권이므로 상표권자는 자유로이 상표권을 양도하거나 타인에게 사용권을 설정하여 경제적 이익을 얻을 수 있다.
③ 상표권은 출원 후 10년간 존속하지만, 갱신등록신청에 의해 존속기간의 갱신이 가능하다.
④ 상표권자는 상품 사용 확대에 따라 지정상품을 추가로 등록할 수도 있다.
⑤ 상표권자가 등록상표를 고의로 유사하게 사용하여 타인 상표와의 관계에서 출처혼동을 초래한 경우라면 해당 상표등록은 취소될 수 있다.

| ③ 상표권은 설정등록 후 10년간의 존속기간이 인정되며, 특허권 등과 달리 상표에 화체된 신용에 대한 보호 등을 위해 존속기간 갱신을 통해 반영구적으로 독점 사용이 가능하다.

▶ ③

3 갑은 자기의 등록상표를 타인에게 사용하도록 허락하고자 한다. 다음 설명으로 옳지 않은 것은? • 22회 기출

① 갑은 지정상품별로 또는 지역별로 사용권자를 달리하여 사용권을 설정할 수 있다.
② 갑이 을에게 전용사용권을 설정한 경우 갑은 자신의 등록상표를 사용할 수 없다.
③ 갑이 을에게 통상사용권을 설정한 경우로서 을만이 등록상표를 사용한 경우 갑의 등록상표는 불사용 취소심판(상표법 제119조 제1항 제3호)에 의하여 취소되지 않는다.
④ 갑이 을에게 독점적 사용권으로서의 이른바 '전용사용권'을 설정하고자 하는 경우 특허권에 대한 전용실시권과 마찬가지로 상표등록원부에 이를 등록하지 않으면 그 효력이 발생하지 않는다.
⑤ 상표법상의 사용권에는 당사자 간의 계약이 아닌 법률에 의하여 부여되는 법정사용권도 있다.

| ④ 상표권에 대한 전용사용권은 특허권에 대한 전용실시권과 달리 등록이 효력발생 요건이 아닌 제3자 대항요건에 불과하다(상표법 제100조 제1항).
① 상표법상의 사용권은 상품별, 지역별 설정이 가능하다.
② 전용사용권이 설정된 경우에는 전용사용권자가 그 등록상표를 사용하는 권리를 점유하는 범위 내에서 상표권자는 상표에 대한 사용권을 상실한다.
③ 상표권자, 전용사용권자, 통상사용권자 중 누구라도 등록상표를 사용하면 불사용으로 인한 등록취소를 면할 수 있다.
⑤ 상표법 제98조 소정의 '특허권 등의 존속기간 만료 후 상표를 사용하는 권리', 제99조 소정의 '선사용에 따른 상표를 계속 사용할 권리' 등이 있다. ▶ ④

4 다음 중 상표권의 이전과 공유에 관한 설명 중 가장 부적합한 것은? • 18회 기출

① 상표권이 공유인 경우에는 각 공유자는 다른 공유자 전원의 동의를 얻지 아니하면 그 상표권에 대하여 전용사용권 또는 통상사용권을 설정할 수 없다.
② 상표권이 공유인 경우에는 각 공유자는 다른 공유자 전원의 동의를 얻지 아니하면 그 지분을 양도하거나 그 지분을 목적으로 하는 질권을 설정할 수 없다.
③ 상표권은 그 지정상품이 여러 개인 경우, 반드시 모든 지정상품과 함께 이전하여야 한다.
④ 상표권 소멸 후에는 상표권을 이전할 수 없다.
⑤ 상표권이 공유인 경우 지정상품 추가등록출원은 공유자 전원이 함께 해야 한다.

| ②③④⑤ 제54조에 따른 이전 제한에 해당한다.
① 상표권은 지정상품별로 분할이전할 수 있다. ▶ ③

5 특허권에 관한 다음 설명 중 옳지 않은 것은? • 19회 기출

① 특허권은 설정등록에 의해 발생한다.
② 속지주의 원칙상 특허권은 등록한 국가에서만 효력이 인정된다.
③ 특허권은 무형의 권리이므로 점유가 불가능하여 침해가 용이하고, 침해의 발견이 어렵다.
④ 특허발명과 동일한 발명을 실시하는 것이 아니어서 직접침해에 해당하지 않더라도 직접침해의 개연성이 높아 침해로 간주되는 경우가 있다.
⑤ 전용실시권자는 특허권자의 허락을 받지 않고 제3자에게 통상실시권을 허락할 수 있다.

| ⑤ 전용실시권자는 특허권자의 허락을 받아야 통상실시권을 허락할 수 있다. ▶ ⑤

6 상표권의 효력에 관한 설명 중 가장 틀린 것은? • 20회 기출

① 상표권에 대해 전용사용권이 설정된 경우 상표권자라 하더라도 해당 상표를 전용사용권을 설정한 범위 내에서는 사용할 수 없다.
② 등록상표권에 대한 침해가 성립하기 위해서는 표장이 동일 · 유사해야 할 뿐만 아니라 지정상품 역시 동일 · 유사해야 한다.
③ 상표권의 존속기간은 설정등록일로부터 10년이나 이는 계속적으로 갱신 가능하다.
④ 전용사용권자는 상표권자의 동의 없이도 제3자에게 상표권의 통상사용권을 부여할 수 있다.
⑤ 상표권자는 등록상표를 사용함에 있어 유사한 형태로 변형하여 사용할 경우 불사용에 의한 취소 등의 불이익을 입을 수 있다.

| ④ 전용사용권자가 제3자에게 통상사용권을 부여하기 위해서는 상표권자의 동의가 필요하다. ▶ ④

제6절 국제출원

01 해외출원 방법

해외출원 방법은 외국 특허청에 직접 출원하는 방법과 국제출원하는 방법이 있다.

02 국제출원

상표에는 마드리드 국제출원 시스템이 있다. 출원인은 본국관청을 거쳐 본국관청에 한 국내출원 또는 국내상표권을 기초로 국제출원할 수 있다. 국제출원은 하나의 언어로 작성한 하나의 출원서를 하나의 기관에 제출함으로써 다수의 지정국에 출원한 효과를 볼 수 있다.
한편, 마드리드 국제출원은 본국에서의 출원 또는 상표권을 기초로 진행되는 절차로서, 국제등록 후 5년간은 본국에서의 기초출원 또는 기초상표권에 종속된다. 이것을 국제등록의 종속성이라고 하며, 해당 기간 내 기초출원이 거절결정되거나 기초상표권이 소멸하면 국제등록와 지정국에서의 권리도 함께 소멸된다.

03 국제등록 및 국제공고

국제출원에 대해 국제사무국은 국제출원서에 형식적인 사항이 제대로 기재되어 있는지 방식심사한다. 국제출원서가 형식적인 요건을 충족하면 국제사무국은 국제등록부를 생성하여 국제등록하고 국제공고한다.

04 지정관청에서의 심사

국제등록 후 각 지정국의 관청은 자국법에 따른 실체심사(등록요건)를 진행한다. 심사결과에 따라 해당 지정관청은 보호거절 여부를 국제사무국에 통지할 수 있으며, 그 지정국의 등록요건을 만족하지 않아 거절되면 그 지정국에서는 등록의 효력이 없어진다.

제5장 저작권제도

제1절 저작권제도의 개요

01 저작권의 개념

저작권은 인간의 지적 창조물 중에서 법으로 보호할 만한 가치가 있는 것들에 대하여 법이 부여하는 권리 중 하나이다. 특허권 및 실용신안권, 디자인권, 상표권과 같은 산업재산권이 기본적으로 '산업'의 향상발전을 목적으로 부여되는 권리라면, 저작권은 문화의 향상발전을 목적으로 부여되는 권리이다.

02 저작물

1. 저작물의 개념

저작권법은 저작물을 "인간의 사상 또는 감정을 표현한 창작물을 말한다."라고 정의하고 있다(제2조 제1호). 저작물로 인정되기 위해서는 이 정의에 따라 ① 인간의 사상 또는 감정에 관한 것일 것, ② 표현일 것, ③ 창작성이 있을 것의 세 가지 요건을 갖추어야 한다.

2. 저작물의 성립요건

(1) 인간의 사상이나 감정

저작자의 정신활동으로 볼 수 있는 것이면 충분하고, 학문적 또는 예술적이어야 하는 것은 아니다. 따라서 자연과학적 사실이나 역사적 사실과 같은 객관적 사실 그 자체의 표현, 자연물이나 컴퓨터에 의한 생성물 등은 인간의 사상이나 감정의 표현이라고 보기 어려울 것이다.

(2) 표현

표현이란 ① 인간의 내면의 아이디어를 외부로 나타낸 것을 말한다. ② 외부 표현으로 충분하고 원칙적으로 유형물에 고정할 필요는 없다. ③ 대법원 판례는 저작권의 보호 대상은 인간의 사상이나 감정을 말, 문자, 음, 색 등으로 구체적으로 외부에 표현한 창작적인 표현형식이고,[6] 표현되어 있는 내용, 즉 아이디어나 이론 등의 사상 및 감정 그 자체는 설사 그것이 독창성, 신규성이 있다고 하더라도 원칙적으로 저작권의 보호 대상이 되지 않는 것이라고 본다.[7]

(3) 창작성

저작권법상 창작성이란 저작자 자신의 독자적인 사상 또는 감정의 표현을 담고 있는 것을 의미한다. 특허법에서 신규성과 진보성이 절대적인 개념이라면, 저작권법에서의 창작성은 상대적인 개념에 속한다.

대법원 판결에 따르면, 어문저작물과 관련하여 창작성이란 완전한 의미의 독창성을 말하는 것은 아니다. 즉, 어문저작물과 관련하여 단지 어떠한 작품이 남의 것을 단순히 모방한 것이 아니고, 저작자 자신의 독자적인 사상 또는 감정의 표현을 담고 있으면 창작성이 있다고 본다. 결과적으로 대법원 판례는 어문저작물과 관련하여 단지 저작물에 그 저작자 나름대로의 정신적 노력의 소산으로서의 특성이 부여되어 있고 다른 저작자의 기존의 작품과 구별할 수 있을 정도이면 충분하다고 본다.[8]

---

6) 대법원 2021. 6. 30. 선고 2019다268061 판결

7) 대법원 1999. 11. 26. 선고 98다46259 판결

8) 대법원 1995. 11. 14 선고 94도2238 판결. 참고로 기능저작물과 관련해서는 독자적 작성과 최소한도의 창조적 개성이 존재하는 경우에 창작성이 있는 것으로 판단한다.

3. 저작물의 분류

저작권법 제4조는 다음 표에서와 같이 9종류의 저작물을 규정하고 있다. 이는 저작물을 예시한 것으로 여기에 분류된 것의 어느 하나에 해당하지 않더라도 저작물로 인정될 수 있다.

종류	주요 내용
어문저작물	• 소설, 시, 논문, 강연, 연설, 각본 등 말과 글로 표현되는 저작물 • 단순한 표어, 슬로건, 제호 등은 저작물에 해당하지 않음
음악저작물	• 음에 의해 표현되는 저작물 • 가곡, 멜로디, 악곡에 수반된 가사 등, 사람에 의한 음악이나 악기에 의한 음악을 불문
연극저작물	연극・무용・무언극과 같이 사람의 몸짓, 움직임, 정지, 형 등의 동작에 의해 표현되는 저작물
미술저작물	• 회화・서예・조각・판화・공예 등 선・색체・명암으로 평면적 또는 입체적으로 표현되는 저작물 • 응용미술저작물은 물품에 동일한 형상으로 복제될 수 있을 것으로서, 그 이용된 물품과 구분되어 독자성이 인정되면 미술저작물로 보호됨
건축저작물	• 건축물・건축을 위한 모형 및 설계도서 등으로 토지상의 공작물에 의해 표현되는 저작물 • 건축물의 설계도에 따라 이를 시공하는 경우 건축저작물의 복제에 해당함
사진저작물	• 촬영된 사진 및 이미지 파일 등으로 일정한 영상에 의하여 표현한 저작물 • 피사체의 선택・구도의 설정・빛의 방향과 양의 조절・카메라 앵글의 설정・셔터찬스의 포착 등에 개성과 창조성이 있어야 함
영상저작물	영화, 뉴스영상, 기록영상 등 연속적인 영상을 매개체로 표현되는 저작물
도형저작물	지도・도표・설계도・약도・모형 등과 같이 도형의 형상・모형에 의해 표현되는 저작물
컴퓨터프로그램저작물	특정한 결과를 얻기 위하여 컴퓨터 등 정보처리능력을 가진 장치 내에서 직접 또는 간접으로 사용되는 일련의 지시・명령으로 표현되는 저작물

4. 특수한 유형의 저작물

(1) 2차적저작물

① 2차적저작물의 개념

㉠ 2차적저작물은 원저작물을 기초로 이를 변형하여 새로운 저작물이 창작된 경우에 그 새로운 저작물을 말한다(제5조).

㉡ 2차적저작물은 독자적인 저작물로서 보호된다(제5조 제1항). 또한 2차적저작물의 보호는 그 원저작물 저작자의 권리에 영향을 미치지 아니한다(제5조 제2항). 나아가 타인의 원저작물을 이용하여 2차적저작물을 작성하려면 원저작자의 동의를 얻어야 한다.

② 2차적저작물의 성립요건

㉠ 원저작물을 기초로 하되 ㉡ 원저작물과 실질적 유사성을 유지하고 ㉢ 이것에 사회통념상 새로운 저작물이라고 볼 수 있을 정도의 수정·증감을 가하여 ㉣ 새로운 창작성을 부가하여야 하는 것이며,[9] ㉤ 원저작물의 저작권이 존속하여야 한다. 다만, 원저작자의 동의는 요하지 않는다.

(2) 편집저작물

저작물이나 부호, 문자, 음, 영상 그 밖의 자료 등 소재의 집합물을 편집물이라고 한다. ① 편집물로서 ② 소재의 선택 또는 배열에 창작성이 있는 것을 편집저작물이라고 한다(제2조 제17호, 제18호, 제6조).

편집물이 편집저작물로 보호받기 위해서는 일정한 방침 혹은 목적을 가지고 소재를 수집·분류·선택하고 배열하는 등의 작성행위에 창작성이 인정되어야 한다.[10] 소재 저작권자의 허락은 적법요건이지 성립요건이 아니다.

편집저작물에 해당하는 것들을 살펴보면, 이는 여러 개의 저작물 또는 여러 가지의 자료를 특정한 의도에 따라 정리하고 배열하여 만들어 낸 저작물로서 영화나 방송 프로그램의 편성을 포함해서 출판물에서는 신문·잡지 등의 정기간행물을 비롯해 학술·문예 작품집이나 사전·연감·시가집·법령집 등이 있다.

(3) 데이터베이스(DB)

데이터베이스란 소재를 체계적으로 배열 또는 구성한 편집물로서 개별적으로 그 소재에 접근하거나 그 소재를 검색할 수 있도록 한 것이다. ① 편집물로서 ② 소재를 체계적으로 배열 또는 구상하고 ③ 개별적으로 그 소재에 접근하거나 그 소재를 검색 가능한 경우 데이터베이스권(제93조)으로 보호받을 수 있다.

즉, 데이터베이스의 경우 편집저작물이 요구하는 창작성을 갖출 필요는 없다. 다만 단순한 소재의 배열을 넘어서 체계성을 갖추어야 데이터베이스로서 인정받을 수 있다.

9) 대법원 2004. 7. 8. 선고 2004다18736 판결
10) 대법원 2011. 2. 10. 선고 2009도291 판결

03 저작자

1. 저작자의 개념

저작권자란 저작물을 창작한 자를 말한다(제2조 제2호). 따라서 저작물을 실제로 작성하여 사상이나 감정을 창작성 있는 표현으로 구체화한 자가 저작자로 된다.

소유권은 자기가 소유하는 물건을 배타적으로 사용·수익·처분할 수 있는 권리이다. 저작권도 이와 유사한 면이 있으나, 유체물에 대하여 성립하는 소유권과 무체물에 대하여 성립하는 저작권은 구분된다. 판례도 "편지 자체의 소유권은 수신인에게 있지만 편지의 저작권은 통상 편지를 쓴 발신인에게 남아 있게 된다."라고 판시하였다.[11)]

2. 저작자의 추정

저작눌의 원본, 복제물 등에 저작자로서의 실명 또는 이명으로서 널리 알려진 것은 일반적인 방법으로 표시된 자는 그 저작물의 저작자로서 저작권을 가지는 것으로 추정된다(제8조 제1항 제1호). 이는 입증의 곤란을 구제하기 위함이다.

3. 공동저작물

① 공동저작물은 2인 이상이 공동으로 창작한 저작물로서 각자가 이바지한 부분을 분리하여 이용할 수 없는 것을 말한다(제2조 제21호).

② 대법원 판례는 "2인 이상이 저작물의 작성에 관여한 경우 그중에서 창작적인 표현형식 자체에 기여한 자만이 그 저작물의 저작자가 되고, 창작적인 표현형식에 기여하지 아니한 자는 비록 저작물의 작성 과정에서 아이디어나 소재 또는 필요한 자료를 제공하는 등의 관여를 하였더라도 그 저작물의 저작자가 되는 것은 아니다."라고 판시하였다.[12)]

③ 저작권법은 공동저작물의 경우 전원의 합의에 의하지 아니하고는 저작재산권(제48조 제1항)을 행사할 수 없다고 하고 있다. 다만 소극적 행위인 저작재산권 침해행위에 대한 정지청구 등은 저작재산권자 전원의 합의 없이 각자가 단독으로 행할 수 있고, 저작재산권 침해로 인한 손해배상도 각자의 지분에 따라 단독으로 청구할 수 있다(제129조). 또한 공동저작물의 저작재산권은 마지막 저작자 사망 후 70년간 보호된다(제39조 제2항).

---

11) 서울중앙지방법원 1995.06.23. 94카합9230 판결
12) 대법원 2020. 6. 25. 선고 2018도13696 판결(조영남 대작 판결)

4. 업무상저작물

① 업무상저작물은 법인 등의 기획하에 법인 등의 업무에 종사하는 자가 업무상 작성하는 저작물을 말한다(제2조 제31호).

② 이때 법인 등의 명의로 공표되는 업무상 저작물의 저작자는 계약 또는 근무규칙 등에 다른 정함이 없는 때에는 그 법인 등이 된다. 다만, 컴퓨터프로그램저작물의 경우 공표를 요하지 아니한다(제9조).

③ 업무상저작물의 저작재산권은 공표한 때부터 70년간 존속한다. 다만, 창작한 때부터 50년 이내에 공표되지 아니한 경우에는 창작한 때부터 70년간 존속한다(제41조).

5. 저작권의 국제적 보호

대부분의 국가들이 저작권의 발생에 관하여 무방식주의를 채용하고 있기 때문에, 특허권 · 상표권 등 산업재산권에 비해 외국에서의 저작권 발생이 크게 문제가 되지는 않는다. 각국에서의 저작권 보호의 내용은 해당국의 법령에 따라 결정되지만, WTO TRIPs 협정 및 베른협약(Berne Convention)에 따라 각국의 저작권법은 상당 부분 공통점을 늘려가고 있다. 구체적으로 먼저 베른협약은 저작권에 관한 기본 조약으로, 저작권의 발생과 관련하여 무방식주의를 채택하고 있다. 또한 베른협약의 상호주의 원칙에 따라 가맹국은 다른 가맹국 국민에 대하여도 자국민과 동등하게 보호하여야 한다.
WTO TRIPs 협정이란 무역관련 지식재산권에 관한 협정으로서 베른협약 등 지식재산권에 관한 협약 전반을 포함하고 있는 협정이다. 우리나라도 이에 따라 저작권법상 규정을 마련하고 있다.

기출로 다지기

저작권법상 저작자 등에 대한 다음 설명 중 옳지 않은 것은? • 20회 기출

① 창작의 동인(창작의 힌트나 테마)을 제공한 자는 저작자로 볼 수 없다.
② 저작물의 창작을 의뢰하고 이에 대한 정당한 비용을 지급한 경우에는 창작을 의뢰한 자가 저작자에 해당한다.
③ 2차적저작물을 작성한 저작자는 원저작물의 저작자와는 독립적으로 저작권을 가질 수 있다.
④ 공동저작물의 저작자는 그들 중에서 저작인격권을 대표하여 행사할 수 있는 자를 정할 수 있다.
⑤ 저작물의 원본이나 그 복제물에 저작자로서의 실명 또는 이명으로서 널리 알려진 것이 일반적인 방법으로 표시된 자는 저작자로 추정된다.

| ② 저작자는 실제 저작물을 창작한 자를 말하므로, 저작물의 창작을 의뢰하고 이에 대한 정당한 비용을 지급한 경우라도 실제 창작자가 저작자에 해당하는 것이지 창작을 의뢰한 자가 저작자에 해당하는 것이 아니다.
③ 2차적저작물은 원저작물과는 독립적인 저작물로 보호된다.
④ 제15조 제2항 ⑤ 제8조

▶ ②

제2절 저작권의 내용

01 저작권의 발생

1. 무방식주의

저작권법은 "저작권은 저작물을 창작한 때부터 발생하며, 어떠한 절차나 형식의 이행을 필요로 하지 않는다."라고 규정하여(제10조 제2항), 저작권의 발생에 있어서 무방식주의를 취하고 있다. 즉, 특허권, 상표권 또는 디자인권의 경우에는 반드시 출원을 통해 등록을 하는 경우에 권리가 발생하는 반면, 저작권은 저작물을 창작하기만 하면 그때부터 저작권이 발생한다.

2. 고아저작물

고아저작물은 누가 저작자인지, 또는 누가 저작권자인지 알 수 없는 저작물을 말한다. 특허권, 상표권 또는 디자인권의 경우 출원을 통해 등록이 되는 경우 권리가 발생하므로 권리자가 명확하다. 그러나 저작권은 무방식주의에 따라 발생 시 그 자체로 권리가 발생하므로 저작권자가 별도로 관리되지 아니하여 고아저작물이 발생하기 쉽다(예 누가 그렸는지 알 수 없는 벽화). 이에 저작권법은 권리자의 소재를 알 수 없는 경우에 일정한 절차를 밟아 저작물을 이용할 수 있도록 하는 법정허락제도를 마련하고 있다(제50조).

02 저작권의 내용

저작권은 저작자가 자기의 저작물에 대하여 가지는 인격적 이익의 보호를 목적으로 하는 저작인격권과 저작물의 경제적 가치를 보호하기 위한 저작재산권으로 구성된다.

1. 저작인격권

(1) 저작인격권의 개념

저작인격권은 저작자가 자기의 저작물에 대하여 가지는 인격적 · 정신적 권리를 말한다. 저작권법은 대표적으로 공표권, 성명표시권 및 동일성유지권의 세 가지를 인정하고 있다(제11조 내지 제13조).

(2) 저작인격권의 주체

저작인격권은 저작자의 일신에 전속한다(제14조 제1항). 일신전속(一身專屬)은 법률에서 특정한 자에게만 귀속하며 타인에게는 양도되지 않는 속성을 말한다. 즉, 저작자만이 저작인격권의 주체가 될 수 있다. 다만, 저작자가 사망한 경우에는 일정 범위 내의 유족이나 유언집행자 등이 저작인격권의 침해에 대하여 침해의 정지 등 일정한 행위를 할 수 있다.

(3) 저작인격권의 종류

공표권	• 저작자는 그의 저작물을 공표하거나 공표하지 아니할 것을 결정할 권리를 가진다(제11조 제1항). • 공표의 동의 추정 저작자가 ① 미공표 저작물의 저작재산권 양도·이용허락(제11조 제2항), ② 미공표 미술저작물 등의 원본의 소유권 양도(제11조 제3항) ③ 또는 저작물의 도서관 등에 기증(제11조 제5항)하는 경우 그 상대방에게 저작물의 공표를 동의한 것으로 추정한다. • 공표의 간주 원저작자의 동의를 얻어 작성된 2차적저작물 또는 편집저작물을 공표하는 경우 원자작물도 공표한 것으로 본다(제11조 제4항).
성명 표시권	• 저작자는 저작물의 원본이나 그 복제물 또는 저작물의 공표 매체에 그의 실명 또는 이명을 표시할 권리를 가진다(제12조 제1항). • 다만, 저작물의 성질이나 그 이용의 목적 및 형태 등에 비추어 부득이하다고 인정하는 경우에는 저작자명의 표시를 저작자의 동의 없이 생략할 수 있다(제12조 제2항 단서 참조).
동일성 유지권	• 저작자는 그의 저작물의 내용·형식 및 제호의 동일성을 유지할 권리를 가진다(제13조 제1항). • ① 학교교육목적상 부득이한 경우, 건축물의 변형, 프로그램 이용을 위한 변경, 그 밖에 저작물의 성질 등에 비추어 부득이한 경우에는 동일성유지권이 제한된다(제13조 제2항). ② 다만, 저작물에 표현된 저작자의 사상·감정이 왜곡되거나 저작물의 내용이나 형식이 오인될 우려가 없는 경우 동일성유지권을 침해한 것이 아니다.[13]

(4) 저작인격권 침해로 보는 행위

저작자의 명예를 훼손하는 방법으로 저작물을 이용하는 행위는 저작인격권의 침해로 간주된다(제124조 제2항). 이는 저작재산권 등 정당한 권원을 가진 자가 저작물을 이용하는 경우에도 적용된다. 다만, 명예를 훼손하는 행위는 저작물의 이용에 따른 것이어야 하며, 단순히 저작물의 내용을 비방하는 것과 같은 행위는 해당하지 않는다.

13) 대법원 2015. 4. 9. 선고 2011다101148 판결

(5) 저작자 사망 후의 인격적 이익의 보호

저작권법에서 저작인격권은 일신전속성에 의해 저작자의 사망과 동시에 소멸하되,[14] 저작자의 사망 후에 그의 저작물을 이용하는 자는 저작자가 생존하였더라면 그 저작인격권의 침해가 될 행위를 하여서는 안된다고 규정하여 그 인격적 이익의 보호를 2촌 이내의 유족 등에게 인정한다(제14조 제2항, 제128조).

2. 저작재산권

(1) 저작재산권의 개념

저작재산권은 저작물의 이용에 관한 권리로서, 여러 가지 지분권들로 구성되어 있는 권리의 다발이다. 저작재산권은 배타적 지배권으로 원칙적으로 어느 누구도 저작재산권자의 허락 없이는 저작물을 이용할 수 없다. 또한 저작권자는 이 각각의 권리들을 독립적으로 행사하거나 양도 또는 이용허락할 수 있다.

(2) 저작재산권의 주체

저작재산권은 일신에 전속하지 않고 양도성 및 상속성을 가진다. 따라서 저작물을 창작한 자뿐만 아니라 그로부터 저작재산권을 양도받거나 상속한 자도 저작재산권의 주체가 될 수 있다. 자연인은 물론이고 법인 등 단체도 저작자로 될 수 있다(제9조).

(3) 저작재산권의 종류

복제권	• 저작자는 그의 저작물을 복제할 권리를 가진다(제16조). • 복제란 인쇄 · 사진촬영 · 복사 · 녹음 · 녹화 그 밖의 방법으로 일시적 또는 영구적으로 유형물에 고정하거나 다시 제작하는 것을 말하며(제2조 제22호), 판례는 복제에는 도안이나 도면의 형태로 되어 있는 저작물을 입체적인 조형물로 다시 제작하는 것도 포함한다고 본다.[15]
공연권	• 저작자는 그의 저작물을 공연할 권리를 가진다(제17조). • 공연은 저작물 또는 실연 · 음악 · 방송을 상연 · 연주 · 가창 · 구연 · 낭독 · 상영 · 재생과 같은 무형적인 방법으로 일반공중에게 공개하는 것이라는 점에서 저작물을 유형적으로 재제작하여 배포하는 발행과 다르다.
공중 송신권	• 저작자는 그의 저작물을 공중송신할 권리를 가진다(제18조). • 공중송신이란 저작물, 실연 · 음악 · 방송 또는 데이터베이스를 공중이 수신하거나 접근하게 할 목적으로 무선 또는 유선통신의 방법에 의하여 송신하거나 이용에 제공하는 것을 말한다.

14) 대법원 2008. 11. 20. 선고 2007다27670 전원합의체 판결 취지 참조
15) 대법원 2019. 5. 10. 선고 2016도15974 판결

전시권	• 저작자는 미술저작물 등의 원본이나 그 복제물의 전시할 권리를 가진다(제19조). • 전시권은 미술저작물·건축저작물 또는 사진저작물에 한하여 인정되므로 그 밖의 저작물은 전시의 방법으로는 저작재산권이 침해되지 아니한다.[16]
배포권	• 저작자는 저작물의 원본이나 그 복제물을 배포할 권리를 가진다(제20조). • 저작권법상 배포는 전송의 개념에 대비되어, 유체물의 형태로서 저작물이나 복제물이 이동하는 것을 의미한다.[17] • 저작물의 원본이나 그 복제물을 저작재산권자의 허락을 받아 판매 등의 방법으로 거래에 제공된 경우에는 배포권(전송권에는 적용되지 않음)이 인정되지 않는다(제20조 단서).
대여권	저작권자가 최초판매 이후에 음반 등의 저작물의 적법한 양수인에게 음반 등을 상업적으로 대여할 수 있도록 허락하거나 이를 금지할 수 있도록 하는 권리를 말한다(제21조).
2차적저작물 작성권	저작자는 그의 저작물을 원저작물로 하는 2차적저작물을 작성하여 이용할 권리를 가진다(제22조).

03 저작권의 보호기간

구분		내용
저작인격권		• 저작자의 생존기간 • 저작자 사후의 인격적 이익의 보호에 관한 별도의 규정을 두고 있음
저작재산권	원칙	저작자의 생존하는 동안 + 사망 후 70년간 (제39조 제1항)
	공동저작물	저작자의 생존하는 동안 + 맨 마지막으로 사망한 저작자의 사망 후 70년 (제39조 제2항)
	무명·이명저작물	공표된 때부터 70년간 (제40조, 제41조, 제42조)
	업무상저작물	
	영상저작물	

16) 대법원 2010. 9. 9. 선고 2010도4468 판결
17) 서울고등법원 2005. 1. 12. 선고 2003나21140 판결(대법원 2007. 1. 25. 선고 2005다11626 판결 상고기각으로 확정)

04 저작재산권 제한 사유

저작권법은 문화 및 관련 산업의 향상발전에 이바지함을 목적으로 한다(제1조). 이에 일정한 경우 저작물의 자유이용을 허용하거나 저작재산권을 제한하여 저작물을 이용하는 공중의 이익을 도모함으로써 저작자와 이용자 양자의 이익의 균형을 꾀하고 있다.

1. 재판 등에서의 복제(제23조)

재판 또는 수사를 위하여 필요한 경우이거나 입법·행정의 목적을 위한 내부자료로서 필요한 경우에는 그 한도 안에서 저작물을 복제할 수 있다.

2. 정치적 연설 등의 이용(제24조)

공개적으로 행한 정치적 연설 및 법정·국회 또는 지방의회에서 공개적으로 행한 진술은 어떠한 방법으로도 이용할 수 있다. 다만, 동일한 저작자의 연설이나 진술을 편집하여 이용하는 경우에는 그러하지 아니하다.

3. 공공저작물의 자유이용(제24조의2)

국가 또는 지방자치단체가 업무상 작성하여 공표한 저작물이나 계약에 따라 저작재산권의 전부를 보유한 저작물은 허락 없이 이용할 수 있다.[18]

4. 학교교육 목적 등에의 이용(제25조)

고등학교 및 이에 준하는 학교 이하의 학교의 교육 목적을 위하여 필요한 교과용도서에는 공표된 저작물을 게재할 수 있다. 교과용도서를 발행한 자는 교과용도서를 본래의 목적으로 이용하기 위하여 필요한 한도 내에서 교과용도서에 게재한 저작물을 복제·배포·공중송신할 수 있다. 또한 소정의 학교, 교육기관, 수업지원기관은 그 수업 또는 지원목적상 필요하다고 인정되는 경우에는 공표된 저작물의 일부분을 복제·배포·공연·전시 또는 공중송신할 수 있다. 다만, 교과용도서에 저작물을 게재하거나 수업 또는 지원목적상 공표된 저작물을 이용하는 경우에는 문화체육관광부장관이 정하여 고시하는 기준에 따른 보상금을 해당 저작재산권자에게 지급하여야 한다.

---

18) 다만, 국가안전보장에 관련되는 정보를 포함하는 경우, 개인의 사생활 또는 사업상 비밀에 해당하는 경우, 다른 법률에 따라 공개가 제한되는 정보를 포함하는 경우에는 그러하지 아니하다.

5. 시사보도를 위한 이용(제26조)

방송・신문 그 밖의 방법에 의하여 시사보도를 하는 경우에 그 과정에서 보이거나 들리는 저작물은 보도를 위한 정당한 범위 안에서 복제・배포・공연 또는 공중송신할 수 있다.

6. 시사적인 기사 및 논설의 복제 등(제27조)

정치・경제・사회・문화・종교에 관하여 신문[19] 및 인터넷신문 또는 뉴스통신[20]에 게재된 시사적인 기사나 논설은 다른 언론기관이 복제・배포 또는 방송할 수 있다.

7. 공표된 저작물의 인용(제28조)

공표된 저작물은 보도・비평・교육・연구 등을 위하여는 정당한 범위 안에서 공정한 관행에 합치되게 이를 인용할 수 있다. 저작권법 제28조에 해당하는지 여부는 인용의 목적, 인용된 내용과 분량, 저작물의 성질, 피인용저작물을 수록한 방법과 형태, 독자의 일반적 관념, 원저작물에 대한 수요를 대체하는지 여부 등을 종합적으로 고려하여 판단하여야 한다.[21]

8. 영리를 목적으로 하지 아니하는 공연・방송(제29조)

(1) 비영리 목적의 공연・방송(제1항)

영리를 목적으로 하지 아니하고 청중이나 관중 또는 제3자로부터 어떤 명목으로든지 대가를 지급받지 아니하는 경우에는 공표된 저작물(상업용 음반 또는 영상은 제외)을 공연 또는 방송할 수 있다(실연자에게 일반적인 보수를 지급하지 않아야 하나 실비를 지급하는 것은 상관없다).

(2) 반대급부 없는 상업용 음반 등의 공연(제2항)

청중이나 관중으로부터 해당 공연에 대한 대가를 지급받지 아니하는 경우에는 상업용 음반 또는 상업용 목적으로 공표된 영상저작물을 재생하여 공중에게 공연할 수 있다.[22]

19) 신문 등의 진흥에 관한 법률 제2조
20) 뉴스통신진흥에 관한 법률 제2조
21) 대법원 2006. 2. 9. 선고 2005도7793 판결
22) 다만, 커피 전문점, 비알코올 음료점, 생맥주 전문점, 단란주점, 경마장, 경륜장, 골프장, 무도학원, 무도장, 스키장, 에어로빅장, 체력단련장, 여객용 항공기, 해상여객운송사업용 선박, 여객용 열차, 호텔, 휴양콘도미니엄, 카지노, 유원시설, 대규모 점포 등 대통령령으로 정하는 경우에는 저작재산권이 제한되지 아니한다(시행령 제11조).

9. 사적이용을 위한 복제(제30조)

공표된 저작물을 영리를 목적으로 하지 아니하고 개인적으로 이용하거나 가정 및 이에 준하는 한정된 범위 안에서 이용하는 경우에는 그 이용자는 이를 복제할 수 있다. 다만, 공중의 사용에 제공하기 위하여 설치된 복사기기, 스캐너, 사진기 등 문화체육관광부령으로 정하는 복제기기에 의한 복제는 그러하지 아니하다.

10. 도서관 등에서의 복제 등(제31조)

도서관 등은 ① 조사・연구를 목적으로 하는 이용자의 요구에 따라 공표된 도서 등의 일부분의 복제물을 1명당 1부에 한정하여 제공하는 경우, ② 도서 등의 자체보존을 위하여 필요한 경우, ③ 다른 도서관 등의 요구에 따라 절판 그 밖에 이에 준하는 사유로 구하기 어려운 도서 등의 복제물을 보존용으로 제공하는 경우에는 보관된 도서 등을 사용하여 저작물을 복제할 수 있다. 다만 디지털 형태의 복제는 ②의 경우에만 가능하다.

11. 시험문제로서의 복제(제32조)

학교의 입학시험 그 밖에 학식 및 기능에 관한 시험 또는 검정을 위하여 필요한 경우에는 그 목적을 위하여 정당한 범위에서 비영리를 목적으로 공표된 저작물을 복제・배포 또는 공중송신할 수 있다. 다만, 영리를 목적으로 하는 경우에는 그러하지 아니하다.

12. 시각장애인과 청각장애인 등을 위한 복제 등(제33조 및 제33조의2)

누구든지 공표된 저작물을 시각장애인과 독서에 장애가 있는 사람으로서 대통령령으로 정하는 사람(이하 "시각장애인등"이라 한다)을 위하여 점자로 변환하여 복제・배포할 수 있다(제33조 제1항). 또한 누구든지 공표된 저작물을 청각장애인 등을 위하여 한국수어로 변환할 수 있고, 이러한 한국수어를 복제・배포・공연 또는 공중송신할 수 있다(제33조의2 제1항). 청각장애인 등의 복리증진을 목적으로 하는 시설 중 대통령령으로 정하는 시설(해당 시설의 장을 포함한다)은 영리를 목적으로 하지 아니하고 청각장애인 등의 이용에 제공하기 위하여 필요한 범위에서 공표된 저작물 등에 포함된 음성 및 음향 등을 자막 등 청각장애인 등이 인지할 수 있는 대체자료로 변환하여 이를 복제・배포・공연 또는 공중송신할 수 있다(제33조의2 제2항). 청각장애인 등과 그의 보호자는 공표된 저작물 등에 적법하게 접근하는 경우 청각장애인 등의 개인적 이용을 위하여 그 저작물등에 포함된 음성・음향 등을 자막 등 청각장애인 등이 인지할 수 있는 대체자료로 변환하여 이를 복제할 수 있다(제33조의2 제3항).

13. 방송사업자의 일시적 녹음 · 녹화(제34조)

저작물을 방송할 권한을 가지는 방송사업자는 자신의 방송을 위하여 자체의 수단으로 저작물을 일시적으로 녹음하거나 녹화할 수 있다. 다만, 이 규정에 따라 만들어진 녹음물 또는 녹화물은 원칙적으로 녹음일 또는 녹화일로부터 1년을 초과하여 보존할 수 없다(제34조 제2항).

14. 미술저작물 등의 전시 또는 복제(제35조)

(1) 원본 소유자에 의한 전시(제1항)

미술저작물 등의 원본의 소유자나 그의 동의를 얻은 자는 그 저작물을 원본에 의하여 전시할 수 있다. 다만, 가로 · 공원 · 건축물의 외벽 그 밖에 공중에게 개방된 장소에 항시 전시하는 경우에는 그러하지 아니하다.

(2) 개방된 장소에 항시 전시된 미술저작물 등의 복제 및 이용(제2항)

개방된 장소에 항시 전시되어 있는 미술저작물 등은 어떠한 방법으로든지 이를 복제하여 이용할 수 있다. 다만 다음 각 호의 어느 하나에 해당하는 경우에는 그러하지 아니하다.
① 건축물, 조각, 회화를 건축물, 조각, 회화로 복제(제1호, 제2호)
② 개방된 장소 등에 항시 전시하기 위하여 복제하는 경우(제3호)
③ 판매목적으로 복제하는 경우(제4호)

(3) 미술저작물 등의 전시 · 판매에 수반되는 복제 · 배포(제3항)

원본을 판매하는 자는 해설이나 소개목적으로 목록형태책자에 미술저작물 등을 복제하여 배포 가능하다. 단, 공중송신은 허용되지 않는다.

15. 저작물 이용 과정에서의 일시적 복제(제35조의2)

컴퓨터에서 저작물을 이용하는 경우에는 원활하고 효율적인 정보처리를 위하여 필요하다고 인정되는 범위 안에서 그 저작물을 그 컴퓨터에 일시적으로 복제할 수 있다.

16. 부수적 복제 등(제35조의3)

사진촬영, 녹음 또는 녹화를 하는 과정에서 보이거나 들리는 저작물이 촬영 등의 주된 대상에 부수적으로 포함되는 경우에는 이를 복제 · 배포 · 공연 · 전시 또는 공중송신할 수 있다. 다만, 그 이용된 저작물의 종류 및 용도, 이용의 목적 및 성격 등에 비추어 저작재산권자의 이익을 부당하게 해치는 경우에는 그러하지 아니하다.

17. 문화시설에 의한 복제 등(제35조의4)

국가나 지방자치단체가 운영하는 문화예술 시설이 상당한 조사를 하였어도 공표된 저작물(외국인의 저작물을 제외한다)의 저작재산권자나 그의 거소를 알 수 없는 경우가 있다. 이 경우에는 그 문화시설에 보관된 자료를 수집 · 정리 · 분석 · 보존하여 공중에게 제공하기 위한 목적으로 그 자료를 사용하여 저작물을 복제 · 배포 · 공연 · 전시 또는 공중송신할 수 있다.

18. 저작물의 공정한 이용(제35조의5)

제23조부터 제35조의4 외에 저작물의 통상적인 이용 방법과 충돌하지 아니하고 저작자의 정당한 이익을 부당하게 해치지 아니하는 경우에는 저작물을 이용할 수 있다(제1항).
이 경우 저작물 이용행위가 이에 해당하는지를 판단할 때에는 ① 이용의 목적과 성격, ② 저작물의 종류 및 용도, ③ 이용된 부분이 저작물 전체에서 차지하는 비중과 그 중요성, ④ 저작물의 이용이 그 저작물의 현재 시장 또는 가치나 잠재적인 시장 또는 가치에 미치는 영향을 고려하여야 한다(제2항).

19. 출처의 명시(제37조)

저작재산권이 제한되는 경우라도 저작물을 이용하는 자는 그 출처를 명시하여야 한다. 다만 시사보도를 위한 이용, 영리를 목적으로 하지 아니하는 공연 · 방송, 사적이용을 위한 복제, 도서관 등에서의 복제, 시험문제를 위한 복제 등의 경우에는 성질상 출처 명시를 강제하는 것이 적절하지 않기 때문에 예외가 인정된다. 출처의 명시는 저작물의 이용 상황에 따라 합리적이라고 인정되는 방법으로 하여야 한다.

기출로 다지기

1 갑은 음식점을 경영하는 을로부터 유명화가인 병의 작품을 보고 똑같은 그림을 그려달라는 요청을 받았다. 이에 갑은 병의 작품을 비슷하게 베껴 그린 그림에 자신의 낙관을 찍어 을에게 주었고, 을은 이 그림을 자신이 운영하는 음식점 벽면의 잘 보이는 곳에 걸어두었다. 이 그림을 누가 보더라도 병의 작품과 매우 비슷하다고 느끼고 있었다면, 다음 중 갑 또는 을의 행위로 침해된 병의 저작권에 해당되지 않는 것은? • 18회 기출

① 복제권
② 전시권
③ 공연권
④ 성명표시권
⑤ 동일성유지권

| 갑은 병의 작품을 베껴서 그렸기 때문에 복제권을 침해하고, 그대로 그린 것이 아니라 비슷하게 그렸기 때문에 동일성유지권의 침해가 인정될 수 있다. 나아가 병의 성명 등을 표시한 것이 아니라 갑 자신의 낙관을 찍었으므로 성명표시권의 침해가 인정된다. 을은 이 그림을 손님들이 볼 수 있도록 벽에 걸었으므로 전시권 침해가 된다. 공연은 음악, 연극, 뮤지컬 등의 경우에 인정된다. ▶ ③

2 저작인격권에 관한 설명이다. 다음 중 틀린 것은? • 18회 기출

① 저작자가 자신의 저작물에 대해 가지는 인격적 권리를 말한다.
② 다른 사람에게 양도가 불가능하다.
③ 저작인격권에는 공표권, 동일성유지권 등이 있다.
④ 저작자 사망 후 70년간 존속한다.
⑤ 저작인격권 중 동일성유지권이란 저작물의 내용, 형식 및 제호의 동일성을 유지할 권리를 말한다.

| ④ 저작재산권이 저작자 사후 70년간 존속하며, 저작인격권은 일신전속적 권리로 저작자의 사망과 동시에 소멸한다. 다만, 저작자의 사망 후에 그의 저작물을 이용하는 자는 저작자가 생존하였더라면 그 저작인격권의 침해가 될 행위를 하여서는 아니 된다.
② 저작인격권은 일신전속적 권리로 양도가 불가능하다.
③ 저작인격권에는 공표권, 성명표시권, 동일성유지권 등이 있다. ▶ ④

3 다음의 예시 중 저작권법상 보호받지 못하는 저작물에 해당하지 않는 것은? • 19회 기출

① 조약
② 지방자치단체의 공고
③ 신문의 사설
④ 사실의 전달에 불과한 시사보도
⑤ 국가가 작성한 판례 편집물

| 저작권법 제7조에 따라, 1. 헌법・법률・조약・명령・조례 및 규칙, 2. 국가 또는 지방자치단체의 고시・공고・훈령 그 밖에 이와 유사한 것, 3. 법원의 판결・결정・명령 및 심판이나 행정심판절차 그 밖에 이와 유사한 절차에 의한 의결・결정 등, 4. 국가 또는 지방자치단체가 작성한 것으로서 제1호 내지 제3호에 규정된 것의 편집물 또는 번역물, 5. 사실의 전달에 불과한 시사보도는 이 법에 의한 보호를 받지 못한다. 한편, 신문의 사설은 저작권법상의 저작물에 해당한다. ▶ ③

제3절 저작권의 활용

01 저작재산권의 양도

저작재산권은 경제적 이익을 보호하기 위한 권리로서 양도와 상속, 그리고 이용을 위한 허락이 가능하다. 그러나 저작인격권은 일신전속적인 권리로서 양도가 불가능하다.
이때 저작재산권은 전부 또는 일부를 양도할 수 있다(제45조 제1항). 예를 들어, 복제권은 A에게, 공중송신권은 B에게, 공연권은 C에게 분리하여 양도하는 경우와 같이 저작재산권을 구성하는 권리별로도 양도할 수 있으며, 시간적 · 장소적으로 한정하여 양도하는 것도 가능하다. 저작재산권을 전부 양도한 경우에 특약이 없으면 2차적저작물을 작성하여 이용할 권리는 포함되지 않은 것으로 추정한다. 다만, 이때 해당 저작물이 컴퓨터프로그램인 경우에는 특약이 없는 한 2차저작물작성권도 함께 양도된 것으로 추정한다(제45조 제2항).

02 저작물의 이용허락

1. 이용허락의 의의

저작재산권자는 다른 사람에게 그 저작물이 이용을 허락할 수 있다(제46조 제1항). 저작물의 이용허락을 받은 자는 허락받은 이용방법 및 조건의 범위 안에서 그 저작물을 이용할 수 있으며, 저작재산권자의 동의 없이 그 권리를 제3자에게 양도하지 못한다(제46조 제2항 및 제3항). 저작재산권의 양도와 동일하게 각 권리별로도 이용허락할 수 있고, 시간적 · 장소적으로 한정하여 이용허락하는 것도 가능하다.

2. 저작물 이용의 법정허락

저작권법은 공익적인 관점에서 법률의 규정에 따라 저작물을 이용할 수 있는 법정허락제도를 두고 있다.
구체적으로 다음의 경우에는 누구든지 대통령령으로 정하는 바에 따라 문화체육관광부장관의 승인을 얻은 후 문화체육관광부장관이 정하는 기준에 의한 보상금을 지급하거나 공탁하고 이를 이용할 수 있다.

① 상당한 노력을 기울였어도 공표된 저작물의 저작재산권자나 그의 거소를 알 수 없어 그 저작물의 이용허락을 받을 수 없는 경우(제50조)

② 공표된 저작물을 공익상 필요에 따라 방송하려는 방송사업자가 그 저작재산권자와 협의하였으나 협의가 성립되지 아니하는 경우(제51조)

③ 상업용 음반이 우리나라에서 처음으로 판매되어 3년이 경과한 경우 그 음반에 녹음된 저작물을 녹음하여 다른 상업용 음반을 제작하려는 자가 그 저작재산권자와 협의하였으나 협의가 성립되지 아니하는 때(제52조)

저작물의 법정허락에 관한 규정은 실연·음반 및 방송 이용과 관련하여도 유사하게 적용된다(제89조).

03 저작권의 등록

1. 저작권 등록의 의의

저작권법은 무방식주의에 입각하고 있기 때문에 특허권·상표권 등의 경우와 달리 등록은 권리발생요건이 아니며, 저작재산권의 이전 등에 있어서도 대항요건에 불과하다.
다만, 저작권법상의 일정한 사항에 대하여 그 사실을 등록할 수 있게 하고 그 등록에 따른 소정의 법적 효과를 인정하고 있다(제53조).

2. 등록의 효력

(1) 추정효

저작자로 실명이 등록된 자는 그 저작물의 저작자로, 창작연월일 또는 맨 처음의 공표연월일이 등록된 저작물은 그 등록된 날에 창작 또는 맨 처름 공표된 것으로 추정한다(제53조 제3항).
또한 저작권법은 등록되어 있는 저작권, 배타적발행권, 출판권, 저작인접권 또는 데이터베이스제작자의 권리를 침해한 자는 그 침해행위에 과실이 있는 것으로 추정하는 효과를 부여하고 있다.

(2) 대항효

① 저작재산권의 양도(상속 그 밖의 일반승계의 경우를 제외한다.) 또는 처분제한, ② 배타적발행권 또는 출판권의 설정·이전·변경·소멸 또는 처분제한, ③ 저작재산권을 목적으로 하는 질권의 설정·이전·변경·소멸 또는 처분제한에 관하여 등록한 경우에는 제3자에게 대항할 수 있다.

04 저작권 위탁관리

1. 저작권 위탁관리의 의의

저작권 위탁관리는 저작권신탁관리업과 저작권대리중개업을 포함하는 개념이다. 저작권자와 저작물을 이용하고자 하는 자가 개별적으로 상대방을 찾아 협상을 하고 분쟁에 대처하는 것은 매우 번거롭고 제약이 많다. 따라서 저작권법은 저작권자의 이익을 보호하면서 저작물의 이용을 장려하기 위하여 저작권의 위탁관리에 관한 규정을 두고 있다.

저작권신탁관리업은 저작재산권자 등 권리를 가진 자를 위하여 그 권리를 신탁받아 이를 지속적으로 관리하는 업을 말하며, 저작물 등의 이용과 관련하여 포괄적으로 대리하는 경우를 포함한다(제2조 제26호). 저작권대리중개업은 저작재산권자 등 권리를 가진 자를 위하여 그 권리의 이용에 관한 대리 또는 중개행위를 하는 업을 말한다(제2조 제27호).

2. 허가 및 신고

저작권신탁관리업을 하고자 하는 자는 문화체육관광부장관의 허가를 받아야 하며, 저작권대리중개업을 하고자 하는 자는 허가는 필요 없지만 문화체육관광부장관에게 신고를 하여야 한다(제105조).

기출로 다지기

저작권제도에 관한 다음 설명 중 틀린 것은? • 20회 기출

① 저작권법은 표현만 보호하고 아이디어는 보호하지 않는다.
② 산업상 이용되는 산업디자인은 디자인보호법에 의해서만 보호를 받을 수 있고, 저작권법에 의해서는 보호를 받을 수 없다.
③ 저작권은 저작물을 창작한 때부터 발생하며 어떠한 절차나 형식의 이행을 필요로 하지 않는다.
④ 저작권을 모두 양도하더라고 저작인격권은 여전히 저작자에게 남는다.
⑤ 저작재산권 중 복제권은 A에게 양도하고, 공연권은 B에게 양도하는 것과 같이, 권리들을 각각 분할하여 양도하는 것도 가능하다.

| ② 산업디자인은 디자인보호법 및 저작권법 모두의 보호를 받을 수도 있다.
① 아이디어는 저작권의 보호대상이 아니다.
④ 인격권은 양도가 불가능하다.

▶ ②

제4절 저작인접권 등

01 저작인접권

1. 저작인접권의 의의

저작인접권은 실연자, 음반제작자 및 방송사업자에게 부여되는 저작권과 유사한 권리이다. 실연자, 음반제작자는 저작물의 창작자는 아니지만 저작물의 전달자로서 창작에 준하는 활동을 통해 저작물의 가치를 증진시킨다는 점에서 저작권법이 저작권에 준하는 권리를 부여하는 것이다.

2. 실연자의 저작인접권

(1) 실연자의 의의

실연자는 저작물을 연기・무용・연주・가창・구연・낭독 그 밖의 예능적 방법으로 표현하거나 저작물이 아닌 것을 이와 유사한 방법으로 표현하는 자를 말하며, 지휘, 연출 또는 감독하는 자를 포함한다(제2조 제4호). 배우・가수・연주가・무용가 등이 여기에 해당한다.

(2) 실연자 인격권

저작자의 성명표시권과 동일성유지권에 유사한 권리를 가지며, 이는 저작인격권과 동일하게 실연자 일신에 전속한다(제66조 내지 68조).
실연자는 그의 실연 등에 그의 실명 또는 이명을 표시할 권리를 가지며, 그의 실연의 내용과 형식의 동일성을 유지할 권리를 갖는다. 다만, 예외적으로 실연의 성질이나 그 이용의 목적 및 형태 등에 비추어 부득이 하다고 인정되는 경우에는 그러하지 아니하다.

(3) 재산적 권리

실연자는 복제권, 배포권, 대여권, 공연권, 방송권 및 전송권을 가진다(제69조 내지 제74조).
방송사업자 디지털음성송신사업자 및 실연이 녹음된 상업용 음반을 사용하여 공연을 하는 자는 실연이 녹음된 상업용 음반을 사용하여 방송하는 경우에는 그 실연자에게 상당한 보상금을 지급하여야 한다(제75조, 제76조, 제76조의2).

(4) 공동실연자의 권리행사

2인 이상이 공동으로 합창・합주 또는 연극 등을 실연하는 경우 실연자의 권리는 공동으로 실연하는 자가 선출하는 대표자가 이를 행사한다. 다만, 대표자의 선출이 없는 경우에는 지휘자 또는 연출자 등이 이를 행사한다. 이 경우에 독창 또는 독주가 함께 실연된 때에는 독창자 또는 독주자의 동의를 얻어야 한다(제77조).

3. 음반제작자의 저작인접권

음반제작자는 그의 음반에 대하여 복제권, 배포권, 대여권 및 전송권을 가진다(제78조 내지 제81조). 상업용 음반을 사용하여 공연을 하는 자 등은 상업용 음반을 사용하여 방송하는 경우 상당한 보상금을 그 음반제작자에게 지급하여야 한다(제82조).

4. 방송사업자의 저작인접권

방송사업자는 복제권, 동시중계방송권 및 공연권을 가진다(제84조 내지 제85조의2).

5. 저작인접권의 발생과 존속기간

(1) 저작인접권의 발생

실연의 경우에는 그 실연을 한 때, 음반의 경우에는 그 음을 맨 처음 음반에 고정한 때, 방송의 경우에는 그 방송을 한 때 저작인접권이 발생한다(제86조 제1항).

(2) 저작인접권의 보호기간

저작인접권이 발생한 때의 다음 해부터 기산[23]하여 70년(방송의 경우 50년)간 존속한다(제86조 제2항).

6. 저작인접권의 제한 · 양도 · 행사 등

저작재산권의 대부분의 규정이 적용된다.

관련 조문

제87조(저작인접권의 제한) ① 저작인접권의 목적이 된 실연·음반 또는 방송의 이용에 관하여는 제23조, 제24조, 제25조제1항부터 제5항까지, 제26조부터 제32조까지, 제33조제2항, 제34조, 제35조의2부터 제35조의5까지, 제36조 및 제37조를 준용한다.
② 디지털음성송신사업자는 제76조제1항 및 제83조제1항에 따라 실연이 녹음된 음반을 사용하여 송신하는 경우에는 자체의 수단으로 실연이 녹음된 음반을 일시적으로 복제할 수 있다. 이 경우 복제물의 보존기간에 관하여는 제34조제2항을 준용한다.

제88조(저작인접권의 양도 · 행사 등) 저작인접권의 양도에 관하여는 제45조제1항을, 실연·음반 또는 방송의 이용허락에 관하여는 제46조를, 저작인접권을 목적으로 하는 질권의 행사에 관하여는 제47조를, 저작인접권의 소멸에 관하여는 제49조를, 실연·음반 또는 방송의 배타적발행권의 설정 등에 관하여는 제57조부터 제62조까지의 규정을 각각 준용한다.

---

23) 기산(起算)이란 '시작할 기', '계산할 산'으로, 계산을 시작한다는 뜻이다.

02 배타적발행권 및 출판권

1. 배타적발행권의 의의

저작물을 발행[24]하거나 복제·전송할 권리를 가진 자는 그 저작물을 발행 등에 이용하고자 하는 자에 대하여 배타적 권리를 설정할 수 있다(제57조). 이것을 배타적발행권이라 한다. 배타적발행권은 배타적, 독점적인 권리이다. 따라서 이는 계약 당사자 사이에서만 주장할 수 있는 권리가 아니라 배타적이고 제3자에게도 효력을 가지는 성격의 권리이다. 저작재산권자는 그 저작물에 대하여 발행 등의 방법 및 조건이 중첩되지 않는 범위 내에서 새로운 배타적발행권을 설정할 수도 있다.

2. 배타적발행권자의 의무(제58조)

배타적발행권을 설정받은 자(배타적발행권자)는 그 설정행위에서 정하는 바에 따라 그 배타적발행권의 목적인 저작물을 발행 등의 방법으로 이용할 권리를 가진다.

배타적발행권자는 특약이 없는 한 저작물 등을 받은 날부터 9개월 이내에 이를 발행 등의 방법으로 이용하여야 하며, 관행에 따라 그 저작물을 계속하여 발행 등의 방법으로 이용하여야 한다.

3. 저작물의 수정 및 증감

배타적발행권자가 배타적발행권의 목적인 저작물을 발행 등의 방법으로 다시 이용하는 경우에 저작자는 정당한 범위 안에서 그 저작물의 내용을 수정하거나 증감할 수 있다. 따라서 배타적발행권의 목적인 저작물을 발행 등의 방법으로 다시 이용하고자 하는 경우 특약이 없는 때에는 그때마다 미리 저작자에게 그 사실을 알려야 한다.

4. 배타적발행권의 존속기간 및 소멸

배타적발행권은 그 설정행위에 특약이 없는 때에는 맨 처음 발행 등을 한 날로부터 3년간 존속한다. 다만, 저작물의 영상화를 위하여 배타적발행권을 설정하는 경우에는 5년으로 한다(제59조).

배타적발행권이 그 존속기간의 만료 그 밖의 사유로 소멸된 경우에는 그 배타적발행권을 가지고 있던 자는 ① 배타적발행권 설정행위에 특약이 있는 경우, 또는 ② 배타적발행권의 존속기간 중 저작재산권자에게 그 저작물의 발행에 따른 대가를 지급하고 그 대가에 상응하는 부수의 복제물을 배포하는 경우를 제외하고는 그 배타적발행권의 존속기간 중 만들어진 복제물을 배포할 수 없다(제61조).

---

24) 저작권법 제2조 제24호에서는 "발행"을 "저작물 또는 음반을 공중의 수요를 충족시키기 위하여 복제·배포하는 것"으로 정의하고 있다.

5. 출판권

저작물을 복제·배포할 권리를 가진 자는 그 저작물을 인쇄 그 밖에 이와 유사한 방법으로 문서 또는 발행하고자 하는 자에 대하여 이를 출판할 권리, 즉 출판권을 설정할 수 있다. 그리고 출판권을 설정받은 자(출판권자)는 그 설정행위에서 정하는 바에 따라 그 출판권의 목적인 저작물을 원작 그대로 출판할 권리를 가진다(제63조).

이 외에 배타적발행권에 관한 대부분의 내용은 출판권에도 적용된다(제63조의2).

03 데이터베이스제작자의 보호

1. 의의

데이터베이스란 소재를 체계적으로 배열 또는 구성한 편집물로서 개별적으로 그 소재에 접근하거나 그 소재를 접근할 수 있도록 한 것을 말한다(제2조 제19호).

2. 데이터베이스제작자의 권리와 그 제한

데이터베이스제작자는 그의 데이터베이스의 전부 또는 상당한 부분을 복제·배포·방송 또는 전송할 권리를 가진다(제93조 제1항). 해당 권리는 데이터베이스 제작을 완료한 때부터 발생하며, 그 다음해부터 기산하여 5년간 존속한다(제95조 제1항).

04 영상저작물에 대한 특례

1. 의의

영상저작물은 연속적인 영상에 수록된 창작물로서 그 영상을 기계 또는 전자장치에 의하여 재생하여 볼 수 있거나 보고 들을 수 있는 것이다(제2조 제13호).

2. 영상저작물의 저작자

영상저작물의 저작자는 영상저작물의 제작에 창작적으로 기여한 자, 즉 보통의 경우에는 영상이나 음의 형성에 창작적으로 기여한 영화감독, 연출감독, 촬영감독, 조명감독, 미술감독 등이 이에 해당한다. 통상적으로 배우나 영상물에 음성을 제공하는 성우 등 실연자는 영상저작물의 제작에 창작적으로 참여한 것이 아니어서 영상물의 저작자가 아니라고 본다.

3. 영상저작물에 대한 특례

(1) 저작물의 영상화를 위한 특례

① 허락의 추정

저작재산권자가 저작물의 영상화를 다른 사람에게 허락한 경우에 특약이 없는 때에는 다음의 권리를 포함하여 허락한 것으로 추정한다(제99조 제1항).

- 영상저작물을 제작하기 위하여 저작물을 각색하는 것
- 공개상영을 목적으로 한 영상저작물을 공개상영하는 것
- 방송을 목적으로 한 영상저작물을 방송하는 것
- 전송을 목적으로 한 영상저작물을 전송하는 것
- 영상저작물을 그 본래의 목적으로 복제·배포하는 것
- 영상저작물의 번역물을 그 영상저작물과 같은 방법으로 이용하는 것

② 독점적 허락

저작재산권자는 그 저작물의 영상화를 허락한 경우에는 특약이 없는 때에는 허락한 날로부터 5년이 경과한 때에 그 저작물을 다른 영상저작물로 영상화하는 것을 허락할 수 있다(제99조 제2항). 본 규정에 따라 저작재산권자가 영상화를 허락한 경우에 그 이용허락은 특약이 없는 이상 적어도 5년간 독점적 이용허락의 성격을 가진다.

(2) 영상저작물의 권리관계에 관한 특례

영상제작자와 영상저작물의 제작을 협력할 것을 약정한 자가 그 영상저작물에 대하여 저작권을 취득한 경우 특약이 없는 한 그 영상저작물의 이용을 위하여 필요한 권리는 영상제작자가 이를 양도 받은 것으로 추정한다(제100조 제1항).
본 규정은 영상제작계약의 경우, 즉 감독이나 제작 스태프, 배우를 비롯한 실연자 등의 수많은 이해관계인과 영상제작자 사이에 체결되는 내용 중에 관련 조항이 없거나 불분명한 경우에 그 계약 내용을 보충하기 위한 특례규정이다.

제5절 저작권의 침해

01 저작권 침해행위

1. 저작권 침해의 의의

저작권은 저작권자에게 저작물에 관하여 주어지는 배타적 권리이므로, 정당한 권한 없이 그 저작물을 이용하는 경우 저작권 침해가 성립한다.

2. 저작권 침해의 요건

저작재산권 침해의 요건으로 ① 저작권 침해를 주장하는 자가 해당 저작물에 대하여 유효한 저작권을 가지고 있고, ② 주관적 요건으로서 침해자의 저작물이 원고의 저작물에 '의거'하여 그것을 이용하였을 것, ③ 객관적 요건으로서 침해자의 저작물이 원고의 저작물과 실질적 유사성을 가지고 있어야 한다. 또한 ④ 저작권법상 저작재산권 제한 사유에 해당하지 않아야 한다.

(1) 유효한 저작권의 존재

저작권 침해를 주장하는 자가 당해 저작물에 대하여 유효한 저작권을 가지고 있어야 한다. 이는 저작물의 성립요건(제2조 제1호) 및 보호기간(제39조 등), 유효한 저작재산권의 양도가 있었는지 등이 문제된다.

(2) 주관적 요건 – 의거관계

저작권은 '모방금지권'이라고 할 수 있다. 따라서 저작권 침해를 인정하기 위해서는 주관적 요건인 의거관계가 인정되어야 한다. 의거성이란 쉽게 말해 타인의 저작물을 보거나 듣고, 이를 베꼈다는 의미이다. 즉, 의거관계가 인정되기 위해서는 기존 저작물에 대한 표현내용을 인식하고, 그 저작물을 이용한다는 의사를 가지고, 실제로 그 저작물을 이용하여야 한다. 판례에 따르면 '의거관계'는 기존의 저작물에 대한 접근가능성, 대상 저작물과 기존의 저작물 사이의 유사성이 인정되면 추정될 수 있다.[25)]

25) 대법원 2014. 7. 24. 선고 2013다8984 판결

(3) 객관적 요건 – 실질적 유사성

저작권 침해가 성립하기 위해서는 침해를 주장하는 저작물과 침해 저작물이 실질적으로 유사해야 한다.
구체적으로 저작권법이 보호하는 것은 인간의 사상 또는 감정을 구체적으로 외부에 표현하는 창작적인 표현형식이며, 이를 아이디어와 표현의 이분법이라 한다. 따라서 양 저작물 사이의 실질적 유사성 여부를 판단함에 있어서는 창작성 있는 표현형식에 해당하는 부분만을 가지고 대비하여야 한다.[26]

3. 침해로 보는 행위

침해로 보는 행위란 저작권법에 의해 보호되는 권리의 직접적인 침해는 아니지만 침해의 개연성이 높은 행위를 말한다(제124조).

(1) 배포 목적으로 침해물건을 수입하는 행위

저작권 등을 침해하는 행위에 의하여 만들어진 물건을 그 사실을 알고 배포할 목적으로 소지하는 행위는 저작권의 침해로 본다(제124조 제1항 제1호).

(2) 배포 목적의 소지행위

수입 시에 대한민국 내에서 만들어졌다면 저작권 등의 침해로 될 물건을 대한민국 내에서 배포할 목적으로 수입하는 행위는 저작권의 침해로 본다(제124조 제1항 제2호).

(3) 악의로 프로그램을 업무상 이용하는 행위

프로그램의 저작권을 침해하여 만들어진 프로그램의 복제물을 그 사실을 알면서 취득한 자가 이를 업무상 이용하는 행위는 저작권 침해로 본다(제124조 제1항 제3호).

4. 저작인격권 침해로 보는 행위

저작자의 명예를 훼손하는 방법으로 그 저작물을 이용하는 행위는 저작인격권의 침해로 간주된다(제124조 제2항).

---

26) 대법원 1999. 11. 26. 선고 98다46259 판결

02 온라인서비스제공자(OSP)의 책임 제한

1. 온라인서비스제공자의 유형

저작권법은 온라인서비스제공자의 유형을 인터넷접속서비스, 캐싱서비스, 저장서비스, 정보검색서비스로 세분화하고, 각 서비스 유형에 따른 면책요건을 구체화하고 있다(제102조).

OSP 서비스 유형	기술적 특징
인터넷접속서비스 (단순도관) (제102조 제1항 제1호)	네트워크와 네트워크 사이에 통신을 하기 위해서 서버까지 경로를 설정하고 이를 연결해 주는 서비스 (예 KT, SK브로드밴드, LG유플러스)
캐싱서비스 (제102조 제1항 제2호)	일정한 콘텐츠를 캐시서버에 임시 저장하여, 이용자가 이용 시 저장된 정보를 통해 빠른 정보 제공을 하는 캐시서버 서비스
저장서비스 (제102조 제1항 제3호)	카페, 블로그, 웹하드 등 일정한 자료를 하드디스크나 서버에 저장·사용할 수 있게 하는 서비스(예 인터넷 게시판 등)
정보검색서비스 (제102조 제1항 제3호)	인터넷에서 정보를 검색하여 정보를 제공하여 주는 서비스 (예 네이버, 다음, 구글 등의 검색 서비스)

2. 온라인서비스제공자의 책임 제한 사유

면책요건에 불구하고(제102조 제1항), 온라인서비스제공자가 이러한 조치를 취하는 것이 기술적으로 불가능한 경우에는 다른 사람에 의한 저작물 등의 복제·전송으로 인한 저작권, 그 밖에 이 법에 따라 보호되는 권리의 침해에 대하여 책임을 지지 않는다(제102조 제2항). 또한 저작권법은 온라인서비스제공자가 자신의 서비스 안에서 침해행위가 일어나는지를 모니터링하거나 그 침해행위에 관하여 적극적으로 조사할 의무를 지지 않음을 분명히 하고 있다(제102조 제3항).

3. 복제·전송의 중단 요구 등

온라인서비스제공자의 서비스를 이용한 저작물 등의 복제·전송에 따라 저작권 그 밖에 이 법에 따라 보호되는 자신의 권리가 침해됨을 주장하는 자는 그 사실을 소명하여 온라인서비스제공자에게 그 저작물 등의 복제·전송을 중단시킬 것을 요구할 수 있다(제103조 제1항).

온라인서비스제공자는 복제·전송의 중단 및 그 재개의 요구를 받을 자를 지정하여 자신의 설비 또는 서비스를 이용하는 자들이 쉽게 알 수 있도록 공지하여야 한다. 또한 이러한 공지를 하고 그 저작물 등의 복제·전송을 중단 또는 재개시킨 경우에는 다른 사람에 의한 저작권 등 권리의 침해에 대한 온라인서비스제공자의 책임 및 복제·전송자에게 발생하는 손해에 대한 온라인서비스제공자의 책임을 면제한다.

다만, 온라인서비스제공자가 복제・전송 등으로 인하여 저작권 등의 권리가 침해된다는 사실을 안 때에는 그때부터 복제・전송의 중단을 요구받기 전까지 발생한 책임은 면책되지 않는다(제103조 제4항 및 제5항).

4. 특수한 유형의 온라인서비스제공자의 의무

특수한 유형의 온라인서비스제공자는 다른 사람들 상호 간에 컴퓨터를 이용하여 저작물 등을 전송하도록 하는 것을 주된 목적으로 하는 온라인서비스 제공자를 말한다(예 공유형 스토리지, P2P 서비스제공자). 특수한 유형의 온라인서비스제공자는 권리자의 요청이 있는 경우 해당 저작물 등의 불법적인 전송을 차단하는 기술적인 조치 등 필요한 조치를 하여야 한다(제104조).

03 기술적 보호조치의 무력화 금지

1. 의의

저작권자 등이 저작물의 불법복제로부터 자신의 권리를 보호하기 위하여는 복제방지장치 등 기술적 보호조치가 필요하며, 저작자의 성명, 저작물의 이용 조건 등 저작물에 관한 권리관리정보를 저작물에 부착하는 것이 저작물 관리에 효율적이다. 이에 이를 보호하기 위한 규정을 두고 있다.

2. 기술적 보호조치의 무력화

기술적 보호조치란 보호대상물에 대한 접근 자체를 통제하는 기술적 조치 또는 해당 저작물에 대한 복제 등 이용을 통제하는 것을 말한다.

누구든지 정당한 권한 없이 고의 또는 과실로 기술적 보호조치를 제거・변경하거나 우회하는 등의 방법으로 무력화하여서는 안 된다(제104조의2). 다만, 저작권법은 정당한 권한을 가지고 프로그램을 사용하는 자가 다른 프로그램과의 호환을 위하여 프로그램코드 역분석을 하거나 보안성 검사・조사 또는 보정하기 위하여 필요한 경우 등에는 예외를 인정하고 있다.

제1편

제2편

제3편

제4편

3. 권리관리정보의 제거 · 변경 등의 금지

저작권 관리정보는 저작물 등을 식별하기 위한 정보, 저작물 등의 이용방법 및 조건에 관한 정보 등 정보데이터를 관리하는 기술이다.
저작권법은 누구든지 정당한 권한 없이 저작권 등의 침해를 유발 또는 은닉한다는 사실을 알거나 과실로 알지 못하고 그 권리관리정보를 고의로 제거 · 변경하거나 거짓으로 부가하는 등의 행위를 하여서는 아니 되고(제104조의3), 이를 위반한 자는 3년 이하의 징역 또는 3천만 원 이하의 벌금에 처하거나 병과할 수 있다고 규정하고 있다(제136조 제2항).

4. 기타 금지 행위

그 밖에 저작권법은 암호화된 방송 신호의 무력화 등의 금지(제104조의4), 라벨 위조 등의 금지(제104조의5), 영상저작물 녹화 등의 금지(제104조의6) 및 방송 전 신호의 송신 금지(제104조의7) 등의 규정을 두어 저작권자의 권리를 보호하고 있다.

기출로 다지기

甲은 乙로부터 乙의 저작권을 침해하였다는 취지의 경고장을 받았다. 이 경우 甲이 乙을 상대로 취할 수 있는 조치에 해당하지 않는 것은? • 18회 기출

① 본인의 저작물이 乙의 저작물에 의거하지 않았음을 주장 · 입증하는 취지의 답변서 송부
② 본인의 저작물이 乙의 저작물과 실질적으로 유사하지 않음을 주장 · 입증하는 취지의 답변서 송부
③ 乙이 진정한 저작권자가 아님을 주장 · 입증하는 취지의 답변서 송부
④ 乙의 저작권에 대한 저작권등록무효심판 청구
⑤ 乙로부터 저작권 이용허락을 받았음을 입증하는 자료의 준비

| ④ 저작권은 등록과 무관하게 권리가 발생하므로, 저작권등록무효심판 등은 존재하지 않는다. ▶ ④

제6장 지식재산권 분쟁(심판과 소송)

제1절 지식재산권 분쟁 관련 심판 및 소송

01 특허분쟁의 개시

1. 특허와 관련된 분쟁 개요

특허란 업으로서 특허발명을 독점적으로 실시할 수 있는 권리를 말하기 때문에(특허법 제94조), 특허권자에게는 자신이 허락하지 아니한 임의의 제3자가 특허발명을 무단으로 실시하거나 실시하고자 할 경우 이에 대해 그 침해의 금지 또는 예방을 청구할 수 있는 권한이 주어지며(특허법 제126조), 특허발명의 무단 실시 여부에 관해 특허권자와 제3자 간에 분쟁이 있을 경우 사법부에게 공정한 판단과 함께 강제집행까지 요청하는 절차로 가처분신청과 침해금지 또는 예방소송이 있다.

이 중 민사소송법 제714조 제2항에서 규정하는 임시의 지위를 정하기 위한 가처분이란 다툼 있는 권리관계에 관하여 그것이 본안소송에 의하여 확정되기까지의 사이에 가처분권리자가 현재의 현저한 손해를 피하거나 급박한 강포를 방지하기 위하여, 또는 기타의 이유가 있는 때에 한하여 허용되는 응급적·잠정적인 처분을 말한다. 이러한 가처분을 필요로 하는지의 여부는 해당 가처분신청의 인용 여부에 따른 당사자 쌍방의 이해득실관계, 본안소송에 있어서의 장래의 승패의 예상, 기타의 제반 사정을 고려해 법원의 재량에 따라 합목적적으로 결정한다. 더구나 가처분채무자에 대하여 본안판결에서 명하는 것과 같은 내용의 특허권침해의 금지 또는 예방이라는 부작위의무를 부담시키는 이른바 만족적 가처분일 경우에 있어서는, 그에 대한 보전의 필요성 유무를 판단함에 있어서 앞서 본 바와 같은 제반 사정을 참작하여 보다 더욱 신중하게 결정하게 되어, 장래 특허권이 무효로 될 개연성이 높다고 인정되는 등의 특별한 사정이 있는 경우에는 당사자 간의 형평을 고려하여 그 가처분신청은 보전의 필요성을 결한 것으로 본다.

이에, 가처분신청이 있는 경우 상대방으로서는 해당 특허에 대해 특허 또는 존속기간연장등록 무효심판을 제기하는 것이 통상적이다.

특히, 특허무효심판 같은 경우에는 특허된 후 그 특허권자가 특허법 제25조에 따라 특허권을 누릴 수 없는 자로 되거나 그 특허가 조약을 위반한 경우가 아닌 한 특허심판원으로부터의 무효심결이 확정될 경우 해당 특허가 처음부터 존재하지 않았던 것으로 취급되기 때문에(특허법 제133조 제3항), 특허침해분쟁을 종국적으로 마무리할 수 있다는 장점이 있어, 침해경고조치를 받을 가능성이 높은 자로서는 침해분쟁이 발발하기 전 또는 발발한 후에 적극적으로 고려해 보는 수단 중 하나이다.

또한 사법부가 아닌 전문기관으로부터 특허침해 여부를 확인받아 볼 수 있는 절차가 있는데, 바로 권리범위확인심판이다. 특허심판원에서 행하는 권리범위확인심판은 사법부에서 행하는 특허침해소송 등에 비해 그 판단주체가 특허법 및 기술분야에 있어서 보다 고도한 지식을 갖춘 전문가라는 점과, 그 결과의 도출이 보다 빠를 수 있다는 점에서 장점이 있는 절차이다. 따라서 가처분신청 또는 특허침해소송 등이 발발하기 이전에, 특허침해경고를 받을 것으로 예상이 되는 자가 있다면 서둘러 권리범위확인심판(소극적)을 제기하여 특허발명의 침해가 아니라는 결과를 확보해 둠으로써 발발 가능한 분쟁의 가능성을 사전에 차단하는 전략을 세우는 것이 상당히 중요하다.

한편, 특허침해행위는 일종의 불법행위로 취급되기 때문에, 특허침해행위를 한 자에게 특허권자는 손해배상청구소송을 진행할 수도 있다.

2. 대리인의 선임

특허와 관련된 분쟁 절차는 크게 진행기관에 따라 사법부에서 행하는 가처분신청, 침해금지청구소송, 손해배상청구소송과, 특허심판원에서 행하는 특허취소신청, 특허(또는 존속기간연장등록)무효심판, 권리범위확인심판이 있다.

가처분신청과 침해금지청구소송에서는 특허(또는 존속기간연장등록)무효심판과 권리범위확인심판에서 진행하는 쟁점이 거의 동일하게 적용되며, 이러한 쟁점에 대한 전문가는 바로 변리사이기 때문에, 결국 특허분쟁이 개시되거나 개시될 것이 예상될 때에는 먼저 심판경험을 두루 갖춘 변리사의 선정에 초점을 맞추어 적합한 대리인을 선임하는 것이 합리적이다.

적합한 대리인 또는 사무소를 선택하였으면, 그곳과 위임계약서를 체결한 뒤 위임장을 작성하여 줌으로써 본인의 사건의 대리인으로 선임할 수 있다.

위임계약서를 작성할 때에는 특별히 고려해야 하는 주의사항은 없으며, 사건의 착수금, 성공사례금 등의 액수와 그 지급방법에 관해서만 합리적으로 작성하면 된다.

3. 이해관계인

특허분쟁은 특허권자에게도 그렇겠지만 특허침해로 경고를 받은 자에게 있어서는 사전에 분쟁 요소를 차단하는 것이 매우 중요하다. 따라서 특허침해로 경고를 받을 가능성이 있는 자로서는 적극적으로 특허(또는 존속기간연장등록)무효심판을 제기하여 특허(또는 존속기간연장등록)를 무효로 시키거나 권리범위확인심판을 제기하여 특허침해가 아님을 확실하게 해둘 필요가 있다. 다만, 무효심판이나 권리범위확인심판은 이해관계가 있는 자가 청구할 수 있으며, 이해관계가 없는 자가 심판을 청구하면 당사자 적격의 흠결로 심판청구가 부적법해지고, 심결로써 각하된다.

무효심판에 있어서 이해관계가 있는 자의 예는 다음과 같다.

- 해당 특허권의 소추를 받은 자
- 해당 특허발명을 실시하고 있지 않으나 실시설비를 가진 자
- 해당 특허발명의 실시준비를 하는 자
- 업무의 성질상 해당 특허발명을 실시할 가능성을 가진 자
- 해당 특허발명과 동종의 물을 제조하는 자
- 무효사유인 특허법 제33조 제1항 본문(특허를 받을 수 있는 자) 또는 제44조(공동출원)와 관련하여 다투는 경우에는 특허를 받을 수 있는 권리를 가진 자 또는 공동발명자(발명의 승계가 정당하게 이루어졌는지 여부에 대해 다투는 경우 포함)
- 무효사유인 특허법 제36조 제1항 내지 제3항과 관련하여 다투는 경우 그 후원에 대한 선원자
- 해당 특허발명을 실시하고 있거나 실시할 염려가 있는 자
- 해당 특허발명을 이용하는 다른 특허발명의 특허권자(전용실시권자, 통상실시권자)
- 해당 특허권과 저촉되는 디자인권자(전용실시권자, 통상실시권자)
- 선사용에 의한 통상실시권을 가진 자
- 해당 특허발명과 동일할 염려가 있는 발명을 실시하는 자

다만, 동종의 업에 종사하고 있음을 사업자등록증을 증거자료로서 제시하며 주장할 경우 특별한 사정이 없는 한 무효심판에 있어서는 이해관계가 인정된다.

다음 권리범위확인심판(소극적)에 있어서 이해관계가 있는 자의 예는 다음과 같다.

- 확인대상발명을 실시하고 있는 자 또는 장래에 실시할 예정이 있는 자

통상 소극적 권리범위확인심판 같은 경우에는 확인대상발명에 대해 실시 이전에 특허침해 여부를 먼저 확인받고자 할 때 진행하기 때문에, 대부분의 사건에서는 심판청구인이 확인대상발명을 실시하고 있지 않다.
이와 관련하여, 의약분야에서 한동안은 허가를 받거나, 허가를 받기 위해 임상 또는 생물학적 동등성실험을 진행하지 아니한 확인대상발명을 실시할 예정이 있다고 주장하는 자에 대해서는 권리범위확인심판을 제기할 수 있는 이해관계인에 해당하지 않는다고 볼 여지가 있지 않느냐는 반문이 있었다. 그러나 특허심판원에서는 특허무효심판에서의 이해관계와 유사하게 사업자등록증을 증거자료로서 제출하며 특허발명과 동종의 업에 종사하고 있는 자임을 주장하면 권리범위확인심판을 제기할 수 있는 이해관계가 있다고 봄이 타당하다고 결론을 내린 바 있으며, 그 일례를 소개하면 다음과 같다.

> 피청구인은 이 사건 심판청구가 확인의 이익이 있는지 여부를 판단하기 위해서는 청구인이 실제로 제조·판매하고자 하는 제품과 이 사건 확인대상발명의 동일성이 명확히 입증되어야 하나, 이 사건 확인대상발명은 청구인이 현재 실시하고 있지 않으며, 나아가 장래에도 실시할 가능성이 있는지 여부가 밝혀지지 않았으므로, 이 사건 심판청구는 확인의 이익이 없는 부적법한 심판청구로서 각하되어야 한다고 주장한다.
> 살피건대, 통상 의약품의 경우, 식약처의 품목허가를 받아야 실시가 가능한 것인데, 확인대상발명이 의약품으로 기허가되었거나, 허가신청 예정 중에 있는 제품과 동일하지 여부에 대하여 현재까지 확인할 수 없기는 하다.
> 그러나 ① 의약품으로서 유효성 및 안전성이 검증되어 허가를 받을 수 있는지 여부는 식약처에서 약사법에 의거하여 판단하는 절차이지 권리범위확인심판에서 제출한 자료만으로 판단할 수는 없는 것이고, 나아가 약사법에서는 제조 또는 수입 품목허가된 의약품의 변경허가에 관해 규정하고 있으며, 의약품의 변경허가는 의약품을 구성하는 첨가제를 포함하는 원료의약품을 변경하는 경우를 포함하는 것이므로, 비록 확인대상발명이 기허가 제품과 상이한 부형제, 결합제, 붕해제 등의 성분 내지 함량을 가지고 있다고 하더라도 확인대상발명의 범위 내에서 청구인이 임의로 선택함에 따라 의약품 품목허가사항은 추후 얼마든지 변경될 가능성이 있다.
> 따라서 확인대상발명은 발기부전 치료제로 사용되고 있는 공지의 물질인 타다라필을 활성성분으로 하는 약학 제제로서, 확인대상발명이 기허가 제품과 성분 내지 함량에 있어서 일부 차이가 있는 경우에도 장래 허가 후 변경을 통해 실시될 가능성은 얼마든지 있는 것이라 하겠고 특별히 실시가 불가능하다고 볼 사정이 없다.
> ② 소극적 권리범위 확인심판에서는 청구인이 실제로 실시하고 있는 발명뿐 아니라 현재 실시하고 있지 않더라도 실시가 불가능하거나 전혀 실시할 가능성이 없지 않고, 장래 실시할 가능성이 있는 발명을 확인대상발명으로 특정하여 청구한 경우에는 확인의 이익이 인정된다 할 것이므로, 상기 ①에서 살핀 바와 같이 약사법에 따라 기허가 의약품에 대하여 변경허가가 가능하기 때문에 현재 확인대상발명을 실시하고 있지 않더라도 장래에 실시할 가능성이 있는 것이어서 결국 이 사건 심판청구가 확인의 이익이 없다고 할 수는 없는 것이다.
> ③ 또한 이 사건 심판청구가 각하되는 경우에 특허권자인 피청구인이 적극적 권리범위확인심판뿐만 아니라 특허권 침해금지소송 등을 제기할 가능성을 배제할 수 없고, 그 제기된 심판 또는 소송에서의 법률적 판단이 확정적으로 각하될 것이라고 단정 지을 수도 없으므로, 본안을 살피지 않고 이 사건 심판청구를 각하하는 것은 여전히 청구인에게 법률적인 불안을 초래하는바, 이 부분에 대한 피청구인의 주장 역시 이유 없다.
> 따라서 청구인은 의약품의 제조업을 하는 자로서, 이 사건 심판청구는 청구인이 실시하고자 하는 확인대상발명을 대상으로 심판을 청구한 것으로, 확인의 이익이 있는 적법한 청구라 하겠다(2014당3070 등).

특허(또는 존속기간연장등록)무효심판이건 권리범위확인심판(소극적)이건 사업자등록증을 증거자료로 준비하여 특허발명과 동종의 업에 종사하고 있는 자임을 주장하면 이해관계가 있는 것으로 취급되는 것으로 이해하면 된다.

4. 심판의 참가

참가라 함은 심판의 계속 중에 제3자가 자기의 법률상의 이익을 보호하기 위하여 심판당사자의 일방에 참여하여 그 심판절차를 수행하는 것을 말한다(특허법 제155조). 참가방식으로는 당사자참가와 보조참가가 있으며, 당사자참가란 특허(또는 존속기간연장등록)무효심판 또는 권리범위확인심판(소극적)을 청구할 수 있는 자가 심판청구인 측에 참가하는 것을 말하고, 보조참가란 심판의 결과에 대하여 이해관계를 갖는 자(예컨대, 전용실시권자, 통상실시권자, 질권자 등)가 심판당사자 중 일방 측에 참가하는 것을 말한다.
참가를 희망하는 경우에는 심리 종결 전까지 참가신청서를 제출하면 되고, 이에 대해 심판장은 참가 여부에 대해 결정하여 참가허부의 결정서를 송달해 준다.
심판에 참가한 참가인은 공격, 방어 방법의 제출 및 기타 일체의 심판절차를 단독적으로 밟을 수 있으며, 당사자참가인 같은 경우에는 당사자가 심판을 취하한 후에도 해당 심판을 이어 받아 진행할 수 있다(특허법 제155조 제2항).

5. 심판에 따른 제출문서의 작성 및 검토

심판절차를 진행하기 위해서는 심판청구서를 작성하여 제출하여야 한다. 심판청구서에는 당사자의 성명 및 주소(법인인 경우에는 그 명칭 및 영업소의 소재지), 대리인이 있는 경우에는 그 대리인의 성명 및 주소나 영업소의 소재지[대리인이 특허법인·특허법인(유한)인 경우에는 그 명칭, 사무소의 소재지 및 지정된 변리사의 성명], 심판사건의 표시, 청구의 취지 및 그 이유를 기재하여야 하며, 이 중 청구의 취지는 다음과 같이 작성하면 된다.

특허무효심판의 경우
1. 특허 제OO호(또는 특허 제OO호의 특허청구범위 제OO항)를 무효로 한다.
2. 심판비용은 피청구인이 부담한다.

존속기간연장등록무효심판의 경우
1. 특허 제OO호의 존속기간연장등록을 무효로 한다.
2. 심판비용은 피청구인이 부담한다.

권리범위확인심판(소극적)의 경우
1. (별지 기재) 확인대상발명은 특허 제OO호의 권리범위에 속하지 아니한다.
2. 심판비용은 피청구인의 부담으로 한다.

청구의 이유는 청구의 취지를 이유 있게 하는 사항을 기재하면 되며, 무효심판 같은 경우에는 무효사유를, 권리범위확인심판(소극적) 같은 경우에는 권리범위에 속하지 않는 사유를 구체적이고 상세하게 기재하고, 필요한 경우에는 증거자료를 첨부한다. 한편, 증거자료는 간혹 한글이 아닌 외국어로 작성된 문서가 포함될 수도 있을 텐데, 이 경우에는 번역문을 제출하여야 한다(심판사무취급규정 제60조 제2항). 번역문을 제출하지 않을 경우에는 증거자료 제출에 대해 보정명령이 나오고, 보정명령에도 불구하고 최종적으로 번역문을 제출하지 않으면, 심판부에 따라서는 해당 증거자료를 제출되지 않은 것으로 취급하고 심리를 진행하기도 한다.

한편, 권리범위확인심판의 경우에는 확인대상발명 설명서 및 필요한 도면을 심판청구서에 첨부해야 하는데, 그 기재요령은 다음과 같다.

> 특허권의 권리범위확인심판을 청구함에 있어 심판청구의 대상이 되는 확인대상발명은 해당 특허발명과 서로 대비할 수 있을 만큼 구체적으로 특정되어야 한다. 그리고 그 특정을 위해서는 대상물의 구체적인 구성을 전부 기재하여야 하는 것은 아니지만, 적어도 특허발명의 구성요소와 대비하여 그 차이점을 판단하는 데 필요할 정도로는 특허발명의 구성요소에 대응하는 부분의 구체적인 구성을 기재하여야 한다.
> 예컨대, 확인대상발명의 구성을 기능, 효과, 성질 등의 이른바 기능적 표현으로 기재하여 그 발명이 속하는 기술분야에서 통상의 지식을 가진 사람이 확인대상발명의 설명서나 도면 등의 기재와 기술상식을 고려하여 그 구성의 기술적 의미를 명확하게 파악할 수 있을 정도가 아니라면, 특허발명과 서로 대비할 수 있을 만큼 확인대상발명의 구성이 구체적으로 기재된 것이라 보지 아니하여, 확인대상발명 불특정으로 심판청구가 각하될 수 있다(대법원 2012. 11. 15. 선고 2011후1494 판결).
> 다만, 확인대상발명의 설명서에 특허발명의 구성요소와 대응하는 구체적인 구성이 일부 기재되어 있지 않거나 불명확한 부분이 있더라도, 그 나머지 구성만으로 확인대상발명이 특허발명의 권리범위에 속하는지 판단이 가능하다면 확인대상발명은 특정된 것으로 취급한다(대법원 2010. 5. 27. 선고 2010후296 판결).

즉, 확인대상발명은 특허발명과 대비 가능할 정도로 상세하게 작성할 필요가 있으며, 대비 가능하다는 것은 특허침해판단법리인 구성요소완비원칙, 균등범위 또는 간접침해적용 여부를 판단하기에 충분한 정도를 말하고, 이때 필요하다면 도면을 적절하게 첨가하여도 좋다. 한편, 특허권의 권리범위확인심판을 청구함에 있어 심판청구의 대상이 되는 확인대상발명은 해당 특허발명과 서로 대비할 수 있을 만큼 구체적으로 특정되어야 할 뿐만 아니라, 그에 앞서 사회통념상 특허발명의 권리범위에 속하는지를 확인하는 대상으로서 다른 것과 구별될 수 있는 정도로 구체적으로 특정되어야 할 필요도 있다.
따라서 확인대상발명의 구성을 마치 출원발명의 청구범위를 작성하듯이 포괄적인 용어를 구사하여 표현하는 것은 금물이며, 구체적인 구성으로 특정하여 소개하는 것이 바람직하다.

확인대상발명의 설명서 및 필요한 도면의 작성은 상당히 중요한데, 만약 잘못 작성하게 되면 특허심판원에서는 요지변경이 되지 아니하는 범위 내에서 확인대상발명의 설명서 및 도면에 대한 보정을 명하기는 하나, 추후 보정이 요지변경이 아닌 범위 내에서만 가능하기 때문에 상당히 제한이 있다(특허법 제140조 제2항). 따라서 확인대상발명의 설명서 및 필요한 도면은 잘못 기재할 경우 추후 그 수정이 불가능하다는 마음가짐으로 작성하는 것이 좋다.

6. 기타 소송의 개시

본 항목에서는 특허권자의 입장을 기준으로 가처분신청과 손해배상청구소송을 진행하는 방법에 대해 살펴본다.
가처분신청은 본안소송(침해금지청구소송 등)이 계속 중이라면 그 법원에, 본안소송이 계속 중에 있지 않으면 앞으로 본안이 제소되었을 때 이를 관할할 수 있는 법원에 가처분 채권자, 가처분 채무자, 침해대상제품, 신청취지, 신청이유를 작성한 가처분신청서를 작성하여 제출하면 된다. 이 중 신청취지는 다음과 같이 작성하면 된다.

1. 채무자는 별지 도면 및 설명서 기재의 제품을 생산, 사용, 판매, 배포하여서는 아니 된다.
2. 채무자는 위 제품과 그 반제품(위의 완성품의 구조를 구비하고 있는 것으로 아직 완성에 이르지 않은 물건)에 대한 점유를 풀고 이를 채권자가 위임하는 집행관에게 인도하여야 한다.
3. 집행관은 위 보관의 취지를 적당한 방법으로 공시하여야 한다.

그리고 신청이유에는 특허권에 대한 침해가 이루어지고 있거나 이루어질 예정인 상태임을 특허발명과 침해대상제품을 비교하며 상세히 설명하고, 아울러 본안소송의 확정을 기다린다면 특허권의 독점성이 파괴되고 권리자가 경제적으로 심각한 타격을 받을 위험에 있음을 소명하면 된다.
한편, 가처분신청에 대해 법원은 일정한 담보금을 공탁하는 조건으로 가처분 명령을 내릴 수도 있으니, 가처분 신청인은 공탁금을 납부하거나 공탁금 대신에 보증보험에 가입하여 이를 대비하는 것이 필요하다.

손해배상청구소송은 당사자 명칭 및 주소, 청구취지, 청구원인을 작성한 소장을 관할법원에 제출함으로써 제기할 수 있다. 이 중 청구취지는 다음과 같이 작성하면 된다.

1. 피고는 OO.OO.OO부터 OO원에 대하여 이를 다 갚는 날까지는 연 20%의 비율로 계산한 돈을 지급하라.
2. 소송비용은 피고가 부담한다.
3. 제1항은 가집행할 수 있다.

그리고 청구원인은 이 청구취지에서 주장하는 금액이 특허침해로 인한 손해액에 해당함을 증거자료를 이용해 자세히 설명하면 된다.

02 심판/소송의 진행 실무

1. 방식심리 및 적법성 심리

2023년 기준 한 해 대한민국의 특허출원 수는 243,310건, 특허등록 수는 134,734건에 달할 정도로 대한민국 특허청이 담당해야 하는 업무량은 상당하다. 그러나 업무를 처리할 수 있는 인원과 시스템에 있어서는 한계가 있기 때문에, 특허심판원에서는 심판 업무의 효율적 진행을 도모하고자 방식심리와 적법성 심리를 운용하고 있다. 이에 따라 특허심판원이 정한 요건을 만족하지 못한 심판에 대해서는 심판청구인이 목적하는 실체적 사항에 대한 판단을 하지 않음으로써 그 업무량을 적정하게 조절하고 있다.

즉, 심판청구인이 심판을 청구함으로써 목적하는 바를 달성하기 위해서는 기본적으로 방식요건과 적법성요건을 갖추어야만 한다.

(1) 방식심리

방식심리란 특허심판원 방식담당부서에서 심판청구절차를 밟기 위해 필요한 서류의 제출 여부 및 그 기재방식과, 수수료 납부가 정상적으로 이루어졌는지를 살피는 것을 말하며, 크게 서류반려사유(특허법 시행규칙 제11조)와 보정명령사유(특허법 제46조 및 제141조)가 있다. 이 중 대표적인 서류반려사유는 다음과 같다.

- 제출취지가 불명인 서류 · 기타 물건으로서 절차를 밟은 때
- 절차를 밟는 자의 성명(명칭)이 기재되지 아니한 서류로 절차를 밟은 때
- 1통의 서류로 2 이상의 청구에 대하여 절차를 밟은 때
- 사건의 표시가 기재되어 있지 아니한 때 또는 불명한 서류로 절차를 밟은 때
- 극히 지워지기 쉬운 것을 사용하여 작성한 서류를 제출한 때
- 절차를 밟는 자의 인감이 날인(전자문서의 경우에는 전자서명)되지 않은 서류, 불명한 인감이 날인되어 있는 서류 또는 이미 제출된 서류의 인감과 다른 인감이 날인되어 있는 서류로 절차를 밟은 때
- 정보통신망이나 전자적기록매체로 제출된 특허출원서 또는 기타의 서류가 특허청에서 제공하는 소프트웨어 또는 특허청 홈페이지를 이용하여 작성되지 아니하였거나 전자문서로 제출된 서류가 전산정보처리조직에서 처리가 불가능한 상태로 접수된 경우

이 사유에 해당될 경우 특허심판원에서는 심판청구인 또는 제출인에 대하여 심판서류를 반려하겠다는 취지, 반려이유 및 소명기간을 기재한 서면을 송부한다. 이때 반려이유통지를 받은 심판청구인 등은 문제가 있는 사항에 대해 수정할 수는 없으며, 소명기간 내에 소명서만 제출 가능하다. 특허심판원에서는 제출된 소명의 내용이 이유 있다고 인정되면 서류를 반려하지 않고 절차를 계속 진행하나, 제출된 소명의 내용이 이유 없다고 인정되면 소명기간이 종료된 후 바로 심판서류 등을 반려하여 절차를 진행하지 않는다. 이 경우 심판청구인 등은 행정심판 또는 행정법원에 불복할 수 있다.

방식심사 결과 이러한 반려사유에 해당하지 않는 심판서류 등에 대해 특허심판원에서는 이어서 보정명령사유가 존재하는지 검토한다.

심판청구서를 작성할 때에는 당사자의 성명 및 주소(법인인 경우에는 그 명칭 및 영업소의 소재지), 대리인이 있는 경우에는 그 대리인의 성명 및 주소나 영업소의 소재지[대리인이 특허법인·특허법인(유한)인 경우에는 그 명칭, 사무소의 소재지 및 지정된 변리사의 성명], 심판사건의 표시, 청구의 취지 및 그 이유를 기재하여야 한다. 그리고 권리범위확인심판을 청구할 때에는 특허발명과 대비할 수 있는 설명서 및 필요한 도면을 심판청구서와 함께 제출하여야 한다(특허법 제140조).

이때 기재사항을 잘못 기재하거나, 첨부서류의 제출을 누락하면 보정명령사유에 해당하게 된다. 뿐만 아니라, 미성년자와 같이 행위무능력자가 심판청구인으로 기재되어 있거나, 대리인이 있는데 위임장이 첨부되어 있지 않거나, 절차 진행 관련 수수료를 납부하지 않은 경우에도 보정명령사유에 해당하게 된다. 이와 같이 보정명령사유가 존재하는 심판에 대해서는 특허심판원에서 보정명령을 하며, 심판청구인 등은 보정을 통해 하자를 치유할 수 있다. 한편, 보정을 할 때에는 당사자 중 특허권자의 기재를 바로잡는 경우, 청구의 이유를 수정하는 경우, 적극적 권리범위확인심판에서 피청구인이 확인대상발명에 대해 자신이 실제로 실시하고 있는 발명과 비교하여 다르다고 주장할 때 피청구인의 실시 발명과 동일하게 하기 위하여 확인대상발명 설명서 또는 도면을 수정하는 경우를 제외하면 최초 심판청구서 기재의 요지를 변경할 수 없다는 한계가 있다. 그러나 방식심사 단계에서 발하여지는 보정명령에 대해서는 실질적으로 본 논점을 고려할 필요가 없다. 방식위반과 관련된 보정명령 사유는 그 하자를 치유하는 보정이 요지변경에 해당하지 않는다.

심판청구인 등이 보정을 통해 하자를 치유하지 않을 경우에는 심판절차가 무효로 되거나 또는 결정으로 청구서가 각하될 수 있다. 심판청구인 등은 절차가 무효로 된 경우에는 행정심판 또는 행정법원에, 결정으로 청구서가 각하된 경우에는 특허법원에 불복할 수 있다.

⑵ 적법성심리

적법성심리란 심판합의체가 심판청구 자체의 적법성 여부를 심리하는 것으로 심판청구가 적법해지기 위해 갖추어야 할 심판청구요건 내지 적법요건에 대한 심리를 말한다.

심판청구요건 내지 적법요건의 흠결로 인해 심판청구가 부적법해지는 경우는 다음과 같다.

- 특허심판사항이 아닌 심판청구
- 실존하지 않는 자를 당사자로 하는 심판청구
- 당사자능력이 없는 자의 심판 청구
- 당사자적격이 없는 자의 심판청구, 즉 이해관계가 없는 자가 한 심판청구
- 일사부재리에 위반된 경우
- 특허심판원에 이미 계속 중인 사건에 대한 동일한 심판청구
- 심판청구 시에는 적법한 심판청구였으나 심판청구 후 심판대상물이 소멸한 경우
- 권리범위 확인심판에서 확인대상발명이 특정되지 않은 경우
- 기타 부적법한 심판청구로 그 흠결을 보정할 수 없는 경우

적법요건의 흠결이 있는 경우 명확한 근거 조문은 없지만, 다음과 같은 판례를 참고해 심판부에서는 보정을 통해 그 흠결을 해소할 가능성이 완전히 없을 것으로 판단되는 경우가 아닌 한 보정명령을 발하여 사전에 문제점으로 보이는 사항을 지적해 준다.

> 특허권의 권리범위확인 심판에서 심판대상은 당사자가 확인을 구하는 특정 발명이 특허발명의 특허청구범위에 기재된 특정 발명에 속하는지의 여부이라 할 것이고, 이는 기본적으로 심판청구서의 청구취지와 확인대상발명이 기재된 설명서와 필요한 도면을 중심으로 하되 심판청구의 이유 등 심판청구서 전체의 취지를 고려하여 당사자의 의사를 합리적으로 해석하여 결정하여야 한다. 따라서 특허청구범위의 청구항과 이와 대비되는 확인대상발명이 복수이어서 확인대상발명과 대비하고자 하는 특허발명의 청구항의 관계가 불분명한 경우, 특허심판원으로서는 요지변경이 되지 아니하는 범위 내에서 심판청구서의 청구취지와 청구이유 또는 확인대상발명의 설명서 및 도면에 대한 보정을 명하는 등의 조치를 취하여야 할 것이며, 그럼에도 불구하고 그와 같은 특정에 미흡함이 있다면 그 부분에 대한 심판청구를 각하하여야 할 것이다(대법원 2005. 4. 29. 선고 2003후656 판결 등 참조).

다만, 보정명령을 받더라도 심판청구인이 주의해야 할 점이 있다. 바로 당사자 중 특허권자의 기재를 바로잡는 경우, 청구의 이유를 수정하는 경우, 적극적 권리범위확인심판에서 피청구인이 확인대상발명에 대해 자신이 실제로 실시하고 있는 발명과 비교하여 다르다고 주장할 때 피청구인의 실시 발명과 동일하게 하기 위하여 확인대상발명 설명서 또는 도면을 수정하는 경우를 제외하면 심판청구서와 부속서류에 대해서는 요지변경이 아닌 범위 내에서만 보정이 가능하다는 것이다. 특허법 제140조 제2항에서 심판청구서 및 부속서류의 보정은 그 요지를 변경할 수 없도록 규정하고 있으며, 그 취지는 요지의 변경을 쉽게 인정할 경우 심판절차의 지연을 초래하거나 피청구인이 있는 경우 그의 방어권 행사를 곤란케 할 염려가 있기 때문이다. 요지변경이 아닌 보정이란 다음과 같다.

> 심판청구서의 보정이 요지변경에 해당하지 않으려면, 그 보정의 정도가 청구인의 발명에 관하여 심판청구서에 첨부된 도면 및 설명서의 명백한 오기를 바로잡거나 도면 및 설명서에 표현된 구조의 불명확한 부분을 구체화하는 것, 또는 처음부터 당연히 있어야 할 구성부분을 부가한 것에 지나지 아니하여 심판청구의 전체적인 취지에 비추어 볼 때 그 발명의 동일성이 유지되는 것으로 인정되어야 한다(대법원 1995. 5. 12. 선고 93후1926 판결 참조).

이와 같은 사항은 특히 소극적 권리범위확인심판을 청구하는 심판청구인 입장에서 확인대상발명 설명서 또는 도면을 작성하거나 이에 대한 보정을 할 때 주의 깊게 참고할 필요가 있다.

한편, 심판청구요건의 흠결이 있으면 심판합의체는 본안심리를 하지 않고 심결로써 각하하며, 이에 대해 심판청구인 등은 심결등본을 송달받은날로부터 30일 이내에 특허법원에 소를 제기하여 불복할 수 있다.

2. 심리의 병합, 우선/신속심판

(1) 심리병합

심리병합이란 2 이상의 심판사건을 동일의 심판절차에 의해 심리하는 것을 말한다. 특허법 제160조는 당사자 쌍방 또는 일방이 동일한 2 이상의 심판에 대하여 심리 또는 심결을 병합하거나 분리할 수 있다고 규정하고 있다. 심리의 병합은 심리의 중복을 피하여 심리 절차의 경제성을 도모함과 동시에 심결 간의 모순저촉을 피하는 것을 목적으로 행한다.
심판관 입장에서는 심리의 병합에 의해 심리병합의 목적을 달성하는 것이 가능하다고 판단되는 경우 병합하는데, 병합의 목적을 달성하는 것이 가능하다는 것은 예를 들면 다음과 같다.

- 동일한 증거조사가 있는 것
- 대상으로 되는 발명의 기술적인 소제기가 공통인 것
- 인용례, 증거방법이 동일한 것
- 동일한 특허에 대한 복수의 무효심판

심판 실무상 심리병합의 요건으로는 ① 당사자의 쌍방 또는 일방이 동일할 것, ② 2 이상의 심판이 동일 종류일 것, ③ 심리종결 전일 것을 필요로 한다. 다만, 해당 요건을 만족할 때 심리병합을 할 것인지 여부를 판단하는 권한을 가진 자는 심판관(합의체)이고, 심판관(합의체)은 자유로운 판단에 기초하여 병합심리의 목적에 따라 심리의 신속, 정확화의 관점에서 병합이 바람직한지 여부를 검토하여 직권으로 그러한 결정을 하며, 심리를 병합하는 경우에는 심판장이 그 취지를 당사자에게 통지한다.

병합심리하는 복수의 심판에 대해서는 답변서 부본 등 관계문서를 당사자에게 발송 통지, 구술심리(구두에 의한 심문, 면접을 포함한다), 증거조사, 합의, 기타 심판에 관한 절차 및 심리를 동일절차, 동일심리하여 동시에 한다. 이 경우 통지서 등 기타 서면에 심판번호, 특허번호, 당사자 명의란 등에는 각 심판의 기재사항을 모두 병기하고, 병합된 심판의 모든 것에 대해서 심리할 기회가 성숙되었을 때에는 심결한다. 그리고 이때 심리를 병합한 심판사건에 관해서는 동시에 동일한 심결문으로 병합된 수만큼의 사건을 심결하는 것이 가능하다.
한편, 2 이상의 심판의 심리가 병합된 경우, 병합 전에 각각의 심판사건에 대해 제출 또는 제시된 서류 및 물건, 각각의 심판사건의 심리에 의해 얻어진 증거방법 등은 병합된 심판사건에도 이용될 수 있다. 다만, 상기 증거방법을 채용하는 경우에는 당사자에 대해서 의견의 신청 또는 답변서를 제출할 기회를 주어야 한다.

(2) 우선심판

우선심판이란 청구일 순으로 심리하는 원칙을 벗어나 다른 사건보다 우선하여 심판하는 것을 말한다. 우선심판의 대상으로는 신청에 의한 우선심판과 직권에 의한 우선심판이 있는데 주요 사유는 다음과 같다.

신청에 의한 우선심판

- 지식재산권 분쟁으로 사회적인 물의를 일으키고 있는 사건으로서 당사자 또는 관련기관으로부터 우선심판 요청이 있는 경우
- 지식재산권 분쟁으로 법원에 계류 중이거나 심판청구 후에 경찰 또는 검찰에 입건된 사건과 관련된 사건으로서 당사자 또는 관련기관으로부터 우선심판요청이 있는 경우
- 국제간에 지식재산권 분쟁이 야기된 사건으로 당사자가 속한 국가기관으로부터 우선심판의 요청이 있는 경우
- 국민경제상 긴급한 처리가 필요한 사건 및 군수품 등 전쟁수행에 필요한 심판사건으로서 당사자 또는 관련 기관으로부터 우선심판요청이 있는 경우
- 약사법 제50조의2 또는 제50조의3에 따라 특허목록에 등재된 특허권(일부 청구항만 등재된 경우에는 등재된 청구항에 한정한다)에 대한 심판사건으로서 당사자로부터 우선심판의 요청이 있는 경우. 다만, 약사법 제32조 또는 제42조에 따른 재심사기간의 만료일이 우선심판 신청일부터 1년 이후인 의약품과 관련된 특허권에 대한 심판사건은 제외

직권에 의한 우선심판

- 심결취소소송에서 취소된 사건
- 심사관이 직권으로 무효심판을 청구한 경우
- 심판청구 후에 특허법 제164조 제3항의 규정에 의거 법원이 통보한 침해소송사건과 관련된 심판으로 심리 종결되지 아니한 사건
- 심판청구 후에 무역위원회가 통보한 불공정무역행위조사사건과 관련된 심판으로 심리종결되지 아니한 사건
- 권리범위확인심판 사건 및 그 권리범위 확인심판사건과 함께 계류 중인 무효심판·정정심판 사건

우선심판을 신청하고자 할 때에는 우선심판청구서에 그 사실을 증명하는 서류를 첨부하여 특허심판원에 제출하면 된다.

우선심판의 청구가 있는 경우 심판장은 주심심판관과 협의하여 심판정책과로부터 우선심판청구서를 인계받은 날로부터 15일 이내에 우선심판대상의 해당 여부를 결정하고, 이를 바로 당사자에게 통보한다. 다만, 권리범위확인심판사건(함께 계류 중인 무효심판·정정심판 사건 포함) 중 방식 위반을 이유로 보정을 명한 사건에 대해서는 보정이 치유된 후에 우선심판 여부를 통보하기도 한다.

심판장은 우선심판대상으로 결정된 심판사건에 대하여는 구술심리·증거조사·검증 또는 면담 등을 활용하여 사건의 조기 성숙을 유도하고, 원칙적으로 우선심판결정일부터 4개월 이내에 처리한다. 다만, 해당심판사건이 성숙되지 아니하여 동 기간 내에 처리할 수 없는 경우에는 최종의견서 접수일로부터 2.5개월 내에 처리한다.

(3) 신속심판

신속심판이란 당사자계 심판 중 침해소송 관련 사건과 신속심판신청서가 제출된 사건에 대해 우선심판사건보다 우선하여 심판하는 것을 말한다. 신속심판의 대상으로는 신청에 의한 경우와 직권에 의한 경우가 있으며 주요 사유는 다음과 같다.

신청에 의한 신속심판

- 침해금지가처분신청과 관련된 권리범위확인심판사건 또는 무효심판사건으로서 심판청구 후 7일 이내에 신속심판신청이 있는 사건(심판청구 전에 가처분신청이 있고, 가처분신청에 대한 결정이 이루어지기 전의 사건에 한한다)
- 당사자 일방이 상대방의 동의를 얻어 신속심판신청서를 답변서 제출기간 내에 제출한 사건
- 특허법원이 무효심판의 심결취소소송에 대한 변론을 종결하기 전에 권리자가 해당 소송 대상 등록권리에 대하여 청구한 최초의 정정심판으로서 신속심판신청이 있는 사건
- 특허법 제33조 제1항 본문의 규정에 따른 무권리자의 특허라는 이유에 의해서만 청구된 무효심판사건으로서 당사자로부터 신속심판요청이 있는 사건
- 심판청구 전에 경찰 또는 검찰에 입건된 사건과 관련된 사건으로서 당사자 또는 관련기관으로부터 신속심판요청이 있는 사건

직권에 의한 신속심판

- 특허법 제164조 제3항의 규정에 의하여 법원이 통보한 침해소송사건과 관련된 심판사건 중 권리범위확인심판사건 또는 무효심판사건(심판청구 전에 통보받은 사건에 한한다)
- 무역위원회가 통보한 불공정무역행위조사사건과 관련된 심판사건 중 권리범위확인심판사건 또는 무효심판사건(심판청구 전에 통보받은 사건에 한한다)

신속심판을 신청하고자 할 때에는 신속심판신청서를 특허심판원에 제출하면 된다. 다만, 신속심판신청서를 제출한다 하더라도 우선심판의 절차가 이미 진행된 사건은 우선심판 처리절차에 의해 심판한다.

신속심판 대상사건에 대해 심판장은 주심심판관과 협의하여 심판정책과로부터 신속심판신청서를 이관받은 날 또는 관련 기관으로부터 통보 사실이 심판관에게 이관된 날로부터 15일 이내에 신속심판 해당 여부를 결정하고 이를 바로 당사자에게 통보하여야 한다. 다만, 방식에 위반되어 보정을 명한 사건에 대해서는 보정이 치유된 후에 신속심판 여부를 통보할 수 있다.

당사자계 사건 중 침해소송 관련 사건, 신속심판신청서가 제출된 사건에 대하여는 답변서 제출기간 만료일(정정청구가 있는 경우는 정정청구에 대한 무효심판청구인의 의견서 제출기간 만료일)로부터 1개월 이내에 구술심리를 개최하고, 구술심리 개최일(구술심리를 속행하는 경우에는 최후 구술심리 개최일)부터 2개월 이내에 심결하여야 한다. 다만, 답변서 제출기간 만료일부터 2개월 이내에 심결하는 건에 대하여는 구술심리를 개최하지 않을 수 있다.

신속심판으로 진행하는 경우 당사자가 심판사건과 관련된 모든 주장 및 증거를 구술심리 기일까지 제출하면 심판청구일부터 4개월 이내의 심판처리가 가능하다.

3. 증거조사

심판은 구체적인 사실을 소전제로 하고 법규의 존부와 해석을 대전제로 하여 삼단논법에 따라 권리관계를 판단한다. 이때 사실인정에 대하여 심판부에게 신뢰성을 확보해 주기 위해 증거를 제출할 필요가 있다. 증거자료로는 보통 증인·감정인·당사자·본인의 인증이나 또는 문서·검증물·기타증거의 물증이 활용된다.

제출한 증거자료는 증거능력과 증거력에 따라 활용된다. 증거능력이란 증거조사의 대상이 될 자격을 말하나 법정대리인의 경우 증인능력이 없고, 기피당한 감정인의 경우 감정인 능력을 잃는다는 점 이외에는 특별한 제한이 없다. 증거력이란 증거자료가 요증사실의 인정에 기여하는 정도를 말하며, 형식적 증거력과 실질적 증거력이 있다. 형식적 증거력이란 서증에서 문제가 되며, 해당 서증이 특정인의 의사에 기하여 작성된 진정성립이 있는지에 대한 내용이고, 실질적 증거력이란 그 증거가 어떤 요증사실을 증명하기에 얼마나 유용한가의 증거가치를 말한다.

이때 공문서의 경우에는 형식적 증거력에 있어서 특별한 상황이 아닌 한 문제가 되지 않으며, 사문서의 경우에도 위변조인 것이 명확하지 않는 이상 형식적 증거력은 대부분 인정된다.

형식적 증거력이 인정된 경우에 한해 실질적 증거력에 대해 판단하는데, 실질적 증거력의 판단은 심판관의 자유심증에 일임되어 있다. 다만, 처분문서는 상대방의 반증에 의하여 부정할 만한 분명하고도 수긍할 수 있는 특별한 사유가 없는 이상 그 기재내용에 의하여 의사표시의 존재와 내용을 인정하여 주고 있고, 보고문서는 심판관의 자유로운 심증으로 활용한다.

증거조사란 증거에 대해 당사자가 아닌 심판관이 나서서 조사하는 과정을 말하며, 증거조사에 의한 심판관의 심증형성과정은 일반적으로 증거신청 → 채택여부결정 → 증거조사실시 → 실시결과에 따른 순서로 진행된다. 주로 증거조사는 증인신문 또는 감정을 할 때 활용한다.

(1) 증인신문

증인신문이란 증인의 증언으로부터 증거자료를 얻기 위해 행하는 증거조사를 말한다. 증인의 진술은 증언이라 하며, 증인신문은 가능한 구술심리에서 진행한다. 증인신문은 증인신문신청 → 신문결정 → 비용예납 → 신문실시의 순서로 진행하여, 신청서에는 증인신문이 필요한 이유(증인의 인적사항 포함) 및 증인신문사항을 기재하여 제출하여야 하며, 신청서에 증인신문사항이 기재되어 있지 않거나 불비한 경우 심판부에서는 보충할 것을 지시한다. 신청서의 내용을 바탕으로 심판부에서는 증인신문이 필요한지 여부를 결정하며, 증인신문을 하기로 결정하면 증인출석요구서를 작성하여 증인에게 발송한다. 증인신문은 구술심리와 함께 진행하는 것이 일반적이기 때문에 통상 증인신문기일은 구술심리기일과 같다.

한편, 증인신문사항을 받은 상대방 당사자는 반대신문이 가능하며, 반대신문사항을 미리 작성하고 부본을 준비하여 심판장에게 반대신문을 하기 직전까지 제출해야 한다. 증인신문기일에는 상대방 당사자의 반대신문사항에 따라 재증인신문을 할 수도 있다. 또한 경우에 따라서는 심판장이 직권으로 증인을 신문할 수 있다.
증인신문을 마치면 심판부에서는 증인신문조서를 작성하며, 이로부터 얻은 자료, 즉 증언은 심판관의 심증을 형성하는 데 활용된다.

⑵ 감정

감정이란 특별한 학식과 경험을 가진 자에게 그 전문적 지식 또는 그 지식을 이용한 판단을 보고하도록 하여 심판관의 판단능력을 보충하기 위한 증거조사를 말한다. 감정은 당사자의 신청에 의하여 하는 것이 원칙이며, 신청서에는 감정신청의 대상, 이유를 기재하고 대상물을 함께 제출하여야 한다.
심판장은 감정신청 서류의 부본을 상대방에게 송달하여 의견제출기회를 주며, 그 의견을 고려하여 감정사항을 정한다. 감정이 끝나면 조서를 작성하며, 증인신문절차에 준하여 활용한다.

4. 구술심리

심리란 심결을 내리는 데 기초가 되는 자료를 수집하는 절차로서, 구술에 의한 구술심리와 서면에 의한 서면심리가 있다.
특허법 제154조 제1항에 의하면 심판은 구술심리 또는 서면심리로 할 수 있다고 규정되어 있어, 서면 또는 구술 중 어느 방법에 의해 심리할지는 심판장의 판단에 따라 결정될 수 있다. 다만, 당사자가 구술심리를 신청한 때에는 특별한 사정이 없는 한 구술심리를 개최하도록 하고 있다.

구술심리는 당사자의 청구취지 진술, 당사자의 공격과 방어, 증인신문 및 심판부의 심문으로 진행한다. 이때 심판장은 당사자의 주장 이외에 직권으로 당사자 및 증인에 대해 심문할 수 있으며, 그 예는 다음과 같다.

- 당사자가 권리범위확인심판에서 특허발명의 공지주장을 하지 않는 경우, 확인대상발명의 공지공용・자유실시기술 주장을 하지 않은 경우 이에 대해 당사자에게 심문할 수 있다.
- 적극적 권리범위확인심판사건에서 확인대상발명의 실시 여부가 불분명하고 증거자료가 불충분한 경우 청구인에게 확인하고 상대방의 반론을 들어 실시 여부를 석명할 필요가 있다.
- 증인에 대한 확인서가 제출된 경우 사문서라 할지라도 그 성립의 진정성 및 증거력이 있는지 여부에 대해 양 당사자에게 의견을 진술할 것을 명할 필요가 있다.
- 발명의 기술내용이 복잡하거나 배경기술이론 등이 복잡하여 이해하기 어려운 경우 이에 대해 당사자를 심문할 수 있다.
- 당사자의 주장이 불명확하거나 제출된 증거의 입증취지가 명확하지 않은 경우에 심판장은 직권으로 당사자 및 증인에게 심문할 수 있다.
- 당사자가 필요하지 않은 주장을 하거나, 상호 모순되는 주장을 하는 경우 주장의 취하를 권고할 수 있다.

한편, 특허심판원에 제출된 서류는 구술심리를 할 때 당사자들이 진술하지 않아도 심판에 있어 유요한 심판자료가 된다. 즉, 구술심리는 심판합의체가 쟁점을 정리하고 당사자의 적절한 주장입증을 촉구하는 것에 의의가 있음에 불과하다. 환언하면 특허심판의 구술심리는 증인신문을 포함한 증거조사, 심판합의체가 증인 및 당사자에게 실시하는 쟁점사항에 대한 심문 등에 큰 의의가 있다.

구술심리를 개최할 가능성이 높은 주요 사건은 다음과 같다.

- 일방당사자 또는 쌍방당사자가 구술심리를 신청한 사건
- 쌍방당사자가 대리인이 없는 사건
- 침해소송이 계속되는 사건 중 필요하다고 인정하는 사건
- 청구이유가 불분명하거나 주장에 관한 근거가 불명확한 사건
- 발명 또는 증거에 대한 당사자의 설명이 필요한 사건
- 증거조사, 증인신문, 검증을 동반한 사건
- 효율적인 심리를 위하여 심판장이 필요하다고 인정하는 사건

구술심리를 개최하고자 할 경우 심판장은 구술심리의 기일 및 장소를 정하여 그 취지를 기재한 서면을 당사자 및 참가인에게 송달한다. 이때 심판장은 당사자가 진술할 내용을 정리한 구술심리진술요지서를 구술심리기일 1주일 전까지 제출하도록 요구하니, 이를 준비하여 제출할 필요가 있다.

5. 직권주의

민사소송법에 있어서도 법원이 직권에 의하여 소송의 진행을 도모하는 등 직권주의에 의한 규정을 적지 않게 볼 수 있으나 민소소송은 원래 당사자가 자유로 처분할 수 있는 개인의 이익에 관한 분쟁의 해결을 목적으로 하는 것이므로 동법의 근간을 이루는 주요한 조항에 소위 당사자주의(처분권주의, 변론주의) 입장을 취하는 규정의 비중이 직권주의의 입장을 취하는 규정보다도 크다. 이에 반해 심판에 있어서는 그 심결의 효력이 널리 제3자에게도 미치고 대세적인 영향이 크므로 이들 당사자주의적 규정을 준용하지 않고 심판청구가 된 후에는 취하가 없는 한 당사자의 의사와는 어느 정도 무관하게 심판관이 직권에 의하여 적극적으로 사건에 개입하고, 또한 주도하여 심리를 진행하여야 한다는 취지를 규정한 조항이 특허법에 많이 마련되어 있어 그 비중이 대단히 크다는 특징이 있다.
심판절차의 진행에 있어서 직권주의가 가미되는 부분으로는 직권진행, 직권조사, 직권탐지가 있다.

(1) 직권진행

직권진행이란 심판절차의 진행을 심판관이 직권으로 행할 수 있는 것으로서, 그 예로는 법정기간 또는 지정기간의 직권에 의한 연장, 구술 또는 서면 중 심리방식의 선택, 당사자 또는 참가인이 법정기간 또는 지정기간에 절차를 밟지 아니하거나 기일에 출석하지 아니하였을 때의 심판의 진행, 또는 중지한 절차의 수계명령이 있다.

(2) 직권조사

직권조사란 당사자의 항변에 의한 지적을 기다리지 않고 당사자 간의 다툼의 유무에 관계없이 법원이 스스로 나서서 고려하여 판단하는 것을 말하며, 주로 심판적법성 요건에 대해 행한다. 예를 들면, 당사자능력 및 당사자적격 유무, 이해관계, 대리권의 존부, 일사부재리의 원칙 위배 여부, 중복심판청구 여부, 적극적 권리범위확인심판에서 확인대상발명의 실시 여부 및 특정 여부, 소극적 권리범위확인심판에서 확인대상발명의 실시가능성 등이 직권조사의 대상이다.

(3) 직권탐지

직권탐지란 당사자의 의사와는 관계없이 심판관이 심결의 기초자료를 직권에 의하여 적극적으로 수집하는 것을 말하며, 직권증거조사, 직권증거보전, 당사자 또는 참가인이 신청하지 아니한 이유에 대한 심리가 있다. 다만, 심결은 대세적 효력을 가지는 것이므로 진실의 발견에 노력하고자 하는 것이 직권탐지이나, 심판청구인이 신청하지 아니한 청구취지에 대하여는 직권탐지할 수 없다는 한계가 있다.

한편, 직권탐지를 하였을 때에는 심판부에서 그 심리의 결과를 당사자 및 참가인에 통지하며, 의견진술의 기회를 준다. 따라서 직권탐지의 결과에 대해 이의가 있는 자는 이때 의견진술을 함으로써 방어가 가능하다.

1 다음은 특허무효심판에 대한 설명이다. 다음 중 잘못된 것은? • 20회 기출

① 특허무효심판은 설정등록된 특허권에 대해서만 청구할 수 있다.
② 특허무효심판은 이해관계인뿐만 아니라 심사관도 청구할 수 있다.
③ 특허무효심판은 특허권의 설정등록일부터 1년 이내에 청구하여야 한다.
④ 특허권이 공유인 경우 특허무효심판은 특허권자 전원에 대하여 청구하여야 한다.
⑤ 특허권자는 자신의 특허가 무효되는 것을 방지하기 위해 답변서 제출기간 내에 정정청구를 할 수 있다.

| ③ 특허무효심판은 특허권 존속 중에는 언제라도 할 수 있다. ▶ ③

2 특허심판과 특허침해소송에 대한 다음 설명 중 맞는 것은? • 20회 기출

① 특허뿐만 아니라 실용신안의 권리범위를 확인하고자 하는 경우에도 특허심판원에 심판을 청구할 수 있다.
② 특허침해소송은 특허심판원뿐만 아니라 일반법원에도 소를 제기할 수 있다.
③ 특허심판원의 심결에 불복하고자 하는 자는 지방법원에 심결취소소송을 제기하여야 한다.
④ 산업재산권 관련 침해금지 소송은 특허심판원에 소를 제기하여야 하는 반면, 침해에 따른 손해배상 소송은 일반법원에 소를 제기하여야 한다.
⑤ 특허심판은 기술적 전문성이 요구되는 것을 고려하여 심판관 1인과 기술심리관 3인 또는 5인 합의체가 심판을 진행한다.

| ① 특허와 실용신안의 발생, 변경, 소멸 및 그 효력범위에 관한 분쟁은 특허심판 대상이다. ▶ ①

3 다음 중 권리범위확인심판에 관한 설명으로 가장 올바르지 않은 것은? • 22회 기출

① 권리범위확인심판은 특허권자, 전용실시권자 또는 이해관계인이 특허발명의 보호범위를 확인하기 위한 심판이다.
② '제3자가 실시하고 있는 발명(확인대상발명)이 자신의 특허권의 권리범위에 속한다'라는 심결을 구하는 심판은 적극적 권리범위확인심판이다.
③ '자신이 실시하고 있는 발명(확인대상발명)이 특허권자의 특허권의 권리범위에 속하지 아니한다'라는 심결을 구하는 심판은 소극적 권리범위확인심판이다.
④ 적극적 권리범위확인심판의 경우 특허권자 또는 그의 전용실시권자가 청구인이고, 소극적 권리범위확인심판의 경우 이해관계인이 청구인이다.
⑤ 특허권이 존속하고 있는 기간뿐만 아니라, 특허권이 소멸되거나 무효가 확정된 경우에도 청구할 수 있다.

| ⑤ 권리범위확인심판은 특허권이 존속하고 있는 기간 내에서만 심판을 청구할 수 있으며, 특허권이 소멸되거나 무효가 확정된 경우에는 청구할 수 없다. ▶ ⑤

제2절 산업재산권 침해에 대한 권리행사 및 대응

01 특허분쟁과 화해

특허분쟁은 막대한 비용과 시간, 그리고, 인적자원을 투자해야 하는 작업이다. 특허에 대한 무효심판과 권리범위확인심판, 그리고 침해금지가처분사건까지 제기되면, 하나의 제품과 관련하여 수십 건(각각의 사건에 대해서 1심부터 3심을 진행하는 경우)에 달하는 재판을 진행하게 된다. 따라서 영미권을 비롯한 특허선진국에서는 특허분쟁을 화해(settlement)로 종료하는 모습이 일반적이다. 국내의 경우, 분쟁이 개시된 이상 대법원까지 진행하여 최종 판결을 받고자 하는 경향이 있으나, 적절한 선에서 화해함으로서 분쟁을 종식시키는 것이 바람직한 경우가 있다.

특허심판 및 소송은 특허분쟁해결의 유일한 수단이 아니며, 이와 더불어 그 해결수단으로 화해, 조정 및 중재가 있다. 특허심판 또는 소송은 상대방의 의사나 태도에 관계없이 국가권력에 의한 강제적 해결방식임에 대하여 화해, 조정 및 중재는 어느 것이나 당사자 쌍방의 일치된 자유적 의사에 기한 자주적 해결방식인 점에서 심판이나 소송과는 성질을 달리한다.

02 화해

화해는 분쟁의 자주적 해결방식으로서, 재판상의 화해 및 재판 외의 화해가 있다. 한편, 특허심판의 경우, 재판 외 화해에서 비롯된 결과로서 심판청구를 취하할 수 있으나, 재판상의 화해에 관한 규정은 없으므로 심판부 앞에서 화해조서를 작성할 수는 없다. 특허무효심결은 당사자뿐만이 아닌 대세효가 있으므로 이를 당사자 사이에 무효로 하거나 유효로 하는 것은 바람직하지 않기 때문이다. 다만, 특허권침해금지청구소송 또는 손해배상청구소송은 설령 그 절차에서 특허유무효에 대한 심리를 한다고 하여도, 이는 어디까지나 당사자 사이의 사법관계를 규율할 따름이므로 화해의 대상이 된다. 따라서 지방법원에서 행해지는 특허권침해와 관련된 분쟁에 대해서 재판상 또는 재판 외의 화해를 한 후, 그 약정에 따라서 특허심판원에서의 심판청구를 취하하는 형태로 화해계약이 이루어지게 된다.

특허분쟁에 있어서의 화해조건은, 예를 들면, 무효심판청구를 취하하고 권리자는 권리행사를 하지 않는다거나, 무효심판청구를 취하하고 권리자가 권리행사하지 않으며 로열티를 지급한다는 식이 대다수이다. 화해조건 중 추후 재차 심판청구를 하지 않는다거나(부제소 협약), 심판 소송 중 사용한 공격방어방법을 타인에게 제공하지 않는다와 같은 추후 분쟁가능성을 없애거나 최대한 억제하기 위한 조항을 삽입하는 경우가 있고, 비밀준수의무를 부과할 수 있다.

03 조정

조정이라 함은 법관 또는 조정위원회가 분쟁관계인 사이에 개입하여 화해로 이끄는 절차를 말한다. 조정이 성립되어 조정조서가 작성되면 재판상의 화해와 동일한 효력을 가지며 그 효력은 준재심의 절차에 의하여서만 다툴 수 있을 뿐이다. 당사자가 화해권고를 받아들여 조정조서가 작성된 경우, 이는 재판상 화해가 성립되어 확정된 판결과 동일한 효력을 가지게 된다.

04 중재

중재라 함은 당사자의 합의에 의해 선출된 중재인의 중재판정에 의하여 당사자 간의 분쟁을 해결하는 절차를 말한다. 중재의 본질은 그것이 사적 재판이라는 점에 있으며, 그 점에서 당사자의 호양에 의한 자주적 해결인 재판상의 화해 및 조정과는 다르다. 중재제도는 단심제이므로 법원의 재판에 비하여 분쟁이 신속히 해결되고 비용이 저렴하다는 이점이 있다. 뿐더러 관계분야의 전문가를 중재인으로 선정함으로써 실정에 맞는 분쟁해결을 할 수 있고, 비공개 심리이기 때문에 업무상 비밀의 유지에 좋다. 특허분쟁에 관한 중재는, 주로 대한상사중재원의 지식재산권분쟁조정중재에 의해서 행해진다. 이와 같은 중재는 분쟁을 중재로 해결하기로 하는 중재합의가 있어야 중재신청이 가능하다.

제3절 특허법상 심판

01 종류

특허심판은 결정계 심판과 당사자계 심판으로 구분된다. 결정계 심판은 당사자가 대립구조를 취하지 않고 심사관의 처분에 불복하는 청구인만 존재하는 심판이고, 당사자계 심판은 이미 설정된 권리 또는 사실 관계에 관한 분쟁이 발생하여 당사자가 대립된 구조를 취하는 심판이다. 그리고 심판절차 이외의 절차로서 특허취소신청제도가 있는데, 특허취소신청제도는 결정계 심판 및 당사자계 심판과는 달리 누구나 등록공고 후 6개월까지 특허취소이유를 제공하면 심판합의체에서 취소 여부를 결정하는 제도이다.

02 결정계 심판

1. 거절결정불복심(제132조의17)

특허거절결정 또는 특허권의 존속기간의 연장등록거절결정을 받은 자가 결정에 불복할 때에는 그 결정등본을 송달받은 날부터 3개월 이내에 심판을 청구할 수 있다. 이는 출원인에게 권리구제의 기회를 부여하면서, 특허청에 자기시정의 기회를 부여하여 심사의 공정성을 확보하기 위함이다. 청구인이 승소할 경우 종전 거절결정이 취소되고 심사가 다시 진행될 수 있다.

2. 정정심판(제136조)

특허발명의 동일성을 유지하는 범위에서 명세서 또는 도면의 정정을 구하는 심판이다. 특허발명의 무효사유를 해소할 수 있는 실익이 있고, 소급효로 인한 제3자의 불측의 피해를 방지하기 위해 범위에 제한이 있다. 청구인이 승소할 경우 명세서 또는 도면의 내용이 정정된다.

03 당사자계 심판

1. 특허의 무효심판(제133조)

이해관계인 또는 심사관은 특허가 제133조 제1항 각 호의 무효사유에 해당하는 경우에는 무효심판을 청구할 수 있다. 심사의 완전성을 사후적으로 보장하고, 침해경고를 받은 자의 경우 분쟁의 발본적, 근본적 해결 수단으로 기능한다. 청구인이 승소할 경우 특허권이 소급 소멸된다(후발적무효사유 제외).

2. 특허권의 존속기간 연장등록 무효심판(제134조)

이해관계인 또는 심사관은 특허권의 존속기간의 연장등록에 무효사유가 있는 경우에는 무효심판을 청구할 수 있다. 존속기간연장등록을 무효로 하는 심결이 확정된 경우에는 그 연장등록에 따른 존속기간의 연장은 처음부터(연장 가능 기간 초과의 경우는 초과하여 연장된 기간만 소멸) 없었던 것으로 본다.

3. 정정의 무효심판(제137조)

이해관계인 또는 심사관은 제132조의3 제1항, 제133조의2 제1항, 제136조 제1항 또는 이 조 제3항에 따른 특허발명의 명세서 또는 도면에 대한 정정이 제137조 제1항 각 호의 어느 하나의 규정을 위반한 경우에는 정정의 무효심판을 청구할 수 있다. 정정을 무효로 한다는 심결이 확정되었을 때에는 그 정정은 처음부터 없었던 것으로 본다. 이는 특허권의 보호범위가 부당하게 확장, 변경되어 제3자가 불측의 손해를 입는 것을 방지하기 위함이다.

4. 권리범위확인심판(제135조)

특허권의 권리범위에 대해 공적인 확인을 구하는 심판으로, 분쟁을 조기에 해결함으로써 신속한 권리구제를 도모하고 분쟁이 소송으로 이어지는 것을 방지하는 기능을 한다. 적극적 권리범위확인심판에서 청구인이 승소할 경우 제3자 발명은 특허발명의 권리범위에 속하는 것으로 판단받을 수 있고, 소극적 권리범위확인심판에서 청구인이 승소할 경우 제3자 발명은 특허발명의 권리범위에 속하지 아니하여 자유롭게 실시할 수 있는 것으로 판단받을 수 있다.

5. 통상실시권 허락의 심판(제138조)

특허권자, 전용실시권자 또는 통상실시권자는 해당 특허발명이 제98조에 해당하여 실시의 허락을 받으려는 경우에 그 타인이 정당한 이유 없이 허락하지 아니하거나 그 타인의 허락을 받을 수 없을 때에는 자기의 특허발명의 실시에 필요한 범위에서 통상실시권 허락의 심판을 청구할 수 있다. 이는 선원권리자의 이익을 부당하게 저해하지 않으면서, 후원 권리자의 실시를 확보하여 산업발전에 이바지하기 위함이다. 청구인이 승소할 경우 강제실시권을 취득할 수 있다.

04 특허취소신청제도

누구든지 특허가 특허법 제29조(제29조 제1항 제1호에 해당하는 경우와 이에 해당하는 발명에 의해 쉽게 발명할 수 있는 경우는 제외한다), 제36조의 취소사유에 해당하는 경우 특허취소신청을 할 수 있다. 특허취소신청은 정보제공제도의 연장선으로 하자가 있는 특허를 조기에 시정하는 제도이다. 취소신청인이 승소할 경우 특허권이 소급 소멸된다.

기출로 다지기

다음 중 특허권자 아닌 자로서, 이해관계인만이 청구할 수 있는 심판에 해당하는 것은? • 18회 기출

㉠ 소극적 권리범위확인심판	㉡ 거절결정불복심판
㉢ 등록무효심판	㉣ 통상실시권허여심판
㉤ 적극적 권리범위확인심판	
㉥ 정정심판	

① ㉠, ㉡　　② ㉠, ㉢
③ ㉡, ㉣　　④ ㉥
⑤ ㉤

| 소극적 권리범위확인심판과 등록무효심판은 이해관계인이 청구하는 심판이며, 거절결정불복심판은 출원인이 청구하는 심판이고, 나머지 심판은 특허권자가 청구할 수 있는 심판이다. ▶ ②

제4절 디자인보호법상 심판

01 종류

디자인보호법상 심판에는 ① 보정각하결정에 대한 불복심판(제119조), ② 거절결정에 대한 불복심판(제120조), ③ 취소결정에 대한 불복심판(제120조), ④ 디자인등록무효심판(제121조), ⑤ 권리범위확인심판(제122조) 및 ⑥ 통상실시권 허락의 심판(제123조)이 있다.

02 타법과의 비교

특허법과 달리 디자인보호법에는 ① 존속기간연장등록 거절결정에 대한 불복심판(특허법 제132조의17) 및 존속기간연장등록 무효심판(특허법 제134조)이 없고, ② 등록 후에 권리내용을 정정할 수 있는 정정심판(특허법 제136조) 및 이와 관련된 정정무효심판(특허법 제137조)이 없다.

이에 반해 특허법에는 없는 ① 보정각하결정 불복심판(제119조)이 존재하여 심사관의 보정각하결정에 대하여 별도로 불복할 수 있고, ② 일부심사등록이의신청의 취소결정에 대한 불복심판(제120조)이 존재한다.

03 보정각하결정불복심판

보정이 요지변경임을 이유로 심사관으로부터 보정각하결정을 받은 자가 그 결정에 불복할 경우, 그 결정등본을 송달받은 날부터 3개월 이내에 심판을 청구할 수 있다(제119조). 청구인이 승소할 경우 보정각하결정이 취소되고 보정이 적법하게 인정된 채로 심사가 다시 진행될 수 있다.

04 취소결정불복심판

디자인등록취소결정을 받은 자가 불복할 때에는 그 결정등본을 송달받은 날부터 3개월 이내에 심판을 청구할 수 있다(제120조). 이는 이의신청에서 심사관합의체의 부당한 취소결정에 불복하는 절차이다. 청구인이 승소할 경우 취소결정이 취소되고 심사가 다시 진행될 수 있다.

05 그 외

1. 거절결정불복심판

디자인등록거절결정을 받은 자가 불복할 때에는 그 결정등본을 송달받은 날부터 3개월 이내에 심판을 청구할 수 있다(제120조). 청구인이 승소할 경우 종전 거절결정이 취소되고 심사가 다시 진행될 수 있다.

2. 디자인의 무효심판

디자인등록에 무효사유가 있는 경우 하자 있는 등록을 소급 소멸(후발적 무효사유 제외)시키기 위해 청구하는 심판이다(제121조). 이는 심사의 공정성을 사후적으로 보장하여 디자인 분쟁을 미연에 방지하기 위함이다. 청구인이 승소할 경우 디자인권이 소멸된다.

3. 권리범위확인심판

확인대상디자인이 등록디자인의 보호범위에 속하는지 확인을 구하는 심판이다(제122조). 이는 제3자의 실시디자인이 등록디자인의 권리범위에 속한다는 공적 판단자료를 확보함으로써, 분쟁을 조기 해결하거나 이후 민·형사적 조치에서 유력한 증거자료로 활용하기 위함이다. 적극적 권리범위확인심판에서 청구인이 승소할 경우 제3자 디자인은 디자인권의 권리범위에 속하는 것으로 판단받을 수 있고, 소극적 권리범위확인심판에서 청구인이 승소할 경우 제3자 디자인은 디자인권의 권리범위에 속하지 아니하여 자유롭게 실시할 수 있는 것으로 판단받을 수 있다.

4. 통상실시권 허락의 심판

디자인권자 전용실시권자 또는 통상실시권자는 등록디자인 또는 이와 유사한 디자인이 제95조 제1항 또는 제2항(이용·저촉관계)에 해당하여 실시의 허락을 받으려는 경우, 선 권리자가 정당한 이유 없이 허락하지 않거나 허락을 받을 수 없을 때에는 자기의 등록디자인 또는 유사한 디자인의 실시에 필요한 범위에서 통상실시권 허락의 심판을 청구할 수 있다(제123조 제1항). 청구인이 승소할 경우 강제실시권을 취득할 수 있다.

제5절 상표법상 심판

01 종류

상표법상 심판에는 ① 보정각하결정에 대한 불복심판(제115조), ② 거절결정에 대한 불복심판(제116조), ③ 상표등록무효심판(제117조), ④ 존속기간갱신등록무효심판(제118조), ⑤ 상품분류전환등록무효심판(제214조), ⑥ 상표등록취소심판(제119조), 전용사용권 또는 통상사용권 등록취소심판(제120조) 및 ⑦ 권리범위확인심판(제121조)이 있다.

02 타법과의 비교

특허법과 달리 상표법에는 ① 존속기간연장등록 거절결정에 대한 불복심판(특허법 제132조의17) 및 존속기간연장등록 무효심판(특허법 제134조)이 없고, ② 등록 후에 권리내용을 정정할 수 있는 정정심판(특허법 제136조) 및 이와 관련된 정정무효심판(특허법 제137조)이 없으며, ③ 강제실시권을 부여받을 수 있는 통상실시권 허락의 심판(특허법 제138조)이 없다.
이에 반해 특허법에는 없는 ① 보정각하결정불복심판(제115조)이 존재하여 심사관의 보정각하결정에 대하여 별도로 불복할 수 있고, ② 존속기간갱신등록무효심판(제118조)과 상품분류전환등록무효심판(제214조)이 있으며, ③ 등록무효심판과 별개로 등록취소심판(제119조 및 제120조)이 있고, ④ 지정상품추가등록 거절결정 또는 상품분류전환등록 거절결정에 대한 불복심판(제116조)이 존재한다.

03 보정각하결정불복심판

보정이 요지변경임을 이유로 심사관으로부터 보정각하결정을 받은 자가 그 결정에 불복할 경우, 그 결정등본을 송달받은 날부터 3개월 이내에 심판을 청구할 수 있다(제115조). 청구인이 승소할 경우 보정각하결정이 취소되고 보정이 적법하게 인정된 채로 심사가 다시 진행될 수 있다.

04 존속기간갱신등록 또는 상품분류전환등록 무효심판

상표권은 특허권과 달리 존속기간을 10년씩 갱신할 수 있다. 다만 갱신등록에 무효사유가 있는 경우 존속기간갱신등록무효심판을 청구할 수 있으며, 청구인이 승소할 경우 갱신등록은 처음부터 없었던 것으로 본다.

상표법에는 종전 법에 따른 상품류 구분에 따라 상품을 지정하여 상표권을 받은 상표권자는 해당 지정상품을 최신 상품류 구분에 따라 전환하여 등록받아야 한다는 규정이 있다. 이를 상품분류전환등록의 신청이라 한다. 상품분류전환등록의 신청에 따라 상품분류전환등록이 이루어졌어도, 해당 상품분류전환등록에 무효사유가 있는 경우 무효심판을 청구할 수 있으며, 청구인이 승소할 경우 상품분류전환등록은 처음부터 없었던 것으로 본다.

05 상표취소심판

상표권은 무효심판 또는 취소심판에 의해 소멸될 수 있다. 각 심판은 사유가 다르다. 취소심판의 대표적 취소사유는 다음과 같다.

① 상표권자가 고의로 지정상품에 등록상표와 유사한 상표를 사용하거나 지정상품과 유사한 상품에 등록상표 또는 이와 유사한 상표를 사용함으로써 수요자에게 상품의 품질을 오인하게 하거나 타인의 업무와 관련된 상품과 혼동을 불러일으키게 한 경우(제1호)

② 전용사용권자 또는 통상사용권자가 지정상품 또는 이와 유사한 상품에 등록상표 또는 이와 유사한 상표를 사용함으로써 수요자에게 상품의 품질을 오인하게 하거나 타인의 업무와 관련된 상품과의 혼동을 불러일으키게 한 경우. 다만, 상표권자가 상당한 주의를 한 경우는 제외한다(제2호).

③ 상표권자·전용사용권자 또는 통상사용권자 중 어느 누구도 정당한 이유 없이 등록상표를 그 지정상품에 대하여 취소심판청구일 전 계속하여 3년 이상 국내에서 사용하고 있지 아니한 경우(제3호)

청구인이 승소할 경우 상표권이 소멸된다.

06 지정상품추가등록 거절결정 또는 상품분류전환등록 거절결정에 대한 불복심판

지정상품추가등록 또는 상품분류전환등록에 대해 거절결정을 받은 자가 불복할 때에는 그 결정등본을 송달받은 날부터 3개월 이내에 심판을 청구할 수 있다(제116조). 청구인이 승소할 경우 종전 거절결정이 취소되고 심사가 다시 진행될 수 있다.

07 그 외

1. 거절결정불복심판

상표등록거절결정을 받은 자가 불복할 때에는 그 결정등본을 송달받은 날부터 3개월 이내에 심판을 청구할 수 있다(제116조). 청구인이 승소할 경우 종전 거절결정이 취소되고 심사가 다시 진행될 수 있다.

2. 상표의 무효심판

상표등록에 무효사유가 있는 경우 하자 있는 등록을 소급 소멸(후발적 무효사유 제외)시키기 위해 청구하는 심판이다(제117조). 이는 심사의 공정성을 사후적으로 보장하여 상표 분쟁을 미연에 방지하기 위함이다. 청구인이 승소할 경우 상표권이 소멸된다.

3. 권리범위확인심판

확인대상상표가 등록상표의 보호범위에 속하는지 확인을 구하는 심판이다(제121조). 이는 제3자의 사용상표가 등록상표의 권리범위에 속한다는 공적 판단자료를 확보함으로써, 분쟁을 조기 해결하거나 이후 민・형사적 조치에서 유력한 증거자료로 활용하기 위함이다. 적극적 권리범위확인심판에서 청구인이 승소할 경우 제3자 상표는 상표권의 권리범위에 속하는 것으로 판단받을 수 있고, 소극적 권리범위확인심판에서 청구인이 승소할 경우 제3자 상표는 상표권의 권리범위에 속하지 아니하여 자유롭게 사용할 수 있는 것으로 판단받을 수 있다.

제6절 저작권의 침해에 대한 권리행사 및 대응

01 민사적 구제

1. 의의

저작권법은 저작권 침해에 대한 민사적 구제 수단으로 침해금지청구와 손해배상청구를 규정하고, 부수적으로 정보의 제공 및 비밀유지 명령 제도를 규정하고 있다.

2. 침해정지청구 등

① 저작권자 등은 권리침해가 현존하는 경우 그 권리를 침해하는 자에 대하여 침해의 정지를 청구할 수 있으며, 그 권리를 침해할 우려가 있는 자에 대하여 침해의 예방 또는 손해배상의 담보를 청구할 수 있다(저작권법 제123조 제1항). ② 이 경우 침해행위에 의하여 만들어진 물건의 폐기나 그 밖에 필요한 조치를 함께 청구할 수 있고(저작권법 제123조 제2항), ③ 보전의 필요성을 소명하여 가처분신청을 할 수 있다.

3. 손해배상청구

(1) 의의

침해자의 ① 고의·과실로 ② 저작권이 침해되어 ③ 저작권자에게 손해가 발생하고 ④ 침해와 손해 사이에 인과관계가 인정되는 경우 이는 불법행위에 해당하여 저작권자에게 손해배상청구권이 발생한다(민법 제750조). 다만, 저작재산권은 무체물로 침해사실을 인지하기 어렵고, 저작물의 권리범위가 명확하지 않아 침해 여부의 판단이나 손해액의 산정이 곤란하다는 특질이 있어 그 손해액의 입증과 관련하여 특별한 규정을 두고 있다(저작권법 제125조, 제125조의2 및 제126조).

(2) 과실의 추정

등록되어 있는 저작권 등 권리를 침해한 자는 그 침해행위에 과실이 있는 것으로 추정한다(저작권법 제125조 제4항).

(3) 손해액 추정

그 권리를 침해한 자가 그 침해행위에 의하여 이익을 받은 때에는 그 이익의 액을 저작재산권자 등이 받은 손해의 액으로 추정한다(저작권법 제125조 제1항).

(4) 손해액 의제

그 권리의 행사로 일반적으로 받을 수 있는 금액에 상응하는 액을 저작재산권자 등이 받은 손해의 액으로 하여 그 손해배상을 청구할 수 있으며(저작권법 제125조 제2항), 저작재산권자 등이 받은 손해의 액이 그 권리의 행사로 일반적으로 받을 수 있는 금액을 초과하는 경우에는 그 초과액에 대하여도 손해배상을 청구할 수 있다(저작권법 제125조 제3항).

(5) 손해액의 인정

법원은 손해가 발생한 사실은 인정되나 손해액을 산정하기 어려운 때에는 변론의 취지 및 증거조사의 결과를 참작하여 상당한 손해액을 인정할 수 있다(저작권법 제126조).

4. 법정손해배상청구

저작권이 침해되어 민사소송이 제기될 경우, 저작권자가 실제 손해를 입증하지 않은 경우에도 법령에서 인정한 금액을 법원이 손해액으로 인정할 수 있도록 한 제도이다. 저작권자 등은 권리를 침해한 자에 대하여 실제 손해액 등에 갈음하여 침해된 각 저작물 등마다 1천만 원(영리를 목적으로 고의로 권리를 침해한 경우에는 5천만 원) 이하의 범위에서 상당한 금액의 배상을 청구할 수 있다(저작권법 제125조의2).

5. 명예회복 등

(1) 저작인격권의 침해에 대한 명예회복 등의 청구

저작자 또는 실연자는 고의 또는 과실로 저작인격권 또는 실연자의 인격권을 침해한 자에 대하여 손해배상에 갈음하거나 손해배상과 함께 명예회복을 위하여 필요한 조치를 강구할 수 있다(저작권법 제127조).

(2) 저작자의 사망 후 인격적 이익의 보호

저작자가 사망한 후에 그 유족이나 유언집행자는 해당 저작물에 대하여 침해하거나 침해할 우려가 있는 자에 대하여 침해금지청구를 할 수 있으며, 고의 또는 과실로 저작인격권을 침해한 자에 대하여 명예회복 등의 청구를 할 수 있다(저작권법 제128조, 제127조, 제123조, 제14조 제2항).

6. 정보제공명령

법원은 당사자의 신청에 따라 침해행위와 관련하여 다른 당사자가 보유하고 있는 정보의 제공을 명할 수 있다(저작권법 제129조의2).

7. 비밀유지명령

법원은 저작권 등의 침해에 관한 소송에서 그 당사자가 보유한 영업비밀에 대하여 당사자의 신청에 따라 결정으로 다른 당사자 등에게 해당 영업비밀을 해당 소송의 계속적인 수행 외의 목적으로 사용하거나 해당 영업비밀에 관계된 비밀유지명령을 받은 자 외의 자에게 공개하지 아니할 것을 명할 수 있다(저작권법 제129조 제1항).

02 형사적 구제

1. 의의

저작권법은 권리의 침해죄, 부정발행 등의 죄, 출처명시위반죄 등 의무 위반에 대하여 벌칙으로 형사적 제재를 가하고 있다(저작권법 제136조 내지 제138조). 저작권법은 고의범만을 처벌대상으로 하고 있다.

2. 친고죄

저작권법은 원칙적으로 권리자의 고소를 통해서만 침해자를 상대로 형사적 제재 조치를 취할 수 있다(저작권법 제140조). 다만 공익을 위하여 영리를 목적으로 또는 상습적으로 하는 경우 등 다양한 예외 규정을 통하여 고소가 없이도 공소를 제기할 수 있다.

MEMO

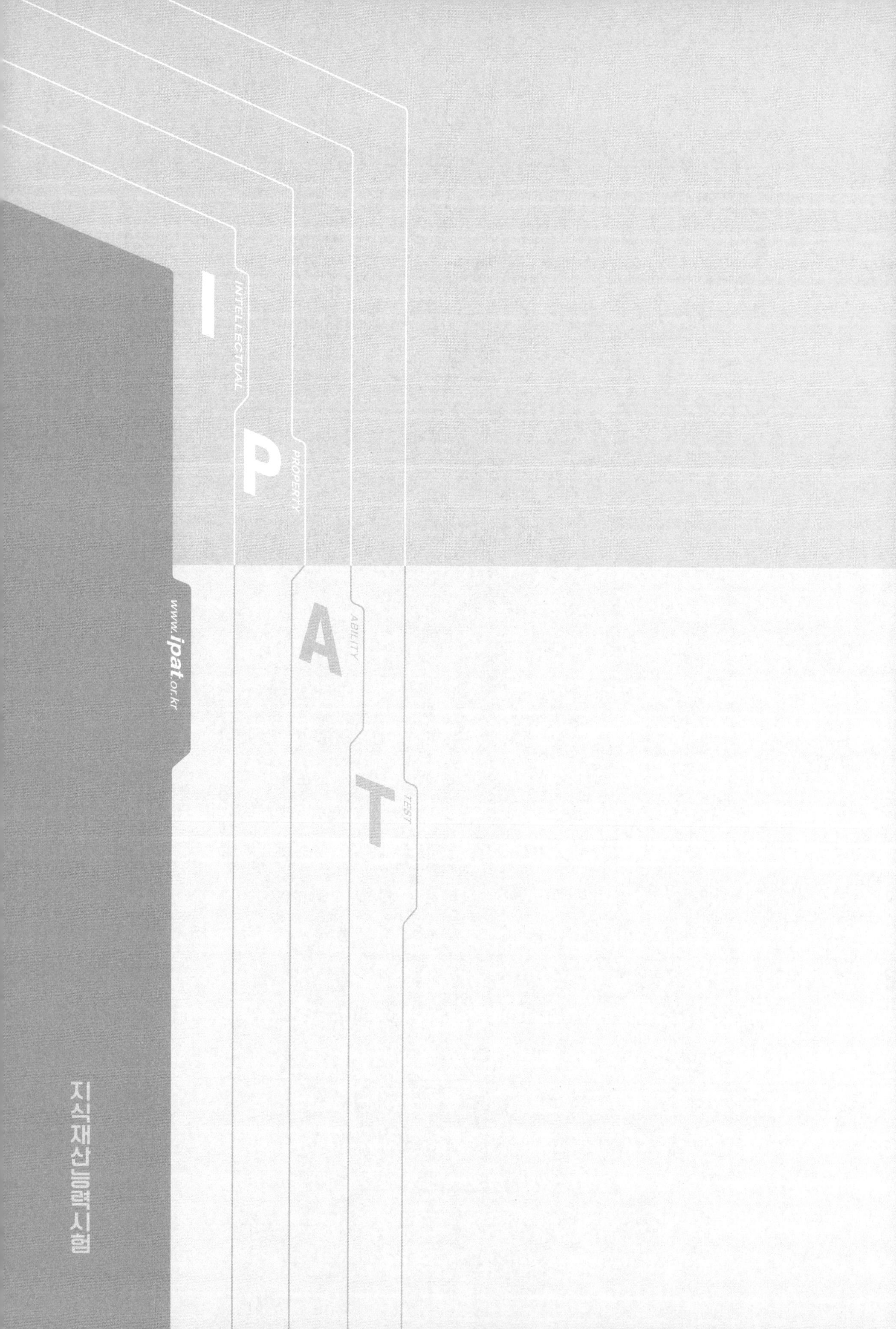
I
INTELLECTUAL
P
PROPERTY
A
ABILITY
T
TEST
www.ipat.or.kr
지식재산능력시험

제 2 편

지식재산 창출

제1장 지식재산 경영

제1절 지식재산 경영의 개요

01 지식재산 경영의 정의

1. 경영(Management)의 일반적 개념

21세기에 들어 지식재산은 기업의 존망을 결정지을 핵심적 경영자산으로 떠오르고 있다. 그렇다면, 경영(Management)이란 무엇인가? 이에 대해 브리태니커 백과사전에서는 "재정 분야를 뺀 가계·기업 등의 국민경제를 구성하는 개별 경제단위, 또는 그 개별 경제단위를 운영하는 일"이라고 정의하였다. 또한 경영학에서는 일반적으로 경영이란 "조직의 목표를 설정, 고도의 업무 수행을 위한 조직의 재·자원의 효율적이고 효과적인 사용에 관한 의사결정을 행하는 행동"[27]을 의미한다. 따라서 경영이란 조직의 목표 설정으로 시작하여 실행에 이르는 과정이라고 볼 수 있다.

2. 지식재산 경영의 의미

이러한 경영의 관점에서 볼 때, 지식재산 경영이란, 지식재산을 이용하여 조직이 설정한 목표에 따라 자원을 효율적·효과적으로 사용하여 설정된 목표를 달성하고자 하는 것이라고 볼 수 있다. 그러므로 지식재산 경영은 조직의 목표와 일치되는 방향을 가져야 하며, 조직의 목표 달성과 그 궤도를 같이 하는 것이다. 지식재산 경영은 지식재산이 특허, 상표, 디자인, 저작권, 영업비밀 등을 포함하는 개념이므로, 각각 특허 경영, 상표 경영, 디자인 경영, 저작권 경영, 영업비밀 경영이라고 하기도 하나, 여기에서는 특허 경영을 좁은 의미의 지식재산 경영으로 정의하고, 모든 지식재산의 형태를 포괄하는 경영을 지식재산 경영의 넓은 의미로 이해하도록 한다. 결론적으로, 넓은 의미의 지식재산 경영은 조직의 목표와 일치된 지식재산의 창출, 보호, 활용에 대한 전략에 따라 조직의 경영을 추진하는 것을 의미하며, 좁은 의미의 특허 경영으로서의 지식재산 경영은 넓은 의미의 지식재산 경영 중 특허에 중점을 둔 것으로 볼 수 있다.

---

27) 윤종훈·송인암·박계홍·정지복, 경영학원론, 학현사, 2013, p. 7

02 지식재산 경영의 변화 양상

지식재산을 둘러 싼 전 세계적인 변화는 아주 격동적이다. 과거 어느 때보다 지식재산을 비롯한 무형자산의 가치가 기업의 자산에서 차지하는 비중은 유래 없이 높아져 왔고, 그 속도는 가속되어 왔다. 게다가 혁신적인 기업의 등장과 함께 과거 제조업 중심, 유형자산 중심의 경영 환경은 지식재산의 시대로 빠르게 그 패러다임이 변화하고 있다. 이에 따라 지식재산을 단순히 창의적 성과물에 대한 재산으로 이해하는 것에 한계가 있으며, 하나의 중요한 경영자산이자 미래의 가치를 창출하는 옵션(Option)으로 보아야 하는 시대가 된 것이다. 이러한 변화를 일으킨 지식재산 분야의 중요한 요인들을 하나씩 살펴보도록 하자.

1. 비실시기업(NPE)의 대두

흔히 비실시기업(NPE : Non-Practicing Entity)으로 불리는 기업 또는 단체들은 특허발명을 실시하여 제품을 제조하거나 판매하지 않으면서, 특허 등의 지식재산권을 이용하여 라이선스나 소송을 통하여 수익을 얻는 기업 또는 단체를 총칭한다. 때에 따라서는 대학이나 연구기관 등의 비영리 단체를 이에 포함시키기도 하고, 별도로 구별하기도 한다. 그러나 여기서 NPE라 함은 영리, 비영리를 불문하고 지식재산권을 실시하여 제조 또는 판매를 하지 않으면서 소송이나 라이선스를 통해 수익을 얻는 주체를 총칭한다.

이러한 NPE의 대두는 여러 가지의 형태로 분류할 수 있는데, 이를 크게 두 가지로 분류하면, 특허발명을 스스로 하여 권리를 획득하고 이를 이용하여 수익을 얻는 대학이나 비영리 연구기관, 개인 발명가 등이 그 하나이고, 다른 하나는 특허발명을 스스로 하지 않고 특허권을 통해 수익을 얻고자 할 목적으로 매입이나 라이선스 등을 통해 특허를 확보하는 형태의 NPE이다. 이러한 형태의 NPE는 이전에도 있었다. 그 예로 제롬 레멜슨(Jerome H. Lemelson)은 600개 이상의 특허를 보유했지만 이를 실시한 적이 없으며, 라이선싱을 통해 10억 달러 이상의 수익을 얻은 것으로 알려져 있다. 최근에 대두되는 NPE들은 소송이나 라이선스를 통해 수익을 얻는 것을 목적으로 하여 특허를 매집하는 형태의 NPE이다. 이러한 NPE들은 기업과 기술의 혁신에 기여하는 바 없이 특허권을 이용하여 소송 등을 통한 수익만을 목적으로 하는 조직이라는 면에서 차이가 있다.

미국에서는 수백조 원의 월가 자금이 300여 개 NPE에 투자된다. 캐나다 연기금도 자국 휴대폰 회사인 블랙베리의 모바일 특허 수익화를 위해 자국계 NPE에 거액을 투자하였다.[28)]2000년대 가장 대표적인 NPE로 알려진 Intellectual Ventures(미국)의 경우, Invention Investment Fund를 운영하며 1,000건 이상의 개별 거래를 통해 30억 달러 이상을 특허 취득에 투자하였으며, 지난 20년 간 수십억 달러의 라이선스 수익을 창출한 것으로 알려졌다.[29)] NPE 중 Acacia Research Corporation, Quarterhill Inc 등은 나스닥(NASDAQ)에 상장하기도 하였다.

28) 프레시안, 2022. 2. 7., https://www.pressian.com/pages/articles/2022020515260164662
29) https://www.intellectualventures.com/ 참조

2. 기술의 융합

우리가 일상적으로 사용하고 있는 스마트폰에는 수만 개의 특허 등 지식재산권이 집합되어 있다. 반도체를 비롯하여, 무선통신, 파일 압축, 재생, 디스플레이, 터치센서, 카메라, 오디오, 배터리, 소셜 네트워킹 기술 등 수많은 종류의 기술이 융합된 결과인 것이다. 이러한 기술의 융합은 하나의 기기에 수많은 특허가 관련되고, 이에 따른 분쟁의 위험도 커지는 결과를 낳게 되었다.

최근 많은 자동차 회사들이 자동차의 전자제어 시스템이나 내비게이션 등의 IT 관련 특허 침해소송에 시달리고 있다. 이는 자동차 산업이 과거에는 기계장치 산업이었으나, 이제는 IT 산업을 융합하고 있는 데에 기인한다. 이처럼 현대 사회의 기술발전에 따라 이전에는 소위 굴뚝 산업이라고 치부되던 산업까지도 이종의 첨단기술을 앞다투어 채용함으로써 기술의 융합 시대에 진입한 것이다. 그 결과 기존 산업 분류에 따른 경쟁사는 의미가 없어지고 있다. 이에 따라 지식재산권의 획득을 위한 미래의 기술을 예측하는 눈은 더욱 확장되어야 할 것이다.

3. 비즈니스의 글로벌화

선진국의 다국적 기업을 중심으로 저임금과 새로운 시장 개척의 일환 및 신기술의 도입 등의 이유에서 아웃소싱(Outsourcing)을 하는 등 비즈니스의 글로벌화가 가속화되고 있다. 이제 세계는 국경 없는 하나의 시장으로 재편되어 가는 것이 거스를 수 없는 대세이다. 따라서 지식재산 전쟁은 어느 한 국가에 국한된 것이 아니라, 세계 도처에서 동시에 발발하는 경우가 많다. 비근한 예로 삼성전자와 애플 간의 특허소송은 16개국에서 진행된 바 있으며, 중국의 지식재산권 침해소송 건수는 이미 미국을 추월하여 세계 최다 지식재산권 소송지가 되고 있는 것이 현실이다.

4. 지식재산제도의 세계적 조화

특허독립의 원칙은 한 국가의 특허권은 다른 국가에 미치지 않는다는 것으로, 이는 확고한 원칙으로 여겨져 왔다. 그러나 세계 각국의 특허법을 비롯한 지식재산권법과 제도는 점점 더 차이가 없어지고 있다. 이미 파리조약(Paris Convention) 및 특허협력조약(Patent Cooperation Treaty)으로 국제적인 조화(Harmonization)가 추진된 바 있으며, 그 외에도 저작권 분야의 베른협약(Berne Convention), 국제상표 등록과 관련한 마드리드 의정서(Madrid Protocol), 국제식물신품종보호동맹(UPOV), 생물다양성협약(CBD), 국제식물유전자협약(ITPGR) 등의 조약이 체결되어 효과를 거두고 있다. 더 나아가 유럽에서는 유럽의 단일 특허청이 설립된 바 있고, 유럽의 단일 특허법이 제정되었으며, IP5 국가(미국, 유럽, 일본, 중국, 한국)들은 지속적으로 회의를 하면서 지식재산권제도의 조화를 추진하고 있다.

5. 기타 변화

이러한 추세 외에도 벤처캐피털 등의 투자자들은 지식재산을 미래 수익을 위한 옵션(Option)으로 바라보고 다양한 방식의 투자를 진행하기 시작했다. 또한 조세피난처에 자회사를 설립하여 지식재산권을 통해 조세를 회피하거나, 조세피난처에 NPE를 설립하는 경향이 등장하고 있다. 미국을 비롯한 선진국을 중심으로 분쟁의 증가 및 손해액의 대형화 경향, 중국이 세계 최대의 지식재산권 출원국으로 등장하였다는 것 등이 또 다른 변화라고 할 수 있다.

제2절 지식재산 경영체계의 구축

01 지식재산 경영의 기본 요소(특허 경영 중심)

지식재산 경영의 요소 내지 기본 전략으로는 지식재산 관리부서의 설치, 지식재산 감사(Audit), 특허 데이터베이스(DB) 탐색, 출원, 특허조사·분석 및 이의 활용, 전략적 출원, 전략적 포트폴리오 구축, 그리고 지식재산의 상업화 등을 들 수 있다.

1. 지식재산 관리 부서의 설치

연구개발자나 기술자가 만들어 낸 발명 등을 효과적으로 권리화하기 위해서는 사내에 지식재산 관리 부서를 둘 필요가 있다. 지식재산 관리 부서를 별도로 두지 않은 중소기업에서는 이미 설치된 총무부서나 기획부서 등의 조직 내에 지식재산 관리 전담직원을 두어 사내의 지식재산을 관리하게 하는 것도 하나의 방안이 될 것이다.

2. 지식재산 관리 부서의 업무

① 지식재산 관리 부서는 선행기술조사(타사 특허조사)를 하고 그 결과를 특허맵으로 작성하여 향후 신기술의 트렌드(Trend)를 예측하며, 연구개발자 및 기술자가 개발한 발명을 변리사 등 특허전문가와의 협의를 통해 신기술의 보호범위를 넓게 하여 특허출원을 하도록 한다.

② 또한 타사의 기술자와 공동개발을 하는 경우에 노하우 개시를 위한 비밀 유지, 기술개발 분야의 분석, 개발 비용, 공동 개발 신제품의 취급 등의 계약 사항을 주도적으로 진행하며, 자사 기술과 타사 보유 특허권과의 저촉 유무에 대한 검토를 하여 신속히 적절한 대책을 세운다.

③ 마지막으로 특허 등의 지식재산권 교육을 연구개발자 및 기술자에게 수시로 실시한다. 사내 지식재산 관리자는 단지 발명자의 발명을 변리사에게 제공만 하는 것은 아니다. 사내 지식재산 관리자는 다음과 같은 사항을 체크함으로써 사내 지식재산 관리에 중요한 역할을 할 수 있다.

- 당해 발명이 기업의 사업 전략과 일치하는가
- 당해 발명이 권리가 될 가능성이 있는가
- 당해 발명이 노하우로서 확보해야 하는 기술인가
- 발명자에 대한 보상금 기준을 어떻게 정할 것인가
- 발명의 가치를 극대화하기 위해 어떻게 할 것인가

3. 지식재산 감사(監査)

지식재산 경영도 위험관리(Risk Management)가 중요한 영역이다. 지식재산 경영의 대표적인 위험 요인으로는 자사의 지식재산권이 타사에 의해 침해당할 위험과 자사가 확보하지 못한 지식재산권을 타사가 가지고 있으면서 소송을 통해 침해주장을 해 오는 경우가 있다. 따라서 지식재산 경영은 항상 경쟁 업체에 대한 공격과 경쟁 업체의 공격에 대한 방어를 전략적으로 수행하는 것이 중요하다. 이를 위해서는 가장 먼저 자사가 보유하고 있는 지식재산권 및 보유하지 못한 지식재산권을 정확히 파악하는 것이 중요하다. 이와 같이 지식재산의 보유 현황을 파악하는 작업을 흔히 지식재산 감사(Intellectual Property Audit)라고 표현한다. 이러한 감사에는 지식재산의 보유, 사용, 취득에 대한 감사뿐 아니라 이의 관리, 유지, 활용 등을 모두 평가하게 된다.

4. 특허 DB 탐색

정부는 특허권을 통해 새로운 기술을 개발하는 사람에게 그 기술에 대한 분명하고도 완전한 명세서를 요구하는 대신 그들에게 제한된 독점권을 준다. 이는 기술을 숨기기보다 공개하는 것에 대해 정당한 보상을 해 줌으로써 기술의 혁신을 장려하는 것이다. 결국 특허내용의 공개는 대중은 물론 경쟁자들에게도 이익이 된다. 따라서 특허 데이터베이스는 경쟁을 위한 중요한 출처가 되고 있다. 이를 통해 회사들은 경쟁사들이 최근 무엇을 개발하고 있는지에 대한 정보를 조기에 얻을 수 있다. 예를 들어, 제약 산업의 경우 실제로 신제품이 판매되기 수년 전에 이미 해당 특허내용이 업계에 알려지게 된다. 이러한 활동을 통해 기업들은 불필요한 중복 연구를 방지하고, 연구개발을 위해 다른 기업의 개발 동향과 그 내용을 확인하여 연구개발의 효율성을 제고할 수 있다. 이처럼 특허 데이터베이스는 연구개발 비용을 절감해 주고 또 조기에 경쟁자와 협력자를 확인할 수 있다는 측면에서 중요하다.

5. 특허획득

특허의 획득은 전통적인 방식인 내부 인원의 발명과 아이디어를 특허출원하여 심사를 거쳐 등록을 받는 것이 있고, 다른 방법으로 외부로부터 획득하는 방법이 있는데 그중 대표적인 것이 특허권의 매입, 라이선스와 외부 파트너와의 협력에 의한 획득이다.

02 지식재산 조직

1. 지식재산 조직의 필요성

기업의 경영진이 지식재산에 대한 이해를 높이고, 지식재산 전략을 수립하는 것만으로는 지식재산 경영을 효율적으로 할 수 없다. 전략을 실행하고, 다시 그 성과와 미비한 점을 분석하여, 새로운 전략을 수립하기 위한 실행 조직이 필요하다. 따라서 지식재산을 관리하고, 전략을 수립·실행하기 위한 효율적인 조직이 지식재산 경영의 필수 조건이다. 아직까지 우리나라의 경우에는 많은 기업들이 지식재산 전담 조직을 갖추고 있지 못하며, 특히 중소기업의 경우에는 더욱 열악한 것이 현실이다. 물론 지식재산을 둘러싼 소송 등의 이슈(Issue)가 많아짐에 따라 급격히 지식재산 전담 조직을 갖추는 기업의 비율이 높아지고는 있으나, 아직 미국 등의 선진국에 비하면 부족한 면이 많다.

2. 지식재산 조직의 업무

지식재산 조직은 한마디로 조직의 지식재산을 획득·관리하고, 획득된 지식재산을 통해 라이선싱(Licensing) 등으로 수익을 창출하며, 타인의 지식재산을 침해하지 않도록 하는 역할을 한다. 만일, 조직의 지식재산이 침해되었을 때는 소송 등을 통해 이를 저지하게 된다. 또한 지식재산 조직은 지식재산을 통해 사업의 자유도를 확보하며, 조직이 소유하고 있는 지식재산에 대한 평가와 감사, 조직의 경영진과 구성원들에 대한 지식재산 교육 등 지식재산 관련 업무를 실행한다. 이러한 실행을 위한 계획과 전략의 수립이 필요한 것은 물론이다. 아울러 지식재산 조직은 지식재산 경영 전략을 수립함에 있어 조직 전체의 장기간의 목표와 전략에 따라야 하며, 조직의 이용 가능한 자원(인적 자원을 포함)을 효율적으로 배분하고, 역할을 분담하도록 하는 것도 필요하다. 또한 자신의 지식재산을 제3자가 침해하는지를 감시하는 업무도 당연히 포함되며, 지식재산권과 관련된 양도나 라이선싱에 부수되는 감사와 세금 문제도 같이 다루게 된다. 여기에 더하여 각종 계약서의 지식재산 관련 조항이 있는 경우가 많으므로, 이에 대한 계약서 작성 및 검토 또한 지식재산 조직의 업무로 포함될 수 있다. 다음은 지식재산 조직의 업무를 대략적으로 도식화한 것이다.

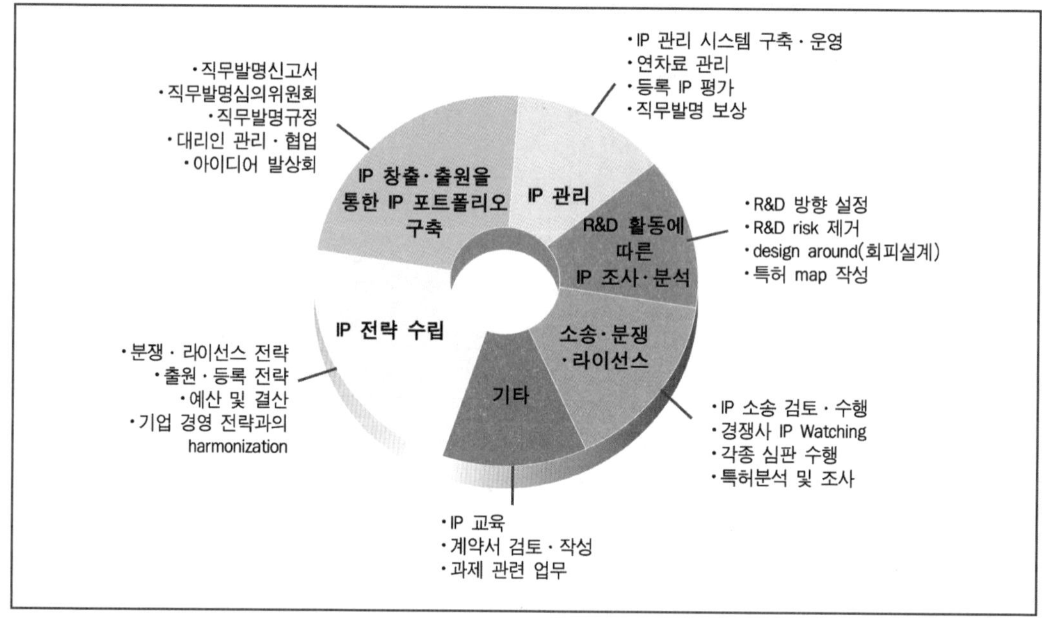

▎지식재산 조직의 업무

3. 지식재산 조직의 형태

지식재산 조직은 크게 중앙집중형(Centralized Structure)과 분산형(Decentralized Structure)으로 구분되며, 이외에도 다른 조직의 형태가 있을 수 있다. 중앙집중형 조직은 지식재산 경영에 필요한 결정을 중앙에 위치한 소수의 사람이 하고, 나머지 인원들은 이를 지원하는 형태의 조직이다. 반면, 분산형 조직은 다수의 의사결정권자가 있고, 서로 경쟁하거나 협력하는 관계로 설정되는 형태로, 새로운 프로젝트가 있으면 이에 대한 의사결정을 각각 할 수 있는 조직이다. 이를 차례로 살펴보도록 한다.

(1) 중앙집중형 조직

중앙집중형 조직은 의사결정자가 소수로서 중앙에 집중되어 있는 형태이다. 이는 경제적이고 효율적인 조직 형태로, 모든 지식재산 경영에 대한 의사결정을 최고 레벨(Level)의 조직이 하게 되고, 이러한 결정의 실행을 위해 조직 구성원들에게 역할과 임무가 주어진다. 이 조직은 지식재산이 상당히 복잡하고 다양한 라이선싱과 소송의 이슈가 많은 경우에 적합하다. 이 모델을 단순하게 표현하면 다음과 같다.

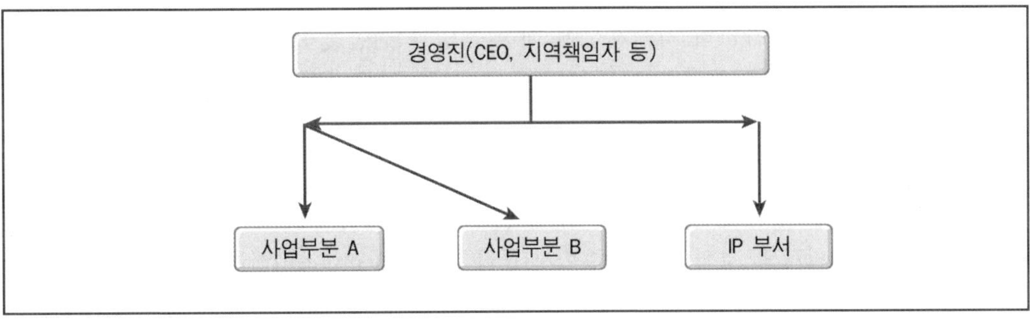

중앙집중형 조직 30)

중앙의 지식재산 그룹은 최고 경영진에게 직접 보고하며, 회사의 지식재산권의 관리, 다양한 사업 부문들과의 협력, 타 기업이나 개인과의 협업이나 라이선싱, 조인트 벤처(Joint Venture) 등의 지시를 최고 경영진으로부터 받는 구조이다.

이러한 중앙집중형 조직은 사업 부문이나 조직의 낭비 및 충돌을 막을 수 있어 일관된 전략과 결정을 할 수 있다는 장점이 있는 반면, 중앙의 지식재산 그룹이 모든 사업 부문이나 지역의 상황과 실정을 다 파악하기 어려워 전략 수립과 결정이 적절하지 않을 수 있다는 단점이 있다.

30) Intellectual Property Strategies for the 21th Century Corporation, Lenning G. Bryer, Scott J. Lebson & Matthew D. Asbell, John Wiley & Sons, 2011, p. 5

(2) 분산형 조직

분산형 조직은 조직의 일정 레벨(Level)에서 각 지역별, 사업 부문별로 의사결정권이 분산되어 있는 형태의 조직이다. 이러한 형태의 조직은 여러 사업부를 관통하는 지식재산의 상업화의 요구가 적거나, 각 사업부가 직면하고 있는 지식재산 이슈(Issue)가 복잡하지 않은 경우에 적합한 형태이다. 분산형 조직 형태는 다음처럼 표현할 수 있다.

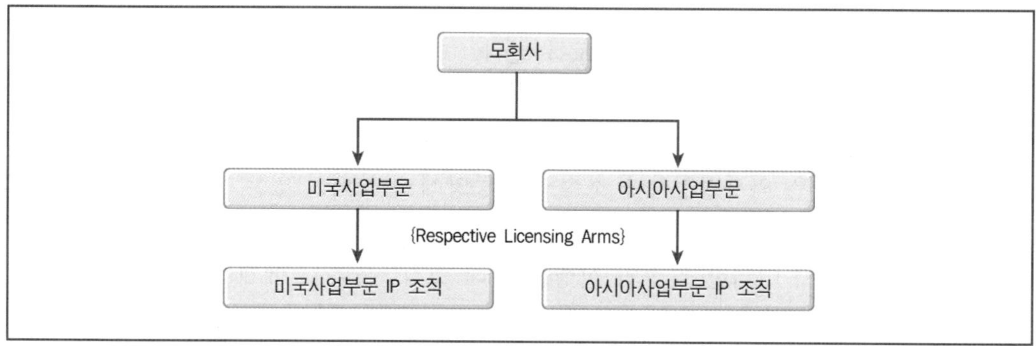

❙ 분산형 조직 31)

각각의 사업 부문은 자기의 지식재산에 대한 책임과 권한을 가지고, 의사결정은 전체 기업조직의 중앙이 아니라 지역별 또는 사업 부문별로 이루어진다.

(3) 지식재산 관리 자회사의 설립

앞선 대표적인 두 가지 형태 외에 또 다른 형태의 지식재산 조직이 있을 수 있다. 먼저 회사의 지식재산을 별도의 지식재산 지주회사(IPHC : Intellectual Property Holding Company)가 관리하는 형태이다. 이러한 형태의 조직은 원래 지식재산권을 보유하는 모회사가 자신의 지식재산권을 자회사인 IPHC로 이전하고, IPHC는 회사의 지식재산 조직과는 별도의 법인으로 설립되는 것이다. 이러한 IPHC는 모회사의 지식재산권을 관리하고, 이로부터 라이선싱을 하여 그 실시료(Royalty) 수입을 모회사와 배분하는 형식을 띠게 된다. 다음은 IPHC 설립을 통한 조직의 예이다.

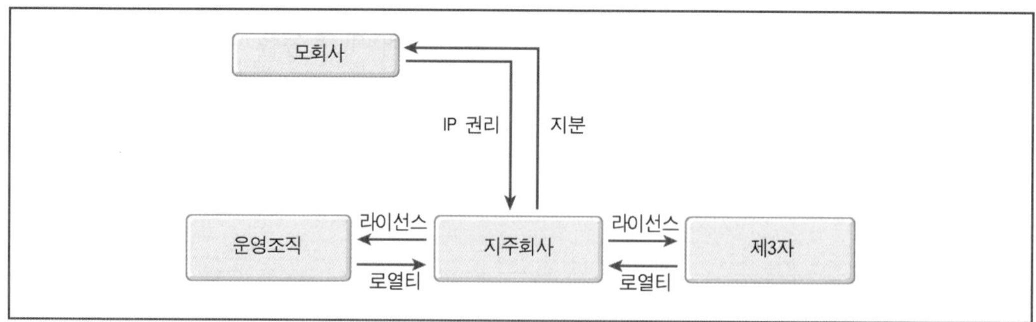

❙ IPHC 설립을 통한 조직의 예 32)

31) Intellectual Property Strategies for the 21th Century Corporation, Lenning G. Bryer, Scott J. Lebson & Matthew D. Asbell, John Wiley & Sons, 2011, p. 6

32) ABA 2002 Summer IPL Conference 발표자료, James E. Malackowski

제3절 지식재산 경영 전략

01 통합적 지식재산 경영 전략 개요

지식재산이란 특허를 중심으로 디자인, 상표, 저작권, 영업비밀 및 신지식재산권까지를 아우르는 개념이다. 따라서 지식재산 경영 전략은 이러한 다양한 방식으로 보호되는 지식재산권을 통합하고, 이를 적절히 획득, 관리, 배치, 활용하는 통합적인 전략이라 할 수 있다. 각각의 지식재산권은 보호하는 법률도 다르고, 그 성격도 다르다. 따라서 새로운 혁신이 일어나는 경우 이를 어떻게 적절히 지식재산권의 특성과 제도에 맞게 적용할 것인지가 아주 중요하다. 예를 들어 하나의 새로운 기술을 개발한 경우 이를 특허로서 보호할 것인지, 영업비밀로 할 것인지, 아니면 그 외관을 디자인이나 저작권으로 보호할 것인지, 관련 브랜드를 상표로서 보호할 필요가 있는지 등을 종합적으로 고려하여야 한다. 따라서 통합적 지식재산 경영 전략은 혁신의 결과를 어떻게 보호할 것인지를 결정하고, 적절한 권리를 획득하여, 이를 포트폴리오화하고, 관리하며, 나아가 적절히 활용하는 일련의 전략을 통합하는 것이라고 대략적으로 정의할 수 있다. 이러한 통합적인 전략에 의하여 해당 권리의 가치가 상승하고, 자산으로서의 지식재산의 활용성이 높아져, 기업경영의 핵심 자산이자 핵심적인 역량으로 자리 잡을 것이다.

02 지식재산 전략의 수립 방법론

어떻게 지식재산 전략을 수립할 것인가? 이러한 전략 수립의 방법은 일반적인 기업의 전략 수립과 대동소이하다. 기업의 전략은 한순간에 수립되는 것이 아니고, 지속적인 과정과 결정을 통해 이루어진다. 이러한 전략 수립의 방법은 정립된 것은 아니나, 여기에서는 유명한 군사전략가였던 존 보이드(John Boyd)가 개발한 OODA 루프(Loop)[33]를 소개한다. "OODA"는 관찰(Observe), 지향(Orient), 결정(Decide), 그리고 행동(Act)의 첫 글자를 딴 약자이다. 전략개발은 지속적인 프로세스이며, 환경에서 어떠한 일들이 일어나는지 관찰하고, 가장 결정적인 사안 및 환경으로 방향을 설정하여, 행동의 절차를 결정함으로써, 결정을 행동으로 옮기는 것을 말한다. 이 결과는 다시 관찰 단계로 돌아가 각 단계를 다시 거치기를 반복하는 것이다. 이러한 OODA의 개념은 지식재산 전략 수립의 지속적인 프로세스에 바로 적용할 수 있다.

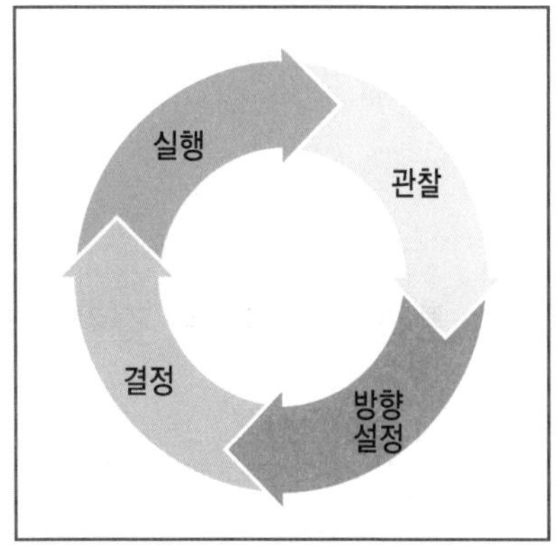

OODA 루프

33) 위키피디아 https://en.wikipedia.org/wiki/OODA_loop 참조

1. 관찰(Observe)

지식재산 전략은 내부 및 외부 환경을 관찰하는 데서 시작한다. 외부 환경에 대한 관찰은 기술적 환경이나 소비자의 니즈(Needs), 경쟁사의 활동, 협력관계, 법적 환경 등에 대한 분석을 말하며, 내부 환경에 대한 관찰은 지식재산 조직의 다양한 활동에 대한 분석이다.

2. 방향 설정(Orient)

중요한 과정임에도 종종 간과하는 단계로, 이는 환경 분석에 대한 정보에 대해 조직을 정렬하는 것이다. 조준 단계는 조직이 파악하고 있어야 하는 관련 정보에 대한 필터링, 분석, 분류 등을 하는 단계이며, 어떠한 정보가 중요한 것인지를 선별하는 것을 말한다.

3. 결정(Decide)

환경 및 조직의 방향 설정에 대한 명확한 이해와 함께, 결정은 조직이 IP와 관련한 행동의 과정에서 이루어진다. 결정은 IP 전략의 핵심이며, 관찰과 방향 설정을 통해 올바른 결정이 이루어질 수 있다. 지식재산 전략은 전체 회사의 전략과 일치되어야 하며, 결정의 결과는 전략계획의 일부가 되고, 지식재산 조직의 가이드라인이 된다.

4. 실행(Act)

실행은 지식재산 전략의 실행을 의미하며, 지식재산 조직이 지식재산으로 보호할 이노베이션의 창출로부터 시장에서의 자산으로서 활용되는 것까지를 아우른다.

03 통합적 권리획득 전략

1. 특허와 영업비밀

특허제도의 목적은 새로운 기술이 개발되면 발명자가 이를 공중에 공개하는 대가로 일정기간 독점적으로 실시할 수 있는 권리를 부여하는 것이다. 이를 통하여 산업발전에 기여하는 것이 특허법상으로도 법의 목적으로 규정하고 있다.[34] 이에 따라 특허법은 출원일 후 1년 6개월이 경과하면 그 내용이 공개되고, 특허권을 확보한 경우 그 존속기간은 출원일로부터 20년이 되는 때로 존속기간이 만료되면 공중의 영역(Public Domain)으로 들어가게

34) **특허법 제1조(목적)** 이 법은 발명을 보호·장려하고 그 이용을 도모함으로써 기술의 발전을 촉진하여 산업발전에 이바지함을 목적으로 한다.

되어 누구나 사용할 수 있는 기술이 된다. 반면 영업비밀은 그 비밀성이 유지되는 한 반영구적으로 이익을 향유할 수 있다는 장점이 있다. 따라서 특허로 출원하여 이를 권리로 확보하는 것이 유리한지, 아니면 영업비밀로 유지하는 것이 유리한지에 대한 판단이 필요하다. 영업비밀로 관리하는 경우에는 해당 기술이 이해관계인이 아닌 누구에게라도 어떠한 방법으로라도 알려지면 영업비밀로서의 효용성은 사라지게 되므로, 그 관리에 특별히 노력을 기울여야 한다. 또한 해당 기술을 역공학(Reverse Engineering) 등의 방법으로 파악할 수 있다면 되도록 특허로서 보호를 받는 것이 유리하다. 최근에는 기술의 발전에 따라 역공학이나 분석기술도 크게 발전하여 대부분의 기술이 분석을 통해 알려질 수 있음에 유의하여야 한다.

2. 지식재산의 종류에 따른 보호방법의 결정

(1) 대상 · 기간별 보호방법 결정

어떠한 혁신의 결과가 있을 때 이를 특허, 실용신안, 디자인, 상표, 저작권 등으로 여러 방식의 보호가 가능한 경우가 많이 있다. 이 경우 해당 혁신의 결과를 어떻게 언제까지 어떤 분야에 이용할 것인지에 대한 면밀한 검토를 통해 가장 적절한 방식의 보호 수단을 택하여야 한다. 예를 들어, 보호기간의 면에서는 상표권이 갱신에 의해 반영구적으로 보호받을 수 있으므로 가장 유리하고, 저작자의 사망 후 70년간 보호되는 저작권이 그 다음이며, 특허와 디자인 그리고 실용신안이 그 뒤를 따른다. 또한 보호를 받고자 하는 대상의 특성에 맞게 보호 수단을 결정하여야 하는데, 예를 들어 방법과 관련된 기술이라면 특허나 영업비밀로서 보호를 받아야 한다.

(2) 중첩적 보호를 위한 포트폴리오 구축

이와 관련하여 같은 내용의 혁신을 여러 가지 권리로 중첩해서 보호받을 가능성을 고려하여야 한다. 이를테면 어떤 장치를 개발한 경우에 그 장치에 적용된 기술은 특허 또는 실용신안으로 보호를 받고, 장치의 외관은 디자인으로 보호를 받으며, 또한 장치의 사용방법이나 운전방법 등은 별도의 특허로 보호를 받고, 장치의 설계도면이나 사양서 등은 저작권으로 보호를 받으며, 장치의 운영에 있어서 밖으로 잘 드러나지 않는 노하우는 영업비밀로 보호를 받도록 하는 것이다. 애플의 스마트폰인 아이폰은 그 외관, 앱, 디스플레이, 버튼 등 외관적인 구성요소들을 대부분 특허, 디자인, 상표, 트레이드 드레스(Trade Dress) 등으로 보호받고 있다. 이처럼 복합적이고 통합적인 지식재산권의 포트폴리오를 구축하는 것이 반드시 필요하다.

3. 지식재산의 변환 전략[35)]

(1) 지식재산의 시계열적 변환

지식재산은 역동적인 권리로 하나의 특정한 권리 형태에서 다른 권리 형태로 변화하기도 한다. 그러한 예를 시계열적으로 보면, 발명가가 아이디어를 착상하여 발명을 완성하면 이는 영업비밀로서 보호가 된다. 그런데 이 발명이 특허출원이 되어 권리를 취득하게 되면 특허권으로서의 보호로 전환된다. 출원 및 심사 과정에서 특허출원은 출원일 후 18개월이 경과하는 때에 강제적으로 공개가 되므로, 이미 이때 영업비밀로서의 생명은 다하게 된다. 만일 특허출원된 발명의 형태도 보호받을 수 있다면 이는 디자인권으로서도 보호가 될 수 있으며, 발명이 구체적인 물건의 형태를 띠게 되면 이는 창작한 때를 기준으로 저작권으로 보호될 수도 있다. 또한 발명은 복잡한 기술들이 다양하게 포함될 수 있으므로, 일부는 특허권으로서 보호하고, 다른 일부는 공개하지 않고 영업비밀로서 관리하여 보호받을 수도 있게 된다. 이때 영업비밀로 보호받기 위해서는 비밀로 유지하여야 하므로, 특허출원 시에 일부를 영업비밀로 보호받기 위해서는 이를 특허출원 시에 기재하지 않아야 한다. 다만, 특허등록을 위해서는 특허발명이 당해 기술 분야의 평균적 지식을 가진 자, 즉 통상의 기술자가 명세서에 기재된 사항을 보고 용이하게 실시 가능하도록 기재하여야 함에 주의하여야 한다. 또 다른 지식재산권의 변환 예는, 특허권의 만료 후 상표권으로 연장된 보호를 추진하는 것이다.

(2) 지식재산의 변환 사례

인공감미료인 아스파탐(Aspartame)은 1960년에 우연히 발견되었고, 1980년에 G. D. 시얼(Searle)사는 이의 제조공정에 대한 특허를 취득하여 '뉴트라스위트(Nutrasweet)'라는 상표로 시장에 출시하였다. 몬산토(Monsanto)사는 시얼사를 인수하였고, 아스파탐 사업부를 뉴트라스위트사로 분사하였다. 1992년 특허는 만료되었고, 경쟁사들이 '이퀄(Equal)' 등의 상표로 시장에 진입하였으나, 뉴트라스위트는 핵심적인 브랜드로 유지되고 있으며, 시장에서 절대적인 강자로 군림하고 있다. 따라서 아이디어는 그 완성 시에 영업비밀로 보호될 수 있으나, 이것이 어떠한 경로로든 공개되면 영업비밀로서 보호되지 않으므로, 이를 특허권, 저작권, 상표권 등으로 보호받는 것이 바람직하다. 그러한 아이디어에 기반하여 상업화된 제품으로 발전하는 경우에는 해당 제품 및 제조기술, 사용방법, 판매방법 등을 특허권으로 보호하는 외에도 이의 포장, 형상 등은 상표권으로 보호하고, 제조기술의 노하우, 조성, 공정 등이 역공학(Reverse Engineering)에 의해 분석되기 어렵다면 이를 영업비밀로 유지하는 것도 좋은 전략이라고 볼 수 있다.

35) 이하 '5. 선행특허 전략'까지는 마이클 골린 저·손봉균 역, 글로벌 지식재산전략, 한티미디어, 2012, p. 177~418 참조

4. 개방형 이노베이션 전략(Open Innovation)

개방형 이노베이션 전략은 개방형 접근(Open Type Access) 또는 개방형 소스(Open Type Source)라고도 하는데, 기업 외부의 정보, 지식과 기술을 제품 및 서비스 혁신에 활용하는 전략을 말한다.

(1) 리눅스(Linux) 사례

최초의 개방형 이노베이션 전략의 시도라 볼 수 있는 것은 리눅스(Linux)가 1998년에 일반 사용자들이 자유롭게 무료로 사용할 수 있도록 소프트웨어 소스 프로그램을 공개한 것을 들 수 있다. 리눅스는 소스 프로그램을 공개하여 이를 자유롭게 사용하고, 보다 개선된 프로그램으로 개발하는 것을 허용하였다. 리눅스 프로그램 사용자들은 자유롭게 본인이 원하는 방식으로 프로그램을 수정·개선하였고, 버그를 수정하거나 새로운 기능을 부가할 수도 있었다. 다만, 이러한 변화 및 개선이 있는 경우에는 개량된 소스 프로그램은 최초에 제공된 프로그램의 조건과 동일하게 무상으로 다른 일반 사용자들이 활용할 수 있도록 하였다. 이러한 연속적인 이노베이션을 통해 해당 산업 및 기술의 발전이 가속화되는 것이다.

(2) 위키피디아(Wikipedia) 사례

또 다른 예로서, 위키피디아(Wikipedia)를 들 수 있다. 해당 웹사이트는 비영리 서비스 기관이 운영하며, 웹사이트의 콘텐츠(Contents)는 사용자가 제작하고 편집하게 된다. 누구든지 그 내용을 수정, 편집, 부가할 수 있으며, 삭제도 할 수 있다. 이러한 연속적인 행위로 인해 위키피디아는 기존의 백과사전을 구시대의 유물로 만들어버렸고, 이제는 대부분의 사람들이 무엇에 대해 궁금할 때 브리태니커 등의 백과사전에 의존하기보다는 위키피디아를 이용하게 되는 결과를 낳았다. 이러한 방식의 개방형 이노베이션 전략은 실로 빠르고 역동적인 이노베이션을 창출하고 있다.

(3) 영리(營利) 기업 사례

이러한 개방형 이노베이션 전략은 리눅스나 위키피디아 같은 비영리 기업 외에도 이익을 추구하는 영리 기업에도 유용한데, 그 대표적인 예가 마이스페이스(MySpace)와 유튜브(YouTube)이다. 이러한 개방형 혁신 전략을 처음으로 주장한 UC 버클리 하스 경영대학원의 헨리 체스브로 교수는 개방형 혁신을 "똑똑한 사람들이 당신을 위해 일하게 하는 것"[36]이라고 정의한다. P&G의 한 간부는 "우리 회사 내부에는 8,600여 명의 과학자가 있지만, 외부에는 150만 명의 과학자가 있습니다. 왜 그들을 이용하지 않나요?"라고 반문했다고 한다.[37]

36) 이는 원래 Bill Joy가 한 말인 "Not all the smart people work for you."를 헨리 체스브로가 인용하여 자신의 2003년 저서인 ≪Open Innovation≫에서 정의한 것이다.

37) Open Innovation : The New Imperative for Creating and Profiting from Technology, Henry William Chesbrough, Harvard Business School Press, 2006, p. 27

5. 선행특허 전략(Forward-Patenting Process)

(1) 의미

기존의 특허권 확보 및 포트폴리오 전략은 R&D의 성과물이 나오면 이를 지식재산권으로 권리화하고, 주변기술 및 개량기술을 확보하여 특허장벽을 구축하는 방식이었다. 그러나 이제는 R&D가 선행하고 지식재산이 그 뒤를 따르는 방식이 아니라, 오히려 지식재산을 선행시키는 전략이 대두되고 있다. 특허를 선행한다는 것은 특허에 대한 조사와 분석을 통해 미래 기술에 대한 분석과 예측을 하고, 이와 관련된 강한 특허권(원천특허, 핵심특허, 길목특허, 표준특허)을 확보함으로써, 이를 포트폴리오화하는 것이다. R&D의 방향과 전략도 특허에 대한 조사와 분석이 선행되어야 하며, 특허권의 확보도 R&D의 결과물을 그대로 권리화하는 것이 아니라 전략적으로 경쟁사가 확보하지 않은 공백기술이나 경쟁사가 사용할 수밖에 없는 핵심기술을 중심으로 향후 분쟁이나 라이선스에 활용될 것을 미리 예측하여 권리를 확보하는 것이다.

(2) 강한 특허 확보의 중요성

1996년 삼성전자는 플래시 메모리를 개발하여 미국 시장에 진출하게 되었는데, 이때 샌디스크(Sandisk)는 삼성전자를 ITC에 제소하였고, ITC는 특허침해라는 이유로 삼성전자에 미국 수입금지 조치를 내리게 된다. 이에 삼성전자는 샌디스크에 로열티를 지급하고 5년간의 크로스 라이선스를 체결하여 미국 수출을 재개하게 되었다. 플래시 메모리 관련 원천특허(Pioneer Patent)는 일본의 도시바(Toshiba)가 가지고 있었고, 샌디스크는 대용량 플래시 메모리 제품의 컨트롤러 관련 특허를 보유하고 있었다. 이에 삼성전자는 플래시 메모리의 에너지 소비를 획기적으로 감소시킬 수 있는 핵심특허를 확보하게 되었는데, 이 기술은 도시바나 샌디스크 같은 플래시 메모리 제조사들이 가격경쟁력 측면에서 사용할 수밖에 없었다. 2002년 삼성전자는 이 기술과 특허를 사용하여 2002년 샌디스크와의 라이선스 재계약을 앞두고 침해소송을 제기하여, 전보다는 훨씬 유리한 조건으로 계약을 연장하게 되었다. 이러한 것이 소위 길목특허 내지 병목특허(Bottleneck Patent)라는 것이다. 만일 삼성전자가 경쟁사가 반드시 사용할 수밖에 없는 특허권을 이미 보유하고 있었다면 샌디스크와의 라이선스에서 더 유리한 위치에 설 수 있었을 것이다. 특히 원천특허를 확보하지 못한 기업의 경우에, 길목특허는 기술이 뛰어나지 않고 비교적 단순한 기술이어도 가능한 것이어서 적은 비용으로 매우 강력한 효과를 얻을 수 있다는 장점이 있다.

04 소결

이상과 같이 지식재산의 통합적 경영 전략에 대한 예를 들어 보았는데, 이는 절대적인 것도 아니고, 각 기업과 조직의 실정과 경제적·법률적 환경에 따라 조금씩 상이한 부분이 있으므로, 이러한 전략들을 참고하여 더 다양하고 치밀한 전략이 필요할 것이다. 예를 들어, 영화 산업에서는 저작권, 상표권 등이 중요하며, 전자 산업에서는 특허권이 중요하고, 또 다른 산업 분야에서는 디자인, 영업비밀이 더 중요할 수도 있다. 따라서 실정에 맞는 창조적 적용이 필요하다.

참고

영업비밀 보호의 필요성

1. 영업비밀이란?

공공연히 알려져 있지 아니하고 독립된 경제적 가치를 가지는 것으로서, 비밀로 관리된 생산방법, 판매방법, 그 밖에 영업활동에 유용한 기술상 또는 경영상의 정보를 말함

① **기술정보**: 특허출원 전의 기술정보, 특허에 적합하지 않거나 특허로 출원하고 싶지 않은 기술정보 등

② **경영상의 정보**: 제품의 가격, 투자계획, 인력의 수급방법, 원가조사 자료, 시장조사 자료 등

2. 영업비밀의 성립요건

① **비공지성(비밀성)**: 공연히 알려져 있지 않을 것

② **기술상 또는 경영상의 정보로서 경제적 유용성**: 경제적 가치

③ **비밀관리성**: 비밀로 보호되어 관리될 것

영업비밀과 특허의 차이

구분	영업비밀	특허
보호 조건	비공지성, 경제적 유용성, 비밀관리성	신규성, 진보성, 산업상 이용가능성
특징	속지주의에 해당하지 않음	속지주의 (해당 특허를 출원한 국가에서만 보호)
보호 대상	공공연히 알려져 있지 않고 독립적인 경제적 가치를 가지는 것으로, 비밀로 관리된 기술정보 또는 경영상의 정보	발명 (자연법칙을 이용한 기술적 사상의 창작으로 고도한 것)
공개 여부	공개하지 않음	출원일로부터 1년 6개월 후 공개
보호 기간	비밀로 유지되고 관리되는 동안	출원일로부터 20년
등록 유무	등록절차가 없으며 일정한 요건 충족 시 영업비밀로 인정받음	특허요건에 관한 심사 후, 설정등록에 의하여 권리 발생
장점	• 비밀로 유지되는 동안 계속해서 법적 보호가 가능하고, 특허권으로 보호받기 어려운 기술적 정보나 경영정보, 영업상의 아이디어 등도 보호 가능 • 공개되었을 때 제3자에게 모방이 쉽고 침해사실 입증이 어려운 경우에는 영업비밀이 유리	• 배타적 권리로, 침해자에게 강력한 민·형사상 조치 가능 • 라이선싱을 통한 수익 창출 가능 • 구성요소에 대한 침해사실 입증이 용이한 경우에는 특허가 유리

3. 영업비밀의 침해행위

① 부정취득

절취, 기망, 협박, 그 밖의 부정한 수단으로 영업비밀을 취득하고 사용하는 행위

② 비밀유지의무위반

- 계약관계 등에 따라 영업비밀을 비밀로서 유지하여야 할 의무가 있는 자가,
- 부정한 이익을 얻거나 그 영업비밀의 보유자에게 손해를 입힐 목적으로,
- 그 영업비밀을 사용하거나 공개하는 행위

③ 영업비밀 삭제반환 거부

- 영업비밀보유자로부터 영업비밀을 삭제하거나 반환할 것을 요구받고도,
- 부정한 이익을 얻더가 영업비밀 보유자에게 손해를 입힐 목적으로,
- 삭제나 반환을 거부하는 행위

④ 영업비밀 침해행위가 고의적으로 인정될 경우 손해로 인정된 금액의 3배를 넘지 않는 범위에서 배상

※ 특허법과 부정경쟁방지 및 영업비밀보호에 관한 법률(부정경쟁방지법) 개정안에 따라, 2024년 8월부터 이른바 '기술 탈취'로 불리는 특허권 침해, 영업비밀 침해, 아이디어 탈취는 손해액의 최대 5배까지 배상해야 함

4. 영업비밀 관련 분쟁사례

① 특허청에 따르면(2022년 지식재산 보호 실태조사), 국내 기업 중 영업비밀을 보유하고 있다고 응답한 비율은 76.8%에 달함

② **공개되기 전의 특허출원 자료는 영업비밀에 해당된다고 본 사례**

특허출원 공개 전이고, 특허발명으로 인정될 정도로 신규성과 진보성이 있는 자료이며, 이를 기반으로 제품을 생산하여 실제 수익을 얻은 경우 경제적 유용성이 인정되어 영업비밀이 인정된다고 하였다.

③ **사내 보안시스템을 우회하여 외부 클라우드에 업로드하는 방식으로 영업상 주요한 자산을 무단 반출한 것은 영업비밀 보호에 위배된다고 본 사례**

퇴사 후 유사한 업종으로 전직하게 될 경우 사용할 목적으로, 자신이 이용하는 외부 클라우드 시스템에 거래처의 명단, 거래처별 매출 총액 등 영업정보가 기재되어 있는 파일 3,342개를 사내보안시스템을 우회하여 외부 클라우드에 저장하여 무단 반출한 것은 영업상 주요자산의 무단반출에 해당한다고 인정하였다.

④ **양배추 품종 부계원종의 정보성을 인정하고, 이를 취득한 것은 영업비밀의 '취득'으로 인정한 사례**

양배추 품종의 부계원종 자체가 기술의 집약체라고 볼 수 있고, 유전정보가 사람의 눈에 보이거나 분석하여 인지할 수 없더라도 설계도의 역할을 하므로, 정보성이 있다고 인정된다. 따라서 이를 취득한 자는 이러한 정보를 구체적으로 인지하지 못하더라도 양배추 종자를 생산할 수 있기 때문에 영업비밀의 취득으로 인정하였다.

⑤ **LG에너지솔루션과 SK이노베이션의 배터리 영업비밀 분쟁**

LG화학은 2017년부터 2년간 연구와 생한 등 각 분야에서 핵심인력 100여 명이 SK이노베이션으로 이직하면서 배터리 핵심 기술이 유출되었다고 주장하며 전직금지가처분소송을 냈는데, 이 소송은 LG화학이 한국 대법원에서 최종 승소하게 되었다. 이어 LG에너지솔루션은 2019년 미국 국제무역위원회(ITC)에 SK이노베이션을 영업비밀침해 등으로 제소하였고, 2021년 국제무역위원회는 SK이노베이션에 최종 패소 판결을 내렸다.

기출로 다지기

다음 중 특허맵의 활용에 있어서, 경영전략 수립(manage map)의 주요내용으로 가장 적절하지 않은 것은? • 19회 기출

① 경쟁사의 동향 파악
② 강력한 특허권 취득을 위한 명세서 작성
③ 신규사업 방향 및 가능성 파악
④ 시장동향과 상품의 변혁과 흐름 파악
⑤ 자사기술의 매각이나 기술도입

| ② 강력한 특허권 취득을 위한 명세서 작성은 특허맵의 활용 측면에서 특허전략 수립(claim map)과 관련성이 높다. ▶ ②

제4절 특허 취득 및 포트폴리오 구축 전략

특허 취득의 방법은 내부적으로 아이디어를 창출하고, 이를 권리화하는 방법이 있고, 외부로부터 특허를 취득하는 방법이 있다. 외부로부터 특허를 취득하는 방법으로는, 특허권의 매입이나 라이선스를 통해 권리를 획득하는 방법과 외부의 파트너와 함께 조인트 벤처나 공동개발 계약 등의 협력을 통해 권리를 확보하는 방법이 있다. 먼저 특허 포트폴리오 구축에 대한 전반적인 설명을 하고, 내부적인 획득과 외부적인 획득을 위한 전략에 대해 살펴본다.

01 특허 포트폴리오의 구축

1. 특허 포트폴리오의 정의 및 중요성

특허 포트폴리오란 개인 또는 회사와 같은 단일 개체(Entity)에 의해 소유된 특허의 집합으로 정의할 수 있다. 이는 기업의 가치 중 아주 중요한 부분에 해당되며, 이를 통해 기업은 시장에서의 독점력을 확보할 수 있고, 라이선싱 등을 통해 수익을 창출하기도 한다. 또한 비금전적인 부분으로서 선도기업(First Mover)으로서의 이익을 누릴 수 있고, 다른 경쟁자들로부터의 분쟁을 방지하거나 외부로부터의 투자를 유인하는 요인이 되기도 한다. 이러한 특허는 시간적 한계(권리의 존속기간)가 있어서, 일정 기간이 경과하면 공중의 영역(Public Domain)으로 들어가 누구든지 이를 활용할 수 있는 상태가 되므로, 특허 포트폴리오의 구축 및 관리는 기업에 있어서 매우 중요한 전략이라고 볼 수 있다. 이러한 특허 포트폴리오의 기본적인 기능은 '방어와 공격'인바, 다음에서는 이러한 기본적인 기능에 대하여 설명하도록 한다.

2. 공격적(Offensive) 특허 포트폴리오의 구성

자신의 기술이 원천기술에 해당하거나 그 사용가치가 높은 선도적인 기술이라고 판단되는 경우에는 공격적인 특허 포트폴리오를 구성해야 한다. 공격적인 특허 포트폴리오라 함은, 하나의 특허권으로만 만족하지 않고, 가급적이면 개량발명, 관련 발명들을 동시 다발적으로, 또는 연속적으로 출원하여, 자신의 기본 특허 외곽에 새로운 권리 영역을 설정하는 것을 의미한다. 기본 특허의 경우에는 차후 권리 분쟁의 개연성이 매우 높은 특허이므로 가급적 특허권을 다면적・입체적으로 다수 확보하여 다량의 무기를 보유하는 것이 바람직하다. 즉, 추후 특허권 침해 협상이 있는 경우, 한 개 또는 소수의 특허권만을 가지고 협상에 임하는 것보다 관련된 특허, 개량특허 등 다양한 종류의 특허권을 가지고 협상에 임하는 것이 보다 유리한 결과를 이끌어 낼 수 있는 전략이 된다. 또한 제3자가 기본 특허를 우회하는 기술적 해결방법을 원천적으로 차단함으로써, 자신이 보유하고 있는 기술에 대한 실질적인 보호가 가능해진다.

3. 방어적(Defensive) 특허 포트폴리오의 구성

자신의 기술이 제3자 소유인 원천기술의 개량발명이거나, 비록 자신의 기술이 원천기술에 해당한다 할지라도 사용가치가 그다지 높지 않은 비선도적 기술인 경우에 방어적인 특허 포트폴리오를 구성하게 된다. 이러한 방어적 특허 포트폴리오의 목적은 자신의 특허기술에 대하여 강력하게 권리 행사를 할 목적이 아니라, 타인의 특허로 인하여 자신의 기술을 사용할 수 없는 경우를 회피하기 위함이다. 이러한 방어적 특허 포트폴리오는 경우에 따라서 공격적 특허 포트폴리오보다 더 중요한 기능을 담당한다.

4. 투자 도구로서의 특허 포트폴리오 구축

(1) 특허담보를 통한 자금 조달

특허 포트폴리오는 투자 도구로도 사용되고 있다. 특허 포트폴리오의 가치는 대차대조표에 나타나지 않으며, 따라서 이를 기초로 자금을 조달하는 것은 쉽지 않은 일이다. 하지만 특허 포트폴리오의 가치평가 방법의 발전과 함께 그 가치가 산업계에서 통용될 수 있는 수준에 이르면서, 특허를 담보로 한 자금의 조달가능성은 지속적으로 높아지고 있다.

(2) 특허매각을 통한 자금 조달

잘 구축된 특허 포트폴리오는 자금을 동원하여 새로운 성장 동력을 만들 수도 있다. 일례로 나노엔텍의 사례[38]를 살펴보자. 나노 바이오 관련 실험, 연구, 의료용 기기 및 솔루션을 개발하는 회사인 나노엔텍은 협소한 국내시장 규모 및 산업 특성으로 자금 확보에 한계가 있어 현금유동성 확보를 위해 특허권을 매각하기로 하였으며, '유전자 전달 시스템(제품명 : 마이크로포레이터)'에 대한 특허 2건을 미국 라이프테크놀로지사에 167억 원을 받는 조건하에 양도 계약을 체결하였다. 그 대신 계약 조건으로 유전자 전달 제품 생산은 나노엔텍이 OEM 방식으로 하고, 글로벌 마케팅은 라이프테크놀로지사가 책임진다는 내용을 포함시켰다. 그 결과 나노엔텍은 적지 않은 현금을 일시금으로 확보하여 유동성을 개선하였고, R&D 신규 투자 및 생산역량에 집중할 수 있었다.

38) 나노엔텍 2007년 지속가능성보고서(나노엔텍 홈페이지), 정보통신산업진흥원 웹진 〈신성장동력〉 34호, 2013. 1. 및 뉴스와이어, 2007. 3. 7., http://www.newswire.co.kr/newsRead.php?no=231989&ected=참조

02 내부로부터 특허를 취득하는 전략

내부적으로 아이디어가 창출되면 이를 권리화하여야 하는데, 이러한 과정에서 어떠한 점을 고려하여야 할 것인지를 살펴본다.

1. 특허출원 시 고려 사항

(1) 제품 출시·논문 발표보다 특허출원이 우선이다.

특허제도는 발명을 공개하는 대가로 특허권을 부여하는 제도이므로 이미 일반에 알려진 발명에 대하여는 특허권을 부여하지 않는다. 새로 개발한 기술을 특허출원 전에 제품 출시 또는 논문 발표 등을 통하여 공개하게 되면 추후에는 특허를 받을 수 없으므로, 공개 이전에 특허출원을 먼저 하는 것이 무엇보다 중요하다. 공지예외 규정을 적용받고자 할 경우에는 특허출원 전에 특허출원인이 행한 모든 공지행위(논문 발표 등)를 특허 거절이유에서 제외하는 것으로 논문 발표 등 공개 시점으로부터 1년 이내에 특허출원해야 하고, 출원서에 '공지예외 적용' 대상임을 기재하고, 이를 증명할 수 있는 서류를 특허출원일로부터 30일 이내에 제출하여야 한다.

(2) 특허출원 전에 선행기술 검색은 필수이다.

중복 투자 및 연구를 예방하고, 기술개발 동향 파악 및 기술개발 방향 설정을 위하여 연구개발 단계 초기에 선행기술 검색은 필수이다. 특허출원 명세서 작성 시 선행기술과의 차이점을 강조하면서 출원발명의 우수성을 부각하면 특허가능성이 높아진다.

(3) 특허출원을 위한 아이디어를 종적·횡적으로 확대하라.

아이디어를 창출한 후에 이를 권리화하는 과정은 특허출원을 하는 것으로부터 비롯된다. 이때 하나의 특허로 해당 기술을 보호하기에는 부족한 경우가 많다. 따라서 핵심 아이디어로부터 도출될 수 있는 다양한 아이디어를 모두 권리화하는 것이 중요하다. 만일 핵심 아이디어 하나로만 특허권을 확보했는데, 다른 자가 이에 기반한 개량발명을 등록받게 되면, 이를 자사가 침해하는 경우가 있을 수 있기 때문이다. 따라서 사업의 자유도 확보 및 타 경쟁사에 대한 권리행사를 위해서는 다양하게 핵심 기술을 보호할 필요가 있다.

(4) 공동발명, 출원 전에 권리관계를 명확히 하라.

특허받을 수 있는 권리는 원칙적으로 발명자에게 있으나, 이 권리는 타인에게 양도 가능하다. 발명을 공동으로 하여 특허받을 수 있는 권리가 공유인 경우, 공유자 전원이 공동으로 특허출원을 해야 한다. 또한 실제로 발명에 기여하지 않은 사람을 발명자로 등재하는 경우가 있는데, 특히 미국에서는 진정한 발명자가 누락된 경우뿐 아니라 진정한 발명자가 아닌 자를 발명자로 하는 경우 등록 후에 권리행사가 제한(Unenforceable)될 수 있다. 우리나라도 진정한 발명자가 아닌 단순 보조자, 관리자, 위탁자, 자본주 등은 공동발명자로 되지는 못하고 공동출원인으로는 가능하다.

제1편
제2편
제3편
제4편

(5) 청구범위가 권리이다.

특허권의 권리범위는 청구범위에 의해 결정된다. 따라서 명세서 작성의 핵심은 청구범위를 어떻게 작성하는가에 달려 있다고 해도 과언이 아니다. 이는 세계 모든 나라에서 확립된 이론이며, 다만 청구범위의 해석론에서 조금씩 차이가 있을 뿐이다. 따라서 명세서 작성 시 조사된 선행기술과 차별화되어 진보성을 인정받을 수 있는 수준에서 가장 넓은 범위의 청구범위를 독립항으로 작성하고, 이를 구체화하여 한정하거나 부가하는 종속항을 작성하여야 한다. 또한 발명의 다각적인 면에서 보호를 받기 위해서는 독립항을 1개만 작성할 것이 아니라, 1특허출원의 범위(발명의 단일성)에 속한다면 2개 이상의 독립항을 작성하는 것이 바람직하다. 다만, 미국의 경우에는 1특허출원의 범위를 좁게 해석하는 경향이 있으므로, 이에 주의하도록 한다.

(6) 출원 명세서를 충실하게 기재하라.

특허출원 명세서는 그 발명이 속하는 기술 분야에서 통상의 지식을 가진 사람(이하 '통상의 기술자')이 그 명세서에 기재된 내용을 보고 해당 발명을 용이하게 실시할 수 있을 정도로 충실하게 기재해야 한다. 특허출원 후 통상의 기술자가 용이하게 실시할 수 있도록 명세서를 보정하는 것은 허용되지 않으므로, 특허출원 당시에 명세서를 정확하게 기재하는 것이 중요하다.

(7) 우선심사제도를 적극 활용하라.

조기에 특허권을 확보할 필요가 있는 경우에는 우선심사제도를 적극 활용한다. 특허출원의 심사 순위는 심사청구 순위에 의하는 것이 원칙이나, 공익 및 발명의 적절한 보호가 필요한 경우 예외적으로 우선적으로 심사하게 된다. 따라서 특허출원된 발명을 생산・판매하는 등의 실시 중인 경우나 특허권의 조기 확보가 필요한 경우에는 우선심사제도를 적극 활용할 필요가 있다.

(8) 심사청구제도를 활용하라.

심사청구제도는 출원일 후 3년 내에 심사청구를 하여야 하며, 특허출원에 대한 심사는 심사청구가 있는 순서대로 진행하는 것이다. 3년 내에 심사청구가 되지 않은 출원은 취하된 것으로 간주된다. 아이디어를 특허로 출원하는 경우 먼저 선출원주의에 따라 출원을 서둘러야 한다. 그런데 신속한 출원이 진행되었지만, 해당 기술이 제품에 구현될지, 적용하기에 적합한 시기가 언제인지 불명확한 경우에는 출원과 동시에 심사청구를 하는 것보다는 향후 시장과 기술의 동향을 살피면서 심사청구를 미룰 수 있다. 이렇게 하면, 심사가 진행되지 않는 기간에는 심사청구료 및 심사에 따른 중간사건(Office Action)의 대응에 따른 비용을 절감할 수 있다. 다만, 미국의 경우에는 심사청구제도 자체가 없어, 이를 활용할 여지가 없다.

(9) 외국에서 특허를 향유하려면 외국에도 출원하라.

특허권의 효력은 각 국가마다 독립적으로 미치므로,[39] 한국에서 획득한 특허는 한국에서만 효력이 있다. 수출을 염두에 두고 설비투자를 하는 경우에는 수출하고자 하는 각 나라에서 독립적으로 특허권을 획득해야 함에 유의해야 한다.

(10) 해외출원에도 기한이 있다.

국내에 출원을 하고 1년 이내에 해외출원을 하여야만 국내출원일을 인정받을 수 있고, 국내출원일로부터 18개월이 지나면 국내출원이 공개되어(즉, 본인의 국내 특허출원이 1년 6개월 지나면 공개되어, 해외에 출원한 본인의 다른 특허출원이 신규성 상실이 됨) 해외에 출원하더라도 특허를 받을 수 없는 등 해외출원에도 시기적 제한이 있으므로, 적기에 출원할 수 있도록 유의해야 한다. 제품과 시장의 특성에 따라 파리조약에 의한 우선권주장을 수반하는 방식이나 PCT에 의한 해외출원의 방식을 선택하여야 하고, 만일 우리나라와 PPH[40]를 체결하고 있는 나라에 출원하는 경우에는 이를 활용하여 조속히 특허등록을 받을 수도 있다.

(11) 특허출원 시 상표출원 및 디자인출원도 함께 고려한다.

강력한 브랜드는 소비자들에게 다양한 이미지를 떠올리게 하고 강렬하면서도 호의적인 느낌을 불러일으킨다. 성숙기에 들어선 소비재 시장에서는 제품의 기능뿐만 아니라 타사 제품과 차별화된 느낌을 주는 브랜드가 제품의 경쟁력이므로 특허출원과 동시에 상표출원도 함께 고려해 본다. 상표 자체가 가치 있는 자산이고 제품 경쟁력을 높이므로, 소비자들이 자사 브랜드에 대해 가능한 한 좋은 이미지를 갖도록 장기적인 관점에서 일관성 있는 브랜드 관리가 필요하다. 또한 제품의 라이프 사이클이 짧고, 유행성이 있는 것이라면 디자인출원 또는 실용신안출원을 고려한다. 특허와는 달리 디자인권은 등록이 상대적으로 쉽고, 제품의 외형에 특징이 있는 경우에는 보다 두터운 권리 확보를 위해 중복해서 권리를 취득하기 위한 전략도 필요하다.

(12) 공개제도를 활용한다.

특허출원을 하는 것이 부적합한데 이를 다른 경쟁자가 특허권으로 확보하게 되는 것이 부담스러운 경우에 활용할 수 있는 전략이다. 이는 일단 특허출원을 하면 모든 출원은 1년 6개월 경과 후 강제적으로 공개되고, 일단 공개된 특허는 다른 사람으로 하여금 동일한 기술로 특허등록받을 수 없게 된다는 것을 이용하는 것이다. 출원만 하면 되는 것이므로 비용이 저렴하고, 손쉽게 이를 공중의 영역(Public Domain)으로 만들어 아무도 권리화할 수 없게 하는 기능이 있다.

---

39) 이를 '속지주의' 내지 '각국 특허독립의 원칙'이라고 한다.

40) PPH는 특허심사 하이웨이(Patent Prosecution Highway)를 말한다. 2023년 12월 기준 미국, 일본, 노르웨이, 스웨덴, 스페인, 아이슬란드, 영국, 이스라엘, 캐나다, 포르투갈, 핀란드, 헝가리, 호주, 중국, 유럽, 덴마크, 러시아, 독일, 멕시코, 싱가포르, 오스트리아 등 36개국과 PPH를 실시하고 있으며, 향후 더욱 확대될 예정이다.

2. 해외출원 여부 결정 시의 고려 사항

외국에서 특허를 취득하는 것은 매우 중요하나, 대부분의 기업에서는 시간과 비용 문제로 이를 적절히 통제하는 것이 필요하기도 하다. 특허권의 효력은 특허권이 등록된 국가에만 미치게 되므로, 해외출원의 국가 및 시기를 결정하는 데 있어서 고려하여야 할 사항들이 많이 있다. 이러한 고려 사항으로 대표적인 것에 대해 알아본다.

(1) 시장

특허 제품을 판매할 시장이 있는 국가를 고려하여야 한다. 이 경우 현재의 시장과 미래의 시장을 모두 고려하여야 한다.

(2) 경쟁사의 국가

경쟁사의 국가에서 특허권을 취득하게 되면, 경쟁사가 제품을 제조·판매하는 것을 저지할 수 있다. 또한 경쟁사가 특허침해로 인한 소송을 제기하는 경우, 이에 대한 반격으로 Counter Claim을 경쟁사의 시장이 있는 국가에 제기할 수도 있다. 특히 경쟁사가 당사보다 매출 규모가 큰 경우에 더 효과적인 전략이 될 수 있다. 이는 침해소송에서 경쟁사가 자사에 지불하여야 하는 손해배상액이 자사가 지불하여야 할 금액보다 훨씬 큰 경우가 많기 때문이다.

(3) 시간 및 비용

모든 제품에는 시장에서의 제품의 수명(Life Cycle)이 있다. 만일 라이프 사이클이 아주 짧은 제품의 경우에는 특허출원 후 등록까지 걸리는 시간과 비용을 고려하여 해외출원 여부를 결정하여야 한다. 이때 특허출원보다 실용신안이나 디자인출원이 비용과 시간 면에서 유리할 수 있다. 또한 이중출원제도가 있는 국가에서의 출원은 이를 적극 활용할 필요가 있다.

(4) 권리의 유효성 및 권리구제의 실효성

특허로 등록받기 위한 요건은 특허제도의 전 세계적인 조화에 의해 대동소이하지만, 아직도 상당히 다른 기준이 존재한다. 따라서 자사의 기술이 특허를 받을 수 있는지 또는 등록 후에 침해자가 있는 경우 이에 대한 권리구제가 현실적인지 여부 등을 고려하여야 한다. 다만, 특허권은 출원일 후 20년이 지나면 만료되므로, 해당 국가의 현재 상태만을 고려해서는 안 되며, 향후에 권리구제가 실효성이 있게 될지 여부도 고려한다. 중국의 경우 예전에는 권리구제가 어렵다는 문제로 특허출원을 기피하기도 했으나, 제도와 법률의 발전에 따라 권리자의 구제가 점점 효력을 발휘하고 있는 것이 그 예이다.

3. 미국 출원 시의 유의 사항

우리나라에서 가장 많이 출원되는 국가는 미국이며, 지식재산권과 관련한 우리나라 기업의 국제적인 분쟁은 대부분 미국에서 발생하고 있어 미국으로의 특허출원 시에는 미국의 법과 제도에 대해 잘 알고 있어야 한다. 이에 한국과는 다른 미국의 특허출원과 관련된 제도를 개략적으로 살펴보고자 한다.

① 미국은 기존에 선발명주의 국가였으나 특허법 개정에 따라 2013년 3월 16일부로 AIA (American Invent Acts)에 의해 선출원주의로 전환되었다. 따라서 미국 출원도 발명자가 아닌 법인의 명의로 가능하며, 종래처럼 선언서 등으로 선발명임을 입증하여 등록받기는 힘들어졌다.

② 미국 출원의 경우 특허법에 디자인도 포함되어 규정되어 있고, 디자인특허(Design Patent)라고 불린다.

③ 미국은 가출원(Provisional Application)제도가 있다. 따라서 우선 출원하여 출원일을 확보하고, 가출원 후 1년 내에 정규 출원(Non-Provisional Application)을 할 수 있다. 이 가출원은 영어로 작성하지 않아도 되고, 청구범위(Claim)를 제출하지 않아도 되므로, 신속한 출원이 필요한 경우 유리하게 이용할 수 있는 제도이다.

④ 미국 출원 시에는 출원인에게 개시 의무가 있어, 출원 단계에서 등록 전까지 IDS (Information Disclosure Statement)를 제출하여야 할 의무가 있다. 고의 또는 허위로 이를 제출하지 않을 경우 특허가 허여되지 않거나, 부정한 행위(Inequitable Conduct)에 해당하여 특허권의 행사가 제한(Unenforceable)된다.

⑤ 미국에서는 발명자의 권익 보호를 위해 계속출원(CA : Continuation Application), 일부계속출원(CIP : Continuation-In-Part Application), 분할출원(Divisional Application), 계속심사청구(RCE : Request for Continued Examination) 등의 제도가 있다.

⑥ 한국에 먼저 출원하고 이를 미국에 출원하는 경우에는 번역 문제가 있는데, 한국 출원의 청구범위 및 명세서를 그대로 번역할 경우 자칫 미국 특허 판례상 권리행사가 힘들어지는 경우도 있기 때문에, 미국 제도에 맞게 반드시 수정을 거쳐야 한다.

⑦ 미국 특허출원 시 청구항의 수가 20개가 넘어가면 가산료가 많이 붙게 되고, 다중인용(여러 청구항을 인용) 청구항에 대해서는 인용하는 청구항만큼 수수료가 있으므로, 미국 출원 시에는 청구항의 인용관계를 검토하여 수정을 거쳐 출원을 진행해야 한다.

⑧ 미국 특허 명세서에는 우선권주장 선출원에 대한 언급(Cross Reference)이 들어가야 하므로, PCT 출원 이후 미국 국내 단계에 진입하는 것이라면 자진 보정(Preliminary Amendment)을 통해 Cross Reference를 집어 넣고, 요약서를 수정해 주는 것이 필요하다.

03 외부로부터 특허권을 취득하는 전략

외부로부터 특허권을 취득하는 전략으로는, 특허권의 매입, 라이선싱의 방법과 공동개발이나 조인트 벤처 설립 등의 외부 파트너와의 협력에 의한 방법 및 기업의 인수·합병에 의한 방법이 있을 수 있다. 이를 차례로 살펴본다.

1. 특허권의 매입

특허권을 매입하는 방법은 다른 기업이나 연구소, 대학 등의 특허권을 소유하고 있는 자로부터 특허권을 인수하는 것이다. 국가의 특허권을 매입하는 경우도 있으며, 자금 사정이 어려운 기업이 특허권 등의 지식재산권을 파는 경우도 많으며, 지식재산권의 경매 방식이 이용되기도 한다. 그러나 최근에는 특허권만을 매각하거나 매입하는 경우보다는 기업 전체나 기업의 일부 사업부문을 인수하면서 특허권 등 지식재산권의 포트폴리오를 같이 인수하는 경우가 더 빈번하다.[41)]

2. 특허권의 라이선싱

외부로부터 특허권을 취득하는 또 다른 방법은 외부의 특허권자로부터 라이선스를 받는 것이다. 많은 기업들이 이러한 방법을 통해 특허권의 포트폴리오를 구축하고 있다. 예를 들어, 미국의 스탠포드(Stanford) 대학이나 카네기 멜론(Carnegie Mellon), MIT 등의 대학들도 연간 수백만 달러에서 수천만 달러에 이르는 로열티 수입을 라이선싱을 통해 얻고 있다.

3. 외부와의 협력을 통한 특허권의 획득

외부와의 협력을 통한 특허권의 취득은 외부 전문가들을 이용하는 개방형 혁신(Open Innovation)을 통한 방법이다. 이러한 방식은 외부 파트너와의 공동개발 계약(JDA: Joint Development Agreement), 조인트 벤처 설립 등의 방법을 통해 할 수 있다. 기술의 융합 및 가속되는 기술발전으로 인하여 하나의 기업이 모든 기술을 보유하고 개발하는 것이 어려운 경우가 많다. 따라서 서로 강점이 있는 기술을 보완하고 협력함으로써 시장에 필요한 기술을 적시에 도입하고, 이러한 과정에서 창출되는 발명 및 아이디어를 지식재산으로 권리화하는 것이 필요하다. 이러한 방식의 특허권 획득은 점차 확대되어 가고 있으며, 대학이나 연구소와의 산학연 간 협력뿐 아니라 기업 간의 공동 개발도 활발해지고 있다.

41) 특허권 등의 지식재산권의 매각을 위한 경매의 대표적인 예로 오션 토모(Ocean Tomo)사가 주최했던 IP 경매가 있었으나, 거래 성사가 많이 이루어지지 않아 중단된 상태이다.

4. 기업의 인수·합병에 의한 특허권의 확보

특허권의 취득을 위한 기업의 M&A는 아주 활발해지고 있는데, 이 예로 애플이 아이폰을 시장에 출시할 때마다 수십 개의 관련 기술을 가진 기업을 인수하고 있는 것을 들 수 있다. 수년 전에도 애플, 마이크로소프트, 블랙베리, 소니, 에릭슨이 연합한 록스타 비드코(Rockstar Bidco)가 노텔(Nortel)의 6,000여 개 특허를 45억 달러에 사들인 바 있으며,[42] 2013년 애플은 이 특허들을 기반으로 구글과 삼성 등 안드로이드 기반의 스마트폰 기기 제조사들을 특허침해로 제소하였다. 또 다른 예로 구글은 특허권을 포함하여 모토로라 모빌리티를 125억 달러에 인수하였고, 인텔렉추얼 벤처스 등의 컨소시엄은 2012년 파산 선언을 한 바 있는 코닥의 디지털 이미징 관련 특허 1,100건을 5.25억 달러에 매입한 바 있다.

기출로 다지기

1 A사는 신규 개발한 태양전지에 대하여 국내에 특허출원을 한 후 국내 시장에 해당 제품을 제조, 판매하고 있다. A사는 해당 제품에 대한 해외 특허권 확보를 고심하고 있으며 이에 변리사와의 상담을 고려하고 있다. 다음 해외출원에 대한 설명 중 적절하지 않은 것은? •19회 기출

① 해외출원을 위한 방안으로는 조약우선권제도를 이용한 개별국 직접 출원, PCT제도를 이용한 PCT 국제출원이 있다.
② PCT 국제출원을 하는 경우 전 세계에서 모두 인정되는 PCT 국제특허를 취득할 수 있는 장점이 있다.
③ 해외에서 직접 생산을 하지 않는 경우라도 판매가 예정되어 있다면 해당 국가에 특허권을 취득하는 것이 바람직하다.
④ 조약우선권제도를 통하여 해외출원을 고려하는 경우 국내출원일로부터 1년 내에 해외출원을 할 필요가 있다.
⑤ 대만에 해외출원을 고려하는 경우 PCT 국제출원을 이용할 수 없다.

| ② PCT제도를 이용하더라도 각 국가마다 개별적으로 심사가 진행되어 권리 취득 여부는 국가마다 달라질 수 있다. ▶ ②

2 라이선스 계약에서 라이선시의 입장에서 계약의 필요성에 해당되지 않는 것은? •22회 기출

① 로열티 확보
② 신제품이나 신기술 개발
③ 라이선서와 분쟁해결
④ 연구개발에 대한 위험 회피
⑤ 라이선서의 신용이나 명예 이용

| ① 로열티는 라이선서가 그 혜택을 가지게 된다. ▶ ①

---

42) 록스타 비드코는 2011년 6월 뉴욕에서 경매를 통해 노텔의 6,000여 건의 특허들을 45억 달러에 낙찰받았다. 이후 2,000여 건을 다른 회사에 이전하고, 남은 4,000여 건의 특허를 록스타 컨소시움(Rockstar Consortium Inc.)으로 이전하였으며, 록스타 컨소시움은 2013년 구글, 화웨이, 삼성, 아수스, HTC, LG, 팬텍, ZTE를 포함한 8개의 회사를 상대로 소송을 제기하기도 하였다.

3 특허출원의 국제적 보호와 관련하여, 조약우선권주장을 하면서 양국에 동일한 발명을 출원한 후 제1국에서 특허 가능하다는 명시 또는 특허결정이 있다는 이유로 특허심사 하이웨이 신청이 있는 경우 제2국에서도 이를 바탕으로 우선심사를 진행하고 있다. 다음 중 특허심사 하이웨이제도와 관련된 설명으로 옳지 않은 것만으로 선택된 것은 무엇인가? • 18회 기출

> ㉠ PCT 출원의 국내단계진입출원의 경우에도, 특허심사 하이웨이 제도를 활용할 수 있다.
> ㉡ 제2국 특허청의 담당 심사관이 제1국 심사관련 서류 사본을 입수할 수 있는 경우에는, 제1국에서의 심사관련 서류를 제출하지 아니할 수 있다.
> ㉢ 제1국과 제2국에서 청구범위가 동일하고, 제1국에서 특허결정이 있으면 제2국에서는 독자적인 심사에 의할 필요 없이, 제1국과 같이 특허결정된다.
> ㉣ 우리나라 특허청과 특허심사 하이웨이 제도가 시행되는 국가는 점차 확대되는 추세에 있다.

① ㉡ ② ㉢
③ ㉡, ㉢ ④ ㉠, ㉡, ㉢
⑤ ㉡, ㉢, ㉣

| ㉢ 특허심사 하이웨이 제도에 의하더라도, 제1국과 제2국의 심사는 독자적으로 진행된다.
㉠ 특허출원이 상대국 특허출원을 조약우선권주장의 기초로 한 것이라면, PCT 출원의 국내단계진입출원도 특허심사 하이웨이 제도를 활용할 수 있다.
㉡ 제1국 심사관련 서류 사본을 제2국 특허청 담당 심사관이 입수 가능한 경우, 제1국 심사관련 서류 사본의 제출이 면제된다.
㉣ 우리나라 특허청은 2007년 한-일 특허심사 하이웨이 시행 이후 대상 국가가 점차 확대되고 있다. ▶ ②

제5절 지식재산 분쟁 및 활용 전략

01 지식재산권 침해 대응 전략

자신의 지식재산권을 지키고 타인의 침해에 대응하기 위해서는 먼저 타인의 실시행위가 자신의 지식재산권의 보호범위에 해당하는지를 확인해야 한다. 만일 타인의 실시가 자신의 지식재산권의 보호범위에 속한다면 자신의 권리를 행사할 수 있다. 구체적인 실행방법으로는 사전에 제품에 표기하여 타인이 침해하지 못하도록 경고하거나 타인에 의해 침해된 경우 적절한 방법으로 이에 대응하는 것이 있다. 다음에서 자세히 살펴보도록 한다.

1. 지식재산권의 보호범위

지식재산권의 보호범위는 해당 지식재산이 등록된 경우(저작권이나 영업비밀은 등록 없이 권리를 행사) 다른 제품이나 기술, 이름, 내용 등과 얼마나 다른가와 밀접한 관련이 있는데 특허권의 경우 특허발명의 새로움에 따라, 상표권이나 저작권은 차별성에 따라 결정된다. 하지만 광범위한 보호는 다른 사람이 재산권자의 디자인이나 기술 혹은 명성을 이용해 이익을 취하고자 할 때에만 효력을 발휘한다. 특히 특허권의 보호범위는 청구범위에 기재된 바에 의하는 것으로 특허법에서 규정하고 있다.

2. 지식재산권의 실행방법

지식재산권자들은 주로 재산권 침해자를 상대로 법적 조치를 취함으로써 자신들의 권리를 행사한다. 물론 이 방법이 효과적이고 경우에 따라 권리 침해를 멈추게 하는 데 필요하기도 하다. 하지만 법적인 조치를 취하기 위해서는 상당한 시간과 자원을 소비해야 한다. 따라서 법률에 기대지 않고도 지식재산권을 효과적으로 보호할 수 있는 여러 방법을 고려할 필요가 있다.

(1) 제품 표기

많은 사람들이 지식재산권을 인식하지 못한 채 좋은 아이디어를 베낄 수 있다고 생각하는 경향이 있다. 제품에 적절한 표시가 없으면 부당한 침해가 일어날 가능성이 높아진다. 따라서 제품이 지식재산권을 가지고 있다는 표시를 할 필요가 있는데 이를 통해 해당 제품이 지식재산권의 대상이 됨을 분명히 하고 다른 사람들의 침해행위를 억제할 수 있다.

(2) 신속한 조치

누군가가 지식재산권을 침해하고 있다는 것을 인지하게 됐을 때 재빨리 조치를 취하는 것이 중요하다. 지식재산권 침해에도 불구하고 어떠한 조치도 취하지 않는 경우, 권리 침해자로 하여금 권리자가 침해행위에 반대하지 않는 것으로 생각하게 할 수도 있으며, 더 중요한 것은 침해자는 물론 다른 회사들로 하여금 권리자가 권리를 행사할 능력 혹은 그럴 마음이 없는 것으로 짐작하게 함으로써 침해를 유발할 수 있을 뿐 아니라 심한 경우 권리 행사를 포기한 것으로 인정될 수 있다. 개인이든 회사든 누군가 자신들의 지식재산권을 침해한다는 것을 알게 되면 우선 침해자가 누구인지 자신들과 어떤 관계가 있는지, 또 자신들의 회사와 비교하여 침해자의 장단점이 무엇인지 확인할 필요가 있으며, 다음과 같은 질문을 스스로 해 볼 수 있다.

- 침해자가 합리적인 협상에 나설 의사가 있는가
- 침해행위를 멈추게 할 것인가 아니면 이를 용인하는 대신 대가를 받을 것인가
- 법적인 조치를 취할 능력이 있는가
- 침해자 역시 법적인 조치를 감당할 여건이 되는가
- 시장의 성숙도 또는 침해자의 시장 점유율 등은 어떤 상태에 있는가
- 소송으로 인한 구제방법의 실효성이 있는가
- 협상이나 중재·조정 등 소송 외의 해결방법은 없는가

(3) 근거 없는 제소

지식재산권, 특히 특허나 등록된 디자인의 경우 특허권자 또는 전용실시권자가 아닌 다른 사람(통상실시권자)이 침해에 대해 제소하는 것은 법률상 허용되지 않는다. 따라서 권리 침해를 받았다고 주장하는 자에게 의심의 여지가 있다면 그 사람이 제소할 만한 합당한 자격이 있는지를 확인해야 한다. 또한 존속기간이 만료된 권리 또는 유지료 불납 등의 사유로 소멸된 권리 등 유효하지 않은 권리에 근거한 제소가 아닌지도 확인이 필요하다.

(4) 법원의 구제 방안

보통 법적 절차는 오랜 시간과 많은 자원을 필요로 하지만 재판에서 승소를 하게 되면 침해에 따른 피해에 대해 보상을 받거나 향후 일어날 침해를 예방거나 침해행위를 중지시키기 위한 금지 명령과 같은 구제 방안을 얻게 된다. 또한 침해에 따른 피해가 심각하고 신속한 구제가 필요한 경우 피해를 막기 위해 가처분 등의 명령을 내릴 수도 있는데, 이 경우 재판에서 패할 경우를 대비해 상대측의 피해를 보상하기 위한 자금을 마련해 둘 필요가 있다. 또한 고의에 의한 특허침해의 경우에는 형사적 구제도 가능하다.

02 특허침해소송에 대한 대응 수단

일차적으로 자신의 실시가 특허침해에 해당되는 경우를 대비하여 항상 자신이 실시하고 있는 기술 분야의 특허정보 검색을 하여 특허침해 가능성을 조사하여야 한다. 불법행위로 인하여 손해배상을 하게 되는 경우 일반적으로 불법행위에서의 고의 또는 과실에 대한 입증책임은 손해를 입은 자가 지도록 되어 있으나, 특허침해의 경우 무체재산권 속성상 그 입증이 어려운 측면이 있어 특허권자를 적절히 보호하기 위해 과실이 법률에 의해 추정된다. 그러므로 자신의 실시가 타인의 특허를 침해하는지 몰랐다는 식의 주장은 허용되지 않는다. 특허권자로부터의 특허침해 주장을 받는 자가 취할 수 있는 대응 수단은 다음과 같이 다섯 가지로 요약할 수 있다.

1. 심사 단계에서의 정보제공

특허출원인은 특허등록이 되기도 전에 공개된 특허출원을 근거로 특허침해의 경고장을 보내는 경우가 있다. 이와 같은 경고장을 받았을 경우 가능한 한 출원발명의 특허등록을 저지하여야 한다. 또한 더 일반적으로는 자신의 경쟁사가 어떠한 특허를 보유하고 있는지를 조사하거나, 연구개발 단계에서 문제의 소지가 있는 특허를 조사하는 경우가 있다. 이 경우 문제가 되는 특허가 아직 등록 전의 상태에 있다면 해당 특허의 등록을 저지할 필요가 있다. 그 한 가지 방안으로 해당 특허가 공개만 되어 있고 아직 특허등록결정이 나지 않은 상태인 경우에는 해당 발명에 대한 선행기술을 검색하여 그 자료를 특허청에 제출하는 정보제공제도를 활용할 수 있다. 법률로써 강제되는 것은 아니나, 일반적으로 해당 특허의 담당 심사관은 이와 같은 정보제공이 있는 경우 그 자료를 심사에 참조하고 그 활용 결과에 대해 통보를 한다. 특허법 제63조의2에 의하면 특허출원이 있는 때에는 누구든지 그 특허출원이 거절이유에 해당되어 특허될 수 없다는 취지의 정보를 증거와 함께 특허청장에게 제공할 수 있다고 규정하고 있다.

2. 특허무효심판

등록된 특허에 대해 해당 특허권에 무효사유가 있을 경우 특허권자로부터 경고를 받거나 특허권자와 동종 업종에 종사하는 자, 특허권의 존속 여부에 이해관계를 갖고 있는 자임을 입증하면서 해당 특허의 무효심판을 제기할 수 있다. 무효심판은 특허심판원에 제기하여야 한다. 아울러 특허무효심판은 특허권이 소멸한 후에도 청구가 가능하다.

3. 소극적 권리범위 확인심판

특허권자를 상대로 특허심판원에 자신의 실시기술이 특허권자의 특허의 권리범위에 속하지 않는다는 내용의 소극적 권리범위 확인심판을 제기할 수 있다.

4. 실시권 존재의 주장

타인의 특허발명 출원 전부터 이미 실시하고 있는 기술에 대해서는 선사용에 의한 통상실시권의 존재를 주장할 수 있다.

5. 특허권자의 침해주장이 정당한 경우

특허권의 권리범위를 분석한 결과, 특허권자의 침해주장이 정당하고 자신의 실시 기술이 상대방의 특허권리범위에 속한다고 판단되는 경우에는 그 실시를 중단하여야 한다. 그런 다음, 특허권자와 협의하여 실시권을 허락받거나 특허권을 양도받은 후 실시해야 한다. 또한 관련 기술에 대해 개량특허권을 가지고 있는 경우에는 크로스 라이선스 협상을 시도하는 것이 바람직하다. 한편, 자신의 특허발명이 상대방의 특허권과 이용관계에 있는 경우 상대방에게 상당한 노력과 정당한 대가를 제시하였음에도 불구하고 실시권을 허락받지 못한 경우에는 통상실시권 허락심판을 청구할 수 있다.

03 국제특허분쟁에 대한 대응 전략

우리나라 기업들의 국제특허분쟁은 최근 들어 급증하고 있다. 특히 미국을 중심으로 특허침해소송이 빈발하고 있는데, 이에 따라 다음에서 미국의 제도를 살펴보도록 한다.

1. 미국 특허소송의 개요

미국에서의 특허소송 절차는 다음과 같이 소송의 제기로부터 시작하여 공판(Trial)을 마치면 법관에 의해 판결이 선고되는 것으로 완료된다.

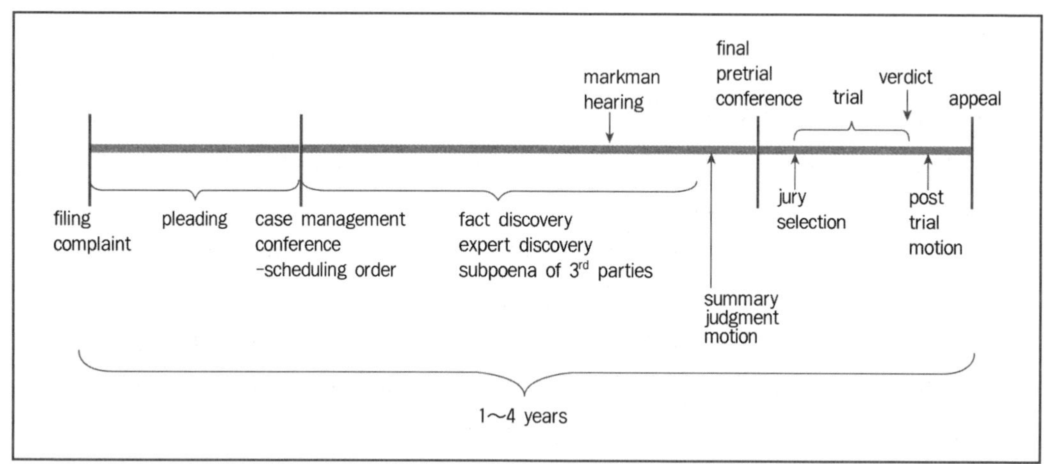

▎미국의 특허소송절차

2. 미국 특허소송의 내용

(1) 미국 특허소송의 절차 및 특징

① 소송의 시작 및 송달

미국 특허침해소송은 원고인 특허권자가 소장(Complaint)을 법원에 제출(Filing)하면서 시작된다. 물론 그 이전에 경고장(Warning Letter)을 받는 경우가 대부분이며, 이러한 경고장은 원고의 입장에서는 권리행사를 해태(Laches)하는 것을 방지하고, 손해액을 산정함에 있어 그 기산점(미국에서는 특허 제품에 특허 표시가 있거나, 경고장 등으로 특허된 제품임을 안 때부터 계산하여 역으로 6년간의 손해배상을 하게 됨)을 확보하는 점에서 의미가 있다. 경고장을 받은 피고는 원고가 소송을 제기하기 전에 먼저 비침해 및 무효를 주장하며 확인의 소(Declaratory Judgment)를 제기할 수 있다. 이러한 확인의 소는 원고가 소송을 제기하기 전에 이루어져야 하며, 피고의 입장에서는 자신에게 유리한 법원을 선택하여 분쟁을 시작할 수 있다는 장점이 있다. 또한 우리나라와는 달리 미국의 법원은 소장을 피고에게 송달하지 않고, 원고가 직접 피고에게 송달한다. 우리나라 기업의 경우 미국에 법인이나 사무소가 있다면 거기로 송달해도 되고, 한국의 본사에 송달해도 된다. 따라서 미국에 주소가 없는 경우에는 한국의 본사까지 송달하는

데 보통 2~3개월 이상이 걸리는 경우가 많으며, 때로는 소송을 제기한 원고가 소송을 제기하고 소장을 송달하지 않은 채 협상을 제안하는 경우도 있다. 다만, 헤이그협약에 의해 외교 경로를 거치지 않고 우리나라 법원 행정처를 통해 송달이 가능하다.

② 피고의 답변(Answer)과 반소(Counter Claim)

피고는 원고의 소장을 송달받으면 이에 대한 답변서(Answer)를 제출하게 되고, 경우에 따라 반소(Counter Claim)를 제기하기도 한다. 반소는 원고도 피고의 특허권을 침해하였다는 취지 또는 특허권자의 독점금지법(Antitrust Law) 위반을 주장하는 공격에 해당한다. 답변서는 소장에 제시된 모든 사항에 대해서 전부 답변 내지 반대 주장을 하여야 하며, 답변이 없으면 원고의 해당 주장을 피고가 인정(Admission)한 것으로 간주된다. 또한 이러한 반소나 답변이 된 후에는 법원은 사실심 심리 전 협의 과정을 거치게 되는데, 이때 원고와 피고는 법원에서 대략적인 소송의 절차와 기간 등의 스케줄(Schedule)에 합의하게 되고, 이때 후에 있을 증거개시(Discovery)의 범위도 합의하게 된다. 일반적으로 피고의 소장 접수 시점부터 사실심 심리 전에 협의를 완료하는 시점까지를 법원에서의 답변(Pleading)기간이라고 한다.

③ 증거개시절차(Discovery)

이는 미국 특허소송의 특유한 절차인데, 답변(Pleading)기간이 끝나면, 재판에 필요한 사실 및 자료를 수집하여 필요한 증거를 확보하는 절차이다. 일반적으로 법원은 이 기간 동안 화해할 것을 권고하는데, 그것이 성립되지 않으면 제출된 자료를 토대로 청구범위를 해석(Claim Construction)하게 된다. 이 증거개시절차에서 당사자는 소송과 직간접적으로 관련된 모든 증거를 제출하여야 한다. 이러한 제출의무의 예외가 변호사와 법률적 의견에 대한 서류 또는 통신 내용의 경우 변호사-고객 특권(Attorney-Client Privilege)에 해당하거나 소송을 준비하는 과정에 따른 문서(Work Product Immunity)에 해당하는 경우에는 제출하지 않아도 된다. 증거개시절차에서는 증인심문(Deposition)과, 현장 또는 자료의 검증(Inspection)도 있게 된다.

④ 마크만 히어링(Markman Hearing)

이 절차는 소송이 제기된 특허의 청구범위를 확정하는 단계이다. 보통은 증거개시절차가 끝나는 때에 이루어지는 경우가 많으나, 법원의 성격이나 당사자의 요구 등에 따라 다르다. 청구범위가 확정되면 침해 여부가 어느 정도 드러나기 때문에 아주 중요한 절차라고 할 수 있다.

⑤ 약식판결(Summary Judgment)

청구범위 해석이 완료된 후, 더 이상 핵심적인 사실관계에 대해 다툴 이슈가 없으면 공판까지 가지 않고 증거개시절차의 증거자료, 양측의 전문가 의견(Expert Opinion), 마크만 히어링의 결과 등을 종합하여 판사가 법률적 판단을 내릴 수 있다. 이것을 약식판결이라 한다. 이 제도는 무효나 비침해 등의 사안에 대해 조기 결정할 때 활용할 수 있다. 당사자가 이를 신청(Motion to Summary Judgment)할 수 있으나, 법원이 이를 모두 받아들여야 하는 것은 아니다.

⑥ 공판(Trial)

공판은 배심재판(Jury Trial)과 판사재판(Bench Trial)이 있는데, 당사자가 배심재판을 신청하면 배심원단들이 사실관계에 대한 평결을 하는 배심재판[43]이 이루어진다. 특허침해소송의 경우 2000년대 이후에는 압도적으로 배심재판이 많다. 배심재판의 경우 배심원단을 선정(Jury Selection)하게 되고, 양 당사자의 공방이 있고 난 후, 판사가 배심훈령(Jury Instruction)을 전달한다. 공판 과정에서 양 당사자의 공방과 판사의 배심훈령에 근거하여 배심원단은 평결(Verdict)을 내리게 되는데, 이 평결에는 침해, 특허의 무효 여부, 고의침해 여부, 배상액 등이 포함되는 것이 일반적이다. 이 배심원의 평결 후에 판사의 최종 판결(Judgment)이 있게 된다. 미국 특허침해 사건에서는 징벌적 손해배상 규정이 있어, 고의침해(Willful Infringement)의 경우에는 3배까지 손해액을 증액할 수 있다.

⑦ 상소(Appeal)

연방지방법원(Federal District Court)의 판결에 대해 불복하는 당사자는 연방항소법원(CAFC : Court of Appeals for the Federal Circuit)에 항소할 수 있으며, 항소심 판결에 불복하는 당사자는 다시 연방대법원(Supreme Court)에 상고할 수 있다. 다만, 연방대법원은 상고가 있는 경우에 모든 사건을 판단하지는 않고, 상고를 받아들일지 판단하여 선별적으로 사건을 다루므로, 대부분의 사건은 연방항소법원에서 종결되는 경우가 많다. 이렇게 엄격한 법적 쟁점의 선별을 통한 대법원의 판단을 허가하는 제도를 상고허가제도(Writ of Certiorari)라고 한다.

(2) 미국 특허소송의 전략

① 경고장을 수령하면 증거보존조치(Litigation Hold)를 하라.

경고장을 수령하면, 소송에서의 증거개시절차를 위해 기존의 문서, 자료, 이메일 등의 소송과 직간접적으로 관련 있는 자료를 폐기하거나 훼손(Spoliation)하여서는 안 된다. 따라서 특허관리 부서 등은 기존 자료를 보존하라는 명령을 내려야 하는데, 이는 소송이 합리적으로 예측되는 때에 하여야 하므로 이를 지연하거나 하지 않은 경우에는 관련 사실에 대한 불리한 판단을 받게 되고, 고의로 폐기·훼손한 경우에는 부정한 행위(Inequitable Conduct)로 인정되어 소송에서 패소할 수 있음에 유의한다.

② 증거개시(Discovery)에 대비하여 미리 자료와 통신 등에 대해 대비하라.

최근에는 유형의 문서나 자료보다 이메일(E-mail)이나 전자문서가 회사 자료의 대부분을 차지한다. 따라서 소송에 대비하기 위해서는 회사의 자료나 이메일에 대한 관리 지침(Data Retention Policy)을 마련하는 것이 중요하다. 또한 증거개시절차에서 불리한 증거를 내지 않을 수 있도록 변호사-고객 특권을 잘 활용하여야 한다.

---

43) 배심재판의 경우에도 사실관계(Matter of Fact)는 배심원단에서 만장일치로 판단하지만, 법률적 판단(Matter of Law)의 경우에는 판사가 하도록 되어 있다. 예를 들어, 청구항 해석의 문제나 징벌적 손해배상의 문제는 법률적 문제로 판사의 판단 사항이다.

③ 사전에 타인의 특허침해 가능성에 대한 전문가 의견서(Legal Opinion)를 확보하라.

특허발명과 실시기술에 있어서 실제 침해가 되는지 여부를 파악하여 전문가의 감정을 받아 놓는 것이 바람직하다. 최근의 미국 판례에서 감정서를 미리 받아 두는 것이 반드시 고의침해를 벗어나는 것은 아니라고 하지만, 아직도 유력한 증거로서 고려될 수 있다. 따라서 미국 특허침해소송에서 과도한 손해액을 피하는 안전장치라 할 수 있다. 예를 들어, 폴라로이드(Polaroid)와 코닥(Kodak)의 즉석 카메라 관련 소송에서 코닥은 제품 출시 전 방대한 법적 자문과 견해를 확보해 왔고, 그 과정에서 변호사의 성실한 분석이 있다고 인정되어 고의침해를 벗어날 수 있었다.

④ 특허침해소송이 예견될 경우 미리 소송지를 선택하라.

실제 분쟁이 일어날 것이 예견되는 경우에는 특허권자는 자신에게 유리한 법원(자신의 생산시설이 있는 법원 또는 원고의 승소율이 높은 법원)에 소송을 제기할 것이므로, 피고의 입장에서는 불리할 수 있다. 이 경우에는 먼저 비침해 및 무효확인의 소(Declaratory Judgment)를 청구하면 자신에게 유리한 법원을 선택(Forum Shopping)할 수 있다. 또한 확인소송에서 특허가 무효이거나 비침해 판결을 받게 되면 침해소송의 조기 해결을 할 수도 있다. 다만 경고장을 이미 수령한 경우에는 확인의 소는 각하될 수 있음에 유의한다.

⑤ 소송의 피고인 경우 항변사항을 적극적으로 검토하라.

미국의 대법원이나 CAFC의 관련 사건에 대해 숙지를 하고, 원고의 주장에 대해 항변할 수 있는 사항에 대한 준비를 철저히 하여야 한다. 원고의 특허권이 특허의 대상이 될 수 없는 경우(인간의 DNA, 추상적 아이디어에 불과한 영업방법 등)가 아닌지, 특허출원 및 심사 과정에서 출원인이나 특허청의 의견을 잘 검토하여 출원경과 금반언(Prosecution History Estoppel 내지 File Wrapper Estoppel)에 해당하는 것은 없는지, 선행하는 무효자료가 있는지, 장기간 권리를 행사하지 않은 것은 아닌지(예 경고장을 보낸 다음 아무런 조치 없이 장기간의 시간이 지난 경우 해태(Laches)에 의해 권리행사 불가), 특허출원 및 심사 시 고의로 자료를 제출하지 않아 부정한 방법(Inequitable Conduct)으로 등록된 것은 아닌지, 표준특허에 관한 FRAND 규정의 위반은 아닌지, 제소 전 6년의 시간이 경과한 침해행위는 아닌지 등을 고려해 볼 수 있다.

Tip

FRAND Fair, Reasonable And Non-Discriminatory의 약자로, 공정하여야 한다는 것은 라이선싱하는 과정과 절차가 공정해야 한다는 의미이며, 합리적이어야 한다는 것은 경쟁 업체 또는 동일 분야의 표준특허권자들이 제시한 특허료와 비교하여 적절한 수준이어야 한다는 것이다. 또 비차별적이라는 것은 라이선스의 조건이 업체에 따라 상이하거나 차별적이어서는 안 된다는 원칙이다. 이는 표준특허권자의 특허권 행사를 제한하는 원칙이기도 하며, 삼성과 애플 간의 소송에서 주로 문제가 된 것이 삼성의 표준특허와 관련된 FRAND 요건에 대한 판단이었다.

⑥ 재심사청구를 이용하라.

최근 미국 특허법의 개정으로 인하여 미국특허청(USPTO)의 PTAB(Patent Trial and Appeal Board)에 당사자계 재심사(IPR : Inter Partes Review)와 등록 후 재심사(PGR : Post Grant Review), 결정계 재심사(Ex Partes Reexamination) 및 CBM(Covered Business Method)[44]이 존재한다. 각각의 이용 시기와 범위, 증거자료의 제출, 청구이유의 범위, 비용, 절차, 금반언의 원칙 적용 여부, 승소율 등이 상이하므로, 이를 잘 파악하여 활용하도록 한다. 특히 재심사청구의 경우 법원이 소송을 중지하는 경우가 많고,[45] 신청자의 승소율이 높은 것으로[46] 활용할 가치가 충분하다.

⑦ 원고가 어떠한 성격의 조직인지를 파악하라.

원고인 특허권자가 제조 기업인지, NPE인지, 대학이나 연구소인지에 따라 소송 전략은 상이해지며, 기존의 원고의 소송이력을 보았을 때 원고가 원하는 것이 라이선스인지 침해금지인지를 파악해 보아야 소송 전략을 효과적으로 수립할 수 있다. NPE나 대학의 경우에는 대부분 라이선스료를 받아 합의에 이르기 위한 의도를 가지고 있다.

⑧ 침해소송의 대리인 선임을 신속하고 신중하게 하라.

침해소송에서 외부 전문가인 대리인을 선임하는 것은 아주 중요하다. 초기부터 전문가의 조언에 따라 소송을 준비하여야 승소가능성을 높일 수 있으며, 쓸데없는 시간이나 잘못된 대응을 피할 수 있다. 이 경우 미국의 특허변호사를 선임하는 것은 당연하며, 이를 보조할 국내의 변리사 또는 변호사를 선임하는 것이 필요할 수도 있다. 현지 대리인은 특허소송의 전문가이어야 하고, 관련 소송의 경험이 풍부한 변호사로서, 의사소통에 문제가 없는 것이 유리하다.

⑨ 합의에 의해 소송을 종료할 수 있도록 협상 테이블을 병행하라.

미국 특허침해소송의 대부분(약 96% 내외)은 최종 판결까지 가지 않고 증거개시 단계 내지 마크만 히어링 또는 약식판결 단계에서 합의에 의해 소가 취하된다. 이는 각 단계에서 어느 정도 침해 여부 및 무효 여부가 판가름 나는 경우가 많으며, 소송의 진행에 따른 비용 또한 계속 증가하기 때문이다. 따라서 소송을 끝까지 가는 것보다 합의에 의해 소송을 조기에 마무리하고 라이선스 계약을 체결하는 것이 유리할 수 있다. 이를 위해 원고와 피고는 협상을 통해 화해를 할 수 있도록 하는 것이 바람직하므로, 협상 테이블을 만들어 지속적으로 합의에 이르도록 노력하는 것이 필요하다.

44) CBM은 한시적인 제도로서 영업방법(Business Method) 특허에 대한 무효절차이다.
45) 법원이 침해소송을 중지하는 비율이 IPR의 경우에는 87%, CBM의 경우에는 82%에 달한다(2013년 통계, USPTO 홈페이지 참조).
46) IPR의 경우 신청자의 승소율이 2013. 6. 1.~ 2014. 8. 7. 사이에 81%에 달한다(일부 청구항 무효를 포함한 통계이며, 전체 청구항이 무효된 경우도 64.6%임, USPTO 홈페이지 참조).

⑩ ITC 소송은 더 압축적이다. 미국 무역위원회(ITC : International Trade Commission)에서의 소송은 Section 337에 위반된 물품의 수입금지를 위한 소송이다. 이는 법률로서 18개월에는 마쳐야 하는 규정이 있는데, 그 절차는 보통 2~4년 정도 걸리는 연방지방법원의 특허침해소송과 유사하므로 신속한 대응이 필요하다. ITC 소송에서는 손해배상은 없고, 수입금지 조치가 이루어지게 되는데, 이는 제품을 미국에 수출할 수 없는 조치이므로 수출기업에 있어서는 큰 타격이 아닐 수 없다. 따라서 ITC 소송이 제기된 경우에는 신속하게 대리인을 선임하고 일사불란한 대응에 나서야 한다. ITC 소송에서 패소한 자는 이에 대한 불복을 CAFC에 할 수 있다.

연방지방법원의 침해소송과 ITC 소송의 비교[47)]

항목	연방법원	ITC
구제요건	유효한 특허권의 침해	유효한 특허권의 침해 외에 미국 내 산업의 존재 및 공익성 고려
구제내용	피고에 대한 금지처분, 손해배상	세관에서 일반적 또는 제한적 수입금지, 피제소인에 대한 침해행위 중지명령, 압류 등(단, 손해배상은 불가)
사법관할권 및 관할법정	피고에 대한 인적 관할권 및 적정 관할 법정을 요하기 때문에 피고가 다수 있는 경우 주 및 법정이 나누어질 수 있음	워싱턴DC에 위치하는 ITC가 모든 수입품에 대해 전국 관할권을 행사
판단자	판사 또는 배심원	ALJ(Administrative Law Judge) 및 ITC 위원
기간제한	절차기간의 제한이 없음	가능한 한 가장 이른 시기 이내(통상적으로 조사기간이 1년에서 18개월 소요)

47) http://www.cheric.org/PDF/PST/PT23/PT23-5-0553.pdf

04 포트폴리오 관리 전략

특허 포트폴리오와 관련해서 회사가 제일 먼저 해야 할 일은 보유하고 있는 특허가 무엇인지 아는 것이다. 하지만 놀랍게도 많은 경영자들은 회사가 보유하고 있는 특허가 무엇인지, 어느 나라에 출원되었는지, 또 어떤 내용을 담고 있는지 모르고 있다. 따라서 처음 해야 할 일은 보유한 특허목록을 살피고 각 특허가 보호하고 있는 중요 내용을 확인하는 것이다. 그 다음, 앞으로 보유한 특허권을 유지하기 위해 회사가 얼마를 지불해야 하는지, 그 특허들을 통해 어떤 이익을 얻을 수 있는지를 확인하고 특허권을 계속 유지할지를 결정하는 것이 중요하다.

1. 특허 선별

특허 포트폴리오를 적절히 구축하는 데 좋은 방법은 최초로 발명한 것은 모두 특허를 출원하되 특허권을 지속시킬 필요가 없다는 것이 밝혀지면 과감히 이를 제외시키는 것이다. 하지만 안타깝게도 가치가 있는 특허를 찾아내고 가치 없는 것과 구별하는 것은 좋은 아이디어를 특허출원하는 것보다 더 어렵다. 대부분의 회사가 재정적으로 한계가 있기 때문에 선택은 필요하며 이 선택은 회사의 혁신 성향에 따라 결정된다. 예를 들어, 어느 회사가 지난 10년 동안 하나의 신제품을 생산하고 향후 10년 동안 신제품에 대한 계획이 없다면 그 회사는 신제품 아이디어를 위해 예산을 모으기보다 기존에 있는 제품을 보다 많은 국가에서 보호하는 방법을 택하는 것이 더 낫다. 반면 일 년에 수십 개의 특허를 출원할 정도로 많은 특허를 보유하고 있고 대여섯 국가에서 영업을 하고 있다면 손익을 계산해서 어느 국가에 출원하는 것이 가장 가치 있는 것인지 살펴봐야 한다.

2. 접근법의 상이성

상표 포트폴리오와 특허 포트폴리오 관리는 접근하는 방법에 있어 상당한 차이가 있다. 일반적으로 특허출원은 발명이 여전히 비밀인 가운데 진행되고 새로운 나라에서 특허를 출원하기에 너무 늦는 경우도 있는 반면 상표출원은 다른 사람이 특정 국가에서 이미 등록한 상태가 아니라면 언제라도 출원하여 등록받을 수 있다. 그리고 제품이 출시된 후라도 상표는 더 많은 국가에서 출원이 가능하다.

3. 지식재산 포트폴리오의 전략적 관리

전략이란 어떠한 목표를 달성하기 위한 수단으로서 사용 가능한 자원들을 배치하고, 이에 관한 우선순위를 결정하는 과정을 말한다. 즉, 전략을 수행한다는 것은 목표 설정, 자원의 배치, 전술적인 결정을 통한 실행을 말하는 것이다. 따라서 지식재산 포트폴리오의 전략적 관리란 지식재산의 도구들을 체계적으로 사용하여 조직의 목적 달성을 추진하는 것이라 할 수 있다. 이를 위해 일관된 조직의 목표를 세우고, 이 목표를 위해 사용 가능한 자원에 대한 객관적인 평가와 외부 환경에 대한 여건을 분석하여 적절하고 효과적인 자원의 분배 및 배치를 하여 이를 시행하는 것이 필요하다. 이러한 지식재산 포트폴리오의 전략적 관리는 우선 등록 가능한 지식재산 리스트를 작성하고, 등록되지 않은 자산(영업비밀이나 저작권 등)을 확인하여 이의 결정이 제대로 되고 있는지를 점검하고, 특정의 제품 또는 서비스를 중심으로 관련된 지식재산을 조사하여 이를 적절히 관리하고 있는지를 점검한다. 또한 이미 등록된 지식재산권을 계속 유지할 것인지, 포기할 것인지, 매각이나 라이선싱의 대상이 될 것인지 등에 대한 평가도 이루어지는 등 지속적인 관리가 필요하다.

05 지식재산권의 상업화 전략

지식재산(IP)과 관련해서 중요한 것은 발명 그 자체가 아니라 이를 유용하게 사용할 수 있는가이다. 실제 특허를 출원한 발명 중 상당수가 상업적으로 가치가 없는 것들이다. 결국 대부분의 발명가들이나 기업에 중요한 것은 IP를 어떻게 유용하게 사용하는가이다.

1. 소유권과 보호 전략

발명품이나 다른 지식재산권을 공식적으로 보호하는 것은 300년 이상 이어져 왔다. 거의 대부분의 나라는 지식재산권의 소유와 보호에 관해 합의된 조약을 따르고 있으며, 권리의 소유에 대한 비용은 시간이 지날수록 증가한다. 비용과 관련해서 특허청에서 부과하는 수수료는 상대적으로 낮고 또 초기 진행비도 전체적으로 낮은 편이지만 시간이 갈수록 이를 유지하는 비용이 급격히 늘어 해마다 지출의 상당 부분을 차지하게 될 수 있다. 특허 관련 업무는 본인이 직접 특허청이나 이해관계인 등에 대해 진행할 수도 있고 변리사를 통해서 진행할 수도 있다.

2. 상업화 팀 구성

개별적인 발명가나 소기업들이 특허 분야에서 성공하는 것은 개발에 참여한 사람들의 열정과 노력, 그리고 성과 때문이며 여기서 중요한 것은 그들의 역할을 원활하게 조정하는 일이다. 이와 같은 참여자의 중요성은 발명가의 혁신적인 기술을 보완하기 위해 필요한 자원이나 기술이 무엇인가를 고려하면 명확해진다. 기업가, 회계사, 시장조사전문가, PR 컨설턴트, 엔지니어, 제품디자이너, 채용회사, 은행, 투자자, 그리고 다른 전문적인 서비스 모두 발명품을 시장에 내놓는 데 결정적인 역할을 하기 때문에 이런 역할을 통해 발명가를 돕는 전문가 팀은 심사숙고해서 구성되어야 한다.

3. 프로세스 관리

처음 만든 IP 자산을 보유하고 있고 팀 활동의 중요성을 인식하고 있다면 그 다음에는 라이선싱 계약이나 회사 창업에 필요한 구조화된 과정을 파악해야 한다. 이후 프로젝트에 필요한 팀 구성원의 프로필을 확인하고 프로젝트 계획을 세운다. 이때 필요자금을 확보하는 방안이 중요하다. 그 다음 투자를 유치해 프로젝트를 진행시키는데 이런 활동과는 별도로 처음에 제품 원형을 제작하는 것을 잊지 말아야 한다. 계획을 실행할 자금을 충분히 확보할 수 없는 경우에는 두 가지 대안이 있다. 하나는 제품 기준을 낮춰 끝까지 해 보는 것인데 이 경우 시장 출시까지 더 오랜 시간이 걸릴 수 있다. 다른 하나는 필요한 자금을 구하는 데 계속 집중하는 것으로 결국엔 후자가 프로젝트를 성공시키는 데 가장 효율적인 방법이다.

4. 상업화의 성과

오늘날 미국과 유럽에서 매년 출원되거나 등록되는 특허 중 일부만이 상업화가 되는데[48] 지식재산(IP) 자산 관리를 위해서는 IP를 통해 상업적인 성공을 거두는 일에 지속적인 관심을 두어야 한다. 일단 IP 자산이 데모(Demo) 제품으로까지 이어지고 그것이 시장요구에 맞는 것이라면 제품의 종류가 무엇이든지 그때부터 상업화의 성과가 보이기 시작한다. 그리고 이를 통해 라이선싱 계약을 체결할 적합한 회사들을 찾을 수 있게 된다. 만약 제품 출시를 위해 신생회사를 세워야 한다면 이를 주도할 사람이 적절한 경영 팀과 자금을 가지고 신생회사를 성공시킨 경험이 있다는 것을 확인하는 것이 중요하다. 그러나 발명가들은 자신의 발명에 대한 몰입과 객관적 시야의 부족으로 사업에 실패하는 경우가 많다.

---

48) 호주의 경우 제품 생산(시제품 포함)에 활용되는 특허의 비율이 11.9%에 불과하고("Do Patents Matter for Commercialization?", Elizabeth Webster & Paul H. Jensen, 2005. p. 2), 한국의 경우 2014년 국회 국정감사에서 국가과학기술연구회 소관 25개 연구기관의 특허휴면율은 3만 4,887건의 등록특허 중 2만 3,181개의 특허가 활용되지 않아 66%에 달한 것으로 알려졌으며, 미국의 경우 95%의 특허가 상업화 내지 라이선스에 활용되지 않고 있다고 알려져 있다(출처: Forbes, 2014. 6. 18., http://www.forbes.com/sites/danielfisher/2014/06/18/13633/). 이러한 수치는 주로 설문조사 등에 의해 이루어지므로, 표본집단의 크기나 성격, 조사기관에 따라 수치는 크게 변할 수 있다는 문제가 있으나, 일부의 특허만이 활용되는 현실은 반영되어 있다고 판단된다.

기출로 다지기

1 다음 설명과 관련된 일반적 지식재산 전략의 종류는? • 19회 기출

> "신약을 개발한 제약회사가 이와 관련된 제품이나 제조방법, 합성물의 중간체, 사용방법 등을 관리할 뿐만 아니라, 이에 더하여 신약과 관련된 연구방법, 판매방법 및 신약과 함께 사용될 수 있는 다른 조성물과 관련된 것들까지 사업 분야의 모든 채널을 포괄하도록 하여 경쟁자들이 권리자의 사업 자체에 접근하지 못하도록 하는 전략"

① 횃불(Burning Stick) 전략
② 지식재산 공백 탈피 전략
③ 지식재산 덤불(IP Thickets) 전략
④ 협상카드(Bargaining Chips) 전략
⑤ 지식재산 포트폴리오 전략

| ⑤ 지식재산 포트폴리오의 구축은 한 가지의 권리가 아닌 여러 개의 지식재산권을 모아 입체적인 보호 방안 마련을 의미한다. ▶ ⑤

2 다음은 라이선스와 관련된 설명이다. ⓐ, ⓑ, ⓒ에 가장 적절한 용어를 올바르게 나열한 것은 무엇인가? • 22회 기출

> • ⓐ는 2개 이상의 회사들이 자신이 특허받은 기술들의 일부 또는 전부를 서로 상대방에게 제품 생산이나 생산과정에서 사용하는 것에 대하여 허락하는 합의이다.
> • 비밀로서 유지되는 한 존속기간이 무한한 ⓑ는(은), 공개될 경우 가치가 사라진다고 할 것이어서, ⓑ에 대한 라이선스는 엄격한 비밀유지 조항이 요구된다.
> • 라이선시가 ⓒ을 사용함으로 인하여 수요자가 품질의 오인을 일으킬 경우 ⓒ이 취소될 수 있으므로, 라이선서는 사용허락된 대상 제품 등이 규격에 적합한지 여부를 철저히 감독해야 한다.

① ⓐ 크로스 라이선스, ⓑ 노하우, ⓒ 상표권
② ⓐ 크로스 라이선스, ⓑ 저작권, ⓒ 상표권
③ ⓐ 패키지 라이선스, ⓑ 노하우, ⓒ 특허권
④ ⓐ 크로스 라이선스, ⓑ 노하우, ⓒ 특허권
⑤ ⓐ 패키지 라이선스, ⓑ 저작권, ⓒ 상표권

| ⓐ 크로스 라이선스는 각각 별개의 특허권을 소유한 각 당사자가 상호의 실시권을 설정하여 각자 실시할 수 있도록 하는 것이다.
ⓑ 노하우는 특허와 달리 공개되지 않는 비밀 기술 정보이다.
ⓒ 라이선시가 상표권을 사용할 때에는 상표의 희석이나 오인이 발생하지 않도록 주의해야 하고, 라이선서는 이를 철저히 감독해야 한다.
▶ ①

제6절 디자인 경영 전략

01 선행디자인조사의 활용

1. 디자인 분쟁의 예방

(1) 선행디자인조사의 중요성

디자인업자들은 통상적으로 자신이 개발한 디자인에 관한 선행디자인조사 없이 사업에 착수한다. 물론 그렇게 개발된 디자인이 아무런 문제없이 사업화될 수도 있지만, 동일하거나 유사한 타인의 등록디자인이 발견되어 침해 문제가 발생하는 경우도 허다하다. 엄청난 비용과 시간을 투자한 디자인이 제3자의 디자인권으로 인해 제대로 활용조차 되지 않는다면, 사업적으로 엄청난 타격을 입게 될 것이다. 디자인을 모방하지 않아도 외형상 동일하거나 유사하다면, 디자인권 침해 문제로 직결될 수 있기 때문에 철저한 선행디자인조사가 필수적이다. 따라서 선행디자인조사의 가장 주된 목적은 디자인권 침해를 예방하는 데 있다.

(2) 선행디자인조사 시 유의점

선행디자인조사를 통해 타인의 등록디자인을 확인함으로써 사전에 분쟁을 방지하고, 더 나아가 신규 디자인의 개발 방향 및 회피 설계 등을 결정할 수 있다. 이와 같은 목적으로 선행디자인조사를 수행할 때 그 지역적 범위는 조사대상디자인의 사업화 예정 국가별로 할 수 있다. 예를 들어, 신규 개발예정인 디자인이 한국에서만 사업화 예정이라면, '대한민국에 등록된 선행디자인'만 조사하면 되고, 일본 등 타 국가를 굳이 검색할 필요는 없다. 선행디자인조사를 수행하는 경우에는 이용침해 또는 간접침해도 문제될 수 있으므로, 조사대상디자인의 실시상 불가피하게 포함될 수 있는 디자인이 있는지도 꼼꼼히 검토해 보아야 한다. 예를 들어, 자동차를 실시하고자 할 때, 자동차에 포함된 자동차 바퀴에 관한 선행디자인이 있는지 확인해야 한다.

2. 디자인 등록가능성의 예측

선행디자인조사의 또 다른 목적은 출원예정일을 기준으로 그전에 공개된 디자인을 조사하여 등록가능성을 사전에 예측하는 것이다. 하나의 디자인권을 발생시키고 유지하는 비용은 상당하다. 기업 입장에서는 향후 개발될 모든 디자인에 대해 권리를 획득하는 것은 자칫 경영적 측면에서 큰 부담이 될 수 있다. 따라서 등록가능성을 예측하여 등록이 어렵다고 판단되는 디자인은 출원을 시도조차 하지 않는 것이 적절하다. 디자인등록을 위해서는 출원 전 공개된 디자인과 동일 또는 유사하지 않아야 하고(신규성, 디자인보호법 제33조 제1항 각 호), 출원 전 공개된 디자인 또는 널리 알려진 형태로부터 쉽게 창작할 수 없어야 한다(창작성, 디자인보호법 제33조 제2항). 따라서 출원 전에 이미 공개된 디자인을 조사하여 그 디자인의 등록가능성을 미리 확인할 수 있다면, 상당한 비용과 시간을 절약할 수 있으며, 다른 디자인의 사업화에 주력할 수 있다.

3. 디자인 트렌드의 파악 및 디자인 개발 방향성 결정

▍디자인맵 49)

디자인은 이 세상의 모든 만물로부터 그 모티브를 얻는다고 해도 과언이 아니다. 디자인은 그 시대의 흐름을 거스르지 않아야 하고, 그 시대의 수요자가 받아들 수 있는 설득력을 가져야 한다. 따라서 디자인을 개발함에 있어서, 최근 디자인 트렌드를 파악하는 것은 무엇보다도 중요하다. 선행디자인조사를 통해 해당 제품의 디자인 트렌드를 파악하고 있다면, 그리고 그러한 디자인 트렌드 속에서 디자인의 개발 방향을 미리 가늠할 수 있다면, 성공적인 디자인 사업화에 초석이 될 것이다.

49) www.designmap.or.kr

02 디자인 모방행위를 예방하기 위한 전략

디자인권자는 등록디자인 또는 이와 유사한 디자인을 독점적으로 실시할 수 있지만(디자인보호법 제92조), 이와 같은 권리는 제3자에 의해 침해될 수 있다. 이와 같은 침해행위로 인해 디자인권자는 불측의 손해를 받을 수 있기 때문에 디자인보호법은 디자인권자에게 다양한 민형사상 권리를 부여하고 있다. 그러나 출원된 디자인은 등록될 경우 외부에 공개되는 것이 원칙이고, 디자인은 물품의 미적 외관으로 구성되기 때문에 그 권리범위가 매우 협소하고 모방 및 도용이 매우 용이하여, 제3자에 의한 침해 우려가 매우 높다. 따라서 디자인보호법은 제3자의 침해를 미연에 방지하기 위한 제도를 두고 있는데, 다음에서 이를 법 규정과 함께 검토한다.

1. 강력한 디자인권 확보 방안

디자인보호법은 디자인의 보호범위를 내적으로 강화할 수 있는 부분디자인제도(제2조 제1호 괄호) 및 외적으로 강화할 수 있는 관련디자인제도(제35조)를 두고 있다.

(1) 부분디자인제도의 활용

부분디자인은 디자인의 일부 모방을 방지하기 위한 것으로, 디자인의 독특한 미감을 발휘하는 부분을 보호함으로써 제3자가 디자인의 일부를 모방하여 회피 설계하고자 하는 시도를 억제할 수 있다. 하나의 디자인에 대한 다수의 부분디자인이 존재한다면, 모방을 하고자 하는 제3자의 의욕을 분쇄할 수 있다.

(2) 관련디자인제도의 활용

디자인권자 또는 출원인은 자기의 등록디자인 또는 출원디자인(기본디자인)과만 유사한 디자인에 대하여는 그 기본디자인의 출원일부터 1년 이내에 출원된 경우에 한하여 관련디자인으로 등록받을 수 있는데, 이를 관련디자인제도라고 한다. 디자인권의 침해는 일반적으로 유사와 비유사 경계에서 빈번하게 발생하는데, 관련디자인은 기본디자인과만 유사한 디자인을 관련디자인으로 등록받아 그 관련디자인의 유사범위까지 권리범위를 확장할 수 있다. 따라서 제3자는 기본디자인의 유사범위뿐만 아니라 비유사범위까지 예측하여 회피 설계해야 하는 위험성을 감수해야 하기 때문에 실질적으로 모방을 사전에 차단할 수 있게 된다. 사업 전략적으로 중요한 디자인에 대해서는 부분디자인과 관련디자인을 다수 확보하여 제3자의 침해를 사전에 원천 차단할 필요가 있다.

(3) 비밀디자인제도의 활용

출원인은 설정등록일부터 3년 이내의 기간을 정하여 그 디자인을 비밀로 할 것을 청구할 수 있다(제43조). 원칙적으로 출원된 디자인은 출원인의 공개신청이 없는 한, 설정등록 시에 공지되고 등록공보가 발행되어 공공에 공개된다. 그럼에도 불구하고, 출원인이 이를 이용하여 일정 기간 동안 등록디자인을 비밀로 유지할 수 있다. 이를 이용할 경우 디자인의 권리화가 가능함과 동시에, 등록 후 일정 기간 동안 등록디자인을 외부로 공개하지 않음으로써, 디자인권자는 등록디자인에 관한 실시사업을 준비함과 동시에 제3자의 모방 침해를 미연에 방지할 수 있다. 다만, 비밀기간 동안 제3자의 침해행위에 대해 권리행사를 하는 경우 사전경고의 요구, 과실 추정의 배제 등 일정한 제한이 있다(제113조 제2항 및 제116조 제1항 단서).

(4) 출원공개제도의 활용

출원인은 자기의 출원에 대한 공개를 신청할 수 있으며, 출원공개신정이 있는 경우 특허청장은 그 출원에 관하여 디자인공보에 게재하여 출원공개를 하여야 한다(제52조). 설정등록 전인 출원계속 중에는 확정적인 권리가 부여되는 것이 아니기 때문에 출원계속 중 제3자가 출원디자인에 관한 권리를 침해하는 경우 실질적인 권리행사는 불가능하지만, 출원공개신청을 통해 출원디자인이 공개되면, 제3자에 대한 보상금청구권이 발생하여 디자인권 침해를 미연에 방지할 수 있다. 다만, 보상금청구권의 행사는 설정등록 이후에만 가능하며, 디자인권의 행사와는 별개이다.

2. 디자인등록의 표시

디자인권자 등은 등록디자인에 관한 물품 또는 그 물품의 용기 또는 포장 등에 디자인등록의 표시를 할 수 있다(제214조). 이는 타 산업재산권법에도 동일 취지의 규정이 있기 때문에 디자인보호법만의 특징은 아니지만, 제3자에게 등록된 디자인임을 표시함으로써, 침해 의욕을 제거 또는 저하시켜 디자인권의 침해를 미연에 방지하는 효과가 있다.

기출로 다지기

다음은 디자인 모방행위를 예방하기 위한 전략을 설명한 것이다. 옳지 않은 것을 모두 고른 것은?

• 20회 기출

㉠ 등록디자인에 관한 물품 또는 그 물품의 용기에 디자인등록을 표시하여 제3자에게 등록된 디자인임을 표시하여 디자인권의 침해를 미연에 방지할 수 있다. ㉡ 디자인의 보호범위를 내적으로 강화할 수 있는 부분디자인제도 및 외적으로 강화할 수 있는 관련디자인제도로 디자인을 두텁게 보호하면, 회피설계가 어려워 모방행위를 예방할 수 있다. ㉢ 비밀디자인제도를 활용하여 설정등록일로부터 3년 이내의 기간 동안 등록디자인을 비밀로 유지함으로써, 디자인권자는 등록디자인에 관한 실시사업을 준비함과 동시에 제3자의 모방 침해를 미연에 방지할 수 있다. ㉣ 디자인등록출원 중에도 보상금청구권의 행사가 가능하므로 출원인은 출원계속 중 제3자가 출원디자인과 유사한 디자인을 실시하는 경우 출원공개신청을 하고 보상금청구권을 행사하여 제3자의 무단실시를 금지할 수 있다.

① ㉠, ㉡
② ㉡
③ ㉡, ㉢
④ ㉢, ㉣
⑤ ㉣

| ㉣ 보상금청구권의 행사는 설정등록 이후에만 가능하다. ▶ ⑤

제7절 브랜드 경영 전략 및 상표의 보호

01 브랜드와 상표

1. 브랜드와 마케팅

경영학의 대가인 피터 드러커(Peter F. Drucker)에 따르면 "기업경영의 기본적 기능은 단 두 가지, 혁신과 마케팅"이라고 한다. 좋은 제품을 만들어 그것을 잘 파는 것이 기업경영의 요체이며, 재무, 인사, 총무, 법무 등의 일반적 활동은 혁신과 마케팅을 지원하는 업무라고 할 수 있다.

지식재산과 관련하여, 발명과 디자인은 혁신을 뒷받침하며, 브랜드와 명성관리는 마케팅의 핵심 자산으로 기능한다. 발명과 디자인은 시장 진입 초기에 기업에 유리한 기회를 제공하며, 그러한 활동이 축적되면 브랜드 자산이 기업에 장기적인 경쟁우위를 보장하게 된다.

2. 브랜드(Brand) vs 상표(Trademark)

영어사전에서 'Brand'는 '상표, 브랜드', 'Trademark'는 '(등록)상표'라고 되어 있다. 일반적으로 '브랜드'라는 용어는 브랜드 경영, 브랜드 전략, 브랜드 자산, 브랜드 포트폴리오, 브랜드 확장처럼 기업의 경영, 마케팅 측면에서 자주 사용되고, '상표'는 상표법, 상표등록, 상표권, 상표분쟁처럼 법률, 보호요건, 분쟁, 소비자 혼동 방지의 측면에서 흔히 사용된다. 이처럼 양자는 어느 정도 구별되는 용어이지만, 동시에 양자가 밀접한 관계가 있음은 명백하다. 따라서 상표의 개발과 권리화, 상표권의 이용과 행사는 언제나 기업의 브랜드 경영과 브랜드 전략을 염두에 두고 진행되어야 한다.

02 브랜드 경영과 상표의 보호

1. 브랜드 개발 시기

기업의 신제품 개발 프로세스는 아이디어의 창출・평가 → 제품 콘셉트의 개발과 테스트 → 마케팅 전략의 개발 및 사업성 분석 → 제품 개발 → 테스트 마케팅 → 상업화의 단계를 거치게 된다.[50] 제품 콘셉트는 아이디어를 소비자 관점에서 구체화시키는 과정이며, 마케터들은 제품 콘셉트가 결정되면 예비적인 마케팅 전략을 수립하고 사업성을 평가하게 된다. 상표의 콘셉트는 이 단계에서 확정되며 상표등록출원에서 등록까지 적어도 6개월 이상 소요되므로 상표의 개발(브랜드 네이밍)은 적어도 이 단계에서 시작할 필요가 있다.

2. 제품수명주기에 따른 브랜드 전략

대부분의 상품은 도입기를 거쳐 성장기, 성숙기, 쇠퇴기로 진행하는 제품수명주기(Product Life Cycle)를 따르게 되므로,[51] 제품수명주기에 맞게 브랜드 전략을 수립하여 운영하는 것이 좋다. 예를 들면, 준비기에 브랜드를 개발하고 늦어도 도입기 전에 상표등록출원을 해 두어야 하며, 도입기에는 상품 인지도를 높이기 위한 정보제공형 광고를 하고, 성장기에서 성숙기까지 수요자의 브랜드 로열티를 높이기 위한 다양한 커뮤니케이션 활동을 하여야 한다. 쇠퇴기가 되면 그 브랜드를 유지할 것인지, 리뉴얼할 것인지, 또는 퇴출할 것인지 등을 결정하여야 한다. 이와 같이 브랜드 수명주기(Brand Life Cycle)는 제품수명주기를 약간 선행하여 진행하거나 또는 함께 진행하게 된다. 따라서 상표 전략은 기업의 경영 전략, 사업 전략, 신제품 개발 전략, 마케팅 전략 등과 함께 종합적으로 검토－수행－평가되어야 하는 경영 활동의 일환이라고 할 수 있다.

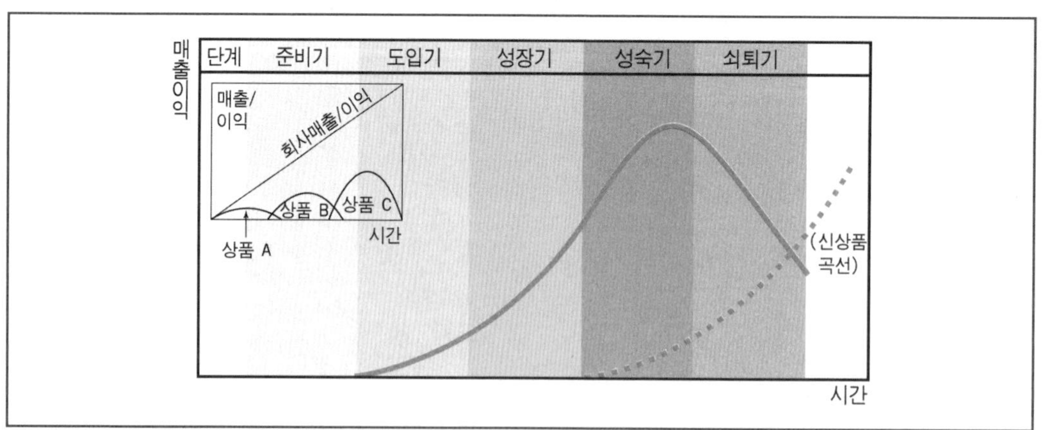

▎상품의 제품수명주기

50) 안광호 외 2인, 마케팅원론(3판), 학현사, 2004, p. 306
51) 일시적인 유행 상품, 장수 상품, 계절 상품, 연속성장형 상품 등은 다른 형태의 PLC를 보여 주기도 한다.

03 브랜드 보호를 위한 단계별 업무

다음은 브랜드 경영에 있어서 상표 관련 업무를 정리한 것이다. 상표 관련 업무는 일반적으로 ① 상표의 개발－검색－출원－등록에 이르는 권리화 단계, ② 등록상표의 적절한 사용과 라이선싱, 담보 제공 등을 통한 활용 단계, ③ 상표권 침해에 대한 단속과 민형사 조치 등을 포함한 보호 단계, ④ 상표권의 평가와 갱신, 리뉴얼, 방어출원 등을 포함한 유지・관리 단계 등으로 구성된다.

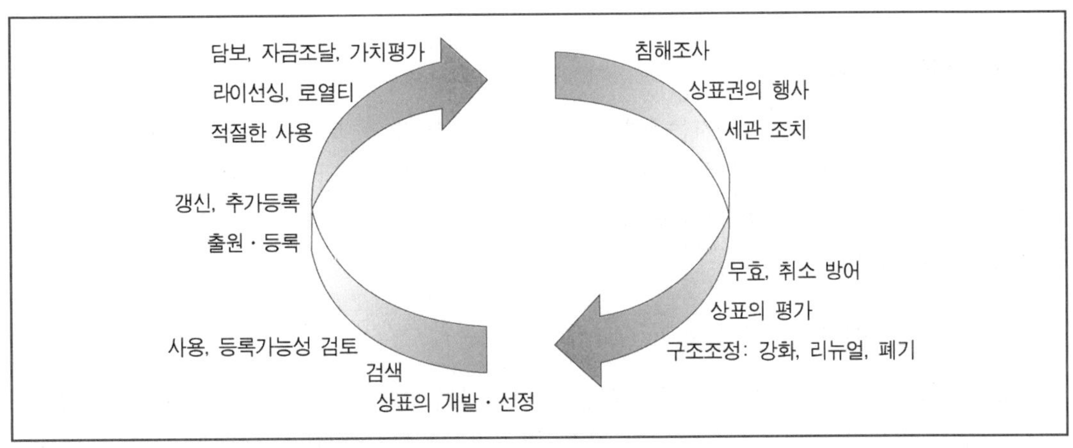

브랜드 경영에서의 상표 관련 업무

1. 상표의 개발 단계

상표의 개발은 준비기, 즉 제품 출시 이전인 마케팅 전략 개발 단계에서부터 진행하는 것이 바람직하다. 상표는 디자인과 달리 신규성이나 창작성을 요건으로 하지 않기 때문에 마케터나 브랜드 매니저의 아이디어, 사내 공모 등을 통해서 상표를 선정하는 경우가 적지 않지만, 대기업은 전문회사에 의뢰하여 제품 콘셉트에 어울리는 브랜드 네이밍을 하고 독특한 서체와 색채, 도안 등을 부가함으로써 시각적・감성적으로 좋은 브랜드, 법적으로 강한 상표를 개발하는 경우가 흔히 있다.

(1) 상표의 식별력 정도에 따른 전략

일반적으로 식별력이 약한 상표는 도입기에는 수요자에게 상품의 특성과 장점을 알리는 데 유리하지만, 차별화가 약하고 모방에 취약하기 때문에 성장기, 성숙기에는 불리한 경우가 많다. 따라서 마케팅 담당자는 식별력이 약한 상표를 선호하는 경우가 적지 않지만, 그러한 상표는 등록가능성이 낮고 상표권의 효력이 약하며 장기적으로 브랜드 자산의 구축에도 취약하기 때문에 제품・수요자・시장의 특성을 감안하여 전략을 수립하여야 한다.

(2) 후발 주자의 전략

이와 같은 고민은 후발 주자인 경우에도 마찬가지이다. 경쟁사의 신제품 브랜드가 시장에서 좋은 반응을 얻고 있는 경우에 후발 주자는 미투 전략이나 차별화 전략 중의 하나를 선택해야 한다. 다시 말해서 앞서가는 브랜드를 따라할 것인지, 아니면 선발 브랜드와 핵심 키워드, 브랜드 콘셉트, 언어 감정 등을 달리하여 차별화함으로써 선발 브랜드와 진검승부를 할 것인지를 결정해야 한다.[52)]

2. 상표의 권리화 단계

상표를 출원해서 등록받기까지는 6개월 이상이 소요되며, 등록가능성을 확신할 수 없는 경우도 있기 때문에 미리부터 상표등록출원을 해 두는 것이 좋다. 따라서 브랜드가 많이 필요한 기업들은 미리 다수의 상표등록을 받아 두고 그중에서 적합한 브랜드를 선택하여 사용하는 경우가 많이 있다.

(1) 상표 검색 시 '상품류 구분' 결정

상표등록출원을 하기에 앞서 상표 검색을 실시하여 상표의 등록가능성과 사용가능성을 미리 검토할 필요가 있다. 막상 출원이 거절되거나, 설상가상으로 등록 없이 상표를 사용했는데 타인으로부터 상표권 침해의 대항을 받게 되면 사업 자체를 접어야 할 수도 있기 때문이다.

상표등록출원에 있어서는 먼저 상품류 구분에 대한 이해가 선행되어야 한다. 상표법 시행규칙은 별표 1과 별표 2에서 상품류 구분을 1류에서 34류, 서비스업류 구분을 35류에서 45류로 구분하고 있기 때문에 어떤 류구분에 대하여 권리를 확보할 것인지를 결정할 수 있어야 한다. 예를 들면, 제약 업종의 경우에는 제5류에 대해서만 출원해도 충분하지만, 패션상품은 의류(25류), 신발(25류), 가방(18류), 선글라스(9류), 시계・액세서리(14류) 등 여러 류구분에 걸쳐 출원해야 할 경우가 있다. 또한 '햄버거'라고 해도 '햄버거용 패티'는 29류, '햄버거'나 '햄버거용 빵'은 30류, '햄버거 재료 도매업'은 35류, 맥도널드나 롯데리아와 같은 프랜차이즈업은 43류이므로 업종을 정확하게 알아야 출원 시에 류구분과 권리를 결정할 수 있다.

52) 미투 전략은 자일리톨, 후라보노, 허니버터 등이 대표적이며, 차별화 전략은 선발 브랜드인 '니어워터'를 뛰어넘은 '2% 부족할 때'가 대표적인 예이다.

⑵ 상표 식별력에 대한 이해

다음으로는 출원상표의 등록가능성, 특히 식별력에 대한 이해가 필요하다. 식별력이 약한 상표의 경우에는 회사 로고나 상호 등을 결합하여 식별력을 부가하거나 또는 사용에 의한 식별력을 인정받기 위해 철저한 준비가 필요하다. 또한 식별력은 출원의 시기와도 관련이 있다. 예를 들어, 2011. 3. 28.에 제9류의 '소프트웨어 애플리케이션의 검색/리뷰/구매/다운로드용 컴퓨터소프트웨어'에 대하여 출원된 'APP STORE' 상표는 식별력이 없다고 거절되었는데(특허법원 2013허9126 판결), 그 상표가 스마트폰용 앱의 거래가 활발해지기 이전에 출원되었다면 결과가 달라졌을 수도 있을 것이다.

또한 출원 전후에 회사의 홍보 담당자나 브랜드 매니저가 출원상표를 보통명칭이나 기술적 표장인 것처럼 사용함으로써 상표등록을 받지 못하게 되는 경우도 없지 않다. 예를 들어, A사는 'LOT'라는 상표를 제9류의 '테이프 드라이브, 테이프 카트리지'에 출원했는데, 그 출원에 대한 등록결정 전에 'LOT'가 대용량 자기 테이프 장치의 규격인 개방선형테이프(linear tape open)의 약어로 알려짐에 따라 그 출원은 등록을 받지 못하였다.

⑶ 해외 상표출원 시 유의점

한편, 해외에서 상표의 보호를 받기 위해서는 속지주의 원칙상 보호를 받고자 하는 국가 또는 지역기구(예 유럽연합)마다 별도로 상표등록을 받아야 한다. 해외출원 시에는 해당 국가의 법제와 실무에 대한 이해가 필요하며[53] 어떤 루트를 통해서 해외출원을 할 것인지를 결정하여야 한다.

예를 들어, 유럽연합(EU)은 회원국 전부를 대상으로 하는 공동체상표출원(CTM)을 할 것인지 아니면 특정 회원국에 대해서만 상표출원할 것인지를 결정하여야 한다. 미국은 사용주의 국가이므로 사용에 기한 출원이 원칙이지만, 사용의사에 기한 출원, 자국 등록에 기초한 출원, 마드리드 의정서에 의한 출원도 가능하므로 어떤 방식이 가장 유리한지를 검토해야 한다.

또한 출원의 루트를 결정함에 있어서도, 보호를 받고자 하는 국가에 직접 출원할 것인지, 파리협약에 의한 우선권을 주장하여 출원할 것인지, 아니면 마드리드협정의정서에 의한 국제출원을 할 것인지를 장단점을 비교해서 판단할 수 있어야 한다.

상표의 해외출원 여부와 출원 시기 등은 ① 상표의 가치와 사업성, ② 해당 국가에의 진출 가능성 및 예정 시기, ③ 출원의 긴급성과 우선권주장기간, ④ 해당 국가에 국제 시장에서 경쟁하는 기업이 존재하는지 여부, ⑤ 해당 국가에서의 상표의 사용예정시기, ⑥ 해당 국가의 상표 관련 법령(예 등록요건, 불사용 취소의 요건, 라이선스 규제 등), ⑦ 예산, ⑧ 등록 후 상표권의 유지관리 등을 종합적으로 고려하여 결정하여야 한다.

53) 해당 국가의 특유한 절차, 심사실무 등에 무지하여 시간과 비용을 낭비하는 경우가 적지 않다.

3. 상표의 사용 및 경제적 활용 단계

상표권자는 등록상표를 지정상품에 대하여 정당하게 사용할 의무가 있다.

(1) 상표의 사용 시 유의점

상표권자는 등록상표에 대하여 '®' 표시를 하거나, 미등록상표라도 'TM' 표시를 하여 그것을 상표로서 사용하는 것임을 표시할 수 있다. 상표권자라도 등록상표가 아닌 상표 또는 지정상품 외의 상품에 대하여 상표등록 표시를 하면 허위 표시로 처벌될 수 있으며, 상표를 잘못 사용하거나 상표관리를 잘못하면 'ASPIRIN', '불닭'처럼 등록상표가 보통명칭화되어 상표권의 효력을 잃게 될 수 있다. 따라서 상표의 서체, 색채, 표시방법을 일관성 있게 유지하고 등록상표임을 표시하는 등 상표의 사용에 주의를 기울일 필요가 있다. 그런데 막상 상표 업무 담당자가 아니면 이와 같은 사실을 잘 모르는 경우가 많기 때문에, 사내 임직원을 대상으로 교육을 실시하고, 브랜드 사용에 관한 매뉴얼을 만들어 활용하는 것이 좋다.

(2) 상표권의 수익화

상표권자는 상표권에 대하여 사용권을 설정하거나, 질권을 설정하여 경제적 이득을 얻을 수 있다. 특허의 라이선스는 단순히 타인에게 특허발명을 실시할 수 있는 권한을 부여하는 것이지만, 상표의 라이선스는 등록상표에 화체(化體)된 브랜드의 역사와 신용, 미래가치를 공유하는 것이므로 더욱 세심한 주의가 필요하다. 상표 라이선싱에 있어서는 로열티 미지급, 라이선시의 등록상표 오용, 계약 해지사유와 해지의 효력발생 시점, 계약 종료 후 재고품의 처리 등을 둘러싸고 다툼이 많이 발생하기 때문에 그 부분에 대해 확실한 체크가 필요하다. 상표 라이선싱은 제3자뿐만 아니라, 그룹의 지주회사와 계열사 간, 그룹 내의 계열사와 계열사 간에도 체결될 수 있는데, 이 경우에는 부당지원으로 인한 공정경쟁 내지 세무 관련 문제가 생길 수 있기 때문에 다양한 사례를 검토하여 문제가 불거지지 않도록 충분한 대비책을 마련해 둘 필요가 있다.

또한 상표권을 담보로 대출을 받거나, M&A로 인하여 상표권이 포괄적으로 이전되는 경우, 상표권을 포함한 영업 전부를 매각하거나 상속·유증 등의 사유가 발생하는 경우, 상표권에 대한 적절한 로열티를 산정하거나 상표권 침해를 이유로 하는 손해배상을 청구하는 경우에는 그 상표권에 대한 적절한 가치평가가 수반되어야 한다. 상표의 가치평가는 평가모델에 따라서 결과가 달라지는 경우가 많기 때문에, 반드시 경험과 신뢰성을 확보한 전문가의 협조를 받을 필요가 있다. 또한 기업은 시장 점유율, 수요자 인지도 등에 대한 조사를 실시하여 그 결과를 축적하고, 상표에 투자한 비용, 광고, 기타 관련 자료를 잘 보관해 두는 것이 좋다.

4. 상표권의 행사와 위기 관리 단계

(1) 주기적인 상표 침해조사

상표권자는 상표권 침해를 방지하기 위하여 주기적인 조사를 실시하여야 한다. 침해조사는 오프라인에서의 침해뿐만 아니라, 온라인 전자상거래, 오픈마켓, 모바일 환경에서의 상표권 침해 여부도 함께 조사해야 하며, 상호, 도메인이름, 웹상표, 보통명칭으로의 사용 등 여러 가지 유형으로 상표권이 훼손될 수 있기 때문에 다양한 각도에서 조사를 실시해야 한다. 또한 상표의 직접 사용에 의한 침해뿐만 아니라, 유사한 상표가 출원되는지 여부도 조사하여 이의신청을 제기하는 등 상표권의 독점성을 보호하기 위한 선제적인 조치를 취해야 한다. 이러한 활동은 상표 업무 담당자가 단독으로 하기 어렵기 때문에 기업의 임직원들 모두가 참여해야 하며, 특허사무소, 침해 단속 전문회사, 한국지식재산보호협회 등 전문기관과 협조 체계를 구축하여 진행하는 것이 좋다.

(2) 상표권 침해가능성 발견 시

상표권 침해 소지가 있는 행위가 발견되면, 상표권자는 먼저 자기 권리에 문제가 없는지를 확인한 후에 상표권 침해가능성을 검토하여야 한다. 상표권 침해가능성이 높은 경우 또는 침해라고 단정할 수는 없지만 상표권이 훼손될 염려가 있다고 판단되면 전문가와 상의하여 경고장이나 협조문을 보내는 것이 일반적이다. 침해가 경미한 경우, 침해라고 단정하기 애매한 경우, 라이선스 계약의 해석에 따른 문제인 경우, 선사용자의 사용에 의한 경우에는 혼동 방지 표시를 할 것을 요구하거나 계약의 문구를 명확히 하는 등 협상에 의해 문제를 해결할 수도 있지만, 침해가 악의적이거나 명백한 경우 또는 침해가 반복해서 이루어지는 경우에는 곧바로 상표권 침해금지 가처분의 보전소송과 침해금지청구, 손해배상청구 등의 본안소송을 순차적으로 또는 함께 제기하고, 상표권 침해죄로 고소하는 것도 가능하다. 특허의 경우와 달리 상표는 특별한 기술이나 설비가 없이도 모방이 가능한 경우가 많으며, 상표권 침해의 경우에는 상표권에 화체된 신용과 브랜드 자산의 회복이 어렵기 때문에 보다 적극적이고 과감한 대응이 필요하다.

(3) 상표권 침해주장을 받은 경우

한편, 상표권자로부터 상표권 침해의 소지가 있다는 통지를 받게 되면 먼저 상표등록원부를 발급받아 상표권의 유효성을 확인하고, 전문가의 조력을 받아 상표권 침해에 해당하는지를 면밀히 검토하여야 한다. 검토 결과 침해가능성이 높다고 판단되면 사용을 중지하고 협상을 시도하는 것이 바람직하지만, 상표등록 무효사유나 취소사유가 있다고 판단되는 경우에는 적극적인 대응을 검토해 볼 수도 있다. 그러나 상표권의 효력이 미치지 않는 범위에서의 사용, 진정상품의 병행수입, 정당한 권원이 있는 사용 등 침해가 아니라고 판단되는 경우에는 소송에 대비하여 자료를 준비하거나 선제적으로 소극적 권리범위확인심판, 상표권 침해 부존재 확인의 소송, 상표등록 무효심판 등을 제기하여 조속히 법적 불안정 상태를 탈피하기 위한 시도를 하여야 한다.

⑷ 해외에서의 상표 보호방안

해외의 경우를 살펴보면 특허는 선진국에서, 상표는 후진국에서 분쟁이 많이 발생한다. 특허에 비해서 상표는 모방이 용이하며, 상표 브로커에 의한 선점 사례가 많이 있고, 한류의 영향으로 중국과 동남아 국가에서 상표권이 선점당하거나 침해되는 사례가 자주 발생하고 있다. 특히 중국에서는 상표권이 선점되는 경우가 많이 있고, 사법절차를 통한 구제도 쉽지 않기 때문에 가급적이면 국내에서 상표출원을 하는 경우 그와 동시에(적어도 우선권주장기간 내에) 중국 출원도 함께 진행하는 것이 바람직하다. 또한 상표권이 있어도 온오프라인에서 상표권을 침해하는 사례가 많이 발생하기 때문에 침해단속, 행정조치, 사법조치, 세관조치 등 다양한 조치를 강구하는 한편, 국내 기업 간에 정보를 교환하고 한국지식재산보호협회 등 전문기관의 도움을 받는 것이 바람직하다.

5. 상표권의 유지 · 관리 · 평가 · 피드백 단계

앞서 살펴본 바와 같이 상표 업무는 기업의 경영 전략, 사업 전략의 틀 속에서 그리고 다른 부서와의 유기적 협조체계하에서 이루어져야 한다. 상표권 관리는 기업마다 환경이 다르기 때문에 정답이 있는 것은 아니지만, 상표권의 확보와 사용이 기업의 브랜드 경영 전략, 브랜드 포트폴리오나 계층 구조에 잘 부합하는지, 브랜드 리뉴얼이나 브랜드 확장의 가능성에 대비하고 있는지, 임직원을 대상으로 브랜드 인식 제고가 잘 진행되고 있는지, 부서 간에 명확한 권한 부여와 유기적 협조체계가 잘 구축되어 있는지 등을 점검하여야 한다. 또한 상표 업무 담당자는 보유하고 있는 상표에 등급을 부여하여 상표를 체계적으로 관리하고, 상표의 적절한 사용 여부, 오용 사례 등을 조사해야 하며, 현업 부서의 의견을 들어 상표권을 강화하기 위한 조치, 갱신출원, 상표권의 매각이나 포기 등의 구조조정을 시행하여야 한다. 그러나 상표 업무 전담자 내지 전담 부서를 두고 있는 기업은 많지 않으며, 그런 기업에서 조차 상표 업무는 지원 업무로서 권한이 크지 않은 경우가 많기 때문에, 가급적이면 상표관리규정, 지침, 매뉴얼 등을 만들어 CEO를 포함한 기업의 모든 구성원들이 규정을 준수하도록 할 필요가 있다.

다음의 표는 기업의 브랜딩 프로세스에서 각 단계별로 지식재산부문이 관여하여야 하는 상표 업무를 정리한 것이다.

단계	항목	구체적인 내용
개발	• 신규 브랜드 개발 • 기존 브랜드 리뉴얼	• 상표 검색(국내/해외) • 등록가능성, 네거티브체크
보호	• 등록상표의 보호 • 미등록상표의 보호 • 침해에 대한 대응	• 상표등록 · 방어출원 · 저명상표의 보호 강화 • 미등록상표의 사용 확보(TM clearance) • 미등록상표의 독점사용 전략(부경법, 식별력 포함 등록 등) • 침해대응 매뉴얼, 침해단속 및 발견, 침해에 대한 대응 조치 실행
활용	• 직접 사용 • 라이선싱(계열사 포함)	• 상표의 올바른 사용(직접 · 간접 포함)을 체크 • 라이선싱 준칙, 규정, 계약서, 로열티 • 본사(지주회사)와 계열사(자회사), 합작사, 해외지사 등과의 관계
평가 및 피드백	브랜드 환경 평가	3C, 4P 등 마케팅 요소와 연계하여 브랜드 환경을 평가 (예 타사(해외 포함) 브랜드 전략 및 동향 파악 → 정보활용)
	브랜드 자체 평가	• 평가 항목 및 평가 기준 마련 • 사용상표, 불사용상표, 사용태양 체크 등 • 브랜드 구조조정
기타	타 주체와의 협력	• 지식재산부문과 타 주체의 업무 분장 및 협력관계 • 각 팀 간 권한 및 업무 처리의 프로세스를 명확히 함 • 규정, 매뉴얼

기출로 다지기

A사는 자사의 브랜드를 국내뿐 아니라 해외에도 등록받고자 계획 중이다. 다음 설명 중 가장 옳지 않은 것은 무엇인가? • 19회 기출

① A사는 각국별로 상표등록출원을 할 수도 있고, 나아가 마드리드 의정서에 의한 국제출원제도를 이용하여 국제출원을 할 수도 있다.

② A사가 대한민국 특허청을 본국관청으로 하여 마드리드 의정서에 의한 국제출원을 하기 위하여는 지정국이 반드시 마드리드 의정서 가입국이어야 한다.

③ A사가 마드리드 의정서에 의한 국제출원을 하는 경우 당해 국가의 본국 관청에 한 국내출원 또는 등록을 기초로 하여 국제출원을 하여야 한다.

④ A사가 조약 우선권제도에 의하여 각국별로 상표등록출원을 하는 경우 그 우선권 주장 기간은 6개월이다.

⑤ A사가 마드리드 의정서에 의한 국제출원을 하는 경우 자동으로 모든 국가에 효력이 미치며, 출원서에 별도의 국가 지정을 할 필요가 없다.

| ⑤ 마드리드 의정서에 의한 국제출원은 국제사무국에 국제출원을 하면서 보호를 받고자 하는 국가를 지정하여야 한다.
② 마드리드 의정서에 의한 국제출원 시 우리나라를 본국관청으로 하는 경우 의정서 가입국만을 지정할 수 있다.
③ 마드리드 의정서에 의한 국제출원은 반드시 국내출원 또는 등록을 기초로 하여야 한다.
④ 상표의 우선권 주장 기간은 특허와 달리 6개월이다.

▶ ⑤

제8절 저작권 경영 전략

01 저작권 경영 전략의 의의

저작권과 관련한 경영 전략의 수립에 앞서 먼저 저작물을 창작·활용하는 자에 해당하는지 아니면 타인의 저작물을 이용·활용하는 자에 해당하는지를 고려하여야 한다. 전자에 해당하는 경우에는 저작물의 창작과 수익의 획득에 경영 전략의 주안을 두게 된다. 따라서 효율적인 저작물 창작 시스템의 구축과 함께 창작된 저작물의 사업화 및 사업 전개에 따른 수익 창출 관리를 위한 시스템 구축에 맞는 경영 전략이 필요하다. 반면 후자에 해당하는 경우에는 저작물의 이용에 따른 분쟁 및 비용 관리에 주안을 두어야 한다. 저작권과 관련한 경영 전략의 수립은 사업 특성을 고려하여 수립하여야 한다.

02 저작물의 창작과 관련한 경영 전략

1. 의의

저작물의 창작을 주된 사업으로 하지 않더라도, 기업이라면 언제든지 저작권자가 될 수 있다. 예를 들어 기업의 홈페이지를 구축하는 과정에서 웹페이지에 수록된 대표자의 인사말 등은 저작권으로 보호를 받게 되고, 게시판에 게시된 문서 및 사진 또한 창작성이 인정된다면 저작물이라 할 수 있다. 콘텐츠의 생산을 업으로 하는 기업이라면 이러한 저작물의 생산이 주된 업무가 되고, 저작권으로 수익을 창출하게 된다. 이러한 저작권 관계를 명확히 하기 위해서는 창작부터 수익구조 창출까지의 전 과정에서 저작권을 기반으로 사업을 관리할 필요가 있다.

이러한 저작권의 행사를 위해서는 그 저작물의 창작자가 누구인지, 저작권은 어디에 귀속되는지, 창작의 시점은 언제인지 등을 고려해야 한다. 따라서 저작권을 기반으로 한 수익 사업의 진행을 위해서는 저작권 경영 전략을 구축하는 것이 좋다.

저작물을 창작하는 과정에서 타인의 저작물을 이용하게 되는 경우, 이용허락을 얻는 방법과 이용허락의 범위, 절차와 비용 등에 대한 전략을 수립해야 한다. 타인의 저작물을 이용하기 위해서는 일부 예외적인 경우를 제외하고는 사전에 저작권자의 허락을 받아야 하고, 합당한 저작권료를 지불해야 한다. 추후 발생할 분쟁 및 분쟁의 해결을 위해 소요되는 시간과 비용의 발생을 방지하기 위해서라도 사전에 저작권 관계를 명확하게 정리하는 것이 좋으며, 계약서를 통해 권리관계의 범위를 지정하는 것이 유용할 수 있다.

2. 저작물의 창작을 위한 자원의 이용

저작물의 창작을 위하여는 인력과 금원 등의 비용이 발생할 수 있다. 제한된 자원 내에서 가장 효율적인 방안을 구축하는 것이 요구된다. 먼저 내부 인력을 이용하여 저작물을 창작할 것인지, 아니면 외부 업체를 통하여 저작물을 창작할 것인지에 대하여 살펴보아야 한다. 그리고 타인의 저작물을 이용해야 하는 경우에는 타인의 저작물에 대한 저작권을 매수할 것인지, 아니면 이용허락을 받는 것만으로 충분한지를 고려한다.

(1) 내부 인력을 이용한 저작물 창작

내부 창작의 경우에는 협상 과정에서의 발생 비용을 고려하여야 하며, 내부 인력 자원의 활용에 있어서도 제한이 발생할 수 있다. 나아가 창작 과정에서 타인의 저작권을 침해한 경우에는 그 책임을 면할 수 없다는 위험부담을 지게 되며, 대기업인 경우에는 협상 상대방이 과도한 금액을 요구할 가능성도 있다. 반면, 저작권을 확보한 저작물을 별도의 비용 발생 없이 활용할 수 있으며, 내부 인력의 창작능력을 배양할 수 있는 기회를 확보할 수 있다. 다만 이 경우 업무상저작물인지의 여부를 확실하게 할 필요가 있다.

(2) 외부 업체를 활용한 저작물 확보

한편, 외부 업체를 활용하는 경우에는 내부 창작의 경우에 비해 높은 비용이 발생한다. 그러나 타인의 저작물 사용과 관련한 별도의 협상에 따른 부담을 질 필요가 없다. 타인의 저작권을 침해한 경우에 비록 저작권 침해의 책임을 면하지는 못하지만, 그에 따른 책임을 사후에 외부 업체에 구상할 수 있다. 특히 저작권자가 과도한 금원을 요구할 가능성이 있거나 저작권 이용허락 혹은 양도에 적대적인 경우에는 외부 업체의 활용이 유용할 수 있다.

3. 창작 저작물에 대한 저작권의 확보

(1) 내부 인력을 이용한 저작물 창작 시 유의점

막상 저작권을 행사하려 하는 경우 저작권자가 누구인지가 문제가 될 수 있다. 예컨대 통상 창작은 개인이 하게 되는데, 회사가 저작자인지 해당 창작행위를 한 개인이 저작자인지가 문제가 된다. 이와 관련하여 발명진흥법의 경우와 달리 저작권법은 사원이 창작한 것이라도 그 저작물을 회사의 것으로 하고, 회사를 저작자로 인정한다. 그러나 회사가 저작자임을 주장하기 위하여는 소정의 요건을 충족하여야 한다.

따라서 저작권의 관리로서 사원이 창작한 저작물의 권리 내용・귀속은 물론 퇴직・전직 시의 비밀유지의무 등을 문서로 명확히 해 둘 필요가 있다.

⑵ 외부 업체를 활용한 저작물 확보 시 유의점

한편, 외부 업체에 의뢰하여 저작물을 창작하는 경우가 많은데, 통상의 상거래에서 오랜 기간에 걸친 상관습에 근거해 제품의 발주, 제품의 납입 등이 계약서 없이 구두나 통화, 이메일, FAX 등을 통하여 진행된다. 이에 따라 예컨대 캐릭터 등의 발주와 관련하여, 발주처와 수주처가 권리 내용(목적, 기간, 범위 등)을 상세히 확인하지 않아 저작권의 범위(허락인지 아니면 양도인지)에 대하여 나중에 분쟁이 발생하는 경우가 많다. 따라서 분쟁을 회피하기 위해서는 쌍방이 저작권의 이용 조건・권리의 범위 등을 명확히 문서로 교환하여 두는 것이 바람직하다. 나아가 창작 과정에서 확인하지 못한 타인의 저작권 침해 여부에 따른 책임 소재 등을 명확히 하여 두는 것도 중요하다.

⑶ 업무상저작물 작성 시 유의점

업무상저작물은 법인・단체 그 밖의 사용자의 기획하에 법인 등의 업무에 종사하는 자가 업무상 작성하는 저작물을 말한다. 창작지기 지작자 및 저작권자가 되는 동상석인 저작물과는 달리, 법인 등의 명의로 공표되는 업무상저작물의 저작자는 계약 또는 근무규칙 등에 다른 정함이 없는 때에는 그 법인 등이 되고, 다만 컴퓨터프로그램저작물의 경우에는 공표될 것을 요하지 아니한다. 업무상저작물이 성립하기 위해서는 법인 등이 저작물의 작성을 기획하고 구체적인 내용을 업무에 종사하는 자에게 지시하는 것을 말하는데, 아이디어 제공부터 실제 작성에 대한 내용을 포함하는 개념이라고 볼 수 있다. 그러나 저작물의 창작이 업무수행에 속하지 않고, 업무수행을 하면서 파생적으로 혹은 그 업무와 관련하여 작성된 것에 불과한 경우에는 업무상저작물이라고 볼 수 없다.

업무상저작물의 경우에는 업무에 대한 '지시'의 범위가 명확하지 않아서 분쟁이 발생할 수 있으므로, 근로계약서나 특약 등을 통해 업무상저작물에 관한 저작권 귀속조항을 명시하는 것이 좋다.

03 저작물의 이용과 관련한 경영 전략

1. 의의

저작물의 창작뿐만 아니라 업무 진행 과정에서 타인의 저작물을 이용하지 않는 경우는 거의 없다. 업무용 PC에 탑재되어 있는 소프트웨어를 비롯하여 회사 홈페이지에 있는 게시물까지 타인의 저작물을 이용하지 않는 상황은 상정하기 힘들 정도이다. 따라서 언제든지 저작물의 이용과 관련하여 그 이용허락 여부를 확인하고, 이를 위한 노력을 내부적으로 독려하여 외부로 천명함으로써 기업 이미지의 제고에도 활용할 수 있다. 한편, 모든 저작물의 이용과 관련한 이용허락의 확인 및 취득 과정에서는 비용이 발생한다. 따라서 제한된 비용 내에서의 효율・적법한 저작물의 이용을 위한 방안을 수립하여야 한다.

2. 타인 저작물의 이용허락의 취득

업무용 PC에 탑재한 소프트웨어의 이용이나 회사 홈페이지에 게재된 자사 홍보 관련 기사나 사진, 게시판에 고객이 올린 게시물 등으로 인하여 저작권 침해분쟁에 휘말릴 수 있다. 업무용 소프트웨어 등 업무와 관련한 자원으로서 타인의 저작물을 이용하여야 하는 경우에는 관리 부서 내지 담당자를 두어 이에 대한 비용 및 유지 관리에 효율성을 높여야 한다. 특히 업무용 소프트웨어의 사용과 관련하여서는 구매 수량, 이용 범위 등을 철저히 확인하도록 하며, 관리대장을 운영하도록 하여야 한다. 무엇보다도 기본적으로 타인의 저작물을 이용하기 위해서는 사전에 반드시 이용허락을 취득해야 한다.

저작권법에서는 저작권자의 허락 없이 저작물을 이용할 수 있는 저작재산권의 적용제한에 대해서 열거하고 있다(저작권법 제24조~제28조).

이용 목적	이용허락 범위	비고
재판 절차	재판 또는 수사, 입법·행정 목적을 위한 내부자료	저작물의 종류와 복제부수 및 형태 등이 저작권자의 이익을 부당하게 침해하는 경우 이용 제한
정치적인 연설	공개적인 정치적 연설, 법정·국회 등에서 공개적으로 한 진술	동일한 저작자의 연설이나 진술을 편집하여 이용하는 경우 이용 제한
학교 교육 목적 등	교과용 도서 (초·중·고등학교 등)	수업 지원을 위해 필요한 경우에 이용 가능
시사 보도	방송·신문 및 그 밖의 방법으로 시사보도	보도 과정에서 보이거나 들리는 저작물은 정당한 범위 안에서 이용 가능
사적 이용	비영리적 목적으로 개인적 이용	공중에 설치된 복사기기, 스캐너, 사진기 등의 복제기기 이용은 제한

저작권법 제23조부터 제35조의4까지는 저작권의 제한사유를 설명하고 있다. 그 외에 저작물의 통상적인 이용 방법과 충돌하지 않으며 저작자의 정당한 이익을 부당하게 해치지 않는 경우에는 저작물을 이용할 수 있다. 이 경우 저작물 이용의 목적 및 성격, 저작물의 종류 및 용도, 이용된 부분이 저작물 전체에서 차지하는 비중과 중요성, 그러한 이용이 현재 시장 또는 가치나 잠재적인 시장 또는 가치에 미치는 영향을 고려해야 한다(저작권법 제35조의5).

3. 법정허락제도 활용

타인의 저작물을 이용하고자 하는 경우에도 그 저작물의 저작권자를 확인할 수 없거나, 저작권자로부터 이용허락을 받을 수 없는 경우가 있다. 이러한 경우에는 저작권법 제50조 내지 제52조 소정의 법정허락제도를 이용할 수 있는지를 확인하여 대처하는 것도 방안이다.

법정허락제도는 대통령령이 정하는 기준에 따라 누구든지 저작재산권자를 찾고자 상당한 노력을 기울였음에도 불구하고 공표된 저작물의 저작재산권자나 그의 거소를 알 수 없어 이용허락을 받을 수 없을 때, 혹은 상업용 음반이 우리나라에서 처음 판매되어 3년이 경과한 후 그 음반에 녹음된 저작물을 녹음하여 다른 상업용 음반을 제작하고자 하는 자가 저작재산권자와 협의가 성립되지 않았을 때 이용할 수 있는 제도이다. 저작재산권자 불명의 경우 신청인은 권리자 찾기 정보시스템에 1개월 이상 공고한 후, 여전히 저작재산권자를 찾을 수 없다면 상당한 노력을 수행했음을 입증하는 서류를 한국저작권위원회에 제출한다. 한국저작권위원회의 심의를 거쳐 승인이 되면 신청인은 법정허락 보상금을 한국저작권위원회에 지급하며, 해당 보상금은 저작재산권자에게 지급되거나 법원에 공탁하게 되고 신청인은 저작물을 이용할 수 있다.

4. 저작권 관리단체 이용

타인이 자신의 저작물을 이용하고자 하는 경우에는 이용허락에 따른 사용료 수익을 거둘 수 있다. 경우에 따라서는 이용허락 대신에 저작권 자체를 양도하는 방법도 있다. 그리고 타인의 저작물 이용 상황을 일일이 확인하고, 그 이용에 따른 사용료를 징수하는 과정이 어려울 수 있으므로 전문 저작권위탁관리단체에 그 업무를 맡기는 것도 방법이다. 저작권 위탁관리단체는 신탁단체와 대리중개업체로 나누어진다.

(1) 저작권 신탁관리단체

저작권 신탁관리단체는 문화체육부장관의 허가를 받아서 설립된다. 수수료의 요율 또는 금액 및 신탁관리업자가 이용자로부터 받는 사용료의 요율 또는 금액은 문화체육부장관의 승인을 받아서 정해진다(저작권법 제105조). 저작권 신탁관리업자는 정당한 이유가 없으면 관리하는 저작물 등의 이용허락을 거부해서는 안 되고, 저작권자로부터 저작재산권을 양도받았기 때문에 침해 발생 시 직권으로 소송이 가능하다. 또한 사용료의 요율이 정해져 있으므로, 이를 초과해서 징수할 수는 없다.

(2) 대리중개업체

저작권 대리중개업을 하고자 하는 자는 문화체육부장관에게 신고하고 업체를 설립할 수 있다(저작권법 제105조). 수수료의 요율이나 금액, 이용자로부터 받는 사용료의 요율 또는 금액은 업체가 자유로이 정할 수 있으나, 관리하는 저작물의 저작권 침해 시 직권소송을 할 수 없으므로 저작권자가 직접 소송을 해야 한다.

5. 공공누리 이용

공공저작물은 저작권법 제24조의2(공공저작물의 자유이용)에 따라 국가나 지방자치단체 및 공공기관이 저작재산권의 전부 또는 일부를 보유한 사진, 영상, 음원, 연구보고서 등으로 국민 누구나 자유롭게 이용할 수 있는 저작물을 말한다. 이러한 공공저작물은 자유이용 허락 표시제도를 통해 이용의 편의성을 부여하고 있다.

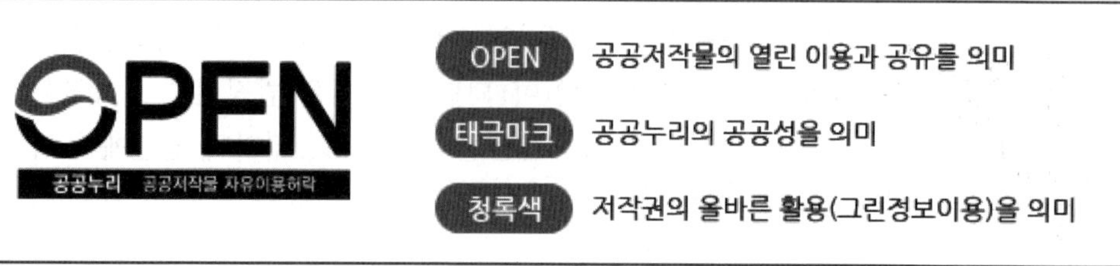

| 한국저작권위원회 공공누리 제도 안내

공공누리는 4가지 유형이 있으며, 이용허락 없이 표시된 이용조건에 따라 누구나 자유롭게 이용할 수 있다. 이용 시 상업적 이용 가능한 유형인지 반드시 확인할 필요가 있다.

구분	유형	출처 표시	상업적 이용 가능	변형 등 2차적저작물 작성 가능
제1유형	출처 표시	○	○	○
제2유형	출처 표시+상업적 이용 금지	○	× (비상업적만 가능)	○
제3유형	출처 표시+변경 금지	○	○	×
제4유형	출처 표시+상업적 이용 금지+변경 금지	○	× (비상업적만 가능)	×

04 저작물 보호관리체계의 구축

회사에서의 저작권 관리와 관련한 체계를 구축할 필요가 있다. 먼저 최고경영자 · 임원 · 관리직이 저작권법 준수와 관리 조직의 확립이 요구된다. 중소기업의 경우에는 경영자가 직접 저작권의 관리에 대한 책임을 져도 되고, 경영자 직할의 담당자 또는 담당 임원을 임명하는 방법도 있다. 또한 저작권 관리 및 점검과 함께 정보 누설 대책 등 정기적인 대책도 수립하여야 한다. 한편, 회사 전체에서의 저작권 관리체계를 구축하여야 한다. 취업 규칙이나 저작물 운영 · 관리 규정, 업무비밀관리 규정 등을 통하여 사내 규칙을 확립하도록 한다. 권리처리절차의 철저, 관리대장의 구비, 저작물의 이용 · 보고 등 사내 규칙 준수를 위하여 업무를 모듈화하며, 정기적인 사내 감사를 진행한다. 감사 결과를 평가하여 개선점을 도출하고 반영하여야 하며, 정기적으로 저작권 교육을 통해 저작권의 중요성과 저작물의 올바른 이용, 저작권법의 준수에 대해 인식하도록 하는 것이 중요하다.

05 저작권 분쟁 과정에서의 경영 전략

1. 분쟁요소의 사전 제거

저작권은 저작물의 창작과 함께 발생하며, 그 권리 발생에 있어 특허와 같은 등록절차는 필요하지 않다. 그러나 실제로 저작권을 주장하는 과정에서는 저작자 여부 및 그 창작일이 문제가 될 수 있다. 이에 저작권위원회에 저작권 등록제도 등을 통하여 일정 사항을 등록함으로써 사후에 발생할 수 있는 분쟁 요소를 제거할 필요가 있다. 또한 필요하다면 저작권 인증제도를 활용하는 것도 좋다. 그리고 기술적 보호조치를 두어 저작물의 보호 및 이용 상황에 대한 통제력을 확보하며, 이를 침해하는 행위를 적극적으로 제재할 필요가 있다.

무엇보다도 타인의 저작물을 이용하기 위해서는 일부 예외적인 경우를 제외하고는 저작권 이용허락을 사전에 받아야 함을 명심해야 한다. 단지 출처를 밝히고 저작물을 이용하는 것으로는 상업적 목적이 없다고 하더라도 저작권 침해에 해당할 수 있다. 또한 저작물 이용의 예외사례의 범위를 정확히게 확인해야 하는데, 교육목적으로 저작물을 이용한다 하더라도 초・중・고 수업용 교과서나 교과수업 자료로 사용하는 것이 아니라면 저작권자에게 이용허락을 받아야 한다. 보도자료의 이용도 마찬가지여서 사실만을 전달하는 보도가 아닌 기자의 창작이 가미된 보도자료에 타인의 저작물이 이용된다면 사전에 이용허락을 받아야 한다.

2. 분쟁 대응 조치

한편, 타인의 저작권 침해를 대비하여 대응 매뉴얼을 마련해 둘 필요가 있다. 대응 조치로는 형사 조치와 민사 조치를 이용할 수 있으며, 먼저 침해행위에 대한 경고장을 발부하는 경우가 일반적이지만 반드시 그래야 하는 것은 아니다. 대응 과정에서는 분쟁 해결을 위한 노력을 해야 하는데, 소송 이외에도 조정절차를 이용할 수 있다. 분쟁 과정에서 평정심을 잃고 과도한 비용을 들여 장기간 소송을 진행하는 경우가 있는데, 저작권 경영 전략에 비추어 궁극적으로 추구하는 목적이 무엇인가에 대한 점검이 필요하다.

저작권 분쟁의 경우에는 소송으로 가는 것보다 조정이나 중재절차를 밟는 것이 비용적인 면에서나 시간적인 면에서 효율적인 경우가 많으므로, 대응 방안에 대해서 상황에 따라 판단할 필요가 있다.

제2장 특허정보 조사

제1절 특허정보 조사의 개요

01 특허조사의 개요

특허조사란 특정 조건에 맞는 특허문헌이나 모집단을 획득하기 위한 일련의 행위를 말한다. 특허조사는 특허 데이터베이스를 통하여 조사하는 방법과 도서관과 같이 자료가 비치된 곳을 방문하여 조사하는 수작업 조사가 있다.

02 특허조사의 목적

① 발명이 특허요건을 갖추고 있는지를 파악하기 위하여
② 경쟁사나 기술의 동향을 파악하기 위하여
③ 핵심 기술이나 향후 분쟁의 소지가 있는 문제특허를 발굴하기 위하여
④ 공백기술을 파악하기 위하여
⑤ 새로운 아이디어를 얻기 위하여
⑥ 좋은 특허를 만들어 내기 위하여
⑦ 좋은 특허를 매입하기 위하여
⑧ 특허분쟁에 대응하기 위하여(예를 들어, 분쟁의 기준이 되는 특허를 무효시키기 위한 특허조사 등)

03 특허조사의 종류

1. 서지사항 조사

특허문헌에 기재된 서지사항을 중심으로 조사하는 것으로, 번호(출원번호, 공개번호, 등록번호 등)를 사용하는 경우나 인명정보(발명자, 출원인 등)를 사용하는 경우, 코드(특허분류, 출원인코드 등)를 사용하는 경우로 나눌 수 있다.
번호를 사용하는 경우는 특허공보 조회, 법적 상태나 패밀리특허 확인 시 활용하며, 인명정보는 경쟁사의 특허기술이나 개발 동향을 파악하고자 할 때, 코드는 키워드를 보완하거나, 한정하기 위하여 사용된다.

2. 특정기술 조사

특정한 기술 분야에 대한 개괄적인 조사로, 보다 효과적이고 전략적인 연구개발 추진을 위해 관련된 특허정보를 폭넓게 조사하거나 분석하기 위하여 수행하게 된다. 이러한 특정기술 분야 조사는 ① 특정 분야의 기술 동향 파악, ② 기술적 애로사항 해결, ③ 기술개발의 아이디어의 수집, ④ 새로운 연구개발 테마 발굴, ⑤ 원천특허나 핵심특허 파악, ⑥ 라이선싱이 가능한 특허기술 발굴 등을 위하여 수행하게 된다.

3. 특허성 조사

특허출원 전 해당 발명이 특허를 받을 수 있는 신규성이나 진보성을 구비하고 있는지를 판단하기 위해 선행기술을 조사하는 것으로, 권리 취득가능성을 미리 확인한 후 출원 여부를 결정하거나, 최대한 넓고 강한 권리범위를 작성하기 위해 수행된다.

4. 유효성 조사

유효성 조사는 타인의 권리주장에 대하여 해당 특허권을 무효화시킬 수 있는 선행자료를 조사하거나, 본인의 특허권이나 매입하려는 특허권이 유효한지(즉, 무효사유가 없는지)를 파악하기 위해 수행되는 조사이다. 이는 특허청 심사관이 찾지 못한 새로운 선행자료를 찾아 제시함으로써 타인의 특허권을 무효화시키거나, 특허공격 전 본인의 특허권 행사에 걸림돌이 될 수 있는 선행기술이 정말 없는지를 파악하고자 할 때 수행한다.

5. 침해 여부 조사

본인의 제품이나 적용기술이 타인의 특허권을 침해하고 있는지를 판단하기 위해 수행되는 조사로, 이러한 조사를 통해 타인의 특허발명의 권리범위에 속하지 않도록 회피설계를 하거나 우회기술을 확보하는 전략을 구사하게 된다.

6. 계속 조사

한 가지 기술 주제에 대하여 주기적(예 일주일 또는 한 달 단위)으로 특허를 조사하는 것으로, 감시조사라고도 한다. 특허조사 기간에 검색되지 않은 특허기술이 그 이후에 공개되거나 등록될 가능성이 충분히 있기 때문에 연구개발이 진행되는 동안 또는 제품이 판매되는 동안에는 계속해서 감시조사를 수행할 필요가 있다.

특허 데이터베이스에 검색전략식을 저장해 두고 해당 기간 내 신규로 업데이트된 특허기술을 사용자에게 자동으로 제공하는 서비스가 제공되기도 한다.

04 특허조사의 3요소

1. 기술적 표현

특허문헌에 기재되어 있는 기술 용어의 다양한 표현 방식을 고려하여 조사한다. 보통 색인어나 키워드(Keyword)가 이에 해당한다.

2. 기술적 관점

특허문헌에 기재된 새롭거나 진보된 핵심 기술내용과 선행기술 조사에 도움이 되는 기술내용을 다양한 관점에 따라 코드 형태로 부여한 특허분류를 활용하여 특허조사를 수행할 수 있다.

3. 조사범위

조사하려는 문헌의 종류나 검색 항목 한정, 대상 국가, 조사기간 등을 의미하며 특히, 검색 항목 한정에 따라 조사 결과가 달라질 수 있으므로 주의한다.

제2절 키워드와 특허분류

01 키워드

1. 키워드의 정의

키워드(Keyword)란 문장이나 문단에서 핵심이 되는 단어 또는 어구로 특허조사에 있어서는 해당 특허기술을 가장 잘 나타내는 핵심적인 기술 용어나 어구를 말한다.

2. 키워드의 특징

키워드는 검색하기 편리하다는 장점이 있으며, 물질명과 같이 키워드 자체에 특이성, 고유성이 있는 경우 유효하다. 그러나 일반적으로 노이즈(Noise)나 누락건이 많이 발생한다는 단점이 있고, 적절한 키워드가 없는 경우 검색하기가 어렵다.

(1) 표현의 다양성

특허문헌의 형식은 정형화되어 있으나 사용되는 용어의 표현은 명세서를 작성하는 사람에 따라 다양하므로 특허조사 시 키워드 선정에 유의해야 한다.

(2) 사용 분야의 다양성

동일한 키워드가 서로 다른 기술 분야에서도 사용되어 조사 주제와 무관한 노이즈를 발생시키기도 한다. 예를 들어, 농업기계인 트랙터를 조사하기 위해 키워드로 '트랙터'를 입력하면 프린터나 자동차 분야의 기술이 조사되는 경우이다.

3. 키워드의 종류[54)]

(1) 표현상 분류

① **축약형 표현**: 원래의 단어 형태보다 간략하게 표현하는 것
　예 Liquid Crystal Display → LCD

② **형태적 표현**: 사물의 생김새나 모양에 비유하여 용어를 표현하는 것
　예 벌집 모양, 아치형, T-Shaped

③ **묘사적 표현**: 특허기술 내용을 연상하기 쉽게 묘사하듯 표현하는 것
　예 지그재그 형태

54) 한국전자정보통신산업진흥회, 특허정보검색 실무 매뉴얼, 2009. 5.

④ **기능적 표현**: 특정 구성요소가 전체에서 담당하고 있는 기능(역할)을 키워드에 내포시켜 표현하는 것

예 유기전계발광소자(OLED)의 애노드(Anode) 전극 → 홀주입 전극

⑤ **외래어 표현**: 외래어나 외국어, 한자의 한글 표현

예 Etching → 에칭, 식각 Printer → 프린터

⑥ **오기 및 비표준 표현**: 오탈자 또는 의도적인 비표준 표현

예 프린트 → 프린토 골프티 → 골프공 받침대

(2) 성격별 분류

발명의 기술적 주제, 필수 구성요소, 해결 과제 및 효과, 용도, 제품 등에 해당하는 키워드이다.

(3) 의미상 분류

① **광의의 키워드**: 조사하려는 기술적 주제에 비해 폭 넓게 사용되는 키워드

예 시스템, 장치, 패턴, 회로

② **협의의 키워드**: 특정 분야에서 고유하게 사용되거나 사용 분야가 제한되는 키워드

예 HSG(HemiSpherical Grain)

③ **특정 주체 키워드**: 특정 주체가 자신만의 키워드로 사용하는 것. 특히, 신기술 분야일 때 많이 발생함

예 실린더형 캐패시터 → Crown Shaped Capacitor

④ **신조어**: 새롭게 생겨난 키워드

예 이모티콘, 바이오매트리스

(4) 사용상 분류

① **핵심 키워드**: 해당 발명을 가장 잘 설명하고 있는 대표적인 검색어

② **확장 키워드**: 핵심 키워드의 동의어, 유사어, 외래어 표기와 같이 개념상 핵심 키워드에 속하는 것

4. 키워드의 선정

① 기술내용을 몇 자 이내로 요약해 보고, 요약된 내용 중 그 기술을 설명하는 데 빼놓을 수 없는 용어를 선정한다. 일반적으로 기술적 주제어나 발명의 필수 구성요소, 해결 과제에 해당되는 핵심 키워드를 선정한다.

② 핵심 키워드가 선정되면 그것과 동일한 의미를 가지고 있는 단어나 유사어, 단수나 복수형, 변화형, 외래어 표기, 하이픈 연결어를 고려하여 확장 키워드를 선정한다.

02 특허분류

1. 특허분류의 정의

특허분류(Patent Classification)는 발명의 기술적 특징에 따라 특허문헌의 수집 · 정리, 심사관의 심사 분야를 정하는 기준, 선행기술 검색의 용이성을 위해 만들어진 것으로, 한마디로 '기술을 코드 형태로 분류한 것'으로 이해될 수 있다.

2. 특허분류의 특징

특허분류는 적절한 키워드가 없거나, 기하학적인 특징(구조, 배치, 회로기술 등)이 있는 특허기술을 조사하는 데 효용성이 있다. 특허분류가 갖는 주요한 특징은 다음과 같다.

(1) 계층 구조를 갖는다.

계층 구조(Hierarchical Structure)란 기술적으로 종속관계가 성립된다는 의미이다. 특허분류의 기술적 계층 구조는 보통 슬래시(Slash) 개수를 사용하여 표현하며, 1개 적은 슬래시를 갖는 최근접 상위그룹에 종속됨을 뜻한다.

예시

국제특허분류 A63B53/06의 경우, A63B → A63B53/00 → A63B53/04 → A63B53/06 계층 구조를 가짐

A63B	운동, 놀이, 오락
53/00	골프클럽
53/02	헤드와 샤프트와의 결합 구조
53/04	헤드
53/06	조절할 수 있는 것
53/08	여러 가지 충격을 흡수하는 특수장치가 있는 것
53/10	비금속 샤프트
53/12	금속 샤프트

(2) 수시 또는 주기적으로 개정된다.

특허분류는 기술의 진화에 따라 수시 또는 주기적으로 개정된다. 즉, 생성과 소멸, 결합, 분리 과정을 거친다. 따라서 특허조사 시에는 개정 정보를 별도로 확인할 필요가 있으며, 특허데이터베이스에서 재분류(Reclassification) 사항이 반영되고 있는지도 확인할 필요가 있다.

예시

국제특허분류 G06F17/60의 경우

1995년	2006년	2011년	2012년
G06F 17/60	• G06Q 10/00 • G06Q 30/00	• G06Q 10/00 • G06Q 20/00 • G06Q 30/00 • G06Q 40/00 • G06Q 50/00	• G06Q 10/02 – 10/10 • G06Q 20/02 – 20/42 • G06Q 30/02 – 30/08 • G06Q 40/02 – 40/08 • G06Q 50/02 – 50/34

(3) 여러 가지 참조 정보(References)가 함께 제공된다.

특허분류에는 분류코드와 제목뿐만 아니라 인덱스(Index) 정보, 정의(Definition), 참조분류(우선분류, 부가분류 등), 용어 설명, 그림이나 화학구조식, 분류 범위 등이 포함되어 있다. 이러한 참조 정보는 특허분류의 폭넓은 이해와 활용에 도움이 된다.

3. 특허분류의 종류

특허분류는 그 구조와 분류 관점, 분류 주체에 따라 여러 가지 종류가 있다. 그중 가장 대표적인 특허분류로는 국제특허분류(IPC : International Patent Classification)로 약 100개국이 넘는 국가가 사용하고 있다. 그러나 IPC는 분류 개소가 약 7만여 개로 비교적 적어, 각국은 자국 고유의 산업이나 점차 세분화되거나 융합화되는 기술변화에 대응하기 위하여 자국 독자분류를 사용하기도 한다.

(1) 국제특허분류(IPC)

1968년 처음 공표되어 1971년부터 사용되기 시작한 IPC는 국제적으로 통일된 특허분류체계이다.

① 구조

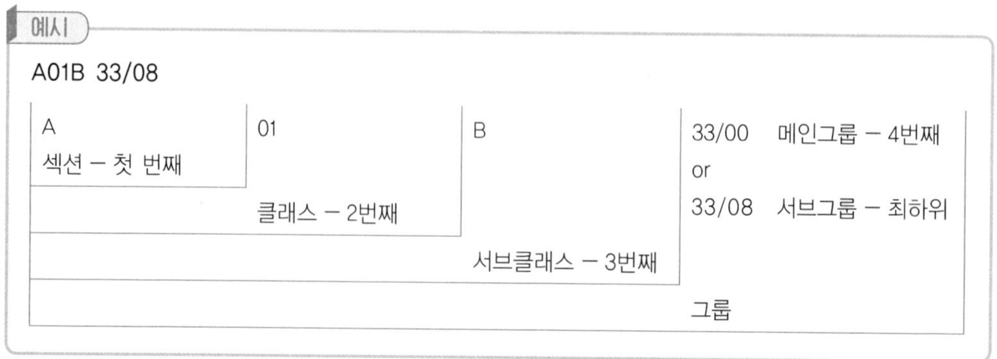

② IPC의 조회

IPC는 대부분의 특허 데이터베이스나 각국 특허청에서 조회가 가능하다. 특히, WIPO IPC Site는 개정에 따른 업데이트가 빠르고, 편리한 인터페이스와 다양한 기능, 타 분류와의 연동이 장점이다.

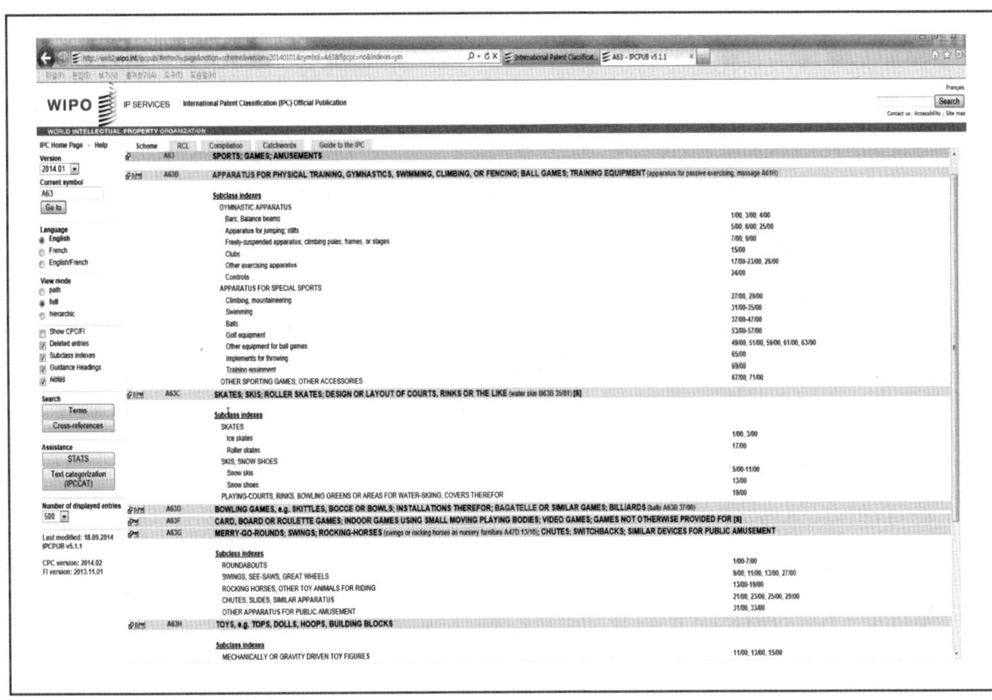

| WIPO 사이트에서의 IPC 조회

(2) CPC(Cooperative Patent Classification)

CPC는 유럽특허청(EPO)과 미국특허청(USPTO)이 서로 협력하여 개발한 새로운 특허분류 체계로서 2013년 1월부터 사용되기 시작하였다.

유럽특허분류 ECLA를 기본으로 개발된 CPC는 IPC보다 세분화된 특허분류체계로서 IPC(7만여 개소)보다 많은 26만 개의 특허분류 개소를 가진다. CPC는 기술 변화의 흐름을 잘 반영한 특허분류 체계로, 2021년 기준 전 세계 중 30개 국가가 특허문헌을 CPC로 분류하고 있으며, 특허문헌과 비특허문헌을 포함하여 전 세계 6,000만 건 이상의 문헌이 CPC로 분류되어 있다. 우리나라는 2015년 1월 이후 신규출원에 CPC, IPC를 함께 부여하고 있다.

① CPC의 특징

㉠ 미국특허와 유럽특허 등을 조사할 때 단일 특허분류 CPC를 사용할 수 있다.

㉡ ECLA(유럽특허분류), ICO(EPO Indexing Code), EPO 키워드, Business Method G06Q의 세분류, USPC(미국특허분류)의 Special Collection이나 Digest, 유망기술 또는 융합기술과 관련된 Y섹션을 포함하는 26만 개 이상의 분류 개소(Symbols)를 제공한다.

㉢ 수시로 개정된다.

② CPC의 구조

기본 구조는 유럽특허분류(ECLA) 심볼의 사선(/) 뒤를 모두 숫자 6자리 이내로 표기한 것이다.

예시

ECLA	CPC
H01L21/027B2	H01L21/02718

㉠ 인덱싱 코드 2000 Series는 Additional Invention에만 부여된다.

< 2200	Breakdown Indexing Codes	예 G02F 2001/0113
≥ 2200	Orthogonal Indexing Codes	예 G02F 2201/00

㉡ Y섹션은 유망기술 또는 융합기술, USPC의 Cross References Art Collections, Digest를 포함하는 Tagging 섹션으로 Addional Invention에만 부여한다.

예 Y04:Smart Grids, Y10S

㉢ 타이틀 내 중괄호 '{ }'는 IPC와 구별되는 CPC Scheme임을 나타낸다.

③ CPC 조회

CPC는 전용사이트(www.cpcinfo.org)나 유럽특허청, 미국특허청 사이트에서 조회할 수 있다.

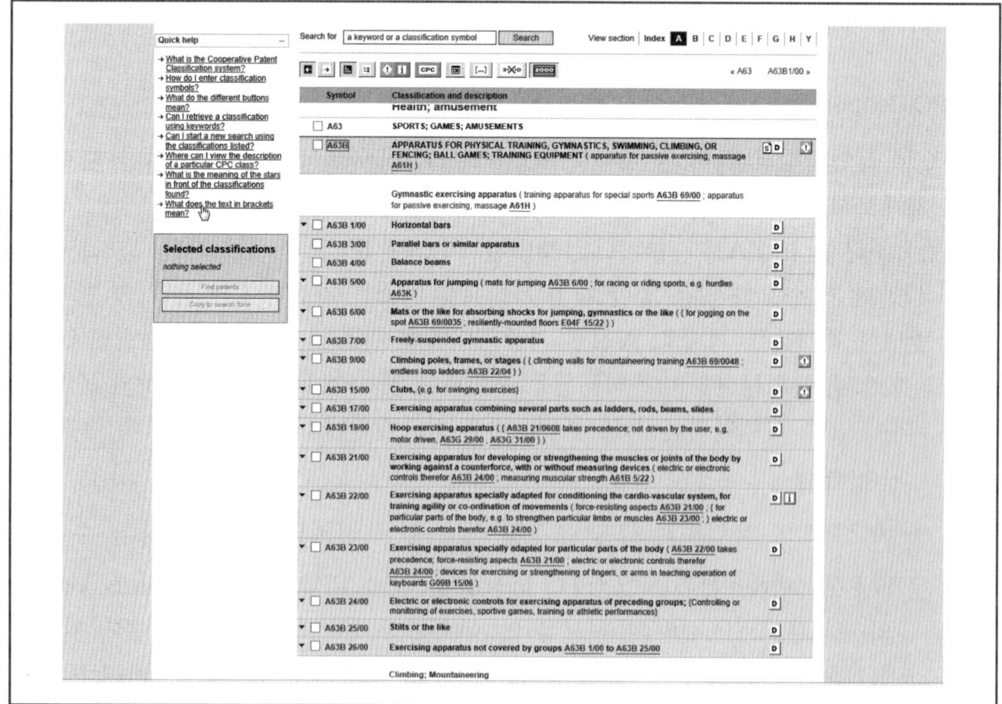

▍유럽특허청에서의 CPC 조회

(3) 일본독자분류(FI, F-term)

일본은 1885년부터 JPC를 사용하였으나, IPC 도입 후 폐지하였다. 이후 점차 특허출원 건수가 증가하고 IPC만으로 특허를 조사하기 어려워지자 1996년 IPC를 더욱 세분화한 FI(File Index)를 도입하였다.
아울러 1999년에 FI의 일부분을 '다각적 관점'으로 분류한 F-term을 도입하여 사용하고 있다.

① FI

FI는 IPC의 기본 구조에 전개기호(숫자 3자리)와 분책식별기호(영문자 1자리)를 부가하여 IPC를 더욱 세분화한 것이다. 즉, FI=IPC+전개기호, 분책식별기호

예 H04N5/60, 102B

FI는 IPC 구조를 그대로 유지하면서 코드의 개수를 약 3배 가까이 늘린 것으로, 특허조사 시 유용한 도구로 활용할 수 있다.

② F-term

또 하나의 일본독자분류로 F-term이 있다. F-term의 가장 큰 특징은 FI의 일부분을 '다각적 관점'에서 분류한 코드라는 점이다. 따라서 하나의 특허문헌에 수십 개의 F-term이 부여되기도 한다. F-term은 모두 9바이트의 코드로 구성되며, 그중 처음 다섯 자리는 기술 주제인 테마코드를 나타내고 나머지 네 자리는 분류 관점에 따른 텀코드를 나타낸다.

예시

2C001AA06

테마코드(5바이트)	텀코드(4바이트)	
	분류 관점(영문 2바이트)	기술적 관점(숫자 2바이트)
2C001	AA	06
전자게임기	게임 내용	사격 게임

4. 특허분류의 선정

(1) 캐치워드 인덱스 활용

Catchword Index(색인어 또는 주제어)를 사용하여 특허분류를 찾아가는 방법이다.

(2) 특허분류 매뉴얼 활용

데이터베이스로 만들어진 특허분류 매뉴얼에서 키워드를 사용하여 특허분류를 찾아가는 방법이다.

(3) 통계적 접근

발명의 명칭 항목에 핵심 키워드를 두세 개 입력하여 검색한 후, 해당 특허문헌을 조회하여 가장 빈번히 발생하는 특허분류를 찾아내거나, 가장 유사한 특허문헌에 부여된 특허분류를 찾아내는 방법이다.

기출로 다지기

다음은 특허분류코드에 대한 설명이다. 틀린 것은? • 20회 기출

① 일본의 F-term은 자기 나라만의 고유한 코드이다.
② 미국의 USPC(UPC)도 자기 나라만의 고유한 코드이다.
③ 우리나라도 우리나라만의 고유한 특허분류코드가 있다.
④ 일본의 FI와 유럽의 ECLA는 IPC를 근간으로 하여 더 세분화한 것이다.
⑤ CPC는 유럽특허청과 미국특허청이 서로 협력하여 개발한 특허분류체계이다.

| ③ 우리나라는 국제특허분류(IPC)를 공식적으로 사용하며 자체적으로 제작한 특허분류는 없다. ▶ ③

제3절 특허정보 조사방법

01 검색전략식

조사 목적에 따른 검색어(키워드, 특허분류)가 선정되면, 각 특허 데이터베이스(DB)의 환경에 맞게 검색식을 작성하게 된다.
검색식은 검색에 이용하는 명령어의 일종으로, 검색어를 단독으로 이용하거나 혹은 복수의 검색어를 연산자로 조합함으로써 희망하는 문헌을 추출하고자 할 때 사용된다.

02 연산자

연산자는 검색어와 검색어 간 상호관계를 지정하는 기호 또는 단어를 말한다. 따라서 다수 개의 검색어 조합에 의한 정확한 특허조사를 원한다면 연산자를 사용해야만 한다.
연산자는 기본연산자, 근접연산자와 같이 두 종류로 분류되며, 단어(and, or, not)나 기호(*, +)로 표기한다.[55]

1. 기본연산자

(1) and 연산(A and B)

복합연산(Refining Search)이라고 하며, A와 B를 동시에 포함하고 있는 문헌을 검색한다.

예 블루투스 and 헤드폰

(2) or 연산(A or B)

병렬연산(Broadening Search)이라고 하며, A 또는 B를 포함하고 있는 문헌을 검색한다.

예 휴대폰 or 핸드폰 or 모바일폰 or 이동단말 or 셀룰러폰 or 스마트폰

(3) not 연산(A not B)

A는 포함하지만 B는 포함하지 않는 문헌을 검색한다.

예 플래시 not 메모리

---

55) 본 절에서의 연산자는 윕스를 예로 들었다.

2. 근접연산자

두 개의 검색어가 문헌 내에서 어느 정도 이격되어 있는지 그 정도를 가지고 검색하는 것으로, 문맥상 표현을 잘 파악하여 이격 정도를 지정하여야 한다. 이러한 근접연산자의 지정은 특허 데이터베이스마다 표현 방식이 다르므로 주의하여야 한다. 여기서 그중 하나를 예로 들겠다.

(1) adj 연산자(A adj(n) B)

A와 B가 순서대로 특정거리 n개 내에 존재하는 문헌을 검색한다. 두 개의 검색어가 합쳐져서 하나의 의미로 쓰일 때 사용하면 편리하다.

예 발신자 adj2 표시

(2) near 연산자(A near(n) B)

A와 B가 순서에 상관없이 특정거리 n개 내에 존재하는 문헌을 검색한다.

예 반사 near3 투과

03 절단기호

절단기호는 키워드의 단어 뒤나 앞에 붙여서 사용하는데, 단어의 검색 폭을 넓게 지정하는 기능을 갖는다. 절단기호의 표기는 데이터베이스에 따라 다르다.

예 conver* → convert, convertor, converted, converting, convertible 등
wom?n → woman, women, women's 등

04 구문검색

여러 개의 단어로 이루어진 키워드를 하나의 단어처럼 검색할 때 사용한다. 근접연산자를 제공하는 데이터베이스라면 구문검색 대신 근접연산자를 활용할 수 있다. 구문검색은 보통 이중인용부호를 사용하여 지정한다.

예 "air bag", "golf club"

05 검색 항목 한정

보통 기술 용어의 경우 발명 명칭, 요약, 청구범위나 전문을 검색 항목으로 지정하며, 인명정보의 경우 출원인, 발명자로 검색 항목을 한정한다. 이 밖에 특허분류코드를 검색어로 사용할 때는 IPC 등으로 한정한다. 이러한 검색 항목을 한정하는 방법은 데이터베이스마다 다르다.

예시

검색 항목을 발명의 명칭으로 한정한 각 DB의 입력 예

검색 항목 한정 방식	데이터베이스명
TL=[디램]	KIPRIS(한국)
TTL/dram	USPTO(미국)
TI=(dram)	Espacenet(유럽)
(dram).TI.	WIPS(한국, 유료)

1. 초록(Abstract)

초록은 발명의 내용을 파악하기 쉽도록 간단히 요약한 것으로, 일반적으로 발명의 기술 분야 및 구성, 목적과 효과를 기재한다. 조사 시간이 부족하거나 여러 국가의 DB를 한꺼번에 검색할 때 유용하다.

2. 청구항(Claims)

청구항은 출원인이 실질적으로 주장하고자 하는 발명의 권리범위이다. 법적인 효력을 갖는 부분인 만큼 명확하고 간결하며, 발명의 구성에 없어서는 안 되는 사항만으로 기재하도록 되어 있다. 따라서 발명이 필수 구성요소에 해당하는 검색어는 청구항으로 한정하는 것이 좋다. 다만, 청구항에는 상위개념의 용어가 사용되는 경우가 많으므로 주의가 필요하다.

3. 전문(Full Text)

초록이나 청구항을 검색 항목으로 한정해도 원하는 특허를 발견하지 못한 경우나 유효성 조사와 같은 경우, 명세서의 상세한 설명을 포함하는 전문을 대상으로 검색을 수행한다. 전문검색을 하는 경우, 노이즈가 많이 발생하므로 근접연산자나 DB의 하이라이트 기능을 활용할 수 있다.

06 검색 건수를 효율적으로 한정하는 방법

① 동일 키워드가 서로 다른 기술 분야에서 사용되는 경우 노이즈가 발생한다. 따라서 검색 주제에 맞는 특허분류로 한정하는 것도 좋은 방법이다.

② 문맥상 가능한 표현을 예측하여 근접연산자로 한정하는 방법이 있다. 특히, 전문검색과 같이 조사범위가 넓을 경우 효율적으로 검색 건수를 한정하는 방법이다.

③ 관계없는 키워드나 특허분류를 not 연산자를 사용하여 제거하는 방법이 있다.

07 스크리닝(Screening)

검색식에 의한 결과 셋 중에서 조사하려는 주제에 걸맞는 자료를 찾아가는 것을 말한다. 스크리닝은 텍스트 스크리닝과 도면 스크리닝이 있다. 특히, 도면 스크리닝은 전체 도면을 중심으로 하는 것이 좋다.

08 인공지능(AI) 검색 기술의 활용

AI 기술의 활용이 점차 중요성을 갖게 되면서 특허정보 조사에 있어서도 AI 특허검색엔진의 도입이 증가하는 추세이다.[56] AI 기반의 특허검색엔진은 기존의 방식보다 효율적으로 특허를 검색하고 분석할 수 있어 특허 전문가나 기업들에게 유용하다. AI 기술의 발전에 따라 다양한 방식의 특허정보 조사 시스템이 개발되고 있는데, 대표적으로 활용되는 기능은 다음과 같다.

1. 최적화된 검색식 생성

사용자가 입력한 검색어나 주제를 기반으로 자동으로 이에 적합한 검색식을 생성한다. 이때, 자연어 처리 기술을 기반으로 문장들의 언어적 의미를 파악하고 분석하는 것이 가능하여 복잡한 검색식 입력이 아닌 문장 입력을 통해 유사문헌 리스트를 출력하는 것도 가능하다.

56) 특허청에서는 이미 2021년에 도형상표 검색, 디자인 분야 심사에 인공지능(AI) 기술을 적용한 검색 서비스를 개시했으며, AI 특허 검색 시범 서비스를 추가적으로 개통함으로써 지식재산권 전 분야에 인공지능 기술을 적용하고 있다.

2. 유사 검색식 제안

사용자가 입력한 검색식과 유사한 다른 검색식을 제안하여 사용자가 보다 다양한 검색식을 활용할 수 있도록 한다. 검색연산자를 포함한 최적의 키워드를 추천받을 수 있어 검색 범위를 확장하거나 검색 정확도를 높일 수 있다.

3. 문헌 유사성 검색 및 자동 분류

특허문헌에 포함된 텍스트를 분석하여 중요한 용어나 키워드를 추출하고, 이를 통해 다른 문서와의 유사성을 확인하는 기능을 제공한다. 텍스트뿐만 아니라 이미지, 다이어그램, 도면까지 포함하여 유사성을 판단하며 관련 주제에 대한 문서를 자동으로 분류하고 태깅할 수 있다. 이는 특허정보를 빠르게 검색하는 데 있어서 매우 유용하게 활용된다.

4. 다국어 자동 번역

다양한 언어로 작성된 특허문서를 자동으로 번역하여 검색 결과를 확장하는 데 도움을 주며, 이는 국제적인 특허정보에 접근하는 데 유용하다.

다만, AI 기술은 자동화 · 정확성 · 효율성 측면에서 기존의 수동적인 특허정보 조사 기법을 일부 보완하고 개선할 수 있지만 완전히 대체할 수는 없기 때문에 인간의 전문 지식과 판단력을 결합하여 최상의 결과를 얻는 것이 중요하다.

제4절 특허정보 조사와 데이터베이스

01 공공 데이터베이스와 상용 데이터베이스

특허제도의 목적상 발명을 공개함으로써, 새로운 발명창출에 대한 동기를 유발하고 그에 따라 산업발전을 도모한다는 측면이 있기 때문에 각국 특허청을 중심으로 특허정보를 무료로 제공하는 경우가 많다. 또한 기업이나 지식재산 분야에 종사하는 사용자는 좀 더 편리한 인터페이스, 부가 기능, 공공 DB와 차별화된 서비스(발명평가, 소송 이력 등) 때문에 유료로 제공하는 상용 DB를 사용하기도 한다.

공공 DB와 상용 DB의 종류와 특징에 대해 알아보면 다음의 표와 같다.

구분	장점	종류
상용 DB	• 편리한 인터페이스(예 Batch View, History Search) • 풍부한 연산자(예 Proximity Operators) • 폭넓은 검색(예 Stemming, Thesaurus, Semantic Search, Multi-Lingual Search) • 검색 가이드(예 Assignee Tree, 키워드 추천) • Data 다운로드 및 분석 도구(예 네트워크 분석, 다차원 분석)	• 윕스(KR) • 위즈도메인(KR) • Derwent(US) • Total Patent(US) • PatBase(GB) • Questel/Orbit(FR)
공공 DB	• 비용발생이 없음 • 데이터(Data) 업데이트가 빠름 • 빠르고 정확한 법적 상태(Legal Status) 정보 • 파일포대(File Wrapper) 제공	• Kipris(KR) • USPTO(US) • J-PlatPat(JP) • Espacenet(EP)

02 특허 데이터베이스의 종류

특허 데이터베이스의 종류를 살펴보면, 다음의 표와 같다.

구분	DB명(국가)	URL	주요 제공정보
무료	KIPRIS(KR)	www.kipris.or.kr	한국 및 해외특허
	USPTO(US)	patft.uspto.gov	미국특허
	J-PlatPat(JP)	https://www.j-platpat.inpit.go.jp	일본특허
	Espacenet(EP)	ep.espacenet.com	전 세계특허(초록)
	SIPO(CN)	www.sipo.gov.cn	중국특허
	Google patent	www.google.com/advanced_patent_search	미국 및 유럽특허
유료	WIPS(KR)	www.wipson.com	한, 미, 일, 유럽, 중국, PCT
	WISDOMAIN(KR)	www.wisdomain.com	한, 미, 일, 유럽, 중국, PCT

03 주요 특허 데이터베이스의 특징

1. 키프리스(KIPRIS)

키프리스는 국내외 지식재산권에 대한 모든 정보를 DB로 구축하여 누구나 인터넷을 통해 무료로 이용할 수 있도록 특허청이 한국특허정보원(KIPI)을 통하여 제공하고 있는 특허검색 서비스이다.

특허 및 실용신안, 디자인, 상표를 포함하는 국내 지식재산 정보와 미국, 일본, 유럽, PCT 등 해외특허 정보에 대한 검색 및 조회가 가능하다.

키프리스는 전문검색을 지원하며 유료 데이터베이스에 버금가는 인터페이스와 데이터(텍스트, 원문 이미지), 부가 기능을 제공한다. 또한 공공 DB의 특징인 법적 상태 및 심판 사항을 제공한다.

2. 미국특허청(USPTO)

미국특허청에서는 미국등록특허 및 공개특허를 검색할 수 있다. 전문검색을 지원하며 다수의 검색 항목을 제공하므로 다양한 목적의 검색전략식을 작성할 수 있다. 또한 법적 상태는 물론 파일포대(File Wrapper), 양수도 현황, CPC를 조회할 수 있는 화면을 제공한다.

3. 일본특허청(J-PlatPat)

일본특허청에서 제공하는 것으로, 일본특허, 의장(디자인), 상표, 심판사항, 경과이력정보 등을 검색할 수 있다. 전문검색을 지원하며 일본어나 영어를 사용하여 조사한다. 또한 일본독자 분류인 FI, F-term을 조회하거나 검색할 수 있고 심사서류정보를 확인할 수 있다.

4. 유럽특허청(Espacenet)

전 세계적으로 가장 많은 특허문헌 정보를 제공하는 사이트로, 90개국 이상의 초록(Abstract) 정보를 제공하며 유럽(EP) 및 PCT 특허는 전문검색이 가능하다. 패밀리특허와 특허원문을 PDF 형태로 제공하며 근접연산자를 사용하여 검색할 수 있다.

CPC를 조회하는 화면을 지원하며, CPC와 키워드를 혼용하여 조사할 경우 유럽특허청 DB를 효율적으로 활용할 수 있다.

5. Google Patents

USPTO, EPO, WIPO 데이터와 구글의 검색엔진 노하우가 결합되어 탄생한 Google Patents는 Google Scholar, Google Books와 함께 특허검색 시 활용된다. Google Patents는 인터페이스가 편리하여 사용하기 좋고 링크된 정보를 한눈에 볼 수 있다는 장점이 있다. 특히, OCR 기법을 활용하여 이미지 형태로 존재하는 오래된 특허문헌도 텍스트를 사용하여 조사할 수 있는 장점이 있다.

6. 윕스(WIPS)

국내 유료 특허 데이터베이스로 편리한 사용자 인터페이스와 다양한 부가 기능이 장점이다. 전문검색과 통계적 분석 기능, 이지뷰어, AI 검색, 스텝검색이 제공되며 언어장벽을 해소하기 위하여 번역 기능을 탑재하였다. 특히, 한글로 번역된 일본특허를 데이터베이스로 구축하여 일본특허 검색 시 유용하다.

7. 위즈도메인(WISDOMAIN)

국내 기업 위즈도메인에서 만든 데이터베이스(舊;FOCUST)로, 기본적인 기능들 외에 발명에 대한 평가정보, 검색 결과에 대한 요약 리포트를 제공한다. 특허 전문가가 사용하기에 손색이 없는 DB로 데이터 다운로드가 편리하고 관련 정보에 대한 링크가 장점이다.

8. 키워트(KEYWERT)

국내 유료 특허 데이터베이스로, 인공지능 기술과 검색엔진 기술, 실시간 분석엔진 기술 및 빅데이터 처리 기술을 이용해 특허 검색에 활용할 수 있는 다양한 편의기능을 제공한다. 대표적인 기능으로는 AI 검색식 자동 확장 기능, AI 도면 인식 기능, 보고서 및 그래프 생성 기능, 청구항 분석 기능, 유사특허 자동 추천 기능 등이 있다.

9. 기타

앞서 살펴본 특허 데이터베이스 외에도 프랑스에서 개발한 Questel/Orbit나 영국에서 개발한 PatBase 등이 있다. 특히 이러한 유럽특허 DB는 발명건 중심으로 검색이 된다는 것에 특징이 있다. 따라서 국가별로 나누어 조사할 필요가 없고 패밀리나 인용참증 정보를 한눈에 볼 수 있다는 장점이 있어 특허조사에 적합하다.
아울러, 미국 Lexis/Nexis사에서 개발한 Total Patent는 자사의 장점인 법률소송 정보나 기업 정보와의 연계가 잘 되어 있으며, 자연어 검색을 활용한 의미검색(Semantic Search)이 제공되는 장점이 있다.

04 한국특허 검색 – 키프리스(KIPRIS)

한국특허를 조사할 수 있는 데이터베이스는 키프리스(KIPRIS)가 가장 대표적이며 무료로 서비스 된다. 이 외에도 유료 DB인 윕스와 위즈도메인이 있다.
여기서는 키프리스 사용방법에 대해 간단히 알아본다.

1. 검색

| 키프리스 특허 실용신안 검색 화면

① 간단한 단어나 번호, 검색식(검색 항목 지정 및 연산자 사용 가능)으로 손쉽게 검색할 수 있는 일반검색으로, 우측 '펼치기'를 활용하여 검색 결과를 수정해 가면서 조사할 수 있다.

② 스마트검색 화면이다. 발명 명칭, IPC 분류, 공개번호, 공개일자, 출원인 등 총 23개의 다양한 검색 항목을 조합하여 검색할 수 있다. 각 검색 항목 중 번호정보, 일자정보, 직접입력정보, 이름 · 코드 · 주소 등으로 그룹화되어 사용하기가 편리하다.

③ 권리구분을 선택한다.

④ 행정처분을 선택한다. 예를 들어, 등록된 특허문헌만 조사하려면 '등록'에 체크한다.

⑤ 그룹명의 우측 도우미 버튼을 클릭하면 상세한 입력을 위한 도우미창이 열린다.

⑥ 각 항목 옆에 있는 'and' 또는 'or'를 선택하여 항목 간 연산관계를 지정한다. 만약, 다소 복잡한 검색식(예를 들어 항목 간 and 연산과 or 연산이 혼합되어 있는 경우)은 연산관계가 원하지 않는 방향으로 실행되는 경우가 있으므로 '일반검색 창'에서 확인 후 수정하여 사용하는 것이 바람직하다.

⑦ 1차 검색 결과에서 더욱 한정하여 검색하고자 할 때 결과 내 재검색을 체크한다.

2. 검색식 구성

구분	표기	내용	예
연산자	and 연산(*)	키워드 2개가 모두 포함된 특허실용 검색	신발*바퀴
	or 연산(+)	키워드 2개 중 1개라도 포함된 특허실용 검색	핸드폰+휴대폰
	not 연산(!)	키워드 2개 중 1개는 반드시 포함하고 1개는 포함되지 않는 특허실용 검색	마스크*!용접
	근접연산(^n)	2개 키워드 사이에 n개 이내의 단어가 존재하는 특허실용 검색(순서 고려)	특수^2차량
항목한정	필드코드=[ ]	검색범위를 필드코드 내로 한정하여 검색	TL=[자동차]
구문검색	" "	입력된 검색어와 완전히 일치하는 특허 실용 검색	"골프 클럽"
절단기호	자동절단	키워드나 인명을 사용할 때는 자동절단	발신 → 발신자 발신번호, 발신전화
디폴트 연산	and 연산	시스템상 2개 키워드 사이에 공백값 처리 기준	골프 클럽=골프*클럽

05 해외특허 검색

1. 미국특허청(USPTO)

미국특허 검색은 키프리스의 해외특허 검색이나 Google Patents에서도 조사할 수 있으나 여기서는 미국특허청에서 제공하는 특허검색 사이트에 대해 설명하도록 한다.

미국특허청의 인터페이스는 명령어 방식으로 구성되어 있으며, 전문검색(Full Text Search)을 기본으로 제공하고 있으므로 검색전략식 작성방법을 숙지할 필요가 있다.

(1) 검색-Advanced Search

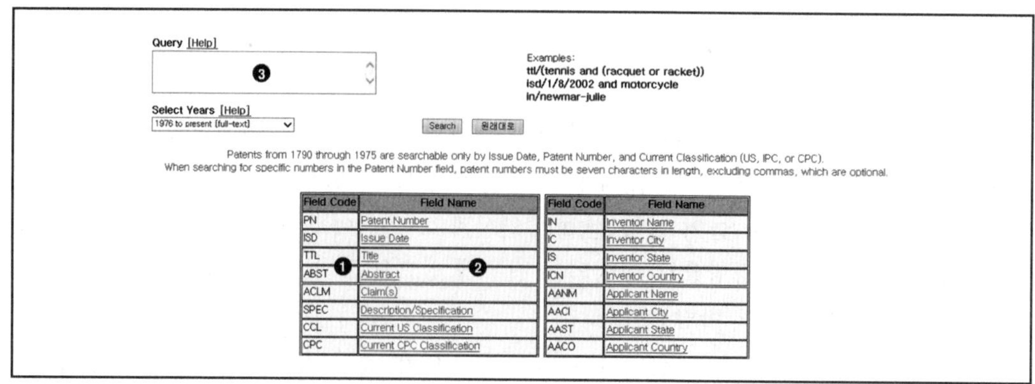

▎미국특허청(USPTO) Advanced Search 화면

① 필드코드(Field Code)를 사용하여 검색 항목을 한정한다.

② 해당 필드코드에 대한 설명 및 입력 방법 등이 표시된다.

③ 검색 전략식을 입력한다.

(2) 검색식 구성

구분	표기	내용	예
연산자	and	키워드 2개가 모두 포함된 특허검색	dram and cell
	or	키워드 2개 중 1개라도 포함된 특허검색	car or vehicle
	andnot	키워드 2개 중 1개는 반드시 포함하고 1개는 포함되지 않는 특허검색	"golf club" andnot APT/4
항목한정	필드코드/	검색범위를 필드코드 내로 한정하여 검색	TTL/battery
구문검색	" "	입력된 검색어와 완전히 일치하는 특허검색	"golf club"
절단기호	$, ?	영문 한 자리(?), 문자 개수 무관하게 절단함	convert$,wom?n

2. 유럽특허청(Espacenet)

유럽특허청 사이트는 명령어 방식인 Smart Search와 메뉴검색 방식인 Advanced Search, CPC 코드를 조회할 수 있는 Classification Search를 제공한다. 각각의 인터페이스의 특징을 살펴보면 다음과 같다.

- **Smart Search**: 90개국 이상의 특허문헌에 대한 초록검색, 근접연산을 제공한다.
- **Advanced Search**: 메뉴 방식의 인터페이스이며, EP 및 PCT 전문검색도 가능하다. 아울러 CPC 코드의 하위계층을 포괄적으로 검색할 수 있다(예 H01L21/027/low).
- **Classification Search**: CPC 코드를 조회할 수 있고 검색에 적용할 수 있다.

(1) 검색

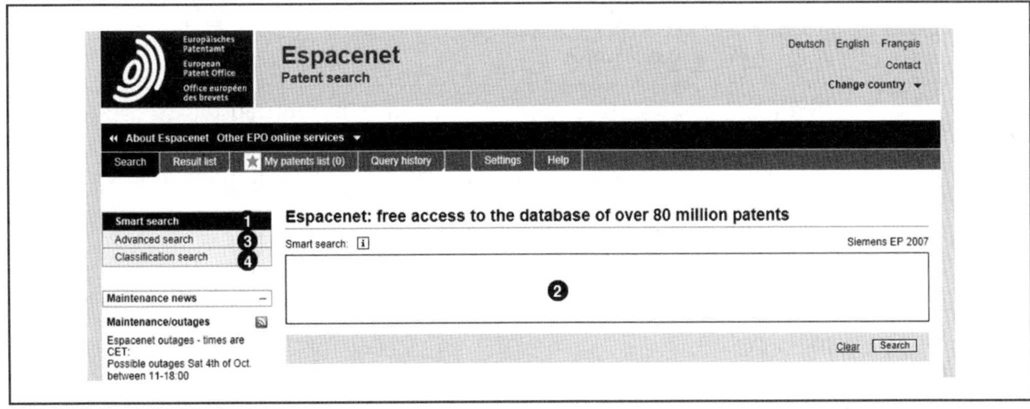

▌유럽특허청 스마트검색 화면

① 명령어 방식의 Smart Search

② Smart Search 검색식 입력창

③ 메뉴검색 방식의 Advanced Search

④ 특허분류(CPC) 조회 화면인 Classification Search

(2) 검색식 구성

① 연산자

구분	표기	내용	예
논리 연산자	and	키워드 2개가 모두 포함	dram and cell
	or	키워드 2개 중 1개라도 포함	car or vehicle
	not	키워드 중 1개는 반드시 포함하고 1개는 포함되지 않는 것	metal not copper
근접 연산자	prox/distance<n	2개 키워드 사이에 n개 미만의 단어가 존재하는 것	location prox/dis tance <3 service
	prox/unit=sentence	2개 키워드가 하나의 문장 내에 존재하는 것	run prox/unit=sentence length
항목한정	필드코드=	검색범위를 필드코드 내로 한정하여 검색	pa=nike
구문검색	" "	입력된 검색어와 완전히 일치하는 특허문헌 검색	"air bag"
절단기호	* ?	스페이스 포함 영문 1자리(?), *는 문자수와 무관하게 절단함 ※ IPC, CPC는 자동절단	ca??? → call, cart, card, care, cable
디폴트 연산	and 연산	시스템상 2개 키워드 사이에 공백값 처리 기준	golf club=golf and club

② 주요 검색필드

필드코드	내용	입력 예
txt	명칭, 요약, 발명자, 출원인	txt=microscope
ti	발명명칭	ti="mouse trap"
ab	요약	ab="mouse trap"
pa	출원인	pa=siemens
pn	공개번호, 등록번호	pn=ep1000000
pd	공개일자, 등록일자	pd=20080107
cl	IPC, CPC	cl=C10J3

3. 일본특허청 – J-PlatPat

일본의 특허청과 공업소유권 종합 정보관(INPIT)에서 만든 J-PlatPat은 일본어를 사용하여 조사한다. 영어를 사용하여 검색할 수 있으나 초록(PAJ)에서 가능하다. 일본특허 원문을 영어로 기계번역하여 제공하기도 하며 FI, F-term을 사용하여 검색할 수도 있다.
공보 텍스트 검색은 일본어를 사용한다. 일본어는 구글 번역기를 이용하면 편리하다. 검색어와 검색어 공백(스페이스)값 연산은 우측 콤보박스에서 선택한다.
일본어에 익숙한 사용자라면 유료 데이터베이스에 못지않게 편리한 검색을 수행할 수 있다.

| J-PlatPat 공보 텍스트 검색 화면

① 검색 항목을 콤보박스에서 선택한다.

② 검색어를 입력한다.

③ 검색어 간 연산자를 선택한다.

④ 명령어 방식의 검색전략식을 작성할 수 있다.

⑤ 검색 버튼을 클릭한다.

제3장 특허정보 분석

제1절 특허정보와 특허정보 분석

01 특허정보의 의미

발명 공개의 대가로 특허권을 부여하는 특허제도의 취지에 비추어 볼 때, 특허정보는 특허제도로부터 비롯된다고 말할 수 있다.

특허정보를 좁게 보면 특허출원 후 기술 공개를 목적으로 발행되는 공개특허공보와 실체심사 후 등록결정된 발명에 대해 발행되는 등록특허공보에 기재된 사항을 말한다.

특허정보를 넓게 보면 발명이 출원되어 소멸될 때까지 발생되는 모든 법적 정보, 권리변동 사항, 인용참증(관계), 패밀리특허 정보 등을 포함하는 것으로 볼 수 있다.

이러한 특허정보는 세계적으로 통하는 보편적 특징과 함께 특정 국가에서만 통용되는 개별적인 특징을 갖고 있다. 따라서 특허정보가 발생되는 형식이나 체계에는 각국마다 약간의 차이가 있을 수 있다.

02 특허정보의 가치

특허정보는 여러 가지 서지정보와 기술정보, 권리정보, 법적 정보를 포함하고 있어 다양한 목적으로 활용될 수 있다. 특허청 심사관에게는 심사 시 해당 발명이 특허요건을 구비하고 있는지를 파악하기 위한 선행기술 자료로서 활용되고, 출원인이나 발명자에게는 선행기술의 경계선까지 권리범위를 확장할 수 있도록 도와주는 역할을 하거나 발명에 대한 동기(Inventive Motivation)를 제공하기도 한다.

하지만 특허정보를 점적인 정보에서 집합적, 계량적, 입체적, 네트워크 개념으로 이해하고 접근한다면 하나의 특허문헌에서 얻을 수 없는 새롭고 의미 있는 정보들을 얻을 수 있다. 이렇게 얻어진 정보들은 기업이나 정부기관, 대학 등에서 기술정보, 권리정보, 경영정보, 정책정보로 폭넓게 활용되고 있다.

Tip

패밀리(대응)특허 특허권의 효력이 미치는 지역적 범위에 대해서는 국제적으로 속지주의 원칙이 적용된다. 즉, 특허권은 그 권리를 부여한 국가의 영토 내에서만 효력을 갖는다. 따라서 권리를 받고자 하는 나라에 각각 특허출원을 해야 하는데 이때 기술내용이 완전히 또는 부분적으로 일치하는 특허문헌군을 패밀리특허라고 한다. 예를 들어, A기술을 한국, 미국, 일본에 각각 특허출원하였다면 한국, 미국, 일본의 특허문헌군이 패밀리특허가 되는 것이다.

인용참증 특허청 심사관이 특허를 심사할 때 해당 발명이 특허를 받을 수 없다고 하는 자기의 견해를 뒷받침하기 위해 특별히 근거로 제시하는 특정의 선행기술을 말한다.

03 특허정보의 종류

1. 1차 정보

특허청에서 최초로 발간하는 공개특허공보, 등록특허공보 및 실용신안공보 등을 말한다. 이러한 공보에는 서지사항이나 초록 이외에 명세서 또는 도면이 수록되어 있어 발명 내용을 상세히 파악할 수 있다.
한국특허청의 경우, 과거에는 공보를 책자 형태로 발행하였으나 현재는 인터넷을 통해 전자공보 형태로 발간함으로써 이용의 편의를 제공하고 있다.

2. 2차 정보

1차 정보를 가공한 자료로서 서지사항, 명세서 및 도면 등에서 일부를 발췌하거나, 요약한 정보를 말한다. 대표적인 것으로 일본공개특허의 초록을 영문으로 번역한 PAJ와 각국 특허공보 내용을 해당 기술 전문가가 표준 용어를 사용하여 일목요연하게 재작성한 더웬트(Derwent) 초록 등이 있다.

3. 3차 정보

1차 또는 2차 정보 접근이 용이하도록 주로 서지사항을 가공하여 수록한 자료를 말한다. 분류별, 출원인별, 대응특허별 색인 등이 이에 속한다.

04 특허공보

특허법에 규정된 사항과 출원 및 특허발명과 관련된 사항을 공중에게 알리기 위해 특허청이 발행하는 공보를 말한다. 공개특허공보가 등록특허공보보다 수적으로 많으며, 기술적인 측면에서 특허정보를 활용하는 데 주목적이 있다면 공개특허공보가 유리할 것이고 권리적인 측면에 주목적이 있다면 등록특허공보가 유효하다.
특허공보의 특징은 다음과 같다.

1. 수집의 용이성

정보의 출처가 각국 특허청으로 일원화되어 있고, 특허 데이터베이스로 구축되어 있어 누구나 인터넷을 통하여 쉽게 수집할 수 있다.

2. 형식의 표준화

특허공보에는 서지사항을 쉽게 파악할 수 있도록 국제적으로 통일된 서지사항 식별코드(INID Code : WIPO Standard ST.9)가 부여되어 있다. 이 외에도 문헌 종류를 식별할 수 있는 문헌종류 식별코드(WIPO Standard ST.16), 국가코드(WIPO Standard ST.3)가 부여된다. 문헌종류 식별코드와 국가코드는 각 국가의 번호 체계에 함께 사용되므로 주요 국가의 식별코드 정보는 숙지하는 것이 좋다.

3. 내용의 구체성

특허명세서는 그 발명이 속하는 기술 분야에서 통상의 지식을 가진 자가 쉽게 실시할 수 있을 정도로 명확하고 상세하게 기재하여야 하며, 필요에 따라 발명의 실시 형태를 구체적으로 예시한 실시예를 기재하도록 되어 있다.

제1편
제2편
제3편
제4편

05 특허맵(Patent Map)

1. 특허맵의 정의

특허맵은 일본에서 1960년대 말부터 사용되기 시작한 용어로 한국과 일본 이외의 국가에서는 특허분석(Patent Analysis)이나 특허 포트폴리오(Patent Portfolio)라는 용어로도 사용된다. 많은 교재에서 특허 분석과 특허맵을 혼용하여 설명하고 있으며, 필자는 결과물에 대한 가시화 개념이 좀 더 포함된 것이 특허맵이라고 생각하고 표현의 차이에 불과하다고 판단하여 본서에서도 굳이 구분하지 않았다.

특허맵의 정의를 요약하면 다음과 같다.

① 복잡한 특허정보를 쉽게 파악할 수 있도록 시각적으로 표현한 분석 결과의 표현이다.

② 특허정보를 분류, 정리, 가공, 분석하여 도출된 자료를 도표나 도식으로 한눈에 파악할 수 있도록 표현하여 전체적인 기술 동향, 출원인 동향, 기술 분포 현황 및 복잡하게 얽혀 있는 권리관계를 다각적으로 파악할 수 있도록 작성한 분석도표이다.

③ 일반적으로 과거로부터 현재에 이르기까지의 전반적인 기술흐름과 문제점을 어떻게 해결해 왔는지를 파악하고 나아가 기술의 전망과 신기술 분야를 분석하여 미래기술에 대처하는 일련의 분석방법이다.

2. 특허맵의 역할

① 경쟁 주체의 기술개발 동향이나 사업 전략을 파악하는 데 중요한 정보가 된다.

② 기술 동향을 파악하거나 연구개발의 방향성을 예측하여 연구개발 목표를 설정하는 데 도움이 된다.

③ 중복 연구를 방지할 수 있고 이미 중복되더라도 새로운 단계로 연구를 시작할 수 있다.

④ 틈새기술, 타인의 권리를 회피하는 대체기술의 검토 등 새로운 아이디어를 찾아내고, 이를 IP화시키는 데 도움이 된다.

⑤ 연구개발 전략, 경영 전략, 사업 전략, 지식재산 전략에 부합하는 강력한 특허 포트폴리오를 구축하는 데 있어 훌륭한 지표로 활용될 수 있다.

기출로 다지기

1 다음은 특허맵(Patent Map)에 관한 설명이다. 옳지 않은 것은? • 18회 기출

① 특허맵이란 특허정보의 기술적 사항의 분석항목을 가공하여 특허정보만이 가지고 있는 권리정보로서의 특징을 효율적으로 이용, 분석함으로써 그들의 조합을 통해 해석된 결과를 도표화한 것이다.
② 특허맵을 작성하기 위해서는 특허정보를 분석하여 특허정보의 각종 서지사항의 분석항목을 정리하여야 한다.
③ 특허맵을 작성하기 위해서는 특허정보를 분석하여 기술적 사항의 분석항목을 가공하여야 한다.
④ 정성분석은 특허정보의 서지적 데이터를 근거로 하여 출원건수, 출원인, 발명자, 기술분류 등의 다양한 요소들의 조합을 통한 통계적 분석을 의미한다.
⑤ 특허맵은 연구개발 전략, 경영전략 또는 특허전략을 수립하는 데 활용될 수 있다.

| ④ 데이터를 근거로 하여 출원건수, 출원인, 발명자, 기술분류 등을 통해 통계적으로 분석하는 것은 특허맵의 '정량분석' 과정에 해당한다.

▶ ④

2 특허공개공보 또는 특허등록공보를 통해 특허정보를 입수하고자 하는 경우, 입수할 수 있는 정보가 아닌 것은? • 19회 기출

① 전용실시권 설정에 관한 사항
② 출원일자
③ 공개일자 또는 등록일자
④ 발명자 정보
⑤ 대리인이 있는 경우 대리인 정보

▶ ①

제2절 특허정보 분석의 목적과 유형

01 기술정보적 측면

특허맵을 작성하는 가장 기본적인 목적 중 하나는 특허기술 동향과 경쟁사의 개발 동향을 파악하는 것이다. 방대한 특허정보를 쉽게 인지할 수 있도록 일목요연하게 정리하고 통계적으로 분석함으로써 해당 기술 분야나 경쟁사에 대해 통찰력을 갖게 되기 때문이다.

또한 연구개발 방향이 아직 명확하지 않은 경우, 공백기술 영역이나 유망기술 분야를 찾아내어 연구테마를 선정하기 위한 목적으로 특허맵을 작성하기도 한다.

특허맵은 자사 특허 포트폴리오를 강화하기 위해서도 필요하다. 자사 특허의 전략은 취득과 활용에 있고, 타사 특허에 대한 전략은 회피와 활용에 있으므로, 자사와 타사의 특허 포트폴리오를 비교·분석함으로써 자사 특허망의 약점을 보완하고, 타사의 특허를 회피하거나 활용할 수 있는 특허 전략을 수립할 수 있다.

특허맵 작성 목적에 따라 분석 유형이 달라질 수 있고 그에 따라 접근방법도 상이하게 된다. 따라서 특허맵을 작성하기에 앞서 작성 목적을 명확히 하는 것은 매우 중요하다. 즉, 조사의 범위는 어디까지 한정할 것인지, 기술분류 체계를 어떻게 설계할 것인지, 일정과 작성 주체는 어떻게 할 것인지, 어떤 분석 유형으로 분석할 것인지가 결정되기 때문이다.

기술정보적 특허맵의 목적과 유형

분석 목적	주요 분석 유형		활용 방안
기술개발 동향	기술분포맵	• 세부기술별 시계열적 추이 • 출원인별 기술별 점유율 현황 • 특허기술 로드맵 • 출원인별 특허 포트폴리오 비교 분석	• 기술 및 특허 동향 파악 • 기술개발 방향 설정 • 향후 실현기술 예측 • 특허 포지션 비교
	템페스트맵	• 기술별 특성별 분포 • 특정기술의 세부기술별 구성	
핵심기술 파악	기술발전도	• 연도별 핵심특허 전개도 • 해결 과제-해결 수단 시계열적 분석	• 기술흐름 파악 • 연구테마 선정 • 핵심특허기술 파악
	요지맵	• 요지리스트 • 주요 특허 요약서 • 구성 부위 특허맵	
틈새기술 파악	매트릭스맵	• 해결 과제(O)-해결 수단(S) 매트릭스 • Product-Patent 매트릭스 • 기술분류별 점유율	• 연구테마 선정 • 특허 포트폴리오 강화
유망기술 파악	기술상관맵	• 특허분류-특허분류 상관맵 • 키워드-키워드 상관맵	• 매입특허 발굴 • 기술개발 방향 설정
기술파급 효과	기술상관맵	• 인용관계 분석 • 자기인용-타사인용 분석	• 기술개발 방향 설정 • 연구테마 선정

02 권리정보적 측면

특허경영의 기본이 타인의 특허권을 존중하는 데서 출발하기 때문에 특허맵 작성 목적 중 권리정보적 측면을 빼놓을 수 없다.

권리정보적 측면에서의 주된 특허맵 작성 목적은 특허분쟁을 예방하는 데 있다. 따라서 특허맵 작성의 전 과정에서 침해 유형을 고려하면서 작업을 수행하는 것이 바람직하다.

향후 분쟁의 소지가 있는 문제특허나 기술적 의의가 큰 핵심특허, 전략적으로 활용 가치가 있는 특허기술 등을 중요 특허로 선별하고, 그에 대한 권리관계나 권리범위 분석, 침해분석, 비침해화 및 무효화 분석 등을 수행한다.

구체적인 분석 유형으로 제품의 구성이나 기술요소에 중요 특허를 대응시켜 표현한 구성부위맵, 청구항의 특징을 기재한 청구항별 요지맵, 기술 요지 및 청구항 분석을 통한 권리 분석시트, 특허발명의 각 구성요소와 자사 제품을 비교 분석한 클레임 차트, 관련 특허의 계보와 패밀리특허의 권리범위를 분석한 대응특허맵, 장벽특허 리스트 등이 있다.

권리정보적 특허맵의 목적과 유형

분석 목적	주요 분석 유형	활용 방안
문제특허 발굴, 권리범위 확인	• 기술요소별·제품별 권리관계맵 • 대응특허(패밀리특허)맵 • 청구항별 요지맵 • 권리범위 분석시트 작성 • Claim Tree 맵	• 자사 및 타사 특허권 권리범위 확인 • 문제특허 발굴을 통한 회피설계, 대체기술 확보안 • 라이선싱 • 매입 전략 • 카운터 클레임 확보안
침해가능성 파악	• 대응특허(패밀리특허)맵 • 청구항별 요지맵 • 권리기간맵 • Claim Chart 작성 및 분석 • 비침해화 및 무효화 분석	• 회피설계안 마련 • 비침해화, 무효화 전략 • 라이선싱 전략 • 매입 전략 • 카운터 클레임 확보안
특허망 구축	• 구성 부위맵 • 인용관계 및 관련 특허 분석(분할, 계속출원 등)	• 타사 특허망 확인 • 자사 특허망 확인 및 포트폴리오 구축
권리상태 확인 (기한, 특허권자)	• 권리관계맵 • 권리기간맵 • 심사관계맵	• 권리상태 확인 • 로열티 산정 • 협력기업 확인

03 경영정보적 측면

경영정보적 측면에서의 특허맵 작성 목적으로는, 연구개발 전략 및 사업 전략 수립, 기업 간 협력관계 모색, 지식재산 조직 및 관리 전략 수립, 우수인력 영입, 미래 유망기술 발굴, 시장성 예측, 기업 인수합병 전략 등이 있다.

또한 분석 유형으로는 출원인별·기술별 시계열적 추이, 점유율 현황, 발명자 군집 분석, 공동 연구개발 현황, 기업별 시장 참여 현황, 특허당 청구항 수, 기술별 해외출원 현황 분석 등과 같이 서지사항을 이용한 분석과 선도기업 및 창의적 기업의 최근 공개특허 분석, 동시 인용 특허 분석 등과 같은 정성적인 분석이 모두 포함될 수 있다.

다만, 경영정보적 측면에서의 특허맵을 작성하고자 할 때는 특정 정보 외에 시장 및 환경에 관한 정보, 기술 동향 정보, 기업의 제품 및 재무 정보 등을 수집하여 다각적으로 검토할 필요가 있다.

경영정보적 특허맵의 목적과 유형

분석 목적	주요 분석 유형		활용 방안
기술·상품개발 동향 파악	출원 건수 동향	• 기술별 특허출원 동향 • 기술별 시계열적 추이	• 사업 전략 수립 • 연구개발 전략 수립
	출원인 분포	• 출원인별 기술별 특허 점유율 • 출원인별 기술별 출원의 변화	
연구개발 동향 파악	출원인 분포	• 출원인별 출원 및 등록 건수 비율 • 경쟁사의 시계열적 기술별 비율 변화 • 경쟁사의 시계열적 키워드 빈도수 추이	• 경쟁사 연구개발 방향 • 연구개발 조직 분석 • 중장기 프로젝트 수행 여부 파악 • 키 발명자 확보 방안 • 특허관리 방향 설정 • 기업협력, 인수합병
	발명자 분포	• 주요 출원인별 발명자 수 비교 • 발명자 군집 분석	
	기업 간 상관맵	• 특정 회사의 연도별 협력관계도 • 기술협력 기업별 기술 분야 분석	
시장 참여 현황	뉴엔트리맵	기업별 사업 참여 및 탈퇴 시기 추이	기업협력, 인수합병
사업 전략 수립 (유망기술 발굴)	기술분포맵 인용관계맵	• Product Market Matrix • 선도기업, 창의적 기업 출원 현황 분석 • 동시 출현 단어, 동시 인용 분석	• 시장 규모 파악·예측 • 연구테마 발굴 • 미래 유망기술 개발

기출로 다지기

특허정보 조사를 통해 확인할 수 있는 내용이 아닌 것은? • 18회 기출

① 출원번호, 공개번호, 등록번호, 발명자, 출원인 등 서지사항을 조사할 수 있다.
② 특허출원 전 발명에 대하여 신규성, 진보성 등 특허요건 구비 여부를 판단할 수 있다.
③ 침해문제 특허를 무효화시킬 수 있는 선행자료를 조사할 수 있다.
④ 등록특허의 현 권리자, 권리존속 여부, 라이선싱 현황 등을 파악할 수 있다.
⑤ 등록특허의 권리자에 대한 연락처 및 주소 변경 이력 등을 파악하여 기술이전 협상의 기본정보를 수집할 수 있다.

| ⑤ 등록원부상 특허권자에 대한 세부 주소 및 연락처 등은 공개되지 않는다. ▶ ⑤

제3절 특허정보 분석의 절차

01 테마선정

특허맵을 작성하기 위한 테마를 설정한다. 예비조사를 통하여 대략 분석대상 건수가 어느 정도인지를 파악해 보는 것도 좋은 방법이다.

분석대상 건수가 지나치게 많을 경우 정성적인 분석에 치중하기 어렵고 특허맵 작성기간이 길어지게 된다. 또한 테마선정 단계에서 가장 중요한 것은 특허맵 작성 목적을 명확히 하는 것이다. 작성 목적과 분석 방향이 일치하지 않으면 단순한 정보조사 개념으로 접근하게 되고 그 분석 결과는 해당 기술 분야의 기술적 분포만을 대략적으로 파악하는 수준에 머무르게 된다.

테마와 기술적 범위, 작성 목적과 분석 방향이 결정되면 그에 따라 분류체계를 작성하고, 일정을 결정한다.

02 특허조사

테마가 결정되면 2단계로 특허조사를 수행하게 된다. 특허맵 작성을 위한 특허조사는 특정기술 분야에 대한 개괄적인 조사로 특허성 조사나 유효성 조사와는 접근방법이 다르다. 특히 특정 기술 분야 조사는 '누락 건'을 방지하는 데 조사의 초점이 있다. 누락 건과 노이즈 발생을 최소화하는 특허조사방법은 앞서 설명한 바 있다.

03 기술분류

특허맵(분석)에서 기술분류란 검색된 많은 수의 특허자료를 분석기술테마가 가장 잘 표현되도록 기술분류 체계에 맞추어 유사기술별로 분류하는 것을 말한다. 분석(分析)의 사전적 의미가 얽혀 있거나 복잡한 것을 풀어서 개별적인 요소나 성질로 나눔으로 정의되어 있듯이 특허맵 작성에 있어 기술분류를 입체적, 객관적으로 작성하는 것은 특허맵의 성패를 결정짓는다. 이러한 기술분류를 수행하기에 앞서 먼저 기술분류 체계(분류표)를 작성해야 하는데, 기술적 구성을 체계적으로 분류하고 도표화하기 위해서는 분류조사, 분류기준, 분류범위가 고려되어야 한다.

1. 분류조사

분류조사는 분석하려는 기술 분야에 특허자료가 얼마나 있는지를 파악하는 것으로, 표본조사와 전수조사 방법이 있다. 전수조사는 자료 건수가 적거나 작성 일정이 충분할 경우에 사용하며, 표본조사는 특정국가에 대하여 3~5년 단위로 한정하여 기술을 파악하는 방법이다.

일반적으로 표본조사에 의한 자료를 토대로 분석기술 테마에 대한 분류표를 작성하는데 이때 작성된 분류표는 가분류에 해당되며, 이 작업은 1단계 테마선정에서 수행될 수도 있다. 가분류표에 맞추어 3~5년치 자료를 분류해 보고 상황에 맞게 분류표를 수정・보완하여 최종 기술분류표(체계)를 확정하게 된다.

2. 분류기준

분류기준은 기술내용에 따라 여러 가지로 설정할 수 있으나 일반적으로 요소기술, 구조, 용도, 기능, 공정 또는 발명의 해결 과제 및 효과 등을 기준으로 한다.

주로 기계 분야는 장치 개념의 특허자료가 다수이므로 구조를 중심으로 분류하는 것이 바람직하며, 전기전자 분야는 시스템이나 알고리즘 개념의 특허자료가 많으므로 기능이나 구성을 중심으로 분류한다. 화학 분야는 조성물이나 제조방법에 특징이 있는 기술이 많으므로 방법이나 성분, 용도를 중심으로 분류한다.

기술의 규모가 크거나 중복기술이 적은 분야는 계층별(예 대분류 → 중분류 → 소분류)로 기술을 부여하는 방식이 적합하다. 그러나 분류하기가 애매한 기술, 즉 기술이 여러 분야에 포함될 경우나, 다양한 분류기준으로 기술을 분류할 경우에는 다중코드 방식을 적용하기도 한다.

쓸모 있는 특허맵을 작성하기 위해서는 기술분류 체계를 다각적 관점에서 작성하고 분류기준을 명확히 하여 오류를 방지하는 것이 좋다. 또한 발명의 해결 과제를 중심으로 기술을 분류하거나, 색인어를 특허당 3~5개 부여하여 정량 분석 또는 정성 분석 시 활용하면 유용하다.

기술요소별 기술분류 체계 57)

대분류	중분류	소분류
글로벌 해외연계가 가능한 ○○○○급 소비전력 10% 이상 저감 핵심 부품 개발(A)	○○○○ 소자 및 패키징(AA)	소자 배치 설계(AAA)
		패키징(AAB)
		차세대 소자(AAC)
	○○○○ 구동 및 제어(AB)	손실 저감(ABA)
		출력밀도 향상(ABB)
		보호 회로(ABC)
	○○○○ 안정성 및 신뢰성 확보(AC)	냉각/방열(ACA)
		EMC/EMI(ACB)
		절연(ACC)

57) 정부 R&D 특허기술동향조사 사업 분석타입별 샘플보고서 A Type

04 데이터 가공

기술분류 작업이 완료되면 데이터를 가공하거나 알아보기 쉽도록 정리함으로써 분석의 편의성과 정확성을 높인다. 이러한 데이터 가공은 특허 분석의 왜곡을 방지하고, 정확성을 높이는 데 있어 필수적이다.

대표적인 데이터 가공은 출원인 대표명화를 들 수 있다. 출원인 대표명화가 제대로 이루어지지 않으면 분석 결과의 왜곡이 심하게 발생함으로 주의해야 한다.

대표명화와 함께 연구 주체 성격이나 국적 등을 함께 정리하면 분석의 관점을 넓힐 수 있다. 또한 데이터 가공 단계에서 대응특허정보를 활용하여 모집단에 포함되지 않은 누락 건을 업데이트할 수 있다. 데이터 가공은 보통 엑셀을 활용하거나 전문 분석 도구를 사용하여 수행할 수 있다.

데이터 가공 사례

구분	가공 전	가공 후
출원인 대표명화	International Business Machines	IBM
	대우중공업, 대우종합기계	두산인프라코어
출원인 국적	Sony	JP or 일본
	삼성전자	KR or 한국
연구 주체의 성격	Semiconductor Energy Lab	연구소
번호 체계 통일	特開平10-123456	JP1998-123456

05 특허 분석

특허 데이터를 다양한 분석기법을 이용하여 해석하는 것을 말한다. 데이터 분석방법에는 정량 분석과 정성 분석, 인용 분석, 지표 분석 등이 있으며 각 분석기법에 AI 기술을 기반으로 하는 분석 툴(Tool)[58]을 활용할 수 있다.

1. 정량 분석

정량 분석은 데이터를 수량적으로 파악하여 분석하는 방법으로, 특허정보의 서지적 데이터와 기술적 내용으로부터 분석 항목을 추출하고 이를 건수나 분포, 비율, 시계열적으로 분석한 것을 말한다.

---

58) AI 분석 툴을 이용하여 기술 동향, 시장 동향, 경쟁 분석 등 다양한 정보를 자동으로 추출할 수 있다. 주요 기술로는 자연어 처리(NLP : Natural Language Processing), 기계 학습(Machine Learning), 데이터 마이닝(Data Mining), 그래프 분석(Graph Analysis) 등이 활용되며, 이를 통해 문서 분류 및 클러스터링, 기술적 유사성 분석, 인용 관계 분석, 지표 분석, 텍스트 마이닝 등의 작업을 수행할 수 있다.

2. 정성 분석

정성 분석은 데이터를 내용적으로 파악하고 분석하는 방법이다. 특허공보에 포함된 기술 내용, 청구범위, 인명정보(출원인, 발명자) 등을 조합하여 기술의 새로움(Novelty), 파급 효과, 시장가치 등을 분석한다.

기술 데이터를 재료, 용도, 구조, 공정, 동력, 시간, 기능 등과 같은 다양한 관점으로 분석하여 요지맵 형태로 표현하는 템페스트(TEMPEST) 분석, 전체적인 기술흐름을 분석하는 기술발전도 분석, 새로 발생한 분류나 출원인, 키워드를 일정 시간 간격으로 분석하는 뉴엔트리(New Entry) 분석, 두 개의 항목이 교차되는 부분들의 자료내용을 상호 비교함으로써 기술내용을 파악하는 매트릭스 분석 등이 사용된다.

시각화 형태는 흐름도(Flow Chart)나 트리(Tree)를 사용하며, 이외에도 매트릭스, 구성부위 표시 등의 다양한 시각화 방법이 적용 가능하다. 이러한 정성 분석을 통해 기술 동향을 면밀히 파악할 수 있으며, 연구개발자가 연구실에서 실제 관심을 갖는 기술 데이터를 분석함으로써 제품 설계에 활용할 수도 있다.

3. 인용 분석

심사 시에 심사관이 제시한 인용참증 또는 출원인이 제출한 정보의 시계열적 선·후 관계를 이용하여 분석하는 것을 말한다. 특허 간 기술적 계통 및 유사성, 인용관계에서의 출원인 간 상관관계를 분석함으로써 특허의 질적 수준, 출원인의 특허포지션 등을 분석할 수 있다.

4. 지표 분석

지표(Indicator)란 특정 용도나 목적에 맞게 지시적 기능을 갖도록 분석·가공이 이루어진 것으로, 이러한 지표를 활용하여 거시적 관점에서의 동향을 비교하고, 정책형성 및 정책집행 시 판단 자료로 활용하기 위해 수행하는 분석을 말한다.

06 결론 도출

다양한 분석을 통해 얻어진 결과물을 토대로 결론을 도출할 때는 초기 작성 목적에 부합되도록 해야 하며, 통찰력을 가질 수 있도록 입체적으로 분석하고, 객관적인 결론을 내릴 수 있도록 해야 한다.

해당 분야의 기술 동향이나 시장 동향을 분석(특허맵 작성 초기에 수행하는 것이 더욱 바람직함)하여 보고서에 포함하거나 전문가의 의견을 반영하는 것도 좋은 방법이다.

일반적으로 다음과 같은 사항 등이 결론 부분에 포함될 수 있다.

① 자사와 경쟁사의 특허 포트폴리오를 비교 분석하여 차이점 및 특징, 장벽도, 국가별 권리 확보 상황 등을 분석하여 경쟁력 확보 방안을 제시한다.

② 연구개발 테마의 선정 배경 및 시장성, IP 확보 방안, 장애요인 등을 제시한다.

③ 문제특허의 권리범위 분석 및 침해 분석, 그에 따른 회피설계 및 우회기술, 카운터 클레임 확보 방안을 제시한다.

④ 기술이전 및 라이선싱 전략을 제시한다.

⑤ 공백기술과 유망기술 발굴 배경 및 IP 확보 방안, 파급 효과, 장애요인을 제시한다.

⑥ 자사 특허 포트폴리오 강화 방안을 제시한다.

⑦ 특허기술 동향 및 이에 따른 시사점을 기재한다.

기출로 다지기

A기업은 스마트폰을 보호하기 위한 케이스를 만드는 회사이다. A기업의 연구원인 전발명 씨는 종전의 케이스의 재질과 모양을 개선하여 더 튼튼하고, 손에 잡기 편하며, 보기에도 아름다운 케이스를 개발하고 있다. 전발명 씨가 새로운 스마트폰 케이스를 개발하려고 하는데 특허정보를 조사할 필요성이 있어서 이를 조사해 보려고 한다. 이때 전발명 씨가 해야 할 행동 중 가장 바람직한 것은?

• 20회 기출

① 특허는 전 세계로 출원한 특허를 조사해야 하는 것이므로, 특허협력조약(PCT)에 따라 등록된 특허만 조사하면 된다.

② 특허뿐 아니라 경쟁사의 노하우도 있을 것이므로, 연구를 위해서는 경쟁사의 영업비밀을 조사해야 한다.

③ 특허정보의 조사는 공인된 전문가에게 의뢰하여야 법적인 효력이 있으므로, 전발명 씨가 직접 해서는 안 된다.

④ 특허정보의 조사를 하는 데 있어서, 특허뿐 아니라 실용신안, 디자인에 대한 조사도 반드시 같이 해야 한다.

⑤ 특허정보의 조사를 위해서는 반드시 유료의 특허 데이터베이스를 이용해야 한다.

| ④ 연구원 전발명 씨가 개발하는 케이스는 새로운 재질, 사용의 편의성, 아름다운 모양의 케이스이므로, 특허 및 실용신안, 디자인에 대한 조사를 다 해야 한다.

① 특허정보의 조사는 원하는 각국의 특허를 조사해야 하고, PCT에 의해 출원된 특허만 조사해서는 안 된다.

② 영업비밀은 비밀로 유지되는 경우에만 의미가 있는 지식재산의 유형이므로, 이를 경쟁사가 조사하는 것은 불가능하다.

③ 특허정보에 대한 조사는 자격증을 가진 사람만 할 수 있는 것은 아니고 누구나 할 수 있으므로 공인된 전문가가 반드시 해야 하는 것은 아니다.

⑤ 특허정보에 대한 조사는 반드시 유료의 데이터베이스를 이용해야 하는 것은 아니고, 특허청 등이 무료로 제공하는 데이터베이스를 이용하여도 된다.

▶ ④

I INTELLECTUAL

P PROPERTY

A ABILITY

T TEST

www.ipat.or.kr

지식재산능력시험

제 3 편

지식재산 보호

제1장 특허출원의 결정 및 절차
제2장 지식재산의 유지 및 관리
제3장 지식재산의 분쟁 방어

제1장 특허출원의 결정 및 절차

제1절 직무발명 및 특허출원의 결정

01 직무발명의 개요

직무발명은 고용계약에 의해 회사(사용자)에서 일하는 종업원(발명자)이 직무수행 과정에서 개발한 발명을 말한다. 발명진흥법 제2조 제2호에 따르면, "직무발명이란 종업원, 법인의 임원 또는 공무원이 그 직무에 관하여 발명한 것이 성질상 사용자・법인 또는 국가나 지방자치단체의 업무범위에 속하고 그 발명을 하게 된 행위가 종업원 등의 현재 또는 과거의 직무에 속하는 발명"을 말한다. 직무발명은 발명진흥법상의 개념으로서, 특허법상 보호되는 '발명'에 국한되지 않고, 실용신안법상 보호대상이 되는 '고안' 및 디자인보호법상 보호대상이 되는 '창작'을 포함하는 개념이다. 따라서 발명진흥법에서는 직무발명에 관한 규정에서 '특허 등' 또는 '특허권 등'으로 규정하고 있다. 이러한 직무발명의 요건은 다음과 같다.

1. 종업원의 발명일 것

'종업원'은 고용계약에 의해 타인의 사업에 종사하는 자로서, 종업원, 법인의 임원, 공무원을 지칭한다. 상근, 비상근을 묻지 않으며, 촉탁직원이나 임시직원도 포함하나 고용관계는 반드시 있어야 한다. '직무'는 사용자의 요구에 응해 업무 수행을 담당하는 직책을 말한다.

2. 종업원의 발명이 성질상 사용자 등의 업무범위에 속할 것

'사용자'는 타인을 고용하는 개인, 법인, 국가나 지방자치단체를 지칭한다. '업무범위'는 사용자가 수행하는 사업범위를 말한다.

3. 발명을 하게 된 행위가 종업원 등의 현재 또는 과거의 직무에 속할 것

'종업원의 직무'는 발명 의도 여부와 관계없이 직무발명의 성립은 인정되나 발명을 하는 것이 종업원의 직무가 아닌 경우에는 직무발명이 아니다. '현재 또는 과거의 직무'는 종업원의 현재 직무뿐만 아니라 해당 기업 내에서 과거에 수행한 직무도 포함한다.

02 종업원 및 사용자의 권리와 의무

1. 직무발명 자동 승계(개정 발명진흥법 2024. 8. 7. 시행 예정)[59)]

종업원은 직무발명을 완성한 경우 지체 없이 그 사실을 사용자에게 문서로 통지해야 하고, 사용자가 그 직무발명을 출원할 때까지 그 발명에 관한 비밀을 유지해야 할 의무가 있다. 이때, 직무발명에 대해 예약승계규정을 둔 경우 종업원이 직무발명을 완성한 때 직무발명에 대한 권리가 사용자에게 승계되며, 직무발명에 대한 예약승계규정이 없는 경우 사용자는 종업원의 발명 완성사실통지 4개월 이내에 그 발명에 대한 권리승계 여부를 결정하여 종업원 등에게 문서로 알려야 한다. 직무발명에 대한 권리를 승계하는 사용자는 종업원에게 정당한 보상을 해야 할 의무를 부담하게 된다.

2. 종업원의 권리와 의무

(1) 종업원의 권리

① 특허를 받을 수 있는 권리

특허를 받을 수 있는 권리는 발명의 완성으로부터 특허등록 시까지 발명자를 보호하기 위한 개념으로서, 발명자인 종업원에게 귀속된다. 따라서 종업원은 특허받을 수 있는 권리를 이전할 수 있으며, 특허권을 취득한 후 권리행사도 자유롭게 할 수 있다.

② 발명자로서의 인격권

직무발명자인 종업원이 그 발명에 대해 특허를 받을 수 있는 권리를 사용자에게 승계시킨 경우, 출원인은 당해 사용자가 되고, 그 출원한 사용자가 등록 후 특허권자가 되지만, 발명자인 종업원에게는 특허출원서에 그 성명을 기재할 권리가 부여된다.

③ 정당한 보상을 받을 권리

직무발명자인 종업원은 특허를 받을 수 있는 권리 내지 특허권을 계약이나 근무규정 등에 따라 사용자에게 승계시키거나 사용자를 위해 전용실시권을 설정할 수 있는데, 이러한 경우 사용자로부터 정당한 보상을 받을 권리를 가진다.

④ 조정신청권

직무발명과 관련하여 분쟁이 발생하는 경우 종업원 등은 산업재산권분쟁조정위원회에 조정을 신청할 수 있으며, 사용자 등도 조정신청권을 가진다.

---

59) 현행법상 사용자가 종업원으로부터 직무발명에 대한 권리를 승계받기 위해서는 직무발명 신고를 받은 후 4개월 이내에 종업원에게 승계 여부를 통지하여야 하나, 승계 통지 전까지 불확정적 권리관계로 인해 종업원이 제3자에게 직무발명에 대한 권리를 승계하는 이중양도 문제가 존재하였다. 개정법하에서는 예약승계규정을 둔 직무발명의 권리승계 절차가 간소화되어 실무상 부담이 크게 줄어들게 되었으며, 권리승계 시점이 권리승계 통지 시에서 직무발명 완성 시로 앞당겨지게 됨으로써 기존에 직무발명 완성 시부터 사용자의 승계 통지 시까지 발생할 수 있었던 종업원의 권리 이중양도 리스크도 크게 줄어들게 되었다.

(2) 종업원의 의무

① 협력 의무

계약이나 근무규정상의 사전예약승계규정 등에 따라 종업원 등의 직무발명에 대해 특허를 받을 수 있는 권리 내지 특허권을 사용자에게 승계시키기로 정하였다면, 직무발명자인 종업원은 이를 준수·협력해야 할 의무가 있다. 특히 사전예약승계규정에 반하여 직무발명자인 종업원이 본인의 명의로 출원하는 경우 등은 업무상배임죄에 해당될 수 있다.

② 비밀유지 의무

사용자 등이 직무발명에 대해 특허를 받을 수 있는 권리를 승계한 경우, 종업원 등은 사용자 등이 직무발명을 출원할 때까지 그 발명의 내용에 관한 비밀을 유지해야 한다.

③ 직무발명 완성사실의 통지 의무

종업원 등이 직무발명을 완성한 경우에는 지체 없이 그 사실을 사용자 등에게 문서로 알려야 할 의무가 있으며, 2명 이상의 종업원 등이 공동으로 직무발명을 완성한 경우에는 공동으로 알려야 한다.

3. 사용자의 권리와 의무

(1) 사용자의 권리

① 통상실시권 취득

직무발명에 대해 종업원 등이 특허, 실용신안등록, 디자인등록(이하 '특허 등')을 받았거나 특허 등을 받을 수 있는 권리를 승계한 자가 특허 등을 받으면 사용자 등은 그 특허권, 실용신안권, 디자인권(이하 '특허권 등')에 대해 통상실시권을 가진다. 다만, 사용자 등이 중소기업이 아닌 기업인 경우 종업원 등과 사전예약승계 계약 또는 근무규정을 체결 또는 작성하지 아니한 경우에는 그러하지 아니하다.

② 승계취득 또는 전용실시권을 설정할 권리

사용자 등은 계약이나 근무규정상의 사전예약승계규정 등을 통해 종업원 등의 직무발명에 대해 특허를 받을 수 있는 권리 내지 특허권을 승계취득할 수 있으며, 종업원 등이 특허권 등을 취득한 경우 전용실시권을 설정할 수 있다.

③ 조정신청권

직무발명과 관련하여 분쟁이 발생하는 경우 사용자 등은 산업재산권분쟁조정위원회에 조정을 신청할 수 있다.

(2) 사용자의 의무

① 승계 여부의 통지 의무

예약승계규정을 두지 않은 직무발명의 경우 종업원 등이 직무발명 완성사실을 통지하면, 그 통지를 받은 사용자 등(국가나 지방자치단체는 제외)은 통지를 받은 날부터 4개월 이내에 그 발명에 대한 권리의 승계 여부를 종업원 등에게 문서로 알려야 한다.

② 보상 의무

사용자 등이 종업원 등의 직무발명에 대해 특허 등을 받을 수 있는 권리나 특허권 등을 계약이나 근무규정에 따라 승계하거나 전용실시권을 설정한 경우 종업원 등에게 정당한 보상을 해야 할 의무를 부담한다.

03 직무발명의 보상

종업원은 직무발명에 대해 특허 등을 받을 수 있는 권리나 특허권 등을 계약이나 근무규정에 따라 사용자 등에게 승계하게 하거나 전용실시권을 설정한 경우에는 정당한 보상을 받을 권리를 가진다. 또한 사용자 등이 직무발명에 대한 권리를 승계한 후 출원하지 아니하거나 출원을 포기 또는 취하하는 경우에도 발명자인 종업원 등은 정당한 보상을 받을 권리가 있다. 보상의 종류, 보상액의 결정 기준이나 산정방법 등 구체적인 내용은 종업원 등과 사용자 등 사이의 계약이나 근무규정상의 사전예약승계규정, 직무발명보상규정 등을 통해 정해진다.

1. 보상의 종류

직무발명에 대한 보상 형태로는 금전적 보상과 비금전적 보상이 있으며, 주로 금전적 보상인 경우가 일반적이다. 하지만 각 기업 등은 내부 실정과 종업원 등의 보상선호도 등을 종합적으로 고려하여, 해외 연수·유학, 안식년, 학위 과정 지원, 희망 직무 선택권 부여 등 다양한 금전적·비금전적 보상 형태를 자율적으로 결정하여 시행할 수 있다.

일반적으로 기업에서 실시하고 있는 직무발명에 대한 보상의 종류로는 발명 보상, 출원 보상, 등록 보상, 실적 보상 등이 있다.

(1) 발명(제안) 보상

발명 보상은 종업원이 고안한 발명을 특허청에 출원하기 전에 받는 보상으로 출원 유무에 관계없이 종업원의 아이디어와 발명적 노력에 대한 일종의 장려금적 성질을 가진 보상이다.

⑵ 출원 보상

출원 보상은 종업원이 한 발명을 사용자가 특허받을 수 있는 권리를 승계하여 특허청에 출원함으로써 발생하는 보상으로, 미확정 권리에 대한 대가이기 때문에 장려금적 성질을 가진다. 특허성과 경제성이 있다고 판단해서 출원한 것이고, 일단 출원 후에는 후원 배제의 효과와 출원공개 시 확대된 선원의 지위를 가질 수 있기 때문에 지급한다.

⑶ 등록 보상

사용자가 승계받은 발명이 등록결정되어 특허등록되었을 때 지급하는 보상이다.

⑷ 실시(실적) 보상

사용자가 출원 중인 발명 또는 특허등록된 발명을 실시하여 이익을 얻었을 경우 지급하는 보상금으로 사용자가 얻은 이익의 금액에 따라 차등 지급된다.

⑸ 처분 보상

사용자가 종업원의 직무발명에 대해 특허받을 수 있는 권리 내지 특허권을 타인에게 양도하거나 실시를 허락했을 경우 지급하는 보상으로, 처분 금액의 일정 비율로 지급된다.

⑹ 출원 유보 보상

사용자가 종업원의 직무발명을 노하우로 보존하는 경우 또는 공개 시 중대한 손해가 발생할 우려가 있다고 판단되어 출원을 유보하는 경우 지급하는 보상이다. 이 경우 보상액을 결정할 때에는 그 발명이 산업재산권으로 보호되었더라면 종업원 등이 받을 수 있었던 경제적 이익을 고려해야 한다.

⑺ 기타 보상

기타 보상에는 출원발명의 심사청구 시에 보상하는 ‘심사청구 보상’, 자사의 업종과 관련 있는 타인의 출원발명에 대해 이의신청 또는 심판에 참여하여 무효로 하였을 경우 또는 자사의 특허에 대한 침해적발 시 지급하는 ‘방어 보상’ 등이 있다.

2. 직무발명 보상규정 유무에 따른 보상액 산정 기준

기업에 직무발명 보상규정이 있는 경우에는, 규정에 의한 보상이 합리적인 보상 기준인 경우 법률상의 정당한 보상으로 간주한다. 합리적인 보상 기준의 상황 판단 기준은 다음과 같다.

- 보상 형태와 보상액을 결정하기 위한 기준을 정할 때 사용자 등과 종업원 등 사이에 행해진 협의의 상황
- 책정된 보상 기준의 공표·게시 등 종업원 등에 대한 보상 기준의 제시 상황
- 보상 형태와 보상액을 결정할 때 종업원 등으로부터의 의견 청취 상황

다음으로, 기업에 직무발명 보상 규정이 없는 경우에는, 보상에 대해 계약이나 근무규정에서 정하고 있지 않거나 정당한 보상으로 볼 수 없는 경우, 그 보상액을 결정할 때에는 그 발명에 의해 사용자 등이 얻을 이익과 그 발명의 완성에 사용자와 종업원 등이 공헌한 정도를 고려하여 보상액을 산정해야 한다.

04 특허출원의 결정 및 심의

1. 특허출원 결정의 주체

특허출원 여부 및 이를 어느 국가에 출원할 것인지 등을 결정하기 위한 기구로 직무발명심의위원회가 있다. 모든 출원기업에 이러한 기구가 있는 것은 아니고, 스타트업(start-up) 기업이니 벤치기업 등의 소규모 인원인 경우에는 지식재산권 관리 및 이의 결정을 CEO가 하는 경우가 많다. 그러나 어느 정도의 규모와 체계가 있는 기업은 대부분 직무발명심의위원회를 구성한다. 이러한 직무발명심의위원회는 특허출원과 관련한 심의 및 조정을 할 수 있고, CEO 산하의 직속기구나, 연구소 내의 조직으로 두고 있는 경우도 많다. 한편, 대기업의 경우 별도로 직무발명심의위원회를 두지 않고 지식재산 전담부서에서 관련 업무를 직접 진행하는 경우도 있다.

2. 직무발명 심의평가 기준

직무발명의 평가를 위한 기준은 여러 가지가 있을 수 있는데, 주된 평가의 내용은 특허성, 기술성, 시장성 등이 주요 기준이 된다. 이러한 예는 다음 표에서 알 수 있다. 평가 기준에서 특허성 평가는 발명의 특허권리적 특성에 대한 평가이고, 기술성 평가는 발명의 기술적 특징과 그 가치에 대한 평가이며, 시장성 평가는 발명이 적용되는 시장 및 제품, 사업화 가능성 등에 대한 평가이다.

직무발명평가 결과보고서

발명 접수번호			접수일자	
발명의 명칭				
구분	심사 항목	평가 내용	평가 결과(점수)	
특허성	권리 등록 가능성	발명이 특허 요건을 충족하는지에 대한 평가	O/×	
	권리 저촉 가능성	선등록 특허의 권리범위에 속하는지에 대한 평가	O/×	
기술성	R&D 부합성	세계적 기술 R&D 추이와 얼마나 잘 부합되는 발명인지에 대해서 평가	1점~10점	
	발명기술의 구성	종래기술과 비교할 때 개량의 정도 또는 문제 해결 정도가 어느 수준인지에 대해서 평가	1점~10점	
	경쟁성	종래기술에 비해 기술적인 장점(현저한 이점) 또는 실질적인 경쟁상의 이점이 있는가에 대해서 평가	1점~10점	
	증명 용이성	발명의 이점을 쉽게 인지할 수 있고 그 이점을 용이하게 증명할 수 있는가에 대해서 평가	1점~10점	
	기술수명	기술발전 속도와 수명주기를 고려할 때 발명의 현재 위치에 대해서 평가	1점~10점	
시장성	적용범위	발명이 적용될 수 있는 제품 및 시장을 파악하여 기술이 미치는 파급효과에 대해서 평가	1점~10점	
	수요성	기술제품 시장에서 발명에 대한 요구가 존재하는지 또는 기술 수요가 파악되어 있는지에 대해서 평가	1점~10점	
	잠재 성장성	발명이 적용 가능한 틈새시장의 존재 여부 및 잠재적 성장성에 대해서 평가	1점~10점	
	상용화 가능 시기	발명을 실제 사업에 적용 가능한 시기가 언제인지에 대해서 평가	1점~10점	
	시장 진입성	발명 관련 시장에 진입함에 있어 시장 진입 장벽의 정도에 대해서 평가	1점~10점	
합계			(소수점 허용)	(100점 만점)

발명등급	점수	국내출원	해외출원	심사청구	직무발명 평가 결과	
S급	75점~100점	Yes	Yes	즉시	발명등급	□ S □ A □ B □ C
A급	60점~75점	Yes	Yes/No	즉시	국내출원	□ Yes □ No
B급	45점~60점	Yes	No	즉시/추후	해외출원	□ Yes □ No
C급	45점 미만	No	No	-	심사청구	□ Yes □ No

제1편
제2편
제3편
제4편

3. 직무발명의 출원 여부 결정

일정한 평가 기준에 따라 계량화된 점수를 기준으로 특허출원 여부를 결정하고, 해외출원 여부도 결정하는 경우가 일반적이다. 물론 전략적으로 필요한 경우에는 이를 특별히 관리하기 위한 프로세스를 두는 것도 필요하다. 출원이 결정되면 이를 지식재산 전담조직이 관리하며, 외부의 변리사 등 전문가를 아웃소싱(Outsourcing)하여 출원에 필요한 서류를 작성하고, 이에 대한 검토를 한 후 출원이 진행된다. 이때 기업 내의 지식재산 조직과 외부 전문가의 긴밀한 협업이 필요하며, 특히 청구범위의 작성에 있어서는 발명의 특징을 잘 살펴서 선행기술과 차별화되는 기술적 특징을 최대한 넓은 권리범위를 가질 수 있도록 작성하는 것이 중요하다. 출원이 완료되면 일정 기간 내에 발명자에 대한 보상이 이루어진다. 이러한 보상은 보상금에 의한 보상 외에도 인사평가에의 반영, 승진에 대한 가산, 표창이나 시상 등이 이루어질 수 있다.

기출로 다지기

다음 중 직무발명에 대한 설명으로 올바르게 선택된 지문을 모두 고르시오. • 18회 기출

> ㄱ. 직무발명은 종업원 등이 현재 또는 과거의 직무에 대해 발명한 것에 한하는 것이며, 종업원 등이 직무와 관련이 없는 발명을 한 경우에는 직무발명에 해당하지 아니한다.
> ㄴ. 종업원 등이 직무발명을 완성한 경우에는 지체 없이 그 사실을 사용자 등에게 통지하여야 한다.
> ㄷ. 종업원 등은 사용자 등이 직무발명을 출원할 때까지 그 발명에 관한 비밀을 유지하여야 한다.
> ㄹ. 공무원의 직무발명은 국가 또는 지방자치단체가 승계한다.

① ㄱ, ㄴ　② ㄱ, ㄴ, ㄷ
③ ㄱ, ㄴ, ㄹ　④ ㄱ, ㄴ, ㄷ, ㄹ
⑤ ㄴ, ㄷ, ㄹ

▶ ④

제2절 외부 전문가의 아웃소싱

01 아웃소싱의 의미

아웃소싱(Outsourcing)이란 기업의 내부 프로젝트나 제품의 생산, 유통, 용역 등을 외부의 제3자에게 위탁, 처리하는 것을 말한다. 원래는 미국 기업이 제조업 분야에서 활용하기 시작했으며 경리, 인사, 신제품 개발, 영업 등 모든 분야로 확대되고 있다. 기업은 핵심 사업에만 집중하고 나머지 부수적인 부문은 외주에 의존함으로써 생산성 향상을 극대화할 수 있다. 이러한 아웃소싱은 지식재산 업계에도 마찬가지로, 기업의 업무를 제3자인 전문가에게 위탁하는 경우가 많다. 이러한 위탁은 변리사, 변호사, 특허조사 및 분석 전문 업체, 번역 업체, 컨설팅 업체, 특허관리 전문 업체, 특허 데이터베이스 운영 업체 등이 있으며, 이들을 적극적으로 활용하여 효율적인 업무의 수행을 하는 것이 필요하다.

02 아웃소싱의 필요성

사내 특허조직이 특허출원을 위한 명세서 작성으로부터 선행기술 조사, 특허맵의 작성, OA에 대한 대응, 각종 심판 업무, 침해분석, 회피설계, 지식재산권에 대한 거래, 라이선싱, 지식재산권의 평가, 계약 업무 등의 광범위한 지식재산 업무를 모두 할 수는 없다. 특히 중소기업의 경우에는 외부의 특허사무소나 법무법인을 적절히 활용하는 것이 반드시 필요하고, 대기업의 경우에도 사내에서 수행하여야 할 고유의 업무들과 외부로부터 아웃소싱하는 것이 효율적인 외부 업무를 구별하여 운영하는 것이 필요하다. 예를 들어 사내에서의 업무는 지식재산 경영전략의 수립 및 운영, 출원전략의 수립, 포트폴리오의 관리, 외부 아웃소싱의 운영 및 평가 등의 업무를 하여야 하고, 구체적인 출원서류의 작성, 명세서의 작성, 상대적으로 간단한 선행기술의 조사 등의 업무는 외부의 전문가를 통하여 적절히 배분하는 것이 훨씬 효율적이다. 아웃소싱을 하는 주된 이유는 핵심 업무에 집중과 비용의 절감이다.

03 사내 특허조직의 운용 및 아웃소싱과의 관계

사내의 특허조직은 특허의 성격상 기술적인 면과 법률적인 면을 모두 포괄할 수 있도록 구성되는 것이 바람직하다. 사내 조직은 전략적인 업무와, 직무발명 심의위원회의 운영 및 출원과 등록에 이르는 전 과정을 컨트롤하여야 하고, 등록된 포트폴리오의 관리 및 주기적 평가 작업 등을 하여야 한다. 또한 외부의 아웃소싱 전문가와 소통이 원활하게 이루어져야 적절한 업무 분장과 효율적인 업무 수행이 가능해진다. 또한 소송과 관련하여서도 외부의 전문가들과 긴밀한 협업을 통하여 전략을 수립하고, 만일 소송과 라이선스를 담당하는 조직 내지 인원이 별도로 있다면 이들 간의 긴밀한 의사소통도 반드시 필요하다. 이러한 소송과 라이선스에 관하여 외부로부터 아웃소싱을 하는 경우에도 마찬가지이다. 이때 내부의 역량이 외부 전문가의 역량에 비해 현저히 뒤떨어지면 분쟁이나 라이선스 업무의 진행에 회사의 전략적인 목적을 달성하기 위한 주도면밀한 전략과 행동이 이루어질 수 없고, 외부 전문가의 일반적인(구체적인 당사자인 회사의 처지나 전략과 상관없이) 진행에 휘둘리는 경우가 많다. 따라서 유능하고 탁월한 역량을 가진 사내의 전문 인력을 확보하는 것이 필수적이다.

아웃소싱을 하여야 하는 업무는 해당 기업의 규모나 역량, 업무의 특수성 등에 좌우될 수 있다. 일반적으로는 아웃소싱하는 것과 직접 수행하는 것 사이의 효율성, 정확성, 비용, 시간, 전문성 등의 요소들을 종합하여 결정하게 되는데, 실제 전략적이고 큰 그림에 속하는 부분은 외부 전문가의 조언을 얻을 수는 있지만, 결국 결정과 실행은 당사자인 기업의 일이므로 자체적으로 수행하는 것이 바람직하다. 반면, 명세서 작성, 의견서 작성, 지엽적인 선행기술 조사, 특허맵의 작성, 무효자료 조사 등의 업무는 아웃소싱하기 적당한 업무라 할 수 있다. 이러한 업무들은 외부의 전문가들이 더 효율적으로 전문성을 가지고 하는 경우가 많으나, 전적으로 이러한 일을 맡기고 관여하지 않으면 의도하지 않은 결과를 얻을 수 있으므로, 이러한 업무를 아웃소싱하는 경우에도 내부 인력과 외부 전문가의 긴밀한 의사소통과 점검이 있어야 한다.

04 아웃소싱의 분야

현대의 기업들은 특허의 취득 증가에 따라 관련 예산의 증액 요구에 직면하게 된다. 이러한 시기에 특허비용을 절감하는 것은 매우 중요한 임무가 된다. 많은 기업과 조직이 특허 등 지식재산권과 관련한 업무를 아웃소싱하고 있는데, 이를 비용 절감의 문제로 보고 있는 경향이 대부분이다. 그러나 이 분야의 아웃소싱은 단지 비용 효율화의 관점보다는, 외부로부터의 자원을 활용하는 문제로 보는 것이 바람직하다.

일반적으로 기업이 아웃소싱을 하는 분야는 다음과 같다. 다만, 여러 부분 사내에서 진행하는 것과 중첩되는 것이 많이 있어, 해당 기업의 상황과 전략에 맞는 아웃소싱이 필요하다.

1. 조사 및 분석 업무

침해조사 및 분석, 무효조사 및 분석, 특허동향 조사, 선행기술 조사, 자유실시 가능성의 분석, 특허성 분석 등의 업무는 아웃소싱의 대상이 되는 경우가 많다.

2. 특허명세서 작성 및 심사 대응 업무

특허명세서뿐 아니라 상표의 출원서, 디자인의 출원서 및 각각의 도면 작성 업무는 아웃소싱의 대상이 되는 경우가 많다. 출원 및 심사 과정에서의 중간사건 대응 업무 및 연차료 관리업무 또한 그러하다.

3. 특허 분석 업무

특허 전략의 수립이나 연구개발 전략의 수립 등을 위한 특허맵 작성 업무나 타인의 특허에 대한 분석 업무, 특허 포트폴리오에 대한 분석 등도 아웃소싱의 대상이다.

4. 침해소송 관련 업무

변리사 및 변호사를 아웃소싱하여 소송의 이슈를 분석하고, 이에 대응하는 업무 또한 대표적으로 아웃소싱하는 업무이다. 이 과정에서 청구범위의 비교표(Claim Chart)를 작성하고, 심사 이력을 분석하며, 청구범위의 분석 및 특허의 패밀리 정보를 분석하는 등의 업무가 진행되고, 실제 소송에서도 대리인으로서 참여시키게 된다. 또한 침해의 입증과 관련하여 역공학(Reverse Engineering) 전문 업체를 활용할 수 있고, 소송에서 손해액 등의 문제와 관련하여 시장조사 업체를 활용할 수도 있다. 다음은 반도체 제조 업체인 인피니언 테크놀로지의 지식재산업무에서 아웃소싱과 자체적으로 하는 업무를 나타낸 것이다.

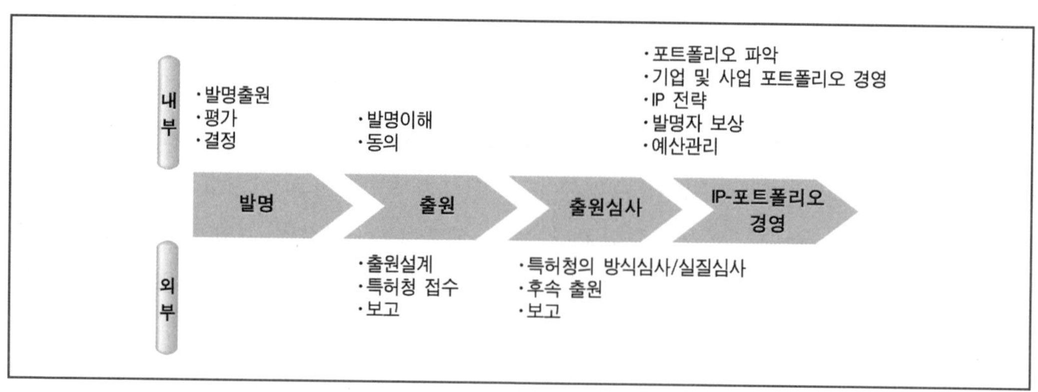

05 아웃소싱과 오프쇼어(Offshore)

아웃소싱은 일반적으로 시간적인 문제나 비용의 절감, 핵심적인 업무에 집중, 자원의 적절한 활용, 책임의 분산 및 위험의 감소 등을 목적으로 한다. '오프쇼어링' 내지 '오프쇼어 아웃소싱(Offshore Outsourcing)'은 아웃소싱의 일종이라고 볼 수 있는데, 자신의 국가가 아닌 외국에 위치한 외부의 조직에 업무의 책임을 전부 또는 일부 지우는 것을 말한다. 이러한 오프쇼어링은 두 개의 국가가 관여하게 되므로 같은 국가 내에서 이루어지는 것보다 더 복잡한 문제가 발생할 수 있다. 오프쇼어링을 포함한 개념의 아웃소싱의 경우에 문제가 될 수 있는 부분은 ① 아웃소싱으로 인하여 비밀정보나 영업비밀이 유출될 위험이 존재하며, ② 지식재산권과 관련하여 각 국가마다 서로 다른 제도와 법률로 인한 위험이 따를 수 있고, ③ 아웃소싱으로 인하여 해당 IP의 소유권 문제가 있을 수 있다. 따라서 오프쇼어 아웃소싱을 하는 경우에는 해당 국가의 법제와 제도에 대한 검토를 정확하게 하고, 비밀유지계약을 체결하는 등 문제의 발생을 미리 방지하는 것이 바람직하다.

제3절 특허출원절차 및 대응

01 출원 단계의 구분

1. 출원 단계

우선 발명자가 발명을 완성하여 이를 특허출원하기로 했다면, 이에 대해 출원을 위한 명세서를 작성한다. 이와 함께 적절한 권리범위를 결정하기 위해서 선행기술을 조사한다. 이후 발명에 대한 상세한 설명과 청구범위를 포함하는 초안을 작성하고, 검토가 완료되면 특허출원을 하게 된다. 출원이 완료되면, 특허청으로부터 바로 출원번호를 받는다.

2. 중간사건 단계

발명이 출원되면 특허청의 심사 과정을 거치게 되는데, 심사 중에 거절이유가 없어 바로 등록되는 경우도 있지만, 거절이유가 있는 경우에는 심사관이 의견제출통지서(Office Action)를 발송한다. 통지된 의견제출통지서에 대응하는 과정을 일반적으로 중간사건 단계라고 한다. 이때 심사관이 지적한 거절이유를 극복하기 위하여 주어진 기간 내에(통상 통지일로부터 2개월 또는 30일) 제출된 명세서 및 청구범위를 최초 출원된 명세서에 기재된 범위 내에서 수정하는 보정서 및 거절이유에 대한 의견서를 제출한다.

3. 등록 단계

심사 과정 중에 심사관이 지적한 모든 거절이유가 해소되면, 등록결정서를 받게 되고, 이에 출원인은 특허청에 등록료를 납부하여 특허로서 등록원부에 등재됨으로써 설정등록이 이루어진다. 이후 특허권자로서 해당 발명에 대하여 특허권을 행사할 수 있게 된다. 다만, 특허권이 발생하는 시점은 등록료를 납부한 날이 된다.

02 중간사건 단계의 대응

1. 거절이유 및 의견제출통지의 종류

주요 거절이유에는 신규성, 진보성, 기재불비, 발명의 단일성 위반, 산업상 이용가능성, 선출원주의 등이 있다. 이러한 각각의 거절이유는 심사관이 통지하는데, 크게 두 가지로 나누어 볼 수 있다. 그 하나는 최초거절이유통지이며, 다른 하나는 최후거절이유통지이다. 또한 출원인은 거절결정서를 심사관으로부터 통지받을 수도 있다.

2. 거절이유통지에 대한 의견서 및 보정서

심사관이 제시한 거절이유에 대해 의견제출통지를 받은 출원인은 각각의 거절이유를 극복할 수 있도록 의견서 및 보정서를 제출하게 된다. 이때 심사관이 지적한 이유와 특허받을 수 있는 청구항을 고려하여 의견서를 제출하지 않고 보정서만 제출할 수도 있다. 이하 각 단계별 의견서 또는 보정서 제출 시 유의할 점에 대해 살펴본다.

(1) 의견서의 제출

의견서는 거절이유통지에 응답하여 출원인이 심사관에게 제출하는 서면이며, 거절이유통지에 지적된 거절이유가 타당하지 않거나 해소되었다는 취지의 의견을 진술하는 서면이다. 심사관은 이러한 출원인의 의견서 주장을 참조하여 다시 심사하게 된다. 의견서를 제출하는 경우에는 필요 이상으로 자신의 발명이나 선행기술에 대해 설명하는 것을 지양하고, 되도록 심사관이 지적한 이유의 부당성을 주장하거나, 심사관의 거절이유에 대해 적절한 보정을 하였음을 간단히 기재하는 것으로 족하다. 만일 선행기술이 제시된 의견제출통지에 대하여 자신의 발명에 대한 설명을 장황하게 늘어놓으면, 이로 인하여 등록된 후에도 특허권의 권리범위가 제한될 수 있기 때문이다(출원경과 금반언의 원칙).

(2) 보정의 범위

최초거절이유에 대해서는 비교적 보정을 할 수 있는 범위가 넓지만, 최후거절이유에 대해서는 심사관이 지적한 부분에 대해서만 보정을 할 수 있음에 유의한다. 물론 출원을 준비할 때 이미 최선의 청구범위를 설계하여 작성하여야 하겠지만, 그럼에도 불구하고 최초거절이유가 통지된 후 다시 청구범위를 검토하면 미비하거나 적정하지 않은 경우가 발생한다. 최후거절이유통지 후에는 심사관이 지적하지 않은 청구항에 대해서는 보정이 불가능하므로, 최초거절이유통지를 받으면 명세서와 청구범위를 다시 면밀히 검토하여 충분하고 적절한 보정을 하는 것이 바람직하다.

(3) 거절결정에 대한 대응

최후거절이유통지 후에 심사관이 최종적으로 특허 여부를 결정하게 되는데, 만일 최종적으로 거절결정이 되면, 이에 대해 출원인은 재심사나 거절결정불복심판을 청구할 수 있다. 재심사는 다시 해당 심사관에게 심사를 하게 청구하는 것이며, 거절결정불복심판은 해당 출원의 거절결정을 취소하도록 특허심판원에 심판을 청구하는 것이다. 각각 장단점이 있는데, 심사관이 최종적으로 거절한 이유가 간단히 극복될 수 있는 것이거나, 특허받을 수 없다고 지적한 청구항이 일부이고 그것을 포기하여 삭제하는 경우 등에는 재심사를 청구하여 비용과 시간을 절약하는 것이 바람직하다. 반면, 심사관의 거절이유가 쉽게 극복하기 어렵거나 타당하지 않다고 생각되는 경우에는 재심사보다는 거절결정불복심판을 청구하는 것이 더 낫다. 이러한 경우에는 재심사를 거쳐도 다시 거절되면 이에 대해 다시 거절결정불복심판을 청구하여야 하는바, 시간과 비용의 낭비가 될 수 있게 때문이다. 또한 재심사 청구 시에 청구와 함께 보정서를 제출하여야 하는데, 이 보정의 범위는 최후 거절이유에 대한 보정처럼 제한적이므로 주의한다.

(4) 최초 명세서 작성의 중요성

출원 시에 적절한 청구범위와 명세서의 기재를 충실히 하여야 한다. 이후 보정의 과정에서는 최초 출원된 명세서의 범위 내에서만 보정이 가능하므로, 명세서의 기재는 풍부하게 하는 것이 좋다. 출원 이전에 명세서 기재를 잘 하는 것이 기본이지만, 미비한 점을 발견하기 위해서는 출원 이후에 이를 다시 검토하는 프로세스를 구축하는 것이 바람직하다.

만일 출원 후에 미비점이 발견되면, 이를 자진 보정에 의해 치유 또는 보완하고, 보정으로 부족하다면 국내우선권주장출원이나 분할출원 제도를 이용하고, 경우에 따라서는 기존의 출원을 취하하고 새로운 출원을 할 수도 있다. 그러나 취하 후 새로운 출원을 하는 경우에는 선출원의 지위가 없어짐에 유의하여야 한다.

3. 신규성이 없다는 거절이유에 대한 대응

신규성이 없다는 거절이유를 받게 되면, 이에 대한 반론으로 검토하여야 할 사항은 다음과 같다.

(1) 본원발명의 인정에 대한 다툼

거절이유통지에서 본원발명에 대한 오해나 잘못된 해석이 있을 수 있으므로, 이에 대해 검토한다.

(2) 인용문헌 기재 사항 및 인용발명에 대한 다툼

인용문헌에 기재된 바가 잘못 인용되거나 해석된 경우, 또는 인용문헌에 심사관이 이해하고 있는 인용발명이 기재되어 있는 것이 아닌 경우 이를 다투어야 한다.

(3) 인용발명과 상이하다는 다툼

인용문헌과 본원발명을 비교했을 때 서로 상이하다는 주장을 할 수 있다. 예를 들어 인용문헌의 기재 내용이 불명확하나 이를 너무 넓게 해석하는 경우나, 본원발명의 권리범위를 실시예나 상세한 설명에 근거하여 좁게 해석하는 경우가 있을 수 있으므로, 이에 대한 주장을 할 수 있다.

(4) 보정 내용에 대한 주장

보정을 하는 경우 특정의 구성요소를 하위개념으로 보정하는 내적 부가로 이는 인용문헌에 기재되어 있지 않다고 주장하거나, 구성요소를 부가(물론 이는 최초 명세서의 상세한 설명에 기재되어 있어야 한다)하여 이것이 신규성이 있다고 주장할 수 있다.

(5) 의견서 작성

의견서는 청구항 보정의 근거, 본원발명과 인용문헌의 기재와의 차이점을 주로 기재한다. 이때 본원발명이 인용문헌의 기재와 어떤 점이 상이하다는 핵심만 지적하면 되고, 그 이상의 본원발명에 대한 설명이나 권리를 좁히는 기재는 반드시 삼가야 한다.

4. 진보성이 없다는 거절이유에 대한 대응

진보성은 특허법 제29조 제2항에 규정되어 있다. 진보성에 대한 심사는 신규성 심사에 이어 하게 되는데, 그 판단 과정은 먼저 본원발명을 특정하고, 이와 유사한 선행기술인 인용문헌의 기재 사항을 특정한 후, 이에 대한 구성, 목적, 효과 면에서 비교하여 판단하게 된다. 따라서 이 거절이유에 대한 출원인의 대응은 앞선 신규성에 대한 대응과 유사하여 본원발명의 인정, 인용문헌 기재 사항에 대한 다툼이나 인용발명 인정에 대한 다툼, 보정 내용에 대한 주장은 동일하고, 의견서의 작성도 대동소이하므로 차이가 있는 부분에 대해서만 설명한다.

(1) 본원발명과 인용발명이 상이하다는 다툼

거절이유통지에서 지적된 인용발명과 본원발명 사이에 어떠한 일치점이 있는지, 그 차이는 무엇인지에 대해 구성, 목적, 효과 면에서 면밀히 검토한 후 심사관이 일치하는 부분을 제대로 지적한 것인지, 차이점을 간과한 부분이 있다는 점에 대해 주장을 한다. 또한 인용문헌의 기재로부터 본원발명의 채택에 대한 동기나 시사가 없다는 주장도 할 수 있다.

(2) 주지관용기술에 대한 다툼

심사관이 인용문헌에 명확히 기재된 바가 없음에도 불구하고 통상의 기술자라면 쉽게 채택할 수 있는 주지관용 기술이라는 인정을 하는 경우가 있다. 이에 대해서는 주지 또는 관용기술이 아님을 다른 증거를 첨부하여 주장할 수 있다.

(3) 기술 분야가 상이하다는 다툼

진보성의 경우에는 보통 복수의 인용문헌이 인용되고, 때로는 일부 인용문헌이 기술 분야가 상이한 경우가 있다. 이러한 경우에 인용문헌이 속하는 기술 분야와 본원발명의 기술 분야가 상이하여 이를 본원발명 기술 분야의 통상의 기술자가 쉽게 적용할 수 없음을 주장할 수 있다. 그러나 실무적으로는 심사 과정에서 이러한 주장이 받아들여지는 경우는 많지 않고, 다른 주장과 더불어 보완적인 주장으로 가능하다.

(4) 목적 및 효과에 대한 주장

인용문헌의 기재된 내용과 본원발명이 해결하고자 하는 과제가 같지 않고, 그 목적과 효과가 상이하다는 주장을 할 수 있다. 구성상의 유사점이 있다고 하더라도 현저한 효과가 있음을 주장함으로써 진보성에 대한 거절이유를 극복할 수 있는 경우도 상당히 있으므로, 근거를 잘 갖춘다면 유용한 주장이 될 수 있다.

(5) 2차적 고려 사항에 대한 주장

진보성 판단에 있어서 소위 2차적 고려 사항(Secondary Consideration)이 고려되는데, 이는 상업적인 성공, 장기간 미해결 과제의 해결, 장기간 요망되었던 필요성을 충족시켰다는 사실 등이 포함될 수 있다. 다만, 우리나라의 실무는 이러한 2차적 고려 사항으로 진보성을 인정하지는 않으므로, 다른 진보성을 인정받을 수 있는 사유를 보완하는 주장으로 의미가 있다. 몰론 상업적 성공이 기술의 우수성으로 인한 것임을 입증하여야 하며 마케팅이나 홍보로 인한 성공은 해당되지 않는다. 반면, 미국에서는 이러한 2차적 고려 사항을 우리나라보다는 중요하게 고려한다.

5. 기재불비에 따른 거절이유에 대한 대응

특허제도는 새로운 발명을 공개하는 대가로 일정 기간 독점권을 허여하고, 공개된 발명을 공중이 이용하도록 하여 산업발전에 이바지하려는 제도이다. 따라서 발명의 이용을 위해 특허법은 강제공개의 제도를 갖추고 있고, 출원인은 기술문헌으로서 명세서를 적절하게 기재하여야 한다. 이러한 명세서의 기재요건은 법으로 규정되어 있다. 주요 기재불비의 유형에 따른 대응은 다음과 같다.

(1) 발명의 설명에 의해 뒷받침되지 않는다는 거절이유

청구항의 기재된 발명이 명세서에 어느 부분에 기재되어 있는지를 파악하여 이를 주장하고, 만일 그러한 뒷받침되는 기재가 없다면 청구항을 보정하여야 한다. 청구항을 보정하지 않고 명세서에 청구범위를 뒷받침하는 기재를 추가할 수 있으나, 이는 신규 사항의 추가로 판단 받을 가능성이 높으므로, 추가되는 기재가 통상의 기술자에게 자명한 사항임을 근거를 들어 주장하여야 한다.

(2) 용어가 통일되지 않은 경우

발명의 설명과 청구범위 사이의 용어가 통일되도록 보정한다. 이와 더불어 의견서에서 두 용어가 같은 의미임을 주장하도록 한다.

(3) 청구항의 기재가 명확하고 간결하게 기재되지 않은 경우

청구항 중에 오기가 있으면 이를 정정하고, 불명확한 기재가 있으면 이를 명확하게 기재하는 보정을 한다. 이때 신규사항의 추가가 되지 않도록 주의하고, 보정의 근거에 대한 의견서를 제출한다. 발명의 기술적인 모순이나 결함이 있는 경우에는 발명의 특정 구성요소 간의 관계를 명확하게 하는 보정을 하며, 이때에도 신규사항 추가가 되지 않는 것임을 주장하여야 한다. 또한 상한이나 하한이 없거나, 불명확한 표현(예 '약', '큰', '고온', '거의', '바람직하게는', '등', '적절한', '실질적으로')인 경우에는 상한이나 하한을 적시하거나 명료한 표현으로 보정하거나 불명확한 표현을 삭제하는 보정을 한다.

(4) 청구항의 기재와 발명의 설명 또는 도면의 부호와 상이한 경우 및 청구항의 인용항이 잘못된 경우

이때는 어느 하나로 통일하여 보정을 하거나, 청구항의 인용항을 보정하고, 단순한 오기임을 주장하는 의견서를 제출한다.

6. 발명의 단일성 위반에 대한 대응

우리 특허법은 1발명 1출원을 원칙으로 하고 있다. 다만 예외적으로 1군의 발명은 하나의 출원으로 할 수 있다. 1출원주의 위반으로 거절이유가 발생하는 경우에는 두 가지 대응 방법이 있다. 하나는 분할출원으로 거절이유를 해소하는 방법이고, 다른 하나는 해당 발명들이 하나의 총괄적 발명의 개념을 형성하는 것으로 서로 대응하는 기술적 특징을 공유한다는 주장을 하여 이를 관철시키는 것이다.

이러한 두 가지 대응 방안을 선택하지 않는 경우, 어느 하나의 그룹만을 남기고 나머지 그룹은 삭제보정하는 조취를 취할 수도 있다.

관련 조문

특허법 제45조(하나의 특허출원의 범위) ① 특허출원은 하나의 발명마다 하나의 특허출원으로 한다. 다만, 하나의 총괄적 발명의 개념을 형성하는 일 군의 발명에 대하여 하나의 특허출원으로 할 수 있다.

03 거절이유 대응의 기타 전략

거절이유에 대한 대응은 다양하게 있을 수 있으나, 거절이유가 발생하지 않도록 최초 발명의 설명과 청구범위를 충실히 작성하는 것이 매우 중요하다. 또한 출원 이후에도 자진 보정이 가능하므로 미비점과 보완하여야 할 부분을 검토하는 프로세스를 마련하고, 최초거절이유통지가 있으면 다시 재검토하여 적절한 대응을 하여야 한다. 또한 특허청에서는 심사관과의 면담을 장려하고 있으므로, 구체적인 기술적 설명이 필요한 경우에는 심사관과의 면담제도와 전화면담을 적극 활용하는 것이 바람직하다.

기출로 다지기

특허출원 전략의 '특허출원 국가 선정'에 있어서 선정 국가로 가장 부적절한 것은? • 19회 기출

① 우리기업 기술 또는 제품의 주요시장이 형성된 국가
② 경쟁사 기술 또는 제품의 주요시장이 형성된 국가
③ OECD 가입국 중, GDP 순위 상위 3개 국가
④ 우리기업의 주요 생산라인(공장)이 운영되고 있는 국가
⑤ 우리기업 제품의 판매 루트에 포함되는 국가

| 특허출원에는 상당한 비용이 발생하기 때문에 시장의 상황과 제품의 제작 · 판매상황을 먼저 파악해야 한다. ▶ ③

제2장 지식재산의 유지 및 관리

제1절 연구개발 관리 전략

01 연구개발과 특허

1. 연구개발의 시작 단계

(1) 연구개발 과제의 선정

연구개발을 하기에 앞서 연구개발을 위한 주제와 개발 목표를 설정하여야 한다. 개발 목표의 설정에 있어서, 해당 기술 분야의 특허정보를 조사하고, 기술개발에 대한 트렌드와 시장의 요구를 분석하는 과정을 거쳐 연구개발의 과제를 설정하는 것이 중요하다. 이때 필요에 따라 특허조사와 분석, 논문조사, 관련 기술에 대한 특허맵을 작성하기도 한다. 이러한 과정을 거치며 연구개발의 목표를 설정함에 있어서 연구자 개인의 주관적 판단이 아닌 연구 동향이나 기술개발의 동향에 대한 객관적 분석을 통해 현실 가능하고 유용한 기술임을 검증하여야 한다.

(2) 연구개발 절차의 계획

연구개발 과제의 선정이 완료되면, 이를 수행하기 위한 계획을 수립하여야 한다. 보통은 이러한 계획의 타당성과 실현 가능성, 사업화 가능성 등에 대한 평가를 거쳐 실제 연구개발의 진행 여부가 결정되므로, 단계별 계획과 이를 수행할 연구팀의 구성 및 계획의 실현을 위한 구체적 방안을 제시하는 것이 바람직하다.

(3) 연구개발 과제에 대한 검증

연구개발 과제의 선정과 이에 대한 계획이 수립되면 이의 타당성과 실현 가능성 및 타인의 권리와의 관계 등의 검증을 통해 연구개발 과제로 실행할 것인지, 해당 기술에 대한 기술이전이나 라이선스를 통해 기술을 확보할 것인지 등의 결정이 있어야 한다. 이때 특허조직은 관련 기술에 대한 특허권을 분석하여 해당 연구원들과 협의를 통해 우회기술이 필요한지, 라이선스가 필요한지, 기술도입이 필요한지, 연구과제의 방향을 변경할지, 연구과제로 실행하는 것을 포기할지 등에 대한 검토를 하여야 한다.

2. 연구개발의 실행 단계

(1) 비밀정보관리

연구개발 과정에서 발생하는 지식은 그 관리를 어떻게 하느냐에 따라서 경제적 가치가 크게 달라진다. 연구성과가 경제적 가치를 창출하기 위해서는 특허 또는 영업비밀로 보호될 필요가 있다. 특히 최근에는 대부분의 문서가 전자문서로 이루어지기 때문에, 이에 대한 전산관리 규정 및 문서관리 규정을 마련하고 이를 시행, 교육, 점검할 주체가 있어야 한다. 비밀관리 규정에는 기업이나 연구기관과 해당 연구원 사이의 비밀유지계약(NDA : Non Disclosure Agreement)을 체결하거나, 상응하는 종업원과 회사 간의 계약이 있는 것이 바람직하다. 이러한 비밀유지계약에는 보호되어야 하는 비밀정보가 구체적으로 적시되는 것이 바람직하며, 이를 통해 연구원 각자가 비밀정보에 대한 중요성 및 관리 의식을 갖추도록 할 수 있다. 또 비밀유지계약서에는 어떤 정보가 기밀정보인지를 특정하게 되므로 오해나 분쟁의 소지를 미리 예방할 수 있다.

(2) 특허관리 매뉴얼의 사용

특허관리 매뉴얼을 통해 전체 연구원들이 특허에 대한 관리에 신경 쓰도록 한다. 예를 들어 특허출원 이전에 논문 등을 발표하면 특허를 받을 수 없는 경우가 발생할 수 있으므로, 이러한 세부적인 관리 지침을 숙지하도록 하여야 한다.

(3) 연구노트

연구노트는 연구자가 연구의 과정을 기록한 것을 말하며, 이는 관련된 특허권의 매각이나 실시권 설정 등의 수익화 과정에서 필수적으로 검증하여야 하는 부분일 뿐 아니라, 해당 기술과 관련된 분쟁이 발생하는 경우에도 일정 요건하에 유용한 증거로서 사용될 수 있으므로 꼼꼼히 기록하는 것이 중요하다. 연구노트를 작성함으로써 연구개발의 관리가 용이해지며, 구성원들 간의 지식 전달의 도구로서 활용 가능하다. 또한 독자적 연구활동의 증거가 되고, 저자나 발명자를 특정하는 증거가 되며, 영업비밀로서의 보호에 유용할 수 있다. 이러한 연구노트를 공증하여 원본의 존재와 기술의 보유 시점 등을 입증하기 위해 특허청에서는 영업비밀 원본증명 서비스를 제공하고 있는데, 이를 적극적으로 활용하는 것이 바람직하다. 연구노트의 형식은 서면으로 작성하는 것이 일반적이었으나, 최근에는 전자연구노트가 많이 보급되어 활용되고 있다.

(4) 특허출원

연구개발이 완료되지 않더라도 연구개발 과정에서 얻어지는 아이디어와 단계별로 개발되는 기술과 관련하여서는 반드시 특허로 보호를 받을 것인지를 검토하여야 한다. 특허권의 획득은 선출원주의에 의해 먼저 출원한 자가 권리를 취득할 수 있으므로, 최대한 빠른 출원을 진행하는 것이 바람직하다. 이러한 출원 여부의 결정을 위해 해당 기술에 대한 평가와 사업성에 대한 평가가 동시에 이루어져야 하고, 해당 기술과 관련된 선행기술 조사가 필수적으로 이루어져야 한다.

3. 연구개발의 완성 단계

(1) 연구개발 결과의 발표

우선 연구개발 결과의 발표 이전에 필요한 특허출원을 완료하여야 한다. 논문이나 인터넷 매체를 통한 발표, 신문 등의 매스컴에서의 발표 등이 먼저 이루어진다면 공지된 기술로 평가되어 신규성을 상실하므로 특허출원을 하여도 권리를 취득할 수 없게 되는 경우가 있다. 따라서 논문 발표나 언론에 대한 발표 이전에 반드시 특허출원을 통해 권리를 확보하는 것이 바람직하다.

(2) 연구개발의 결과 발표와 특허출원

연구개발 결과의 발표는 특허출원이 이루어지고 난 다음에 하는 것이 절대적으로 바람직하다. 다만, 이미 연구개발의 발표로 인하여 공지가 된 발명의 경우 이를 구제해 주는 제도가 있는데, 이를 공지 등이 되지 않은 발명으로 보는 특허법 제30조의 규정이 그것이다. 이는 공지행위가 특허출원 전에 이루어진 경우 자신의 발명이 공지되지 않은 것으로 보는 공지예외 주장 출원을 말한다. 이를 위해서는 ① 최초 공지일로부터 1년 내에 출원을 하여야 하고, ② 공지예외 주장을 반드시 출원 시에 출원서에 기재하여야 한다(이에 대한 추후 보정은 종래에는 불가능하였으나, 2015년 7월 29일 시행법에 의해 보정할 수 있는 기간 등에 보정이 가능하게 되었다). 한편, 외국 사례를 살펴보면, 중국의 경우 공지예외 규정을 적용받기 위해서는 최초 공지일로부터 6개월 내에 출원하여야 하고 사유도 제한적이다. 유럽의 경우에도 대부분의 국가가 6개월 이내에 출원하여야 하고, 대상도 상당히 제한적인 등 각국의 공지예외 주장 규정이 상이하므로 이를 확인하여 해당 기간 내에 반드시 해당 국가에 출원을 완료하여야 한다. 이렇듯 공지 예외를 인정하는 제도가 있긴 하나, 되도록 해외출원을 완료한 후에 발표가 이루어지는 것이 바람직하다.

관련 조문

특허법 제30조(공지 등이 되지 아니한 발명으로 보는 경우) ① 특허를 받을 수 있는 권리를 가진 자의 발명이 다음 각 호의 어느 하나에 해당하게 된 경우 그날부터 12개월 이내에 특허출원을 하면 그 특허출원된 발명에 대하여 제29조제1항 또는 제2항을 적용할 때에는 그 발명은 같은 조 제1항 각 호의 어느 하나에 해당하지 아니한 것으로 본다.

1. 특허를 받을 수 있는 권리를 가진 자에 의하여 그 발명이 제29조제1항 각 호의 어느 하나에 해당하게 된 경우. 다만, 조약 또는 법률에 따라 국내 또는 국외에서 출원공개되거나 등록공고된 경우는 제외한다.
2. 특허를 받을 수 있는 권리를 가진 자의 의사에 반하여 그 발명이 제29조제1항 각 호의 어느 하나에 해당하게 된 경우

② 제1항제1호를 적용받으려는 자는 특허출원서에 그 취지를 적어 출원하여야 하고, 이를 증명할 수 있는 서류를 산업통상자원부령으로 정하는 방법에 따라 특허출원일부터 30일 이내에 특허청장에게 제출하여야 한다.

③ 제2항에도 불구하고 산업통상자원부령으로 정하는 보완수수료를 납부한 경우에는 다음 각 호의 어느 하나에 해당하는 기간에 제1항제1호를 적용받으려는 취지를 적은 서류 또는 이를 증명할 수 있는 서류를 제출할 수 있다.
1. 제47조제1항에 따라 보정할 수 있는 기간
2. 제66조에 따른 특허결정 또는 제176조제1항에 따른 특허거절결정 취소심결(특허등록을 결정한 심결에 한정하되, 재심심결을 포함한다.)의 등본을 송달받은 날부터 3개월 이내의 기간. 다만, 제79조에 따른 설정등록을 받으려는 날이 3개월보다 짧은 경우에는 그날까지의 기간

(3) 특허출원 취득 전략 및 권리의 확보

① 특허출원 여부의 결정

연구개발의 완성과 함께 관련된 기술이나 노하우를 특허로 취득할 것인지, 영업비밀로 보유할 것인지, 어느 국가에 출원할 것인지에 대한 판단을 하여야 한다. 이를 위해 전략적으로 어떠한 권리를 어떤 지역에서 확보할지에 대해 사업의 전략적 관점, 시장의 유무, 해당 기술의 라이프 사이클, 경쟁사의 존재 여부 등을 종합적으로 판단하여 신중하게 결정하여야 한다.

② 특허법상의 각종 제도 활용

특허법상 출원인의 이익을 위한 여러 가지 제도를 활용하여 특허권의 취득 전략을 세울 수 있다. 이에 대해서는 제2절의 '특허권의 취득 전략'에서 자세히 살펴보도록 한다.

02 공동개발의 경우

1. 공유 특허권의 제약

갑과 을이 공동으로 발명한 경우 '특허를 받을 수 있는 권리'를 공유하게 되고 공동으로 특허를 출원할 수 있게 되는데, 명심해야 할 점은 '특허권' 또는 '특허를 받을 수 있는 권리'가 공유되는 경우 일정한 제약이 따르게 된다는 것이다.[60] 각 공유자는 계약으로 특별히 약정한 경우를 제외하고는 다른 공유자의 동의를 얻지 않고 그 발명을 단독으로 실시할 수 있다. 따라서 갑과 을이 미리 계약을 하지 않았다면 갑이 혼자서 단독으로 공장을 차려 생산·판매를 해도 문제가 되지 않을 뿐 아니라 수익을 을에게 분배할 의무도 없게 되는데, 공유특허권자는 지분의 대소에 관계없이 온전히 그 특허권을 실시할 수 있으므로 특히 주의해야 한다. 특히 자신이 재정적으로나 사업적으로 상대 파트너보다 불리한 경우에는 더욱 불리해짐에 유의한다. 또한 특허권 공유의 경우, 각 공유자는 다른 공유자의 동의가 있

60) 특허권이나 특허를 받을 수 있는 권리가 공유가 되는 경우는 특허발명을 공동으로 한 경우뿐 아니라, 특허권 또는 특허를 받을 수 있는 권리의 일정 지분을 양도하는 경우 등에도 있을 수 있다. 특허권이나 특허를 받을 수 있는 권리는 일종의 재산권으로서 양도의 대상이 되고, 다만 특허등록이 될지 여부가 불확실한 불확정의 권리인 특허를 받을 수 있는 권리는 질권의 대상이 되지 않는다는 제한이 있다.

어야 자신의 지분에 기초하여 특허발명에 대한 실시권을 수여할 수 있으며, 질권의 목적으로 할 때에도 다른 공유자의 동의가 있어야 한다. 따라서 공유관계에 있는 특허권의 행사에 제한이 있다는 사실에 더욱 주의를 기울일 필요가 있다.

2. 외국 특허권의 공유

외국의 특허권을 공유하는 경우에도 주의해야 한다. 각국의 법제는 서로 상이하여 한국과 동일하지 않은 경우가 많다. 예를 들어, 미국의 경우에는 계약의 해석에 따라 달라지지만 일반적인 비독점 라이선스의 경우 지분의 양도나 실시권의 수여는 공유자의 동의가 있어야 하는 반면, 중국의 경우에는 공유관계에 있는 특허권자는 자신의 특허발명을 자유롭게 실시할 수 있을 뿐 아니라, 계약 등으로 특별한 제한이 없는 경우에는 자신의 지분을 제3자에게 양도하거나 실시권을 설정할 때 다른 공유자의 동의가 없어도 가능하다. 따라서 이러한 국가의 특허권을 공유하는 경우에는 계약으로 지분의 양도나 실시권 설정의 경우에는 공유자의 동의를 얻도록 제한을 가하는 것이 필요할 수 있으므로, 해당 특허권이 속하는 국가의 법제에 대한 면밀한 검토가 이루어진 후에 계약을 체결하여야 한다. 예를 들어, 미국이나 중국의 특허권을 공유하기로 한 계약을 체결한 후에 해당 계약서에 지분의 양도나 실시권 설정에 대한 제한 조항이 없는 경우, 한국의 공유자에게는 위협이 되는 경쟁자에게 다른 공유자가 자신의 지분을 양도하거나 실시권을 허락하게 되면 사업상의 심대한 타격을 입을 수 있으므로, 이러한 경우에 대비하는 것이 필요하다. 여기에 더하여 우리나라와는 달리, 외국의 경우에는 특허권이 공유인 경우 공유자가 임의로 서브 라이선스를 설정하거나 지분을 양도할 수 있는 국가도 있으므로, 이 경우에 대비한 계약을 체결하는 것이 바람직하다. 예를 들어, 중국의 경우에는 계약에 다른 정함이 없으면 지분의 양도나 재실시권(Sub-License)의 설정에 공유자 상대방의 동의가 필요 없어 원하지 않는 공유 관계나 라이선스로 인하여 뜻하지 않은 피해를 입을 수 있다.

기출로 다지기

공유특허권의 경우 각 공유자의 권리에 대한 설명 중 틀린 것은? • 19회 기출

① 다른 공유자의 동의 없이는 그 지분을 양도할 수 없다.
② 다른 공유자의 동의 없이는 그 지분을 목적으로 하는 질권을 설정할 수 없다.
③ 다른 공유자의 동의를 얻지 아니하면 해당 특허권에 대하여 전용실시권을 설정할 수 없다.
④ 다른 공유자의 동의를 얻지 아니하면 해당 특허권에 대하여 통상실시권을 허락할 수 없다.
⑤ 특별히 약정한 경우를 제외하고는 다른 공유자의 동의를 얻지 아니하면 해당 발명을 실시할 수 없다.

| ⑤ 특허권이 공유인 경우 다른 공유자의 동의를 얻지 않고도 해당 발명을 실시할 수 있다. ▶ ⑤

제2절 특허권의 취득 전략

01 특허권리 취득 여부의 경우

모든 기술 혁신(Innovation)이 특허로 보호받기에 적합한 것은 아니다. 경우에 따라서 기술 혁신 내용을 특허권리로 보호받을 필요가 있는지 아니면 영업비밀로 보호받을 필요가 있는지 여부를 결정할 필요가 있다. 일반적으로 특허로 보호받는 것은 권리의 안정성 면에서 유리하다. 침해를 적발하기 극히 어렵거나, 역공학(Reverse Engineering) 등이 곤란한 경우, 특허로 보호받기 위해 등록되기 어려운 경우 등에는 영업비밀로 보호받는 것이 유리할 수 있다. 다음은 이러한 판단을 위한 프로세스의 예이다.

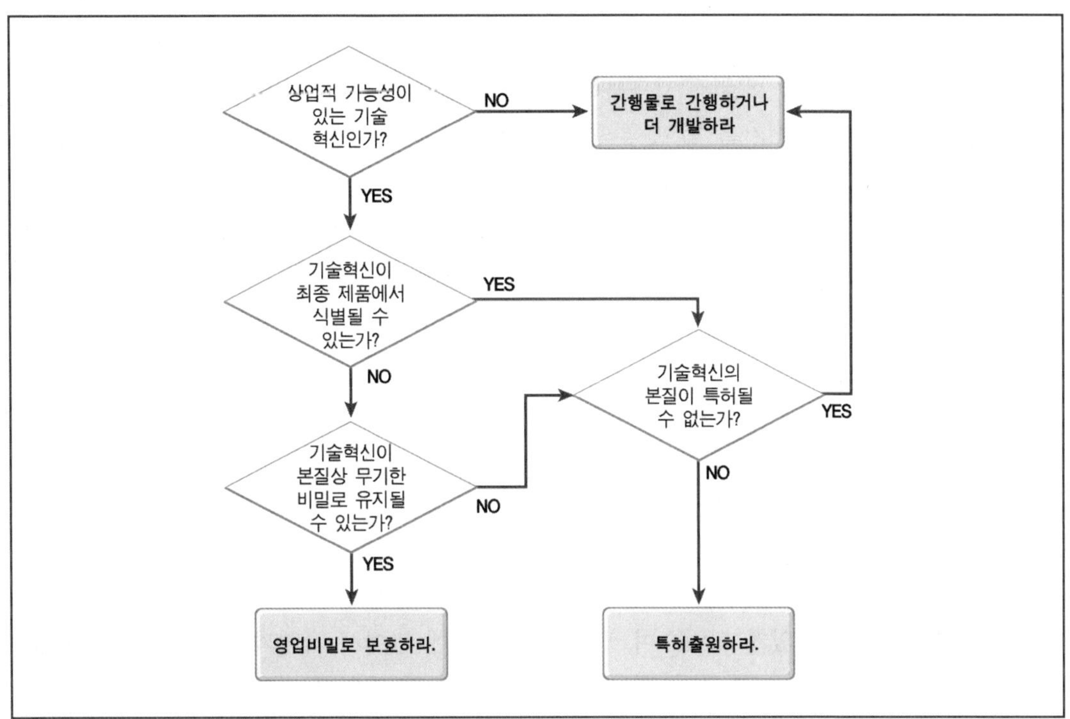

| 특허권의 취득 여부 결정을 위한 프로세스

Tip

리버스 엔지니어링(RE : Reverse Engineering) 또는 역공학(逆工學) 장치 또는 시스템의 기술적인 원리를 그 구조 분석을 통해 발견하는 과정이다. 이것은 종종 대상(기계 장치, 전자 부품, 소프트웨어 프로그램 등)을 조각내서 분석하는 것을 포함한다. 그리고 유지 보수를 위해, 또는 같은 기능을 하는 새 장치를 원본의 일부를 이용하지 않고 만들기 위해 대상의 세부적인 작동을 분석하는 것을 포함한다. 리버스 엔지니어링의 기원은 상업적 또는 군사적으로 하드웨어를 분석한 것에서 시작되었다. 목적은 원본 생산의 절차에 관한 지식이 거의 없는 상태에서, 최종 제품을 가지고 디자인 결정 과정을 추론하는 것이다.

02 국내 특허권리 취득 전략

1. 선출원 전략

일단 특허권을 취득하기로 결정되었다면, 하루 빨리 출원을 하여 특허출원일을 확보하는 것이 바람직하다. 우리나라를 비롯하여 세계 각국은 예외 없이 선출원주의를 채택하고 있기 때문에 발명일이 빠르다고 하더라도 특허출원일이 늦으면 그보다 먼저 동일한 발명을 출원한 자가 있는 경우 특허등록을 받을 수 없기 때문이다.

2. 국내우선권주장제도의 활용

국내우선권주장을 적극 활용하여 일부 미비한 기술이 있다면 우선 권리 취득을 위한 출원일을 확보하고, 1년 내에 이를 보완하여 완전한 권리를 취득하는 전략을 세울 수 있다. 만일 해당 발명의 출원일 확보가 시급하다고 판단되면 청구범위 유예제도 또는 외국어특허출원제도를 활용하여 시간을 벌고, 추후 완결적인 특허출원 명세서를 제출하는 방법을 채택한다. 실험적 뒷받침이 이루어지지 않을 경우 미완성 발명으로 특허등록이 어려운 생명·화학 분야의 발명의 경우에는 특히 그러하다. 이런 경우에 국내우선권주장제도를 활용해, 기본적인 발명의 출원을 진행한 후에, 해당 발명과 기본 발명의 개량발명을 포괄적인 발명으로 정리한 내용으로 특허출원을 할 수 있다.

3. 청구범위 유예제도의 활용

청구범위 유예제도는 출원명세서에 청구범위를 기재하지 않아도 되는 것으로, 출원일 후 1년 2개월 내에 이를 보완하여 제출하면 되는 제도이다. 또한 2015년 1월 1일부터는 형식에 상관없이 논문이나 연구결과를 정리한 연구노트 등의 완성된 아이디어 설명 자료를 적어 특허출원을 할 수 있게 되었으며, 명세서의 기재에 있어서 국어가 아닌 영어로 기재해도 출원이 가능하므로, 이를 적극 활용하여야 한다. 이때 주의할 점은 최우선일로부터 1년 2개월 내에 정식 명세서 또는 국어번역문을 제출하여야 한다는 것이다. 이와 관련하여 미국의 경우에는 가출원(Provisional Application)제도가 있어 이를 이용하면 우선적인 출원일 확보가 가능하며, 가출원일 이후 1년 내에 정규출원(Non-Provisional Application)을 하면서 가출원에 대해 우선권주장을 하면 된다.

관련 조문

특허법 제42조의2(특허출원일 등) ① 특허출원일은 명세서 및 필요한 도면을 첨부한 특허출원서가 특허청장에게 도달한 날로 한다. 이 경우 명세서에 청구범위는 적지 아니할 수 있으나, 발명의 설명은 적어야 한다.

② 특허출원인은 제1항 후단에 따라 특허출원서에 최초로 첨부한 명세서에 청구범위를 적지 아니한 경우에는 제64조제1항 각 호의 구분에 따른 날부터 1년 2개월이 되는 날까지 명세서에 청구범위를 적는 보정을 하여야 한다. 다만, 본문에 따른 기한 이전에 제60조제3항에 따른 출원심사청구의 취지를 통지받은 경우에는 그 통지를 받은 날부터 3개월이 되는 날 또는 제64조제1항 각 호의 구분에 따른 날부터 1년 2개월이 되는 날 중 빠른 날까지 보정을 하여야 한다.
③ 특허출원인이 제2항에 따른 보정을 하지 아니한 경우에는 제2항에 따른 기한이 되는 날의 다음 날에 해당 특허출원을 취하한 것으로 본다.

4. 심사청구제도의 활용

심사청구는 특허출원으로부터 3년 이내로 할 수 있기 때문에, '특허권이 필요한 출원에 대하여', '3년 이내의 적절한 시기에' 심사청구를 하는 것은 특허권의 취득 · 유지와 관련되는 비용을 절감시킴으로써 사업을 원활히 실시하는 데 있어서 중요하다. 기간이 경과됨에 따라서 자사 · 타사의 연구개발의 상황, 그 기술 분야 전체의 시장성 및 기술 적용가능성 등의 정보가 갱신되기 때문에, 특히 생명 · 화학 분야를 포함하는 중장기적인 사업과 관련되는 발명에 대해서는 심사청구 여부의 판단을 심사청구 기한이 완료되는 시기까지 지켜보는 경우가 많다. 만일 특허출원일 후 3년이 경과했는데도 심사청구가 없으면 해당 출원은 취하된 것으로 보게 되므로, 이를 잘 체크하여 원하지 않게 출원이 취하되지 않도록 주의하여야 한다. 이와 반대로, 취급하고 있는 기술이나 제품의 라이프 사이클이 짧거나, 자사 · 타사의 사업화, 타사에게 라이선스 허여 등의 이유로부터 특허권을 조기에 획득하여야 할 경우도 있다. 이 경우 우선심사 제도를 활용함으로써 발명의 조기권리화가 가능하다.

5. 출원공개제도의 활용

공개된 출원발명은 공개일 이후에 출원되는 동일하거나 유사한 발명의 특허등록을 배제하는 효과가 있다. 따라서 자신이 독점적인 특허권을 취득할 필요는 없으나, 타인이 이를 권리로 취득하는 것을 방지하기 위해서 심사청구 없이 출원을 하고 이것이 공개되는 경우에는 이러한 효과를 누릴 수 있다. 이 경우 만일 빠른 시일에 공개되기를 원하면 조기공개 신청을 할 수도 있다. 또한 조기공개 신청은 자신의 출원 후에 타인이 해당 특허기술을 사용하는 경우 빠른 공개를 통해 보상금 청구권을 발생시키기 위한 목적으로 활용할 수도 있다. 또한 특허출원을 하였으나 특허등록가능성에 문제가 있으며, 기술공개에 따른 위험부담이 큰 경우에는 최초출원일로부터 1년 6개월이 경과하기 전 출원을 취하함으로써 특허공보를 통한 기술개시를 막을 수 있다. 반대로 경쟁기업 등이 자사의 특허를 사용하고 있을 경우에는 특허조기공개제도를 활용할 수 있으며, 이 경우 특허권 침해 관련 소송 시 불법행위로 인한 손해배상 성립요건 중, 고의 또는 과실 부분에 대하여 경쟁기업에 비하여 유리한 법적 지위를 가진다.

03 해외출원의 결정 및 특허 취득 전략

1. 출원 루트(Route) 및 해외출원 국가의 선택

해외출원은 크게 PCT 국제출원과 개별국 출원(일반해외출원) 두 가지 형태로 나눌 수 있다. PCT는 대만 등을 제외한 주요 국가들을 모두 포함하고 있다. 특허의 시장 현황 및 기술 가치에 따라서 해외출원의 진입 형태에 대한 판단을 하여야 하며, PCT 출원의 경우 장단점이 있으므로 이를 참고하여 결정하는 것이 좋다. 특히 특허출원국이 다수인 경우, 국제조사보고서 결과 등의 특허성 추가 검토가 필요한 경우, 제품 판매 시장이 미정인 경우, 사업화의 실현성이 불투명한 경우 등은 PCT 출원을 고려하는 것이 좋다.

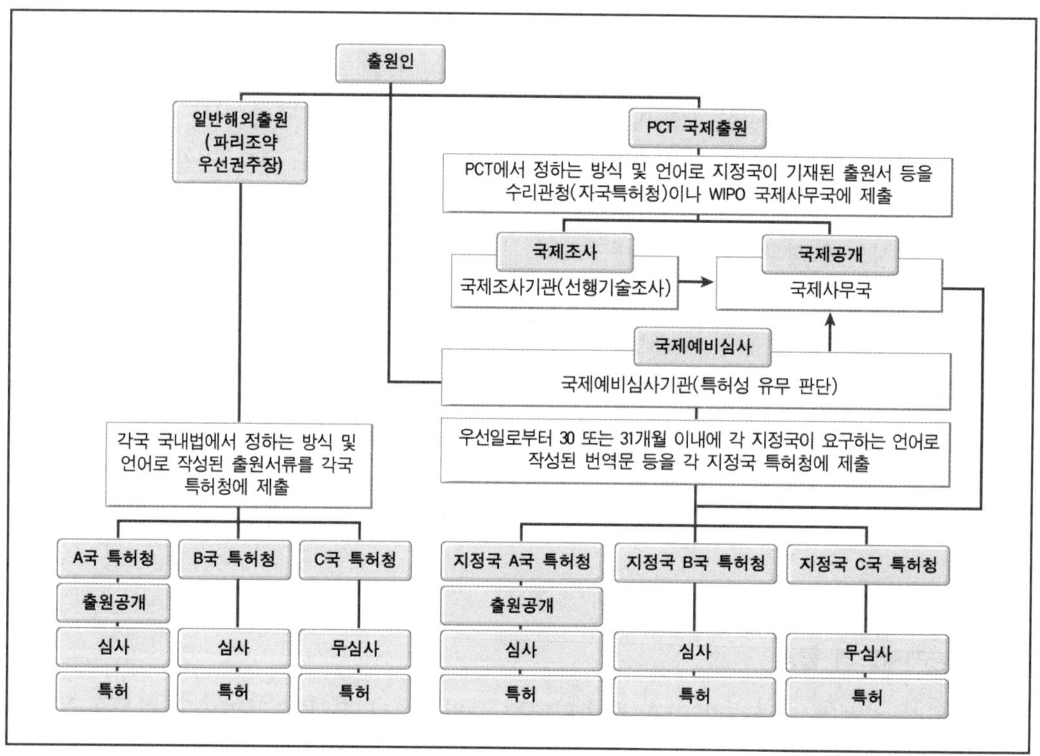

2. 해외출원 루트의 장단점

PCT에 의한 국제출원과 파리조약에 의한 우선권주장출원의 경우, 각각의 장단점은 다음과 같으므로, 어느 루트를 통할 것인지에 대한 결정을 하여야 한다.

구분	PCT 국제출원	파리조약에 의한 우선권주장출원
장점	• 국제조사와 국제예비심사로 국내 단계 진입 이전에 등록가능성 예측이 가능하고, 청구범위를 보정할 수 있으므로, 국내 단계 진입 후 거절되거나 보정절차를 진행함으로써 낭비되는 비용을 절감할 수 있음 • 국내 단계 진입 전까지 번역문 등 각종 제출 서류 준비 및 해외 대리인 선임을 위한 기간을 벌 수 있음	• 출원국의 수가 적은 경우 PCT 국제출원보다 소요되는 비용이 적음 • 빠른 권리화가 가능함
단점	• 국제 단계 진입을 위한 비용 및 기간이 추가됨 • 권리화가 지연됨 • 절차가 복잡함	• 짧은 기간 내에 제출 서류 준비 및 해외 대리인 선임을 완료해야 함 • 출원국 선택에 신중해야 함

3. 특허심사 하이웨이의 활용

앞서 살펴본 파리조약에 의한 우선권주장출원과 PCT(특허협력조약)에 의한 국제출원 외에도, 특허심사 하이웨이(PPH : Patent Prosecution Highway) 제도[61]를 활용할 수도 있다. 특허심사 하이웨이는 본 제도의 시행국에 공통으로 특허를 출원한 출원인이 상대국에서 우선심사 또는 조기심사를 받아 신속하고 효율적으로 특허를 취득하기 위한 제도로서, 해당국의 특허청으로서는 심사협력을 강화하여 상대국 특허청의 심사 결과를 참고하여 심사 부담을 경감하고 심사의 품질을 향상하도록 한 제도이다. 다만, 출원에 대한 심사는 각국의 특허청이 독자적으로 한다는 한계는 있다. 다음은 특허심사 하이웨이의 절차를 개략적으로 나타낸 것이다.

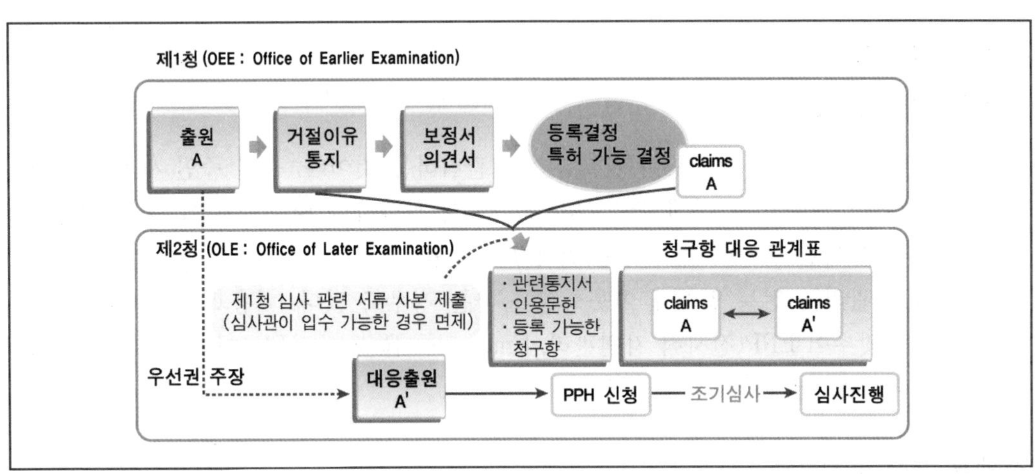

▎특허심사 하이웨이의 절차 62)

61) 한국의 경우 2007년 일본을 시작으로 미국, 덴마크, 영국, 캐나다, 러시아, 핀란드, 독일, 스페인, 멕시코, 헝가리, 싱가포르, 오스트리아, 이스라엘, 포르투갈과 PPH를 실시하고 있다. 2014년 1월 6일부터는 IP5(미국, 유럽, 중국, 일본, 한국) 및 글로벌 특허심사 하이웨이를 실시하고 있다. 글로벌 PPH는 한국, 노르딕 특허기구, 노르웨이, 덴마크, 러시아, 미국, 스웨덴, 스페인, 아이슬란드, 영국, 이스라엘, 일본, 캐나다, 포르투갈, 핀란드, 헝가리, 호주 등 36개국/기구가 포함된다.

62) 한국특허청 홈페이지

제3절 지식재산권 관리시스템 및 특허권 유지 전략

01 지식재산권의 관리시스템

1. 개요

지식재산권의 관리시스템은 예전에는 수기로 하는 기업이 대부분이었으나, 이후 엑셀 등의 스프레드시트를 이용하는 단계를 거쳐, 많은 기업들이 자체적인 관리시스템을 구축하거나 여건이 안 되는 중소기업들은 웹(Web) 기반의 관리 프로그램을 이용하고 있다. 다수의 연구기관 및 대학에서도 이러한 시스템을 구축한 사례가 날로 늘어나고 있으며, 정부에서도 정부 R&D 특허성과 관리시스템[63]을 운영하고 있으며, 여러 특허관리시스템의 구축을 전문으로 하는 서비스 업체도 등장하여 성공적으로 사업을 운영하고 있다.

2. 관리시스템의 필요성

현대의 특허 관리는 단순히 보유특허권과 출원 중인 특허권을 관리하는 것이 아니다. 매년 전 세계적으로 수백만 건의 특허가 출원되고 있으며, 이제 특허정보는 특허 기술분야의 빅데이터(Big Data)이다. 수동적이고 전근대적인 시스템으로는 이러한 방대한 특허정보에 대한 접근이나 분석이 어려운 것이 사실이다. 또한 다양한 특허업무를 전산화하고 체계화하는 데에도 특허관리시스템의 역할은 결정적이다.

3. 관리시스템의 기능

(1) 출원 및 등록 관리

국내출원, 해외출원 및 등록특허를 분류하여 관리하는 것이다. 출원 중인 사건은 중간사건관리와 심사청구 관리를 하게 되고, 등록료 납부, 심판사항 및 소송사항 등의 비용관리도 같이 한다. 등록된 권리의 경우에는 연차료 관리를 하는 시스템을 구축하는 경우가 많으나, 연차료 관리는 전문 업체에 아웃소싱을 하는 경우도 많다. 비용과 관련하여서는 기업의 상황에 맞추어 ERP(전사적 자원관리, Enterprise Resource Planning) 시스템과 연동하게 하는 경우도 있다.

(2) 메일, 문서, 전자결재

특허관리시스템에 이메일, 전자문서를 등록하여 이를 관리하고, IP(지식재산) 업무에 필요한 전자결재도 탑재할 수 있다.

63) http://www.rndip.or.kr/

(3) 데이터베이스와 연동

특허 등의 데이터베이스와 링크하고, 이 결과를 자동으로 시스템에 입력하는 것도 가능하며, R&D 관리시스템이나 법무관리시스템과도 연동하도록 하면 더욱 편리하다. IP(지식재산)와 관련된 계약서에 대한 관리도 반드시 탑재되어야 한다. 또한 특허 등의 지식재산권을 보유하는 양이 많아지면 이를 평가하는 것도 쉽지 않으므로, 평가시스템도 탑재하는 것이 필요하다.

(4) 기술거래, 라이선스, 기술사업화 관리

특허권 등의 지식재산권을 라이선스 인(License-In)하거나 라이선스 아웃(License-Out)하는 것을 전사적으로 관리하도록 하고, 사업화 전략이나 사업화 상황, 기술거래에 관한 사항까지 같이 활용하도록 하는 것이 바람직하다.

4. 관리시스템 구축 시 주의 사항

(1) 적절한 커스터마이즈(Customize)

각 기업의 상황에 맞게 적절하게 주문되어 커스터마이즈되어야 한다. 또한 필요 없는 기능과 꼭 필요한 기능을 잘 구분하여 설계함으로써 유용하고 효율적인 시스템으로 만들어야 한다. 이러한 설계는 IP(지식재산) 인력뿐만 아니라 법무 조직, 연구개발 조직 및 재무 조직 등의 요구도 적절히 반영하도록 하는 것이 바람직하다.

(2) 보안 문제

시스템의 구축에는 보안 문제를 해결하는 것이 필수적이다. 보안과 관련하여서는 외부로부터의 침입을 방어하도록 하는 것뿐 아니라 내부의 인원이 비밀 정보를 유출하지 않도록 하는 것도 중요하다. 이러한 시스템을 구축하여 영업비밀에 대한 보호도 강화하는 것이 바람직하며, 각급 인원들에게 필요에 따라 차등적으로 접근 권한을 부여하여야 한다.

(3) 관리시스템의 활용

아무리 좋은 시스템을 갖추어도 이를 꾸준히 필요에 따라 유지·보수하지 않으면 쓸모없는 도구로 전락한다. 따라서 꾸준한 업그레이드와 업데이트를 통해 유용한 무기로 사용할 수 있도록 하여야 한다. 이를 위해 시스템의 관리를 위한 전담 인력을 두는 것이 좋고, 시스템의 적절한 활용을 위한 교육도 병행하여야 한다. 또한 시스템을 잘 활용하기 위해서는 설계도 중요하나, 그 콘텐츠(Contents)를 잘 활용하는 것이 더욱 중요하므로, 모든 관련 사항들을 제대로 관리하기 위한 입력과 관리 작업에 노력을 기울여야 한다.

02 특허의 유지 여부 결정

특허 등의 지식재산권을 유지하는 것은 많은 비용을 필요로 하는 일이고, 이를 절감하고자 하는 노력은 수년 전부터 있어 왔다. 특히 많은 특허를 보유하고 있는 글로벌 첨단 기업들은 한 해에 막대한 비용을 특허를 유지하는 데 사용하고 있다. 따라서 이들 특허권을 유지할 것인지 말 것인지를 결정하여 비용의 절감과 적절한 포트폴리오를 유지하는 것도 기업의 중요한 특허관리 업무 중 하나가 되고 있다. 다음에서 이러한 절차를 개략적으로 설명한다.

1. 1단계 : 유지 여부 결정의 기간

특허의 유지료는 해마다 증가하나, 그 증가폭은 기간에 따라 상이하다. 특허를 비롯한 지식재산권의 국내 연차료의 경우, 특허권의 등록 시에 3년분의 연차료를 납부하고, 그 다음 해부터 매년 1년분씩 내야 한다. 4년차부터는 기존에 비하여 대폭 상승된 금액이 적용되어 거의 두 배 이상의 금액을 납부해야 하며, 4~6년차 구간에서의 연차료 납부액은 동일하게 구성되어 있다. 7년차에는 또 다시 납부액이 거의 두 배 이상으로 인상되며, 이는 7~9년 구간에서 동일하게 적용된다. 이와 같은 식으로 연차료는 3년 단위로 거의 두 배 정도로 상향 조정되는 구조로 오르게 된다. 이러한 납부 시기에 따른 비용의 증가는 전 세계적으로 같은 경향이나 그 증가폭이나 시기는 상이하므로, 각국의 제도를 인지하고 이에 적절한 시기에 연차료 납부, 즉 특허권의 유지 여부를 결정하여야 한다.

2. 2단계 : 권리 유지 여부 결정을 위한 정보 수집

권리 유지를 결정하여야 할 시기가 다가오면 먼저 대상이 되는 특허권을 선별하여 이를 분석하여야 한다. 각 시기별로 해당되는 특허권을 추출하고, 이들에 대한 평가를 하여야 하는 것이다. 이를 그룹으로 나누어 예를 들면 4년차와 7년차 이후의 두 그룹으로 나눌 수도 있고, 각각의 연차를 별도로 나누어 평가할 수도 있다. 연차에 따라 평가의 정도는 다를 수 있으므로, 그룹화(Grouping)하는 것이 편리하다.

3. 3단계 : 청구범위의 분석

정보 수집과 대상 선정 및 그룹화 과정이 완료되면, 평가를 위한 다음 단계로 넘어간다. 이는 청구범위를 분석하는 것으로 청구범위의 강도를 판단하여, 범위의 광협을 평가하고, 적용가능성 · 라이선스 가능성 · 침해 적발가능성 등의 평가를 수행하게 된다. 이러한 평가는 1차적으로 지식재산 전담부서에서 하게 되는 경우가 많지만, 반드시 연구개발 조직과 마케팅 조직 등이 협력을 하여야 합리적인 평가가 이루어질 수 있다. 이때 대상이 되는 특허가 많은 기업의 경우에는 이를 일일이 손으로 하기 어려우므로, 대략적으로 관련 특허에 대한 자동 평가 프로그램 내지는 순위 평가(Rating) 프로그램을 활용하여 하위의 일정 부분은 일괄적으로 포기하는 프로세스를 채택하기도 한다.

4. 4단계 : 특허인용도 분석

하나의 특허는 선행의 특허를 인용하기도 하고, 다른 후행 특허가 그 특허를 다시 인용하기도 한다. 인용이 많은 특허는 그만큼 중요하거나 원천기술 내지 핵심기술에 속할 가능성이 많고, 라이선스의 기회도 많은 경향이 있다. 따라서 앞선 평가 결과에 더하여 특허인용도를 분석하여 향후 라이선스나 침해소송에 활용할 가능성을 고려한다.

5. 5단계 : 청구범위 분석 및 인용도 분석의 결과 검토

앞선 3단계 및 4단계가 완료되면 이를 검토하는 절차가 필요하다. 이를 위한 유용한 도구가 청구범위와 인용도 매트릭스(Claims and Citation Matrix)이다. 물론 이것이 절대적인 것은 아니나, 많은 특허에 대한 검토 시 유용한 도구가 될 수 있다. 인용도와 청구범위의 가치가 높은 특허는 가치 있는 특허가 되고, 인용도와 청구범위 가치가 낮은 특허는 가치가 거의 없다고 본다. 인용도는 낮으나 청구범위의 가치가 큰 특허는 잠재적인 가치가 있는 것이며, 그 반대는 평가하기 어려운 구간이다. 이때 해당 특허의 패밀리(Family)가 있으면 각각의 점을 찍어 같이 고려하는 것이 좋다.

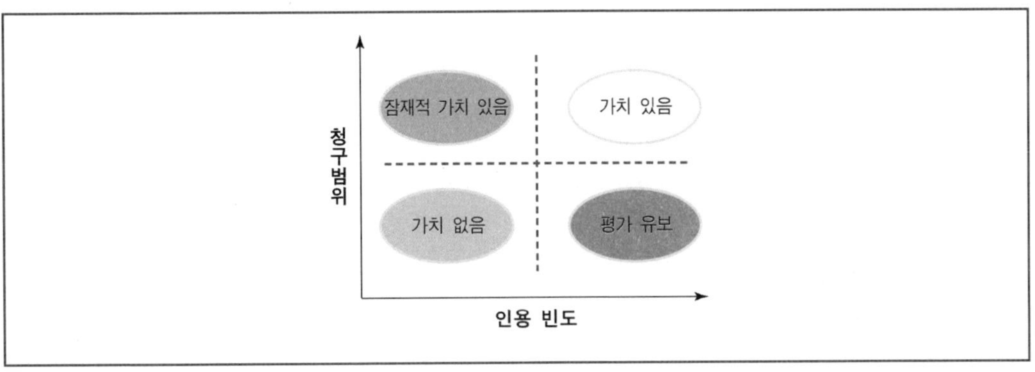

| 청구범위와 인용도 매트릭스

6. 6단계 : 비즈니스 관점에서의 최종 검토

1~5단계는 특허라는 지식재산권의 관점에서 바라본 측면이 크다. 이것은 비교적 객관적인 수치와 근거를 통해 분석한 것이다. 그러나 이러한 분석과 평가에 그쳐서는 안 되며, 기업의 전체적인 비즈니스 전략의 관점에서 이를 다시 점검할 필요가 있다. 가치 있는 특허로 분류된 특허는 자동으로 유지하는 것으로 할 수도 있으나, 바람직하게는 사업의 전략적 관점에서 다시 바라보아 이에 해당하는 특허는 매각이나 라이선스의 대상으로 정하는 전략을 구사할 수 있다. 반면, 가치 없는 특허로 분류된 특허의 경우에는 유지하지 않도록 결정한다. 다만 많은 패밀리특허를 가지고 있는 특허는 다른 패밀리특허와 패키지로 매각이나 라이선스 대상이 될 수 있으므로 이를 고려하여야 한다. 가치 없는 특허로 분류된 특허는 포기하거나 대중에게 자유롭게 공여하는 방법을 사용할 수 있다.

이상의 프로세스를 거쳐 특허권의 유지 여부에 대한 결정을 하는 것은 효율적이고 경제적인 방식으로 하되, 그 중요성은 확실히 인식하여야 한다. 그리고 청구범위에 대한 분석을 하는 경우에 많은 경우 일부 청구범위는 유용하나, 그 종속항의 다수는 가치가 떨어지는 경우가 있다. 이때에는 따로 분류하여 청구항별로 포기하는 방법을 사용한다. 이를 흔히 클레임 다이어트(Claim Diet)라고도 한다. 이러한 클레임 다이어트를 검토함에 있어서는 특허 취득 국가별로 연차료 기준이 상이하므로 이를 감안해야 하며, 비용 절감에만 집착할 경우 오히려 득보다 실이 큰 경우가 있으므로 신중한 접근이 필요하다.

만약 가치가 전혀 없는 특허로 분류된 경우, 특허권 자체를 포기하여 비용 등을 절감할 수 있다.

제3장 지식재산의 분쟁 방어

제1절 분쟁 예방 및 대비 전략

특허침해로 인한 분쟁은 미국을 비롯한 세계 각국에서 빈발하고 있다. 특히 21세기 들어 특허분쟁은 한 기업을 시장에서 퇴출시키거나 사업 포기, 또 다른 기업에 인수되는 등 기업의 흥망성쇠를 가름하는 핵심적인 문제로 대두되고 있다. 예를 들어 필름 및 카메라 시장에서 코닥(Kodak)사는 일회용 카메라 시장과 관련한 폴라로이드(Polaroid)사와의 특허분쟁으로 인하여 결국 관련 시장을 포기하였고 급기야 2012년 파산 선언을 하기에 이르렀다. 또 휴대전화 단말기 사업의 절대적 강자였던 노키아(Nokia)가 스마트폰 시장에서 어려움을 겪다가 결국 마이크로소프트(Microsoft)사에 휴대전화 부문을 매각하였고, 애플과 함께 스마트폰 시장에서 강자로 떠올랐던 RIM이 해당 사업에서 철수하는 등, 특허분쟁에 의한 기업의 변화는 실로 파란만장하였다. 따라서 특허분쟁에 대비하고 이를 예방하며, 소송에서 승리하는 기업은 시장에서 강자로 대두되는 한편, 그렇지 못한 기업은 시장에서 퇴출되는 것이 다반사이다. 여기서는 기업의 사활이 걸린 특허침해에 대한 대비 및 예방과 관련한 문제를 다루고자 한다.

특허 등의 IP 침해 문제는 미리 예방하는 것이 최선책이다. 그러나 침해소송은 권리자가 제기하는 것으로, 이를 완벽히 차단하는 것은 불가능에 가깝다. 하지만 적절한 사전 대비로 분쟁의 위험을 최소화하는 것은 반드시 필요한 전략이다. 이와 관련해 다음에서 자세히 살펴본다.

01 사업을 전개하는 국가에서의 특허출원 및 권리의 확보

시장이 있는 국가에는 반드시 특허 등의 IP 권리를 확보하여야 한다. 특허를 예로 들면, PCT(특허협력조약)에 의한 국제출원과 국내출원 후에 1년의 우선기간을 활용한 파리조약에 의한 우선권주장출원 또는 일부 PPH가 가능한 국가에서의 PPH 제도를 활용한 특허출원을 진행할 수 있다. 또한 유럽특허의 경우에는 신속한 심사를 위해 PACE(rogram for accelerated prosecution for European patent application) 프로그램을 이용할 수도 있다. 이러한 제도의 장단점을 정확하게 이해하고 적절한 권리를 확보하도록 한다. 특허권을 적절히 확보하고 있으면, 향후 분쟁에 있어서 이를 활용하여 크로스 라이선스(Cross License)를 할 수도 있고, 특허침해소송을 제기한 원고에 대하여 반소(Counter Attack)를 할 수도 있으므로, 기본적인 전략으로 특허권을 확보하는 것이 반드시 필요하다.

또한 속지주의 원칙상 등록된 특허권은 해당 국가 내에서만 활용 가능하므로, 한국 이외의 해외로 사업을 진행하는 경우, 해당 국가에서의 특허출원 및 권리확보가 필요함에 유의해야 한다.

02 계약에 의한 기술의 보호

계약에 의한 보호는 법률에 의한 보호(특허출원 및 등록을 통한 권리의 확보)에 비하여 다양한 제한 조건을 부가할 수 있고, 다양한 방식으로 자신의 기술을 보호할 수 있는 장점이 있으나, 계약 당사자에게만 효력이 있으므로 이에 주의한다. 이러한 계약의 유형에는 라이선스 계약이나 부제소특약(Covenant Not to Sue), 영업비밀에 관한 계약 등이 있다. 만일 라이선스 계약이나 부제소특약이 있는 경우에는 이를 근거로 소송에서 대응을 할 수 있으므로, 면밀한 검토 후에 계약을 체결하는 것이 바람직하다.

03 내부적인 정보의 관리

기업 등의 조직에 있어서 내부적인 정보에 대한 관리는 아무리 강조해도 지나침이 없다. 비밀성을 보호요건으로 하는 영업비밀의 경우 필수적이며, 그 밖의 특허 등의 기술과 관련하여 분쟁에 대비하기 위한 활동으로서도 아주 중요하다. 예를 들어, 미국에서의 특허침해소송은 미국 민사소송규칙(FRCP)에 의한 증거개시(Discovery)제도가 있는데, 이는 당사자가 소송과 관련한 모든 유무형의 자료를 의무적으로 제출하여야 하는 제도이다. 이러한 의무를 다하지 못하는 경우에는 법원으로부터 일정한 제재(Sanction)를 받을 수 있으며, 아예 실체적 관계와 관계없이 패소할 수도 있으므로, 평상시에 관련 자료나 정보에 대한 관리가 대단히 중요하다. 최근 들어 국내에서도 이와 유사한 제도의 도입이 논의되고 있으므로 기업 등 조직의 입장에서 다각적인 검토와 준비가 필요한 시점이다. 일단 기업은 내부적으로 정보의 관리를 위한 정책을 수립하여야 한다. 흔히 Data Retention Policy(DRP)라 불리는 정보에 대한 관리 정책에는 관리 대상, 목적, 관리 주체, 관리 형태, 접근 권한, 자료의 보전 및 폐기 등을 규정하게 된다. 이러한 관리 정책은 반드시 문서화되어 지켜져야 한다. 이를 통해 내부적인 정보를 보호하도록 하는 것은 영업비밀의 관리 면에서도 매우 중요하며, 침해소송을 대비하는 관점에서도 마찬가지의 의의를 갖는다. DRP의 제정과 내부정보관리의 중요성에 대해 살펴보면 다음과 같다.

① DRP의 자료 폐기 조항에 합당하게 폐기된 정보는 대부분 미국 침해소송에서 정당하게 제출하지 않을 수 있게 되나, 그러한 조항이 없는 경우 그 폐기가 정당한 것이라는 것은 해당 당사자가 충분히 입증하여야 하는 부담을 지게 된다.

② 이러한 정보의 관리 및 폐기 절차가 제대로 규정되지 않으면, 그 정보의 관리가 조직의 구성원 각자의 책임에 의존하게 되므로, 기업의 전체적인 관리에 어려움을 겪을 것이라는 것은 확실하다.

③ 정보의 적절한 관리를 위해서는 꼭 필요한 사람만이 해당 정보에 접근할 수 있도록 체계화하는 것이 바람직하고, 각각 구성원의 접근권한을 세부적으로 제한하여야 한다. 쓸데없는 정보의 공유는 외부로 해당 정보의 유출을 방지할 수 없게 만들며, 이것이 추후 소송이나 분쟁에 있어 아주 불리한 상황에 놓일 수 있게 만든다.

④ 미국에서의 분쟁에 대비하기 위해서는 침해소송 절차에서 증거개시(Discovery)의 대상이 되지 않는 변호사－고객 특권(Attorney-Client Privilege)에 해당하는 것은 반드시 이를 표시하여 관리하는 것이 바람직하다. 또한 해당 소송을 준비하기 위한 자료는 Work Product Immune에 의해 보호되어 법원에 증거로 제출하지 않을 수 있음에 유의하여 이를 관리하여야 한다. 미국 소송과 관련하여서는 소송이 합리적으로 예견되는 때에는 관련 자료를 수정하거나 폐기하지 못하도록 하는 조치를 취하여야 하는데, 이를 소송자료 보호(Litigation Hold)라고 한다. 이러한 명령이 있은 후에는 관련된 자료의 수정이나 폐기가 금지되며, 이러한 행위가 있을 시에는 법원에 대하여 부정행위(Inequitable Conduct)를 한 것으로 간주될 수 있고, 해당 사실에 대해 법원이 그대로 인정할 수도 있으므로, 주의하여야 한다.

04 특허의 보증 · 면책 요구

1. 공급 계약 등의 경우

거래 업체와 물품 공급 계약이나 기술 공급 계약 등을 체결하는 경우, 해당 물품이나 기술의 채용 시 최종 생산품을 제조하는 기업은 적용된 부품이나 기술에 대한 특허침해로 분쟁에 휘말릴 수 있다. 따라서 물품이나 기술을 공급받는 측의 입장에서는 침해가 있는 경우 이를 보증하기 위한 조항(Indemnification)을 계약에 삽입하기를 원하고, 공급하는 측에서는 침해소송으로 인한 위험을 최소화하는 것이 중요하다. 이러한 보증 또는 면책 계약은 양 당사자의 협상력에 의해 좌우되는 경우가 많다. 이러한 계약조항은 흔히 공급자의 의무로 "공급자는 계약 제품의 생산, 사용, 제조, 판매 등에 기안하는 소송에 대한 방어에 있어서 공급받는 자에게 손해가 없도록 하며, 합리적인 변호사 비용을 포함하여 발생하는 모든 비용을 배상하기로 한다."는 식의 조항을 포함하게 된다. 공급자의 입장에서는 "공급 제품 외의 다른 부분으로 인한 소송의 제기에 대해서는 공급자의 책임은 없다."라거나 "공급받는 자의 요구에 의해 채택된 제품 또는 기술에 대해서는 그것이 특허 등의 침해 문제가 발생하는 경우에도 공급자에게는 책임이 없다."는 등의 제한 조항을 포함시키는 것이 바람직하다.

2. 보증 · 면책 외 대안

때에 따라서는 침해 등의 문제로 인한 방어로 발생하는 손해배상의 금액을 일정한 한도로 제한하는 것이 필요할 수도 있다. 또한 공급받는 자의 입장에서 특허 등의 침해 문제가 발생할 가능성이 있다면, 이를 공급자의 비용으로 계속 사용할 권리(라이선스 등)를 확보하거나 대체품의 사용을 요구 또는 개량을 요구할 수도 있으며, 공급자나 공급받는 자가 제3자의 권리를 침해하는 것을 알았을 때는 이를 상대방에게 통지하는 의무를 서로 부과하거나, 공동으로 방어할 의무를 규정할 수 있다.

05 해외 전시회 참가 시의 분쟁 대응

해외 전시회에 참가하는 경우 타인으로부터 지식재산권의 침해를 주장당하거나, 이로 인해 소기의 목적을 달성하기 어렵게 되는 경우가 있다. 따라서 전시회 참가 이전에 침해 문제에 대비하여야 한다. 특히 독일 등의 전시회에서 지식재산권의 침해 문제로 인하여 전시회의 제품이나 홍보자료를 압수당하거나 전시회 참여 자체가 거부당하는 일이 종종 발생하고 있다. 따라서 사전에 전시회의 국가를 대상으로 관련한 지식재산권의 등록을 추진하고, 카탈로그나 홍보물 등에 지식재산권에 대한 표시를 하여야 한다. 또한 전시회 중 자사 제품에 대한 정보를 과도하게 제공하지 않아야 하며, 홈페이지 등에 필요 이상으로 제품이나 기술에 대한 정보를 제공하는 것을 자제해야 한다. 아울러 관련 경쟁사의 특허 등의 지식재산권 현황에 대한 사전 조사와 분석을 하여 침해가능성을 미리 파악하고, 문제가 되는 지식재산권에 대해서는 미리 라이선스를 확보하거나 침해를 회피하여, 무효자료 등을 확보하도록 한다. 특히 독일의 경우에는 전시물에 대한 가압류, 가처분이 전시자의 의견을 청취하는 절차 없이 진행되는 경우가 많으므로, 비침해나 무효를 주장하는 방어서면(Protective Brief)을 현지 변호사를 통해 확보하고, 이를 미리 관할 법원에 사전에 제출하면 가압류 등의 조치를 회피할 수 있다.

06 침해로 인한 분쟁의 대응 역량 확보

침해분쟁이 발생하는 경우 세계 각국의 제도와 법률의 차이로 인하여 예상치 않은 피해를 볼 수 있다. 따라서 자신의 경쟁사나 NPE 등이 보유한 특허 등의 지식재산권을 미리 파악하는 것이 필요하다. 다시 말해 상시적으로 경쟁사 등의 특허에 대한 감시와 분석을 수행하여 미리 문제가 되는 특허에 대한 대응책을 마련하는 것이 바람직하다. 이는 자체적인 인력을 통해 할 수도 있고, 그것이 여의치 않으면 외부의 전문가를 통해 아웃소싱할 수도 있다. 어떤 방식으로 준비를 하여도 조직이 자체적으로 이를 수행하거나 검토하고, 전략을 세울 수 있는 역량을 갖추는 것이 바람직하므로, 조직 내부에 이를 전담할 인력을 확보하고, 관련 인력의 전문성을 지속적으로 강화하는 것이 필요하다. 특히 해당 기업의 수출이나 제조, 판매 등이 이루어지는 국가의 관련 법률과 제도에 대한 지식을 갖추는 것은 필수이다.

07 경쟁자에 대한 특허 감시

기업의 사업범위와 새로운 연구개발을 하는 경우 특허정보를 이용하여 문제가 될 수 있는 특허권이 있는지를 확인하고, 이에 대한 대응책을 미리 준비하는 것이 필요하다. 이를 위하여 경쟁사들의 특허동향을 항상적으로 파악하는 것이 필수적이다. 이를 특허 모니터링(Monitoring) 또는 와칭(Watching)이라고 하는데, 이를 통하여 분쟁에 미리 대비하는 것이 분쟁을 예방하는 중요한 활동이다. 이는 정기적으로 담당자를 정하여 하여야 하며, 문제의 소지가 있는 특허가 발견되면 관련 엔지니어들과 협의하여 회피설계의 방안을 강구하거나, 무효자료를 미리 조사하여 전문가인 변리사에게 의뢰하여 이와 관련된 감정서 내지 보고서를 확보해 놓는 것이 필요하다. 이때 감정서 등의 법률의견서(Legal Opinion)는 해당 특허권이 어느 나라의 것인지에 따라 그 나라의 변리사 또는 변호사로부터 받는 것이 바람직하다. 이러한 특허 감시를 통해 경쟁사의 기술개발 동향을 파악할 수도 있고, 기술의 개발 트렌드도 참조할 수 있어, 연구개발을 하는 데 있어서도 유용하게 활용할 수 있다.

08 경쟁자 특허에 대한 적극적인 대응

경쟁사 특허 모니터링 결과 문제의 소지가 있는 특허가 발견되는 경우에는 이에 대해 회피설계를 하는 방안이 있으나, 때로는 회피를 하기 극히 어려운 경우도 종종 발생한다. 이 경우에 문제가 되는 특허에 대한 적극적인 대응이 필요한데, 만일 해당 특허가 공개된 상태이며 아직 등록이 되지 않았다면 정보제공을 통해 해당 특허의 등록을 저지하는 것이 바람직하다. 만일 문제의 특허가 등록되었다면, 특허권의 설정등록일로부터 등록공고일 후 6개월이 되는 날까지는 이해관계의 유무에 상관없이 특허취소신청을 할 수 있으므로, 이를 이용하여 등록된 특허를 무효시키고, 취소신청기간이 도과하였다면 이해관계가 있음을 소명하여 무효심판을 진행하는 것이 바람직하다. 다만, 이 경우 무효심판의 당사자로서 해당 특허권자에게 드러나게 되어 오히려 특허권자로부터 침해소송 등의 공격을 당할 수 있으므로, 이에 주의하여 전략을 수립하도록 한다. 정보제공, 취소신청이나 무효심판은 해당 특허권의 등록을 저지하거나 등록된 특허권을 소급적으로 무효시키는 방법이기도 하지만, 해당 특허권의 문제의 소지가 있는 특허청구항에 대해 그 권리범위를 좁혀서 당사가 침해의 위험으로부터 벗어나도록 하는 것도 유효한 전략이 될 수 있다.

기출로 다지기

A사는 특허에 대한 선행기술조사를 통해 경쟁사인 B사가 최근 등록받은 특허기술에 의해 자사(A사)의 핵심 상품의 제조 및 판매가 침해대상이 될 수 있음을 인지하였다. 변리사의 입장에서 향후 예상 가능한 특허분쟁 대응 전략 수립을 필요로 하는 A사에 제시할 수 있는 유효한 자문으로 가장 보기 힘든 것은? • 22회 기출

① B사가 특허소송 제기에 앞서 협상에 나설 수 있는 관계를 구축하고 있는가?
② B사는 A사의 침해행위를 멈추게 하고자 하는 니즈가 클 것인가, 이를 용인하는 대신 합리적인 범위에서의 배상액을 바랄 것인가?
③ B사가 특허분쟁을 수행할 수 있는 전문성과 관련 인프라를 갖추고 있는가?
④ B사의 최근 특허소송 수행 경험이나 소송에 대한 적극성은 어떠한가?
⑤ A사가 준비 중인 신상품에 대한 특허보호는 충분한가?

| ⑤ 본 사안의 경우 B사 특허권 침해에 대비하기 위한 A사 담당자 입장에서 고려해야 할 케이스로, 특히 신상품이 아닌 기존 A사의 핵심 상품이 특허침해에 따른 분쟁의 대상물이 되고 있다. 따라서 A사가 준비 중인 신상품에 대한 특허가 B사를 대상으로 하는 Cross License로 활용할 수 있는 경우를 제외하고는 B사와의 어떠한 관계를 찾을 수 없기 때문에 당신의 파트너에게 조언할 수 있는 특허침해 분쟁에 대비하는 사전적 체크리스트라 보기 어렵다. ▶ ⑤

제2절 특허권 행사 및 침해주장의 대응

본 절에서는 특허침해에 대한 주장에 대해 이를 방어하는 단계별 절차 및 전략과 특허권자의 입장에서 특허권의 행사를 위한 전략에 대해 살펴보도록 한다.

01 특허분쟁 방어자의 단계별 대응 전략

1. 개요

특허분쟁은 대략적으로 경고장 수령 → 특허분석 → 대응전략 수립 → 경고장 회신 → 협상 및 라이선싱 → 소송 진행과 같은 순서로 진행된다. 이러한 특허분쟁은 막대한 시간과 비용이 소요되고, 대응을 어떻게 하는가에 따라 그 결과는 하늘과 땅 차이가 되므로, 적절한 대응 전략을 단계별로 수립하고 실행하는 것이 매우 중요하다. 다음은 대략적으로 나타낸 특허침해소송의 흐름도이다.

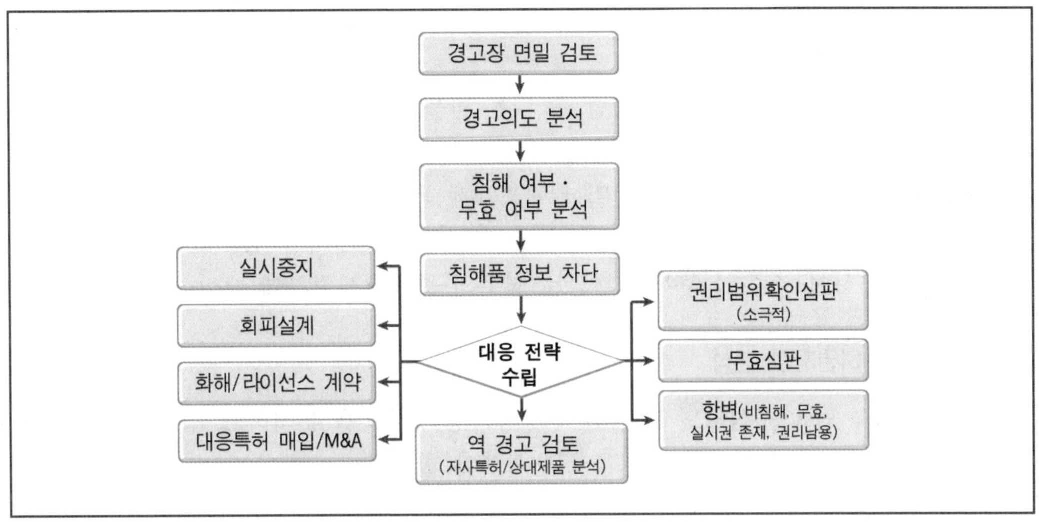

▎특허침해소송의 흐름도

2. 경고장 수령 단계

경고장(Warning Letter)이란 권리자가 자신의 특허권을 침해하는 것으로 판단되는 자에게 특허침해를 중지하라는 요구를 하기 위한 서면이다. 침해로 의심되는 자에 대해 추후 침해가 인정되면 경고장을 수령한 때로부터 고의로 침해한 것이 인정되므로, 우리나라에서는 침해죄가 성립되어 형사적 처벌을 받을 수 있고, 3배까지 고의 침해로 인한 손해배상액의 증액을 받을 수 있으므로, 경고장 수령 시에 적절하게 대응하는 것이 중요하다. 때로는 침해에 대한 경고장만으로 경고장을 수령한 자에게 큰 부담이 되어 이 단계에서 바로 분쟁이 협상 등을 통해 종료되는 경우도 많다. 또한 경고장의 발송이 특허침해소송의 필수적인 단계는 아니므로, 권리자의 성향에 따라서는 경고장 없이 바로 소송을 제기하여 소장을 송달받는 경우도 있음에 주의한다. 미국의 특허소송에서는 침해자에게 받을 수 있는 손해액의 산정에서 특허권자가 특허제품에 특허표시를 하지 않은 경우에는 경고장의 발송 및 수령이 손해액 산정의 기산점이 될 수 있다.

경고장은 대체적으로 특허권자가 특허권을 특허번호 등으로 특정하고, 경고장을 수령하는 자의 어떤 제품이 해당 특허권을 침해하고 있는지를 특정하여, 침해행위를 중지할 것을 요구하는 내용으로 이루어진다. 이 경우 경고장을 수령한 자는 이에 대한 대응을 위한 활동에 돌입하여야 하는데, 이때 검토와 분석을 하여야 할 사항은 다음과 같다.

(1) 특허분쟁 대응 팀 구성

경고장이 접수되면 먼저 이에 대응할 수 있는 팀을 구성하여야 한다. 보통은 경고장 수령자의 특허팀이나 법무팀을 중심으로 관련 분야의 직원들을 포함하게 된다. 이 대응 팀은 신속히 외부 전문가를 선임하여 긴밀한 협조체제를 구축하고, 관련 부서의 직원들을 통해 관련된 정보를 수집하게 된다. 미국 특허침해 분쟁의 경우에는 증거보존 통지(Litigation Hold)를 발동하여 추후 소송이 진행되는 경우의 증거개시절차에 대비한다.

(2) 경고장 및 특허권자의 분석

특허분쟁 대응 팀이 구성되면 그 다음으로 경고장의 내용을 분석하고, 경고장을 보낸 특허권자 및 해당 특허권에 대한 분석을 진행하여야 한다.

① 경고장 내용 분석

먼저 경고장이 해당 특허권을 제대로 특정하고 있고, 침해를 주장하는 제품에 대한 특정을 하고 있는지를 파악한다. 만일 이러한 특정 없이 막연하게 자신의 특허권을 침해하고 있으며, 이를 중지하라는 식의 경고장이라면 경고장에 대한 회신 단계에서 이러한 부분에 대한 특정을 요구하여야 할 것이다.

② 경고장을 보낸 특허권자 및 해당 특허권에 대한 분석

특허권자가 정당한 권리자인지(예 소송을 할 수 있는 권한이 없는 통상실시권자는 아닌지 등)를 파악하고, 해당 특허권자의 성향, 분쟁의 성격, 상대방의 의도에 대한 분석을 수행한다. 특허권자에 따라 단순히 실시료 수입을 위한 경고장의 발송일 수도 있고, 아예 시장에서의 퇴출을 의도하는 경우일 수도 있다. 또한 특허권자의 성향으로 보았을 때 소송을 선호하는지 협상을 선호하는지를 파악하는 것도 중요하며, 만일 NPE에 의한 것이라면 대부분 라이선스를 통한 실시료 수입을 위한 것으로 파악할 수 있다. 이와 더불어 특허권자가 직접 경고장을 보낸 것인지 대리인을 통해 보낸 것인지도 참고한다. 특허권자가 직접 경고장을 보낸 경우라면 협상을 통한 라이선스를 요구하는 경우가 많고, 대리인을 선임하여 대리인을 통해 경고장을 보낸 것이라면 소송까지 염두에 두었을 가능성이 있다고 판단할 수 있다.

3. 특허권의 분석

(1) 특허권의 유효성 분석

경고장 및 특허권자의 분석과 함께 중요한 단계로서, 침해를 주장하는 특허권에 대한 분석이 필요하다. 이와 관련해서는 해당 특허권이 정당하게 권리가 유효한 특허권인지를 먼저 파악한다. 종종 해당 국가에 유효하게 유지되고 있지 않은 특허권을 기초로 침해를 주장하는 경우도 있으므로, 특허권의 유지료를 정당하게 납부하고 있는 것인지, 특허권자가 해당 특허권의 특허권자 또는 전용실시권자가 맞는지 등을 먼저 판단한다.

(2) 특허권의 권리범위 분석

특허권의 분석과 함께, 자사 제품이 해당 특허권을 침해하는지에 대한 판단을 하게 되는데, 이는 고도의 전문성을 필요로 하는 것이므로 해당 기업의 특허 팀과 외부 전문가의 협업에 의해 진행하는 것이 일반적이다. 이에 대해서는 구성요소완비의 법칙(All Element Rule), 균등론(Doctrine of Equivalent), 간접침해(Indirect Infringement) 등을 면밀히 검토하고, 자유기술의 항변, 공지기술 제외, 명세서의 상세한 설명 참작의 원칙, 권리 소진(Exhaustion), 출원경과 참작의 원칙(Prosecution History Estoppel 또는 File Wrapper Estoppel) 등을 모두 고려하여야 한다. 이러한 법리는 대부분의 국가에서 정도의 차이는 있으나 채택하고 있는 법리이므로, 반드시 이를 고려하여 권리의 범위를 확정하는 것이 필요하다.

4. 특허권의 무효화 검토

(1) 무효화 절차

경고장을 받은 자는 특허권의 권리범위를 검토한 후에 자신이 실시하고 있는 기술이 경고장을 송부한 특허권자의 특허권을 침해하는 것으로 판단될 때는 침해소송 중 무효심판 등의 방법을 통해 특허권의 무효화를 시도할 수 있다. 각 국가별로 무효화를 위한 절차는 상이한데, 한국이나 중국, 대만, 일본, 독일을 비롯한 유럽의 여러 나라들에서는 무효화 절차와 침해소송의 절차가 별개이다. 따라서 이 같은 국가에서는 침해소송이 발생하기 전에 또는 소송이 제기된 때에 침해를 주장받은 자가 무효심판을 청구하는 것이 유력한 방법이다. 반면, 미국에서 특허의 무효는 연방지방법원의 침해소송에서 같이 다루어지며, 피고는 침해소송 중에 특허청의 특허심판항소위원회(PTAB : Patent Trial and Appeal Board)에 특허의 무효를 주장하며 당사자계 재심사(IPR : Inter Partes Review)나 등록 후 재심사(PGR : Post Grant Review) 등을 제기할 수 있고, 침해소송이 제기되지는 않았으나 그 개연성이 높은 경우에 비침해 및 무효확인소송(Declaratory Judgment Action)을 할 수도 있다. 만일 DJ Action을 진행하면 IPR은 중복하여 제기할 수 없으므로, 신중하게 전략을 수립하여야 한다.

(2) 무효자료조사

특허권의 무효화를 위해서는 해당 권리를 신규성이나 진보성이 없다고 주장할 수 있는 무효자료로서의 선행기술을 조사하여야 한다. 무효자료는 전 세계의 어떠한 자료라도 유효하며, 해당 출원일 이전에 공지된 선행기술이야 한다. 또한 해당 특허권의 출원일 전에 이미 공개적으로 사용되는 공용의 기술이라는 점을 입증할 수도 있다. 또한 특허권의 무효화는 당해 특허의 청구범위에 해당하는 기술이 특허의 대상으로 적격성이 없는 경우(예 추상적인 아이디어에 불과하거나, 자연법칙에 불과한 것이라는 등)에도 무효가 될 수 있으며, 명세서의 기재요건에 적합하지 않은 경우에 기재불비로 무효가 될 수 있다. 특히 미국의 경우 해당 특허권의 취득 과정에서 특허청을 속이려는 의도가 개입된 경우에는 이를 부정행위(Inequitable Conduct)라고 하여 해당 특허권의 행사가 제한될 수 있다. 부정행위는 특허출원의 심사 과정 중에 출원인이 알고 있는 중요한(Material) 선행기술을 IDS로 고의로(Intent to Deceive) 제출하지 않은 경우나, 명세서에 제시된 기술에 대한 설명이 허위로 판명 나는 경우 등이 있다. 또한 공동발명자의 누락이나 허위 발명자가 포함된 경우에도 이에 해당할 수 있으니 주의하여야 한다. 이 경우에는 특허권의 행사가 제한되어 권리를 행사할 수 없는(Unenforceable) 껍데기만 남은 특허가 될 수 있다.

(3) 표준특허와 FRAND

삼성전자와 애플 간의 소송에서도 문제가 된 표준특허(SEP : Standard Essential Patent)의 경우에는 표준특허로서의 사전 공표를 대부분의 국제 표준화기구에서 채택하고 있다. 따라서 이를 위반하여 표준기술에 해당하는 특허를 공개하지 않고 있다가 이를 근거로 침해소송을 제기하는 경우에도 부정행위에 해당할 수 있다. 그리고 표준특허에 있어서는 FRAND 의무가 있으므로, 이에 위반된 경우에도 특허침해를 주장할 수 없게 될 수 있다. FRAND란 Fair, Reasonable And Non-Discriminatory의 약자로, 표준화기구 회원사가 따라야 할 규칙이며, 각 회원사는 표준화기구에 의해 표준으로 채택된 기술(내지 특허)의 라이선스 계약에 공정(Fair)하고, 합리적이며, 차별 없이 임해야 한다는 원칙이다. 따라서 표준특허의 특허권자는 FRAND 선언을 하여야 하고, 이를 준수하여야 하는 의무가 있다. 앞서 언급한 삼성과 애플 간의 미국 무역위원회(ITC : Internaional Trade Commission) 소송에서 ITC는 삼성전자의 표준특허에 대해 수입금지의 결정을 하였지만, 오바마 미국 대통령은 이에 대한 거부권(Vito)을 행사하여 수입금지를 기부한 바 있다.

(4) 소송에서의 항변

이상과 같은 무효자료 조사를 통한 무효화 자료는 침해소송에서 침해를 주장받은 자의 항변사항이 될 수 있다. 특허권자가 특허침해를 이유로 침해소송을 제기하여 진행하는 중에 법원에 피고인 침해자는 해당 특허권이 무효임을 주장할 수 있다. 이러한 항변을 통해 해당 특허의 무효임을 확인받을 수 있다면, 특허침해소송에서 유리한 위치를 차지할 수 있다. 우리나라에서도 당연히 무효가 되어야 할 특허권에 기한 침해소송은 특허권의 남용(권리남용)에 해당하여 허용되지 않는다는 것이 판례[64]의 입장이다.

5. 침해주장이 타당한 경우의 대응 방안

(1) 실시 중지

침해주장이 타당하다고 판단된 경우 일단 실시를 중지한다. 다만, 실시를 중지한 경우에도 과거의 실시행위에 대해서 특허권자가 손해배상을 청구할 수 있다.

(2) 회피설계

향후 실시를 위하여 특허권에 저촉되지 않도록 청구항의 일부 구성요소를 실시하지 않거나, 다른 내용으로 치환하여 사용할 수 있는지 여부를 검토한다.

64) 대법원 2012. 1. 19. 선고 2010다95390 전원합의체 판결

(3) 대응특허 검토

특허권자가 실제 실시하고 있는 제품을 분석하고 상기 특허권자의 제품이 침해가 될 수 있는 특허를 보유하고 있는지 여부를 검토한다. 만일 제3자가 이와 같은 특허를 가지고 있는 경우 매입하거나 전용실시권 등을 설정하여 협상에 활용한다.

(4) 실시권 계약 또는 특허 매입

특허권자와 라이선스 계약을 체결하거나, 특허권자의 특허를 적극적으로 매입한다. 한편, 대응특허가 존재하는 경우 대응특허를 활용하여 크로스 라이선스를 체결한다.

6. 침해주장이 부당한 경우의 대응 방안

(1) 해당 기업의 기본 전략을 확인하고, 대응 전략의 일관되고 탄력적인 대응

특허침해 분쟁을 인지하고 난 후, 이에 대한 기본 방침을 세우는 것이 중요하다. 기본적으로 소송을 할 것인지, 협상을 통해 합의로 분쟁을 끝낼 것인지에 대한 기본 방침이 정해져야 한다. 물론 이러한 기본 방침은 상대방의 전략 및 대응에 따라 변화할 수 있으나, 기본적인 방침이 세워져야 이에 따른 일관되고 효과적인 대응이 가능해진다. 이러한 결정을 위해서는 먼저 상대방의 의도를 분석하고, 해당 특허권의 분석과 전체 사업상의 고려가 이루어져야 함은 물론, 소송에 따른 기회비용과 협상에 따른 비용에 대한 고려가 있어야 한다.

① 상대방의 의도 분석

상대방의 의도와 특성을 고려할 때는 특허권자가 비실시기업인지 경쟁사인지에 따라 상황이 전혀 달라질 수 있다. 비실시기업은 일반적으로 실시료 수입을 위한 협상에 적극적이어서 상대적으로 의도에 대한 파악이 용이하나, 경쟁사의 경우에는 특허침해소송을 통해 라이선스 계약을 체결하여 실시료 수입을 얻으려는 것인지, 시장에서의 퇴출을 의도하는 것인지에 따라 그 대응이 판이하게 달라질 수 있는 것이다. 또한 비실시기업의 경우에는 크로스 라이선스(Cross License)의 여지가 거의 없다는 것을 고려하여야 한다.

② 특허권의 분석

기본 방침을 수립하는 경우 고려하는 사항에 있어 중요한 것은 특허권에 대한 분석이다. 특허권의 청구범위를 분석한 결과 특허에 대한 비침해, 무효, 행사불능(Unenforcement)의 가능성이 희박한 경우에는 침해소송에서 승소가 어려울 수 있으므로, 협상을 통한 라이선스의 취득이 기본 방침이 될 수 있다. 반면, 해당 특허권의 비침해, 무효 등이 충분히 가능한 경우에는 적극적인 침해소송에 대한 대응을 할 수 있다. 이 경우 주의하여야 할 점은 특허권의 무효나 비침해는 최종적으로 법원의 판단에 의하여야 하나, 전문가인 변호사나 변리사의 의견은 법원에 제출할 수 있는 유력한 증거가 될 수 있고 이를 근거로 해당 특허발명을 실시하는 경우에는 고의침해를 회피할 수 있는 경우가 많으므로, 먼저 침해소송의 초기에(더 바람직하게는 특허침해소송의 제기 이전에) 전문가의 법률 의견서를 받아 놓는 것이 바람직하다.

③ 소송에 따른 비용과 협상에 따른 비용에 대한 고려

만일 소송을 통한 해결이 훨씬 비용이 많이 들 것으로 예상된다면 협상을 통한 분쟁의 해결에 노력을 기울이는 것이 바람직할 수 있다. 물론 이에 대한 고려는 해당 기업의 사업 분야 및 향후 전망, 해당 특허권자의 성격 등이 영향을 미치게 된다. 특히 NPE의 경우에는 유사한 특허를 가진 수많은 NPE가 존재할 수 있으며, 한번 협상으로 라이선스 계약을 맺으면 유사한 특허권을 가진 다른 NPE들의 먹잇감이 될 수도 있으므로, 신중히 고려하여 대응하여야 한다.

(2) 협상과 소송

① 협상

소송과 협상은 특허침해 분쟁의 대표적인 해결 방법이다. 이 방법에는 각각 장단점이 있는데, 되도록 소송보다는 협상에 의해 분쟁을 해결하는 것이 바람직하다. 왜냐하면 소송을 통한 분쟁의 해결은 소송의 과정에서 시간과 비용을 많이 들여야 하며, 소송의 승패를 예측하기 힘든 경우가 대부분이기 때문이다. 또한 소송에서 승소를 하더라도 오랜 소송으로 인하여 연구개발의 기회를 잃고 시장의 트렌드에 적극적인 대응을 하지 못하여 시장에서의 지위를 잃어버리는 경우가 종종 있는 것이 현실이다. 따라서 협상에 의해 시장에서의 사업의 자유도를 높이고, 분쟁의 융통성 있는 해결을 통해 안정적인 사업을 수행하도록 하는 것이 우선이라 볼 수 있다.

② 소송

협상에 의한 해결이 어려운 경우에는 소송이 불가피한데, 이는 특허권자의 입장이 완강한 경우이다. 이때는 소송에 대한 적극적・전략적인 대응으로 과도한 실시료를 절감하고, 다른 경쟁자들이나 비실시기업이 볼 때 적극적인 소송을 통해 쉽게 협상을 통한 라이선스가 어려운 존재임을 각인시켜 뒤이은 소송을 미연에 방지할 수 있는 장점이 있다. 그러나 소송은 막대한 비용과 시간을 요하고, 그동안 사업의 불투명성이 증대되는 문제가 있다. 또한 소송에 의한 분쟁의 해결은 패소 시에 해당 사업에서 철수를 하여야 하는 등 막대한 위험(Risk)을 부담하게 된다. 게다가 미국의 경우에는 고의침해로 인정되는 경우 3배까지 손해배상액이 증가될 수 있는 위험이 있으며, 분쟁으로 인하여 시장에서의 신뢰가 실추될 우려도 있다. 다만, 경우에 따라서는 삼성전자와 애플의 소송에서처럼 분쟁의 상대방이 시장의 첨단 기술을 가진 선두기업인 경우 소송으로 인해 오히려 더 많은 홍보 효과를 얻을 수도 있으므로, 일률적으로 소송을 반드시 피해야 하는 것은 아니다. 특허권자의 입장에서는 특허침해가 명백하고 신속한 법적 조치가 없어 회복할 수 없는 손해(Irreparable Damage)가 있다고 판단되면, 침해행위 금지를 신속하게 처리할 수 있는 가처분을 구할 수 있으므로 이를 고려할 필요도 있다. 가처분 소송은 본안판결 이후에 손해배상을 받기 어려운 상황에서 유용하게 이용할 수 있으나, 가처분 소송의 요건이 엄격하여 받아들여질 가능성이 높지 않으며, 가처분 결정 후에 본안소송에서 패한 경우 이에 따른 손해를 배상하여야 하는 경우가 있으므로 주의를 요한다.

(3) 재판외 분쟁해결 수단의 고려

소송과 협상 이외에 분쟁을 해결하는 수단으로는 중재(Arbitration)와 조정(Mediation)이 있다. 이는 흔히 대안적 분쟁해결 내지 재판외 분쟁해결(ADR : Alternative Dispute Resolution)의 수단이 된다. 특히 비용이 많이 소요되는 지식재산권 관련 분쟁에서 ADR을 통한 분쟁해결은 점차 많이 이용되고 있다. 이에 대해서는 본 장의 제4절에서 재판외 분쟁해결에 대해 설명하기로 한다.

7. 경고장의 회신

경고장을 받았다 하더라도 그에 대한 회신이 법적으로 강제되는 것은 아니다. 통상 특허권자는 구체적인 특허권에 대한 침해를 주장하며 경고장에 대한 회신을 요구하게 된다. 이 경우 흔히 경고장의 회신기간을 정해 요구하는 경우가 많은데, 이러한 기한은 임의적으로 정한 기간이므로 경고장 수령인이 이 기한을 반드시 지켜야 하는 의무는 없다. 그러나 아무런 회신 없이 경고장에 대한 회신을 미루는 것은 특허권자로 하여금 감정적인 대응을 하게 하거나, 경고장 수령인이 협상의 의지가 없는 것으로 간주되어 소송으로 바로 이어질 우려가 있으므로 적절한 기한 내에 회신을 하는 것이 바람직하다. 특히 미국의 경우에는 적절한 기한 내에 경고장에 대한 회신을 하지 않고 무대응으로 일관하는 것은 이후 소송에서 불성실한 태도로 인정되어 불리한 입장이 될 수도 있으므로 주의하는 것이 좋다.
경고장의 회신은 경고장의 내용 및 앞에서 살펴본 검토할 사항에 대한 분석 결과에 따라 상이할 수 있다.

(1) 침해 내용이 명확하지 않은 경고장에 대한 회신

먼저 경고장이 구체적으로 어떤 제품이 어떤 특허를 침해하였는지에 대해 명확하게 밝히지 않은 경우 경고장에 대한 회신은 구체적으로 침해를 주장하는 특허와 침해하는 제품에 대한 특정을 요구하고, 상대방의 특허권에 대한 존중을 하겠다는 정도의 취지를 기재하는 것으로 충분하다. 경고장의 회신은 되도록 대표이사의 명의로 하는 것보다 지식재산 부서의 책임자나 법무 부서의 책임자 등의 이름으로 하는 것이 바람직하다. 소송으로 비화되는 경우 대표이사의 회신은 상대방의 증인심문을 요청하는 경우 이를 거부하거나 다른 주장을 하기 어려워질 우려가 있다.

(2) 내용이 충실히 기재된 경고장에 대한 회신

경고장의 내용이 충실히 기재되어 있는 경우에도 구체적인 침해의 특정(예 해당 특허권에 대한 클레임 차트와 침해제품과의 관계에 대한 설명, 이에 대한 증거 등을 요구)을 요구하며 최대한 간략하게 기재하고, 뒤에 의무를 부담할 수 있는 표현은 기재하지 않는 것이 바람직하다. 특히 침해사실과 관련한 사항에 대한 자인이나 사죄 등의 내용은 이후 소송 과정에서 절대적으로 불리한 증거가 될 수 있으므로 냉정하고 형식적인 내용의 회신을 하는 것이 좋다.

⑶ 경고장의 회신 시 주의할 점

① 일반적 초기 대응

경고장의 회신 시 주의할 점은 침해를 주장하는 경고장의 내용에서 자신의 제품에 대해 자세히 설명하며 어떤 이유 때문에 자신의 실시행위가 침해에 해당하지 않는다고 주장하는 서면을 회신하는 것이다. 침해행위에 대한 입증책임은 특허권자가 부담하는 것이므로, 회신을 하는 자는 단순히 해당 특허권을 침해하지 않았다는 주장으로 충분하며, 어떤 부분 때문에 비침해라는 등의 주장을 할 필요가 없다는 것을 명심한다. 경고장의 수령인은 잠정적이고 형식적인 회신을 통해 특허권에 대한 분석 및 대응 전략을 수립하기 위한 시간을 버는 것이 유리하다. 전략을 수립하는 것 외에도 경고장을 수령한 측은 해당 특허권을 행사하는 국가의 현지대리인을 선임하여 현지대리인의 법률의견서(Legal Opinion)를 확보하기 위한 시간이 상당히 필요하므로, 과도하게 신속한 대응은 바람직하지 않다. 또한 회신 기간을 정하여 그때까지 회신이 없는 경우에는 더 이상 권리행사를 할 의사가 없는 것으로 간주하겠다는 내용으로 회신을 하는 것도 필요하며, 이 사본을 추후 소송에서 증거로 제출하기 위하여 대리인에게 송부해 그 내용의 정확성을 보증해 놓는 것이 바람직하다.

② 추가적 대응 시 주의할 점

경고장에 대한 회신에 따라 특허권자가 다시 답변을 보내 온 경우, 이에 대해 구체적인 침해행위를 특정하고 일부 증거나 근거를 첨부하여 다시 회신을 요구하는 경우가 있다. 물론 이러한 회신 없이 바로 소송을 하는 경우도 있다. 다시 회신을 요구하는 경우에 이에 대한 실질적인 내용의 회신을 하여야 하는 경우가 많은데, 이 경우 비침해나 무효 등으로 침해에 대한 대응을 확실히 할 수 있다고 판단되는 경우에는 이를 확실히 밝히며 해당 특허권에 대한 비침해를 주장하는 회신을 보내거나, 침해가 아니고 상대방의 특허는 무효사유가 있다는 주장을 할 수도 있다. 이 경우 무효주장 시 구체적인 특허권을 무효로 할 수 있는 증거나 선행기술이 있음을 주장하는 것까지는 괜찮으나, 이를 특정하여 선행기술을 제시하는 등의 행위는 상대방인 특허권자가 소송에 이르기 전에 미리 이에 대한 대책을 세울 수 있게 하므로, 바람직하지 않다.

⑷ 협상 제안

확보된 시간 동안 검토를 한 결과 침해가 될 개연성이 충분하고, 무효의 가능성이 높지 않다고 판단되면, 협상을 통한 라이선스 확보를 제안해 볼 수 있다. 무효자료를 확보한 경우에도 법원이나 특허심판원의 무효확정 결정 이전에는 이를 확신할 수 없고, 소송의 과정에서 시간과 비용의 낭비보다는 협상에 의한 라이선스 확보가 유리하다고 판단되면, 협상을 제의할 수도 있다. 이러한 협상에서 무효자료의 확보는 실시료를 획기적으로 낮추는 데 결정적인 협상카드가 될 수 있으므로, 큰 의미를 가진다.

(5) 회피설계 시도

가능하다면 특허권자의 특허권을 회피할 수 있는 회피설계(Design Around)를 시도하여야 한다. 특허권자의 경고 이후에도 침해를 지속하는 경우 이후 소송에서 패소하면 고의에 의한 침해로 판단받을 가능성이 높아져, 한국에서는 형사고소의 대상이 될 수도 있다. 또한 한국과 미국 등의 경우에는 3배의 손해배상액의 증액이 될 수도 있으며, 때에 따라 상대방의 소송비용까지 떠안을 수 있기 때문에 회피설계가 가능하다면 바로 회피설계를 시도하여야 한다.

8. 협상 및 라이선싱

(1) 협상

경고장에 대한 회신 및 특허권, 특허권자에 대한 분석, 무효화 시도 등과 함께 협상을 하는 것을 기본 전략으로 채택했다면 협상에 대한 준비와 전략을 수립하여야 한다. 협상은 사전 협상 단계와 본 협상, 후속 협상 등으로 대략적인 구분을 할 수 있다. 본 협상은 기술 협상과 비즈니스 협상으로 나누어 볼 수 있다. 사전 협상 단계는 협상을 위한 준비 단계이다.

① 협상의 준비

협상을 위한 준비는 협상팀의 구성, 협상 테이블의 제의, 협상의 기본 가이드라인 및 전략 수립의 단계로, 이를 위한 가능한 많은 정보와 선례를 구하여야 한다. 협상을 위한 전략으로 어떤 부분은 협상의 대상이 되며, 어떤 부분은 협상할 수 없는 부분인지, 또 어떤 부분은 양보할 수 있고, 어떤 부분은 관철할 것인지를 명확히 하여 협상에 임하여야 한다. 협상 테이블에 나가기 전에 상대방에 대한 최대한의 정보를 파악하고, 협상에 임하는 협상자에 대한 조사도 반드시 필요하다. 상대방 협상자의 성향이나 기업문화, 기술 관련 정보 등에 대한 최대한의 정보를 확보하여 전략을 수립하는 것이 바람직하며, 가장 중요하게는 협상의 목표에 모든 것을 조율하여 준비하여야 한다.

② 협상 테이블

협상의 준비를 거치면 본 협상 테이블이 열리게 된다. 협상 테이블에서는 항상 갈등과 교착이 있기 마련인데, 이때 감정적인 대응은 오히려 협상의 주도권을 상대방에게 넘겨주는 결과로 이어질 수 있다. 협상이 교착에 이르면 휴식과 내부적인 재협의의 시간을 벌어 제3의 대안을 모색하는 것이 필요하기도 하다. 어떠한 협상안에 대해서도 협상 테이블에서 바로 이를 수용하는 것은 바람직하지 않다. 물론 많은 사전 검토를 거친 사안에 대해서는 전격적인 합의에 이를 수 있지만, 그렇지 않은 경우에는 협상 테이블에서 해당 사안에 대해 바로 모든 경우의 수를 판단하는 것이 불가능한 경우가 많으므로, 이에 대해서는 휴식을 가지고 논의를 하여 결정하거나 다음 협상 테이블로 미루는 등

최종 결정권자의 추인이 필요하므로 잠정적인 합의임을 명시하여 합의하는 것이 바람직하다. 따라서 협상 테이블에서는 대표이사나 최종 결정권을 가진 사람이 협상에 임하는 것은 극히 위험하다. 본 협상이 진행되는 경우에는 협상의 결렬을 대비하기 위해 협상 테이블에서 논의되는 부분을 반드시 기록하여야 하며, 양 당사자가 해당 협상 테이블이 마무리될 때 그 내용을 확인하고 서명하여 교환하는 것이 바람직하다. 또한 협상 내용을 외부로 알리지 않도록 비밀유지계약(Non-Disclosure Agreement)을 협상 전에 미리 체결하는 것이 바람직하다.

③ 기술 협상과 비즈니스 협상

기술 협상은 해당 특허권에 대한 침해에 관한 논의를 하는 협상이며, 비즈니스 협상은 라이선스를 위한 협상이다. 기술 협상에서는 해당 특허권에 대한 침해 여부, 특허권에 대한 권리범위 해석, 무효가능성에 대한 협상이 이루어지고, 비즈니스 협상에서는 라이선스에 대한 협상이 이루어진다. 기술협상에서 해당 특허권자는 침해에 대한 입증을 하여야 하고, 손해액을 입증하거나 이를 위한 자료의 제출을 요구하기도 한다. 침해자의 입장에서는 비침해를 주장하거나 무효자료의 제시를 통해 무효가능성이 있음을 주장하고, 실시료의 감액을 주장한다. 또한 침해자의 입장에서 자신의 특허권에 대해 경고장을 보낸 자도 침해에 해당할 수 있다는 주장을 통해 상호 간의 크로스 라이선스를 제안할 수도 있다. 기술 협상을 통해 어느 정도 특허권의 권리범위와 침해 여부 등이 확인되면 비즈니스 협상으로 들어가게 된다. 비즈니스 협상의 경우 기술 협상과 동일한 협상팀이 수행할 수도 있고, 인원을 변경하여 참여할 수도 있다. 각각의 경우 장단점이 있으나, 기술 협상은 법무 팀이나 지식재산팀이 주도하는 경우가 많고, 비즈니스 협상은 재무·경영지원·회계 팀 등이 주도하는 협상이 될 수도 있다. 다만, 기술 협상에 참여했던 인원을 전부 배제하는 것은 비즈니스 협상의 원활한 진행에 장애가 될 수 있으므로, 되도록 연속선상의 협상을 위해서는 일부 인원은 겹치게 하는 것이 바람직하다.

④ 계약서의 초안 작성

협상의 진행은 앞서 언급한 바와 같이 먼저 계약서의 초안 또는 계약조건의 정리문서(Term Sheet)를 작성한 자가 그 틀에서 먼저 협상을 주도하는 경우가 많다. 이는 모든 협상이 끝난 후 이를 계약서로 만드는 과정도 마찬가지이다. 왜냐하면 아무리 충분한 협상과 합의를 했어도 이를 문구화하는 경우에 일부 유동성 있는 표현이 있을 수 있고, 이 경우 계약서 초안을 작성하는 측이 유리하게 문구를 조정할 수 있는 여지가 있기 때문이다. 이 때문에 영미법에서는 특히 계약서를 작성한 자가 유리하게 계약서를 작성할 가능성이 높으므로 계약서 해석이 모호한 경우에는 작성자가 불리한 쪽으로 해석하여야 한다는 원칙이 있을 정도로, 계약서 초안을 작성하는 자가 유리한 경우가 많다.

(2) 계약서 검토 및 작성

① 개요

계약서의 작성 및 검토는 해당 기술에 대한 가치평가가 필요하고, 라이선시나 라이선서의 사업계획과 시장의 전망, 실시료의 지급능력, 기술이나 제품의 라이프 사이클(Life Cycle), 특허권의 존속기간, 특허권의 권리범위의 광협, 기술의 완성도, 활용범위, 크로스 라이선스 가능성 등을 다양하게 고려하여야 한다.

② 제3자의 권리 분석

특허권자와 라이선스 계약을 체결한다고 해도 라이선시가 제3자의 또 다른 권리로부터 자유로운 것은 아니므로, 제3자의 특허권을 침해하는지 여부에 대한 검토도 진행되어야 한다. 만약 이러한 위험이 있는 경우에는 라이선스 계약을 포기하거나 라이선스 계약 조항에 이에 관하여 라이선서의 의무를 부과하는 조항을 넣을 수 있다.

③ 라이선스의 범위 검토

계약서를 작성할 때는 라이선스의 범위에 대한 고려가 필수적인데, 라이선스의 종류가 통상실시권인지 전용실시권인지를 명확히 하고, 실시권의 지역적・시간적 범위와 라이선시가 어떤 제품에 사용할 것인지에 따라 매우 다양한 계약이 이루어질 수 있다. 계약에 의한 실시권의 설정은 사적 자치의 원칙에 의해 다양한 조건과 제한을 둘 수 있는데, 기간을 한정하거나 실시할 수 있는 지역이나 실시 제품 또는 형태를 한정할 수 있다.

④ 양도 및 재실시권 검토

실시권을 설정받은 자가 다시 이를 제3자에게 양도하거나 재실시권(Sublicense)을 설정하는 것이 가능한지 여부는 각 국가마다 상이하다. 예를 들어, 한국에서 실시권자는 계약상의 다른 정함이 없는 경우 특허권자의 동의 없이 자신의 실시권을 양도하거나 재실시권을 설정하는 것은 불가능하나, 중국에서는 계약상의 다른 정함이 없는 경우 자유롭게 이를 양도하거나 재실시권을 설정할 수 있음에 유의한다. 따라서 라이선서의 입장에서는 계약서에 이에 관한 사항을 명시적으로 확정하는 것이 필요하다.

⑤ 소송의 권한

전용실시권자는 자신의 전용실시권을 침해하여 제3자가 특허발명을 실시하는 경우에 소송을 할 수 있는 권리가 있는 반면에 통상실시권자는 이러한 권리가 없다. 미국의 경우 독점적 라이선시는 자신의 권리를 보호하기 위해 계약상의 제한이 없으면 대부분 소송을 제기할 수 있는 권리가 있는 것이 일반적이다. 특허권자의 입장에서 전용실시권을 설정한 경우에는 이에 중복되는 실시권을 설정할 수 없으나, 통상실시권의 경우에는 이를 중복적으로 여러 사람에게 설정할 수 있다.

⑥ 개량기술에 관한 사항

라이선스 계약에 있어서 중요한 부분이 개량기술에 관한 부분인데, 라이선시의 입장에서는 계약 후에 라이선서에 의해 개량된 기술로 특허를 받은 경우 기존의 계약에 이 기술에 대한 사용이 포함되도록 규정하는 것이 유리하고, 특허권자의 입장에서는 개량기술에 대해서는 계약상 라이선시가 사용할 수 있는 기술에서 제외하는 것이 유리할 수 있다. 따라서 라이선시의 입장에서는 해당 기술로부터 파생되는 기술, 개량되는 기술을 라이선스 계약의 내용에 포함시키거나 최소한 동일한 조건으로 라이선스를 체결하여야 한다는 의무를 라이선서에게 부과하는 것이 바람직하다.

⑦ 실시료 관련 사항

라이선스 계약의 가장 중요한 조항이라고 할 수 있는 것이 실시에 대한 대가로서의 실시료에 관한 부분이다. 실시료에 관한 조항은 실시료율, 실시료 부과의 대상, 실시료의 지급, 관련 감사(Audit) 조항 등이 될 것이다. 실시료율은 크게 경상실시료(Running Royalty), 징액실시료로 나눌 수 있고, 이 둘을 같이 규정할 수도 있다. 경상실시료는 해당 제품의 매출 또는 이익에 따라 일정 비율로 실시료를 지급하는 것이고, 일시금으로서의 정액실시료는 라이선스의 대가로 한번에 또는 이를 나누어 수년에 걸쳐 정해진 일정 금액을 지급하는 방식이다. 이 두 가지를 같이 규정하는 방식은 처음에 일시금(Initial Payment 또는 Down Payment)으로 일정액을 지급하고, 계약기간 중에 일정 기간(매년 연말 기준)에 매출액 또는 영업이익을 기준으로 일정 비율의 금액을 지급하는 방식으로 가장 널리 이용되는 방식이라 볼 수 있다. 이러한 실시료율은 해당 기술 분야의 알려진 실시료율이나 해당 제품에 특허기술이 기여한 정도 등을 평가하여 양자 간의 합의에 의해 정하게 된다.

9. 특허침해소송 단계

특허권자와의 협상이 결렬되는 경우나, 특허권자가 협상에 의한 실시료 수입을 올리는 것을 의도하지 않고 소송을 통해 침해금지를 원하는 경우, 또는 침해를 주장받은 자가 라이선스를 받길 원하기보다는 비침해 또는 무효를 통해 특허권자의 권리행사를 저지하는 것이 바람직하다고 판단하는 경우 등에는 불가피하게 소송이 진행된다.

(1) 특허권자의 소송 제기

소송의 제기는 특허권자가 법원에 소장을 제출하면서 시작된다. 이때 법원에 소장이 제출되면 이를 소송의 피고(침해를 주장받은 자)에게 송달하게 된다. 소장의 송달은 한국에서는 법원이 하게 되나, 미국의 경우에는 소장을 제출한 원고가 직접 하게 되므로, 특히 한국에만 영업소의 주소가 있는 경우에는 최소 2~3개월의 소장 송달을 위한 시간이 필요한 경우가 많으며, 소장을 법원에 제출하고 소장 송달이 이루어지지 않은 상태에서 협상을 제의하는 경우도 있다.

⑵ 피고의 대응

소송이 제기되면 특허침해를 주장받은 피고는 소장의 내용에 따라 대응하게 되는데, 여기에는 소극적인 대응과 적극적인 대응이 있을 수 있다. 피고의 입장에서는 경고장 수령 이후 많은 조사와 분석을 통해 대응 전략을 수립하였다면 이에 따라 소송의 전략을 점검하고 이를 수행하여야 한다. 소극적인 대응이란 원고인 특허권자가 소송에서 주장하는 바에 대해 반박하는 주장과 이를 입증하는 증거의 수집이라 할 수 있고, 적극적인 대응은 해당 특허권의 하자와 무효사유를 적극적으로 입증하는 대응이다. 적극적인 대응의 대표적인 방법은 무효심판이며, 만일 무효심판에 의한 무효심결이 확정되면 해당 특허침해소송은 소송물인 특허권이 소급적으로 없었던 것으로 확정됨으로써 법원에서는 소송물이 없어져 각하판결을 한다. 이와 함께 피고의 입장에서는 소극적 권리범위확인심판을 제기할 수도 있다. 소극적 권리범위확인심판은 자신의 실시 기술이 특정 특허권의 권리범위에 속하지 않는다는 심결을 구하기 위해 특허심판원에 제기하는 심판이다. 다만, 이러한 소극적 권리범위확인심판에서 승소하여 해당 특허권의 권리범위에 속하지 않는다는 심결을 받더라도 이는 침해소송에서 유력한 증거는 될 수 있지만 법원이 이러한 심결에 구속되는 것은 아니므로 주의를 요한다. 따라서 이러한 권리범위확인심판에 대한 존치에 대한 논의도 있는 것이 현실이다.

⑶ 외국의 경우

중국이나 대만, 일본 및 독일을 비롯한 유럽의 여러 나라에서는 한국의 경우와 마찬가지로 침해소송과 무효심판의 절차는 별개이나, 미국의 경우에는 침해소송에서 특허권의 무효에 대한 판단을 하고 있기 때문에 대응하는 방법이 달라질 수 있다. 그러나 미국의 경우에도 특허권의 무효를 다툴 수 있는 별개의 절차가 있다. 만일 특허권자의 침해소송이 제기되기 전에는 일정한 요건하에 비침해 및 무효확인소송(Declaratory Judgment Action)을 제기할 수 있으며, 특허권의 등록 후 9개월까지는 등록 후 재심사(PGR : Post Grant Review)를, 등록 후 9개월이 지난 특허권의 경우에는 당사자계 재심사(IPR : Inter Partes Review)를 제기하여 해당 특허권의 무효를 다툴 수 있다.

⑷ 피고의 답변서 제출과 이후 절차

원고인 특허권자의 소장이 송달되면, 피고는 답변서를 제출하여야 한다. 답변서 제출기간은 국가마다 상이하며 일부 국가에서는 기간이 짧은 경우가 있으므로 주의를 요한다. 답변서에는 원고가 주장하는 특허침해에 대한 적극적인 반론을 담게 되고, 사안에 따라 소장에 오류가 있거나, 관할 위반 등의 사유를 들어 소각하 신청을 하거나, 관할 이송신청 등을 할 수도 있다. 소장의 송달로 본격적인 소송의 단계에 진입하게 되고, 피고는 무효심판이나 소극적 권리범위확인심판으로 적극적인 대응을 하거나 소송 과정에서 비침해나 무효 등의 사유를 들어 항변을 하는 등의 소극적 대응을 하게 된다. 원고와 피고 간의 공방을 통해 사실관계에 대한 실체를 가려내고, 침해 여부에 대해 법원의 판단이 이루어지면, 이에 불복하는 당사자는 제2심인 고등법원에 항소, 다시 이 항소에 불복하는 당사자는 대법원에 상고할 수 있다.

02 특허침해소송의 공격자의 전략

1. 사전 조치

(1) 침해정보 입수

① 정기적인 특허공보 모니터링

② 경쟁사 인터넷 홈페이지, 카탈로그, 매뉴얼 조사

③ 신문, 인터넷 기사, 광고선전물, 박람회, 전시회 조사

④ 거래선 조사

(2) 입증자료 확보

① **침해품 구입**: 최소한 2개 이상 구입(분해/완제품)

② 영수증 보관

③ **전문 분석기관 의뢰**: 침해입증이 곤란한 경우

④ 손해배상 입증자료 확보

(3) 침해 분석

① 심사포대 검토

② 침해 여부 및 자사 특허 무효 여부 분석

③ 회피설계 검토

④ 전문가 감정

(4) 침해자 분석

① 침해자 사업 분야

② 매출 규모 및 특허 현황

③ 분쟁 현황 및 관련 특허소송 이력

④ 자본 현황

2. 공격 전략 수립

(1) 공격자의 공격 전략 개요

특허권자인 공격자는 해당 특허가 등록되어 있는지 여부에 따라 그 대응이 달라진다. 대략적인 공격자의 공격 방안에 대한 프로세스는 다음과 같다.

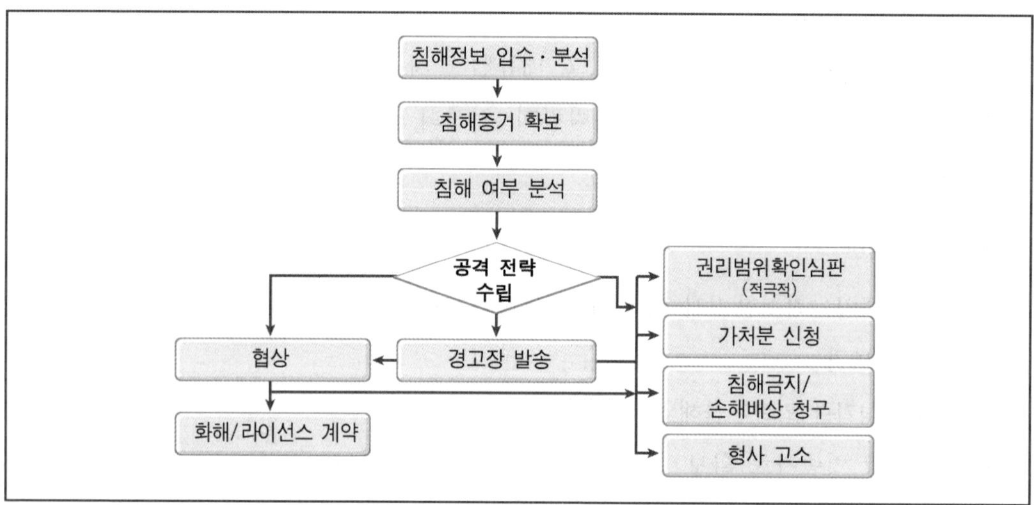

| 공격자의 공격 방안에 대한 프로세스

(2) 출원 계속 중인 경우

출원이 계속 중인 경우에는 "귀사가 실시하고 있는 발명은 현재 출원이 진행 중인 발명이며, 향후 등록이 된 경우에는 보상금청구권의 대상이 될 수 있다."는 취지의 경고장을 발송하여 손해배상기간을 증대시킬 필요가 있다. 또한 특허등록을 빠르게 받기 위해서 제3자의 실시를 이유로 우선심사를 신청하여 등록을 최대한 빠르게 유도하는 것도 고려할 필요가 있고, 보상금청구권을 발생시키기 위해서 조기공개신청과 같은 적극적인 조치도 함께 고려할 수 있다.

관련 조문

특허법 제65조(출원공개의 효과) ① 특허출원인은 출원공개가 있은 후 그 특허출원된 발명을 업으로서 실시한 자에게 특허출원된 발명임을 서면으로 경고할 수 있다.
② 특허출원인은 제1항에 따른 경고를 받거나 제64조에 따라 출원공개된 발명임을 알고 그 특허출원된 발명을 업으로 실시한 자에게 그 경고를 받거나 출원공개된 발명임을 알았을 때부터 특허권의 설정등록을 할 때까지의 기간 동안 그 특허발명의 실시에 대하여 합리적으로 받을 수 있는 금액에 상당하는 보상금의 지급을 청구할 수 있다.
③ 제2항에 따른 청구권은 그 특허출원된 특허권이 설정등록된 후에만 행사할 수 있다.

(3) 특허등록된 경우

특허가 등록된 경우라면 침해자의 정보 및 자사의 상황 등을 종합적으로 고려하여 협상과 라이선스 허여 또는 민형사적 구제 등을 고려할 수 있다. 이는 다음에서 자세히 다룬다.

3. 구체적 공격방법

(1) 경고장 발송

구체적인 공격 전략이 확립되면 특허발명을 실시하고 있는 자에게 특허등록번호, 실시 제품에 대한 정보, 향후 대응 방안 등의 내용을 포함하는 경고장을 내용증명 우편으로 발송한다. 다만, 침해가 아님에도 불구하고 부당하게 경고장을 발송하는 경우 그에 따른 손해배상책임을 질 수도 있으므로 침해 여부를 면밀히 검토하여 발송하여야 한다.

(2) 적극적 권리범위확인심판

분쟁의 조기 해결 및 민사 및 형사 소송의 판단 기준 제공을 목적으로 특허권자 또는 전용실시권자가 제3자가 실시하고 있는 확인 대상 발명이 자신의 특허발명의 권리범위에 속한다는 취지의 심결을 구하는 심판이다. 다만, 적극적 권리범위확인심판의 경우 특허권자가 제3자의 실시발명을 특허발명과 대비될 수 있을 정도로 특정하여야 하며, 이를 특정하지 못하는 경우 심판청구는 각하된다.

(3) 침해금지가처분

증거 인멸을 방지하거나, 소송 지연에 따른 불이익을 제거하기 위하여 특허권자 또는 전용실시권자는 제3자의 침해품 생산 중지 또는 판매 중지의 가처분을 신청할 수 있다. 다만, 가처분 결정이 내려지는 경우 제3자는 큰 타격을 입게 되므로 엄격하게 판단하는 경향이 있어, 승소하기가 쉽지 않다는 단점이 있다.

(4) 침해금지 및 예방청구

특허권자는 침해 또는 침해할 우려가 있는 자를 상대로 침해금지청구 소송을 진행할 수 있다. 이 경우 특허권자는 침해행위를 조성한 물건 및 침해행위에 제공된 설비(대부분의 경우 공장이 이에 해당한다)의 폐기나 제거를 함께 청구할 수 있다.

(5) 손해배상 청구

고의 또는 과실로 특허권을 침해하여 특허권자에게 손해를 입힌 제3자를 상대로 손해배상 청구 소송을 진행할 수 있다. 다만 손해배상청구 소송은 그 손해 또는 침해자를 안 날로부터 3년, 침해행위가 있는 날로부터 10년 내에 청구하여야 한다. 특히 2019년과 2020년에 개정된 한국 특허법은, 손해로 인정된 금액의 3배를 넘지 않는 범위에서 배상액을 정할 수 있는 징벌적 손해배상제도를 도입함과 아울러 특허권자의 생산능력을 초과하는 특허침해자의 제품판매에 대해서도 손해배상에 산입되도록 함으로써 손해배상의 실효성을 높이는 방향으로 제도개선이 이루어졌다. 2024년 8월부터 적용될 개정법에서는 손해로 인정된 금액의 5배까지 배상액을 정할 수 있게 된다.

(6) 침해죄로 고소

특허권 침해죄를 기존의 친고죄에서 2020년 법 개정으로 반의사불벌죄로 전환하여 특허권자(피해자)의 고소가 없어도 직권 수사할 수 있도록 하였다. 침해죄가 확정되면 7년 이하의 징역 또는 1억 원 이하의 벌금형에 처해진다. 또한 종업원이 침해한 경우 그 사용자도 함께 처벌을 받는다. 다만, 사용자는 벌금형만 부과된다.

(7) 행정적 구제절차

첨단 기술 분야 등의 급속한 발전으로 분쟁 내용이 고도화, 복잡화되어 감에 따라 지식재산권 분야의 전문가에 의한 간이 중재·조정제도가 요청되며, 대표적인 조정기관으로는 특허청 산하 산업재산권 조정위원회가 있다.

기출로 다지기

'갑'은 핸드폰 액세서리 제조업체로 전자파차단 기능이 있는 핸드폰 액세서리에 대한 특허권을 획득하였다. '갑'의 핸드폰 액세서리가 시장에서 큰 호응을 얻자 '을'은 '갑'의 특허기술과 유사한 원리를 가지고 전자파차단 기능을 가진 핸드폰 액세서리를 생산하여 판매를 하였다. '갑' 또는 '을'의 조치로 가장 올바르지 않은 것은? • 20회 기출

① '갑'은 자신의 특허권을 기반으로 하여 '을'에게 침해금지청구권을 행사할 수 있다.
② '을'은 소극적 권리범위 확인심판을 청구할 수 있다.
③ '갑'은 '을'의 침해행위에 대해 경고장을 발송하여 화해적 해결을 유도할 수 있다.
④ '을'은 '갑'이 보유한 특허를 무효시키기 위해 무효심판을 청구할 수 있다.
⑤ '갑'의 특허가 출원 중에 있는 경우, '갑'은 어떠한 조치도 취할 수 없고 등록된 후에만 조치가 가능하다.

| ⑤ 특허출원 후 특허가 공개되면 이를 보고 모방하는 경우가 발생하여 특허출원인이 손해를 볼 수 있다. 이에 등록 전이지만 특허권자를 적절히 보호하기 위해 보상금청구권제도를 두고 있다. 따라서 갑은 을에게 특허가 출원 중이고 공개가 되면 보상금청구권이 발생하며, 을의 행위가 보상금청구권의 대상이 된다는 내용의 서신을 보낼 수 있다. ▶ ⑤

제3절 비실시기업의 위협 및 대응 전략

01 비실시기업의 정의

삼성전자, LG전자, 노키아 등을 상대로 거액의 실시료를 거둬들인 데 이어 SK하이닉스와의 침해소송이 종료된 인터디지털(InterDigital), 2010년 이후 침해소송을 다수 제기하고 있는 인텔렉추얼 벤처스(Intellectual Ventures)는 소위 비실시기업(NPE : Non-Practicing Entity)이라 부른다. 인텔(Intel)의 특허변호사였고, 이후 인텔렉추얼 벤처스의 공동 설립자가 된 피터 뎃킨(Peter Detkin)은 특허괴물(Patent Troll)이라는 용어를 사용하여 비실시기업들을 비판한 바 있다. 특허괴물은 일반적으로 특허권을 바탕으로 물품을 제조·생산·판매를 하지 않으면서 침해 가능성이 있는 기업 등을 상대로 특허소송을 해서 막대한 금전적 이익을 얻으려는 자를 말한다. 이러한 특허괴물의 부정적 의미를 완화하여 이후 비실시기업(NPE)이라는 용어가 일반화되었고, 일부에서는 특허주장 기업(PAE : Patent Assertion Entity), 라이선스 회사(Licensing Company) 등의 용어도 사용된다. 사용하는 사람마다 조금씩 다르게 정의하지만, 일반화하면 NPE는 직접 자신이 특허발명을 실시하여 제조·판매 등을 하지 않고 특허권만을 이용하여 소송이나 라이선스를 통해 대부분의 수익을 얻는 개인 또는 기업을 의미한다. 이러한 비실시기업은 라이선스 이외에는 제품이나 서비스를 제공하지 않으므로, 다른 특허권을 침해하지 않는 경우가 일반적이다. 따라서 이들의 특허침해소송에서 피고가 되는 기업은 소송에서의 유력한 방어방법 중 하나로서 원고인 비실시기업을 상대로 반소(Counter Claim)를 제기할 수 없는 경우가 대부분이며, 마찬가지 이유로 크로스 라이선스를 할 수 없는 경우가 많다. NPE는 넓은 의미에서는 대학이나 연구소처럼 자신이 특허발명을 실시하지 않는 주체를 포함하기도 하는데, 여기에서는 연구개발을 통해 혁신에 기여하는 대학이나 연구소 같은 주체를 제외하고, 순수하게 특허권을 확보하여 이를 통해 소송이나 분쟁, 라이선스를 통해 수익을 올리는 것을 목적으로 하는 영리적인 기업을 칭하는 것으로 한정하여 논하기로 한다.

02 비실시기업의 특허분쟁 동향

특허청에 따르면, 2022년 미국에서 한국 기업을 상대로 한 특허소송 중 NPE가 제소한 비율은 84.6%(149건 중 126건)로 최근 5년 중 가장 높아, 최근 한국 기업에 대한 특허공격은 NPE가 주도하고 있는 것으로 나타났다. 한국 기업을 상대로 특허소송을 제기한 NPE로는 유니록(Uniloc), 어라이벌스타(Arrival Star), 멜비노 테크놀로지(Melvino Technology), 시더 레인 테크놀로지(Ceder Lane Technology) 등이 있다.

03 비실시기업의 종류

비실시기업은 여러 가지 종류로 분류할 수 있는데, 먼저 NPE가 보유하는 특허권이 어디로부터 기인한 것인지에 따라 분류할 수 있다.

① 첫 번째 유형은 가장 전형적인 NPE로서, 타인으로부터 특허권을 매입하여 이를 기초로 수익을 올리는 형태이다. 미국의 특허조사전문 업체인 Patent Freedom의 조사에 의하면 전체 NPE 중에 약 69%는 자신이 발명을 전혀 하지 않고 라이선스와 소송을 목적으로 타인의 특허권을 매입하는 방법으로만 특허권을 보유하는 것으로 나타났다.[65)]

② 두 번째 유형은 자신이 독자적인 연구개발을 통해 특허권을 확보하는 경우이다. 이러한 기업의 경우에는 독자적인 연구개발을 통해 전체 산업의 혁신에 기여하는 바가 있다고 볼 여지가 있으나, 결국은 이렇게 특허권을 확보하는 이유가 권리의 행사를 통해 라이선스나 소송을 매개로 주된 수익을 올리고자 하는 목적이라는 점에서 부정적인 면이 있다고 판단된다.

③ 세 번째 유형은 독자적인 개발을 통한 특허권의 확보와 매입을 통한 특허권의 확보를 병행하는 비실시기업의 형태이다. 이들은 두 가지 방법을 병행하여 특허권을 확보하며, 많은 비실시기업들이 특허를 개발하는 부서를 보유하고 있기도 하다.

④ 마지막 유형은 두 번째 유형과 유사한데, 원래는 제조업체(Practicing Entity)였으나, 기업의 파산이나 사업의 정리 후에 남은 특허권을 이용하여 수익을 올리는 기업이다. 이러한 NPE들은 주로 미국에 분포하고 있으며, 전 세계적으로 활동하고 있다. 2021년 기준 미국에서 소송을 많이 제기한 상위 10개사 중에서 8개사가 NPE로 분류된다.

2021년 미국에서 소송을 많이 제기한 상위 10개 회사[66)]

순위	NPE	2021년
1	Cedar Lane Technologies	68
2	Social Positioning Input Systems	32
3	Tothschild Broadcast DIstribution Systems	30
4	Geographic Location Innovations	29
5	DatRec	29
6	Caseles	25
7	AML IP	24
8	Canon Inc.	23
9	MCOM IP	21
10	Digital Cache	20

65) https://www.patentfreedom.com/about-npes/litigations/ 참조
66) 2021 특허분쟁보고서, Unifidpatents 2021.

04 비실시기업과의 분쟁 대응 전략

비실시기업으로부터 특허침해로 인한 분쟁이 발생하는 경우, 절차적인 부분은 일반적인 침해소송과 동일하다. 따라서 절차적인 대응은 동일하게 하되, 원고인 특허권자가 NPE라는 점에서 특유한 부분이 있으므로, 이에 유의하여 분쟁에 대응하는 전략을 세워야 한다. 이를 다음에서 살펴보도록 한다. 비실시기업 관련 특허분쟁이 최대로 발생되는 미국을 대상으로 함을 밝혀둔다.

1. 최초의 요구에 대해 능동적인 대응을 하라.

(1) 적절한 회신

NPE는 침해 피의자에 대해 라이선스를 요구하는 서면을 보내는 경우가 많다. 이에 대해 회신을 보내는 경우 자세한 검토와 신중한 대응이 필수적이다. 특히 미국 소송의 경우에는 경고장을 무시하면 법원이나 배심원들에게 나쁜 인상을 주게 되므로, 회신을 하는 경우 자신은 타인의 특허권에 대하여 존중하고 있으며, 자세한 설명을 요구하는 식으로 회신하는 것이 바람직하다. 따라서 침해 제품을 특정해 달라고 하고, 침해라 생각되는 부분은 구성 대 구성으로 비교해 달라는 클레임 차트(Claim Chart)를 요구하며, 해당 특허권에 대한 라이선스 조건을 제시해 달라는 등의 요구가 필요하다.

(2) 소송과 합의 등의 진행

협상을 원하는 NPE는 이후의 협상을 위해서 비밀유지계약을 체결하는 것을 요구할 수 있으나, 협상 과정에서 논의된 내용은 미국에서는 증거개시절차의 대상이 될 수 있음에 유의한다.[67] NPE가 제시하는 라이선스를 위한 요구사항과 만일 소송으로 가는 경우를 비교하여 합의에 이르는 것이 유리하다고 판단되면 합의를 통해 라이선스 계약 내지는 부제소특약(Covenant Not to Sue)을 체결할 수 있다. 소송과 합의 중 어떤 것을 선택할지를 결정할 때는 기술, 마케팅, 법무, 특허에 대해 반드시 고려하여야 한다. 또한 이후 벌어질 수 있는 미국 소송에 대비하여 해당 사항에 대해 관련이 있다고 판단되는 모든 사내 인원들에게 '증거보존 통지(Litigation Hold)' 명령을 내려야 한다.

67) ResQNet.com, Inc. v. Lansa, Inc., 594 F.3d 860, 871-72 (Fed. Cir. 2010) ; Tyco Healthcare Group LP, et al. v. E-Z-EM, Inc., et al., Case No. 2 : 07-CV-262 (TJW) (E.D. Tex. March 2, 2010)

2. 적을 알아야 한다.

모든 NPE가 동일한 자세와 능력을 가진 것은 아니다. 경고장을 보낸 NPE가 어떤 성격을 가지고 있고, 그동안의 소송은 어떻게 진행하여 왔는지, 공격적인 성향이 큰지, 얼마나 많은 특허권을 보유하고 있는지, 소송 수행에 비용이 많이 들므로 이를 감당할 충분한 여력이 있는 NPE인지, 얼마나 많은 라이선스를 체결하고 있는지 등에 대해 최대한 조사를 하여야 한다. 이에 대한 분석을 통해 이후 대응 전략이 극적으로 달라질 수도 있기 때문이다. NPE의 성격에 따라 다수의 실시자에게 소액의 합의금을 통해 수익을 올리고자 하는 기업이 있는가 하면, 소수의 대규모 침해자에게 거액의 로열티를 요구하는 경우도 있으므로, 이에 따라 대응 전략은 크게 달라질 수 있다.

3. 적의 무기를 알아야 한다.

특허침해소송의 무기는 특허권이다. 반면, 특허권의 강도와 범위는 천차만별이며, 이에 대한 분석은 필수적이다. 해당 특허권이 소송에 사용된 적이 있는지, 재심사(IPR : Inter Partes Review, PGR : Post Grant Review 등)의 이력이 있는 특허권인지 알면 그 강도를 추측해 볼 수 있다. 만일 라이선스가 아직 없는 특허권이라면 최초로 라이선스를 하는 것이므로 로열티율을 아주 낮게 해서 분쟁을 타결할 가능성이 높아지며, 소송이나 재심사 등을 거친 적이 없는 특허권이라면 무효가능성이 상대적으로 높다고 볼 수 있다.

4. 소송지에 대한 다툼을 하거나 무효화 전략을 활용하라.

소송지(Venue)는 소송의 승패에 영향을 미치게 된다. 원고는 일반적으로 자신에게 유리한 지역의 법원을 선택하고자 한다. NPE의 소송이 아직 제기되지 않은 경우 경고장만 수령한 상태라면 피고의 입장에서 유리한 법원을 선택할 수 있다. 이러한 제도가 비침해 내지 무효확인소송(Declaratory Judgment Action)이다. NPE들은 주로 원고의 승소율이 높고, 소송의 진행이 빠른 법원을 선호하는 반면, 피고의 입장에서는 소송의 진행 속도가 늦고 원고의 승소율이 상대적으로 낮은 법원을 선호하게 되므로, 먼저 소송지를 선택하면 협상에서도 유리한 고지를 점령할 수 있다. 다만, 최근 미국 특허법의 개정으로 인해 도입된 새로운 제도인 당사자계 재심사가 침해소송의 피고에 의해 많이 이용되고 있는데, 만일 피고가 먼저 확인소송을 제기한 경우에는 IPR을 이용할 수 없으므로, 이에 주의하여 어느 전략이 유리한지에 대한 면밀한 고려가 있어야 한다. NPE가 소송을 제기했는데 해당 법원이 자신에게 불리하다고 생각된다면 이송신청(Venue Transfer Motion)을 고려할 수 있다. 물론 이에 대한 허용 여부는 해당 법원의 재량에 속한다.

IPR과 PGR 및 CBM의 차이[68)]

청구요건	등록 후 무효심판 (PGR)	당사자계 무효심판 (IPR)	영업방법 특허에 관한 등록 후 무효심판(CBM)
유효출원일 (Effective Filing Date)에 대한 제한	유효출원일이 2013년 3월 15일 이후인 특허의 경우에만 청구 가능	제한 없음	제한 없음
청구 기한	등록일로부터 9개월 내	등록일로부터 9개월이 지난 이후	등록일로부터 9개월이 지난 이후
무효주장에 대한 제한	적어도 하나의 청구항이 무효여야 함 (More likely than)	적어도 하나의 청구항이 무효될 합리적 가능성 (Reasonable likelihood)	적어도 하나의 청구항이 무효여야 함 (More likely than)
특허성 부정을 위한 근거	신규성(미국 특허법 제102조), 진보성(제103조), 명세서기재불비(제112조), 특허 적격(제101조)	• 신규성(제102조), 진보성(제103조) • 선행특허 또는 간행물에 근거해야 함	신규성(제102조), 진보성(제103조), 명세서기재불비(제112조), 특허 적격(제101조)
금반언의 원칙 적용범위	재심사절차에서 제출됐거나 합리적으로 제출될 수 있었던 모든 선행기술	재심사절차에서 제출됐거나 합리적으로 제출될 수 있었던 모든 선행기술	재심사절차에서 실제로 제출된 선행기술

5. 같은 피고들을 포섭하여 협력하라.

NPE의 경우 소수의 특허권을 가지고 여러 피고들에게 소송을 제기하는 경우가 많다. 심하게는 100개가 넘는 회사를 상대로 소송을 제기하는 경우도 있다. 이러한 경우에는 소송의 비용을 분담하고, 유리한 합의를 도출하기 위해서 피고들끼리 서로 협력하는 것이 유리할 수 있다. 그러나 협력하는 피고들 사이에도 서로 이해관계가 다를 수 있으므로, 이에 대한 적절한 조정이 필요하다.

6. 특허무효절차 및 반소(Counter Claim)를 제기하라.

NPE의 유일하거나 가장 큰 자산은 특허권이다. 만일 특허권이 무효가 되거나 행사 불능(Unenforceable)이 된다면 다른 라이선스를 통한 수익을 올릴 수 없게 된다. 따라서 NPE를 상대로 한 피고는 해당 특허권을 무효 내지 행사 불능하게 하는 조치를 강구하는 것이 필요하다. 해당 특허권에 대한 발명자 조사, 심사이력 조사, 선행기술 조사, 공지기술이라는 증거의 수집 등을 통해 적극적인 대응을 할 수 있다. 최근에는 당사자계 재심(Inter Partes Review)이나 등록 후 재심(Post Grant Review) 등의 특허권 무효화 방안이 많이 이용되고 있으며, 영업방법(Business Method) 발명인 경우에는 CBM(Covered Business

68) PATINEX 2014 컨퍼런스 발표자료, 2014. 9. 3., Douglas F. Stewart, 일부 수정

Method) 재심사를 이용하는 것도 적극 고려하여야 한다. 또한 일반적으로 NPE는 특허발명을 실시하지 않으므로 반소(Counter Claim)를 제기할 수 없지만, 경우에 따라 반소로서 특허권의 남용이나 반독점법 위반, FRAND 조건 위반 등의 주장도 고려할 수 있다.

7. 특허심사 과정을 조사하라.

특허권의 취득을 위한 과정에서 특허권자가 취한 조치나 의견은 소송에서 이와 배치되는 주장을 할 수 없게 된다. 이를 출원경과금반언 내지 포대금반언의 원칙(Prosecution History Estoppel 또는 File Wrapper Estoppel)이라고 한다. 이러한 원칙에 따라 특허권의 권리범위를 대폭 축소하여 침해를 부정할 수 있는 가능성이 있다. 또한 출원경과 중에 부정한 행위(Inequitable Conduct)를 한 경우에는 특허권의 행사가 제한될 수 있으므로, 이에 대한 면밀한 검토가 필수적이다. 다만, IPR을 거친 특허권이라면 IPR 과정에서 특허권자나 청구인(침해소송에서의 피고가 대부분)이 제시한 의견들도 금반언(Estoppel)의 대상이 되므로, 이와 반대되는 주장을 소송에서 할 수 없음에 유의한다.

8. 마크만 히어링(Markman Hearing)을 이용하라.

마크만 히어링은 미국의 특허침해소송에서 청구범위를 해석하고 확정(Claim Construction 또는 Claim Interpretation)하는 절차이다. 이는 어느 일방 당사자의 신청에 의해 이루어지게 되는데, 만일 소송의 초기에 이를 신청하게 되면 피고의 입장에서 유리한 경우가 많다. NPE 소송의 경우 초기에 청구범위를 확정하게 되면 증거개시절차(Discovery)에 소요되는 비용을 어느 정도 절감할 수 있다. NPE는 자신이 특허발명을 실시하지 않기 때문에 상대적으로 증거개시절차에 제출할 증거가 적어 비용 부담이 상대적으로 적다는 특징이 있다. 일부 법원은 증거개시절차 이전에 청구범위를 확정하는 것을 선호하기도 한다.

9. 공판(Trial) 전략을 잘 짜라.

NPE는 자신이 특허발명을 직접 하거나 실시하지 않아 기술혁신이나 산업발전에 기여하는 바가 거의 없다는 인식이 일반적이다. 대다수의 특허소송이 배심재판을 하게 되고(일방 당사자가 배심재판을 신청하면 배심재판으로 소송이 이루어짐), 배심원들은 일반 시민으로서 재판에 참여하게 되므로, 배심원단에게 NPE가 혁신과 산업발전에 기여하는 바가 없음을 설득하는 것이 유용한 전략이다.

제1편
제2편
제3편
제4편

제4절 재판외 분쟁해결(ADR)

01 재판외 분쟁해결의 의의

재판외 분쟁해결(ADR : Alternative Dispute Resolution)이란 재판을 대신하는 분쟁을 처리하는 제도를 의미하며, 대표적인 예로 중재(Arbitration), 조정(Mediation) 및 화해를 들 수 있다. 우리나라의 경우 지난 2011년 지식재산 기본법을 제정한 바 있고, 동법의 제22조에서 "정부는 지식재산 관련 분쟁이 신속하고 원만하게 해결될 수 있도록 조정·중재 등 재판 외의 간단하고 편리한 분쟁해결 절차를 활성화하고, 전문성을 제고하며, 쉽게 이용될 수 있도록 안내와 홍보를 강화하는 등 필요한 조치를 하여야 한다."라고 규정하고 있다. 그리고 이러한 ADR의 전문성을 제고하고 국민이 쉽게 이용할 수 있도록 안내와 홍보를 강화하도록 규정하고 있다. 또한 우리나라의 발명진흥법이나 저작권법 등에서는 조정제도에 대한 규정을 마련하고 있다. 특히 특허를 비롯한 지식재산권에 대한 분쟁의 경우에는 분쟁의 속성이 복잡하고 대상 기술 등에 대한 전문지식을 요하는 경우가 많다. 이에 따라 특허에 대한 분석, 법률 및 판례, 기술에 대한 분석 등을 모두 요하는 지식재산 관련 분쟁은 장시간이 소요되는 경우가 많으며, 같은 이유로 소송의 비용도 많이 들 뿐 아니라, 침해소송의 진행 중에 해당 제품이나 서비스에 대한 사업이 지연되는 문제가 발생하는 경우가 많다. 따라서 분쟁의 신속하고 경제적인 해결을 위해서는 ADR을 활용한 분쟁의 해결이 바람직하다.

02 재판외 분쟁해결의 장단점

1. ADR의 장점

① 민사소송에 비해 신속하고 경제적인 비용으로 분쟁의 해결이 가능하다.

② 민사소송은 민사소송법에 규정된 엄격한 절차와 경직된 분위기의 절차임에 비해, ADR은 상호 합의에 따라 엄격한 형식과 격식을 완화하여 우호적이고 호혜적인 분위기로 분쟁을 해결할 수 있다.

③ 민사소송에 의한 법원의 판결은 어느 당사자가 승소하고 타방 당사자가 패소하는 일도양단(一刀兩斷)식의 분쟁해결이어서 소송 당사자 간의 관계는 더욱 악화될 가능성이 높은 반면, ADR의 경우에는 분쟁이 원만하게 종결되면 양 당사자 간의 감정 대립이 완화되고, 서로 윈-윈(Win-Win)할 수 있는 방법을 모색해 볼 수 있다.

④ 법원의 재판은 공개주의가 원칙이므로, 양 당사자 간의 공방이 공개적으로 진행되는 반면, ADR의 경우에는 대부분 비공개로 진행된다. 따라서 분쟁과 관련된 영업비밀 등을 제3자에게 공개하지 않아도 되는 이점이 있다.

⑤ 민사소송에 의한 재판은 법원의 법관에 의한 판단을 받는 것인데, 복잡한 기술과 관련된 지식재산권에 관한 재판에서 법관이 전문성을 갖기 어려운 반면, ADR은 여러 관련 전문가가 관여함으로써 보다 유연하고 정확한 결과를 얻을 수 있는 가능성이 높아진다.

⑥ ADR에서는 제3자의 역할보다는 양 당사자의 자발적 의사에 따른 분쟁해결 과정을 겪게 되므로, 당사자들이 갖는 분쟁해결에 대한 만족도가 높은 경우가 많다.

2. ADR의 단점

① 당사자에게 충분한 절차보장과 사실관계의 조사가 이루어지지 않으면, 경제적·사회적 강자로부터 양보를 얻어 내는 절차로 전락할 가능성이 있다.

② 신속하고 저렴한 비용에 의한 분쟁해결만을 강조하다가 분쟁의 공정한 해결을 침해받을 가능성이 있다.

③ ADR에서는 판단 기준이 민사소송보다 주관적일 수 있어, 자의적이거나 당사자 간의 주장을 단순히 절충하는 식의 판단이 될 위험성이 있다.

④ ADR에 의해 분쟁이 해결되면 시간 및 비용을 절감할 수 있는 있으나, 어느 한 당사자가 이에 대한 불만이 있는 경우 이에 대해 불복하면 시간과 비용이 오히려 바로 소송을 수행하는 것보다 더 들 수 있다. 또 중재의 경우 불복의 절차가 없기 때문에 잘못된 판단이 내려진다면 돌이킬 수 없는 위험을 부담해야만 하는 등의 문제가 있을 수 있다.

03 재판외 분쟁해결의 종류

1. 알선 및 주선

분쟁 당사자가 아닌 중립적 제3자가 교섭과 협상을 중재, 주선하여 합의에 이르도록 유도하는 행위로, 이는 누구나 할 수 있다.

2. 조정

제3자(법관 또는 조정위원회)가 독자적으로 분쟁해결을 위한 타협 방안을 마련하여 당사자의 수락을 권고하는 행위이다. 우리나라에서는 이러한 조정제도의 규율을 위해 민사조정법을 제정하여 시행 중이다. 조정은 제3자(조정인)의 권고안에 강제력이 없다는 점에서 중재와 차이가 있고, 제3자가 개입한다는 점에서 화해와 차이가 있다. 조정에는 법원이 관여하는 민사조정이 있는데 민사조정에 의해 조정이 성립되어 조정조서를 작성하게 되면 이는 확정판결과 동일한 효력을 갖는다. 지식재산권과 관련하여서는 특허청 산하에 산업재산권분쟁조정위원회가 설치되어 있으며, 저작권과 관련하여서는 한국저작권위원회에서 조정부를 두어 조정을 하고 있을 뿐 아니라 법원도 법원조정센터를 지난 2009년 설립하여 운영하고 있다. 다음은 특허청 산하 산업재산권분쟁조정위원회에서 조정사건을 처리하는 절차를 나타낸 것이다. 이러한 산업재산권 분쟁조정을 거쳐 조정조서가 작성되면 재판상 화해가 성립되어 확정판결과 동일한 효력을 갖게 된다.

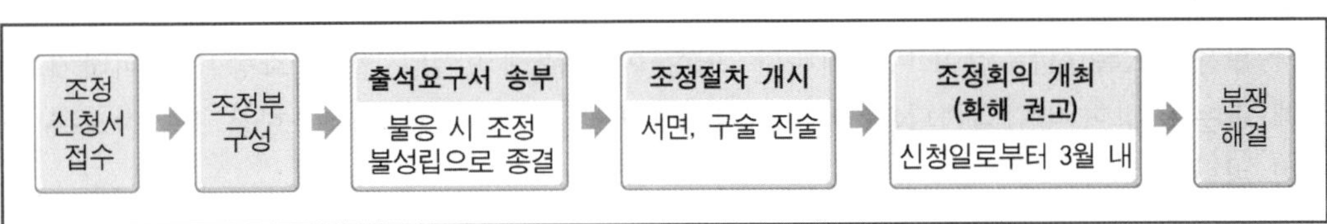

산업재산분쟁조정위원회의 조정사건 처리절차 69)

3. 협상 및 화해

당사자 간의 직접적·자주적 교섭을 통한 상호 양보를 통해 분쟁을 해결하는 방식을 말한다. 제3자의 개입 없이 양 당사자가가 직접적으로 분쟁해결을 시도한다는 점이 특징적이며, 많은 분쟁사건이 양 당사자 간의 합의에 의한 화해로 해결되고 있다.

69) 특허청

4. 중재

미리 당사자가 중재를 맡길 제3자를 계약서(중재계약) 등으로 합의하여 정해 둔 경우, 관련된 분쟁이 발생하면 그 제3자(중재자)의 중재판정에 의해 분쟁을 해결하는 방식이다. 중재의 특징은 양 당사자는 중재자의 중재판정을 반드시 받아 들여야 하고, 중재판정에 불만이 있다고 하더라도 이에 대한 불복은 불가능(판결과 같이 법적 구속력이 있음)하다는 데 있으며, 반드시 미리 중재방식에 의한 분쟁해결을 예정하는 중재합의가 성립되어 있어야 한다. 유효한 중재합의가 있는 사건을 법원에 제소하면 소의 이익이 없는 것으로 각하된다. 우리나라의 대표적인 중재기관으로는 대한상사중재원이 있고, 서울지방변호사회도 중재제도를 운영하고 있다.

04 소결

미국의 경우 연방지방법원의 특허침해소송 중 약 3% 정도만 최종 판결이 이루어지고, 대부분의 사건은 양 당사자의 합의(Settlement)에 의해 종료되고 있다. 그러나 산업재산권 분쟁조정위원회에 의한 지식재산권 관련 분쟁의 이용률은 아직 미미한 실정이다. 이는 홍보 부족, 독립기구가 아닌 점, 조정위원의 한계로 인한 전문성 부족 등의 여러 문제가 있으나, 이를 강화하기 위한 노력이 이루어지고 있는바, 분쟁으로 인한 시간과 비용의 낭비, 사업 추진에서의 지연, 소송으로 인한 시장에서의 평판이 악화되는 등의 문제를 회피하기 위해서 ADR 제도를 적극 활용하도록 하는 것이 바람직하다. 또한 이를 위해 만일 사전에 소송을 회피하기 위한 중재 또는 조정이 바람직하다면, 계약 체결 시 미리 이에 관한 계약 조항을 포함하도록 하는 것이 바람직하다.

MEMO

I INTELLECTUAL

P PROPERTY

A ABILITY

T TEST

www.ipat.or.kr

지식재산능력시험

제4편

지식재산 활용

제1장 지식재산의 사업화

제1절 지식재산 사업화의 유형과 특성

01 지식재산 사업화의 유형

기업은 자사가 획득하여 보유하고 있는 지식재산을 다음과 같은 여러 가지 사업화 방법을 통해 수익성 확보를 목적으로 활용할 수 있다.

① 제품을 개발하고 제조하여 판매하기 위한 새로운 스타트업의 설립

② 필요자산을 보유하고 있는 기존 기업의 매수

③ 합작투자 기업의 설립

④ 지식재산의 라이선싱

⑤ 전략적 제휴의 체결

⑥ 제3자에 대한 지식재산 판매

상기의 각 사업화 유형은 제각기 리스크와 수익 잠재력을 모두 가지고 있다. 각각의 사업화 유형에 대한 리스크와 수익 간의 관계를 표시하면 다음과 같다.

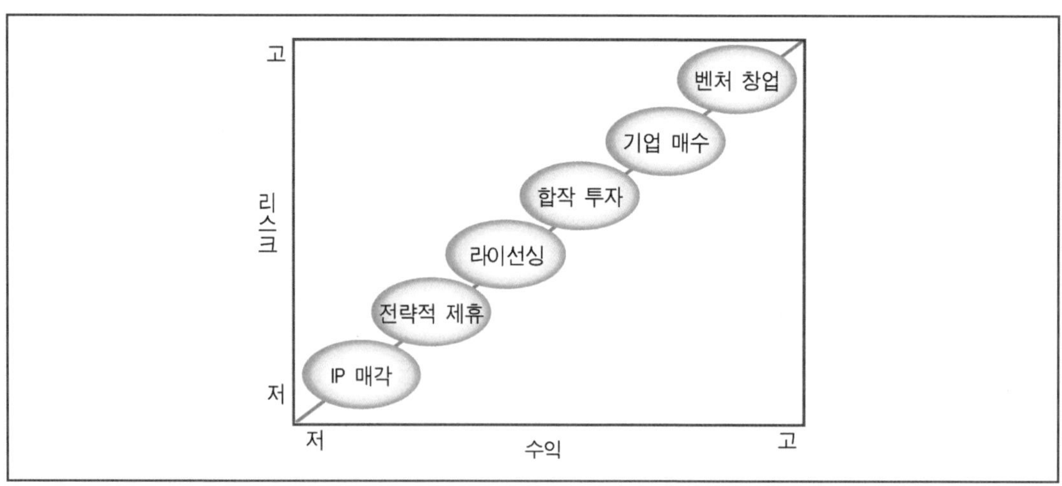

▎사업화 유형별 리스크와 수익

02 지식재산 사업화 유형별 특성

1. 새로운 스타트업 창업

스타트업이 새로운 아이디어나 기술을 개발하고 실용화하여 제품화하는 과정에서 지식재산이 핵심적인 역할을 할 수 있으며, 이를 통해 경쟁 우위를 확보할 수 있다.

한편, 지식재산의 사업화를 위해 새로운 스타트업을 설립하는 경우 리스크와 잠재수익이 모두 가장 높다. 이는 어떤 지식재산이 실용화되고 제품으로 판매되어 수입을 가져다주기 위해서는 그 이전에 제품과 사업지원 인프라가 개발되어야 하는데, 이때 상당한 선행투자가 이루어져야 하기 때문이다. 그러나 스타트업 설립이 성공적일 경우 수익과 기타 이익이 극대화될 것이며, 전체적인 사업 통제가 가능할 것이다.

2. 기존 기업의 매수

기존 기업의 M&A에서는 매수 대상의 지식재산이 중요한 가치를 지닌다. 특히, 기술적인 경쟁 우위나 시장 점유율을 높이기 위해 상대 기업의 지식재산을 획득하는 것이 주된 목적일 수 있다.

지식재산을 사업화하기 위해 기존의 기업이나 사업부를 매수(M&A)하는 것은 추가적으로 필요한 개발업무의 상당 부분이 완료되고 사업을 위한 하부 구조가 대체로 갖추어져 있는 경우일 것이기 때문에 스타트업을 창업하는 경우보다는 다소 리스크가 적다. 따라서 새로운 스타트업을 설립하는 경우보다 사업화 기간이 훨씬 단축될 수 있으며, 전체적인 통제력을 여전히 유지할 수 있다.

그러나 여전히 상당한 투자가 요구되며, 이에 따라 잠재적 수익도 감소된다. 더욱이 성공적인 매수를 위해서는 2개의 상이한 기업문화의 원활한 결합이 요구되는데, 여기에는 많은 어려움이 발생한다. 특히 대규모의 확립된 기업이 상대적으로 소규모이면서 기업가적 정신이 왕성한 기업을 매입할 경우 더욱 그러하다. 매수자에게 있어서도 매수거래의 일부로서 원하지 않는 자산과 부채까지 떠맡아야 할 수도 있다.

3. 합작투자

합작투자에서는 참여 기업들 간의 지식재산을 공유하고 협력한다. 이는 합작투자의 성공에 있어서 핵심적인 역할을 하며, 각 기업의 기술력이나 시장 점유율을 상호 보완하는 데 기여한다.

합작투자 참여 기업들은 기업 운영에 따른 리스크, 수익, 지배력 등을 공유하게 된다. 비록 여전히 리스크가 상대적으로 크다고는 하지만, 참여 기업의 숙련기술과 보유 자원이 보완적일 경우 합작투자에 참여하는 각 기업에 대한 리스크는 감소하며, 성공 잠재력은 제고된다.

그러나 합작투자는 참여 기업의 상이한 목표와 지배력의 수준 때문에 관리에 어려움이 있을 수 있으며, 리스크와 마찬가지로 수익도 소유자 간에 나누어져야 할 것이므로 스타트업 설립이나 기업매수에 비해 수익은 낮아진다.

4. 지식재산 라이선싱

라이선싱은 기업이 소유한 지식재산을 다른 기업에게 이용 허가함으로써 수익을 창출하는 방법이다. 라이선싱을 통해 기업은 자체 지식재산을 최대한 활용하고, 다른 기업은 필요한 기술이나 브랜드를 확보할 수 있다.
이러한 지식재산의 라이선싱은 앞서 설명한 유형보다 리스크가 더욱 낮아진다. 이는 지식재산을 이용하여 자신이 직접 제품을 제조하는 경우보다 라이선싱 프로그램을 시행하는 것이 더 적은 투자와 자원이 소요되기 때문이다. 리스크의 상당 부분은 제품을 개발하고, 제조하며, 마케팅할 책임이 있는 라이선시(기술도입자)에게 이전된다. 자연히 잠재수익이 라이선시에게 비례적으로 이전되며, 라이선서(기술제공자)의 수익은 줄어든다.

5. 전략적 제휴

두 개 이상의 기업이 전략적 제휴를 체결할 수도 있는데, 각 기업은 보유한 지식재산을 공유하거나 상호 협력하여 새로운 시너지를 창출할 수 있다. 이는 협력 기업 간의 경쟁 우위를 확보하고 새로운 기술이나 시장에 진입하는 데 도움이 되며, 이에 따라 기업들은 일정한 방식으로 협력을 하고 제휴에 따른 이익을 나누어 가지게 될 것이다.
제휴는 수평적인 것일 수도 있고 수직적인 것일 수도 있다. 예를 들어, 어떤 기업이 다른 기업이 개발한 제품을 시장에 판매함으로써 그 수익의 일정 부분을 얻을 수 있는데, 이는 수직적 제휴이다. 한편, 어떤 기업이 특정 시장을 보다 효율적이고 경쟁적으로 공략하기 위해 상대 기업의 전문화된 기술을 활용할 수 있는데, 이는 수평적 제휴에 해당한다. 전략적 제휴에 따른 위험은 상호 협력 분야로 제한되며, 잠재적인 보상도 그만큼 제한된다.

6. 지식재산의 매각

지식재산의 매각은 보유 기업이 필요하지 않거나 부가가치를 창출하기 어려운 지식재산을 타 기업에게 전달하는 방법이다. 이를 통해 보유 기업은 불필요한 자산을 처분하고 현금을 확보할 수 있다.
보유 기업의 사업 활동에 비추어 필요성이 적은 지식재산은 다른 기업에 바로 판매하는 것이 좋을 수 있다. 이는 리스크가 가장 적은 방법이지만, 구매자가 높은 리스크를 떠안아 상대적으로 수익은 낮아진다.

제2절 지식재산과 기술창업

01 기술창업의 개념

1. 기술창업의 정의

기술창업은 혁신적인 기술이나 아이디어를 기반으로 새로운 시장을 창조하고 제품 또는 서비스를 생산 및 판매하는 창업 형태로, 지식재산의 보호와 활용이 중요한 역할을 한다. 특허로 기술적 혁신을 보호하고, 상표로 제품이나 브랜드를 식별하며, 저작권으로 창작물을 보호하는 등의 지식재산 전략이 적용된다. 기술창업과 구분되는 벤처창업, 일반창업의 정의와 개념은 다음과 같이 분류할 수 있다.

① 기술창업은 혁신기술 또는 새로운 아이디어를 가지고 새로운 시장을 창조하여 제품이나 용역을 생산·판매하는 형태의 창업을 의미한다.

② 벤처창업은 High Risk-High Return에 충실하며 반드시 기술창업을 전제로 하지 않으나 우리나라에서는 벤처기업육성에 관한 특별조치법에 정의되고 있다.

③ 일반창업은 기술창업이나 벤처창업에 속하지 않는 형태로서 도소매업과 일반서비스업, 생계형 소상공인 창업 등이 해당된다.

일반적으로 기술창업은 제조업, 전문서비스업(전문, 과학, 기술), 지식문화사업 분야의 창업을 말하는 것으로서, 혁신기술을 창출하는 기업의 창업을 지칭하나, 해당 기업군을 정의하는 일관된 용어가 없어, 벤처·기술혁신·혁신선도·기술집약형 기업의 창업을 포괄하는 의미로 사용되고 있다.[70)]

2. 기술창업의 특성

기술창업은 기술이나 지식재산에 기반을 둔 창업인 반면에 일반창업은 노하우나 경험에 근거하여 창업하는 것이다. 따라서 기술창업은 상대적으로 독점성이나 경쟁력이 강한 반면, 기술수명주기가 존재하여 오래 유지하기는 어렵다는 특성이 있다. 지식기술창업의 범주에는 주로 IT융합 분야의 콘텐츠, 소프트웨어, 제조업 융합 분야, 지식 기반 서비스업 등이 해당되고, 생계형 창업, 전통 제조 분야의 창업은 제외하는 것이 일반적이다.

기술창업은 일반창업에 비해 사업 성공을 어렵게 하는 여러 가지 특성을 가지고 있는데, 주요 분야별로 기술창업이 직면하고 있는 특성을 보면 다음과 같다.[71)]

70) 김근영·이갑수, 기술창업 활성화를 위한 정책제언, 삼성경제연구소, 2004.12.
71) 김근영·이갑수, 전게서.

① 우선, 기술창업에서는 아이템의 사업화를 가능하게 하는 기술인력 확보가 특히 중요하다. 핵심 기술인력을 확보하지 못할 경우 창업 자체가 불가능하다. 창업 초기의 실패 위험성, 열악한 처우 등으로 고급인력 확보에 어려움이 있는 것이 보통이다.

② 둘째, 창업 초기 단계에서는 사업성 있는 아이템을 포착하고 기술을 사업화할 수 있는 역량이 중요한데, 많은 기업들이 이러한 역량 확보에 실패함으로써 사업 성공을 달성하지 못하게 된다. 또한 창업인력이 창업실무에 대한 지식, 비즈니스 마인드 등의 기초 소양을 갖추지 못한 상태에서 창업을 하는 경우가 많아 기술개발에 성공하더라도 제품화에 필요한 요건을 갖추지 못하거나 안정적 수요처를 찾지 못하는 경우가 흔하다.

③ 셋째, 기술창업 초기 단계에서는 매출이 본격적으로 발생하지 않으므로 기술 수준과 성장성 등 무형의 가치를 평가받아야 하지만 이를 위한 시스템이 취약한 것이 대부분이다. 또한 전문 벤처캐피털리스트의 부족으로 기존 금융기관이 행해 온 융자 위주의 보수적 자금 집행에 의존하고 있어 대체 회수 시장이 미흡하다.

④ 넷째, 기술창업의 환경과 인프라 측면에서 관련 지식과 역량을 갖출 기회를 제공할 수 있는 교육 시스템이 요구되나, 현실적으로 이를 충족할 수 있는 시스템이 부족하다. 또한 창업 의욕을 고취시킬 수 있는 고용 환경이 조성되어 있지 못하고 사업 실패 시의 위험을 경감해 줄 수 있는 사회적 메커니즘이 작동되지 못하고 있다.

⑤ 다섯째, 제도 및 행정절차와 관련하여, 기술창업 시에 각종 절차와 규제에서 발생하는 비용이 진입장벽이 되고 있다. 기술사업화에 필요한 인허가 규제 또한 기술창업에 있어서 유무형의 비용으로 작용한다.

02 기술창업의 절차와 요소

1. 기술창업의 절차

기술창업자가 창업에 실패하거나 창업기간의 장기화로 많은 창업비용이 소요되는 것은 창업을 함에 있어 준비절차를 체계화하지 않기 때문이다. 기술창업의 기본 절차는 사업 아이템을 결정하고 객관적 검증을 통해 실현 가능한 계획을 수립하여 창업을 실현하는 과정이다. 기술창업의 절차는 다음과 같이 요약할 수 있다.[72)]

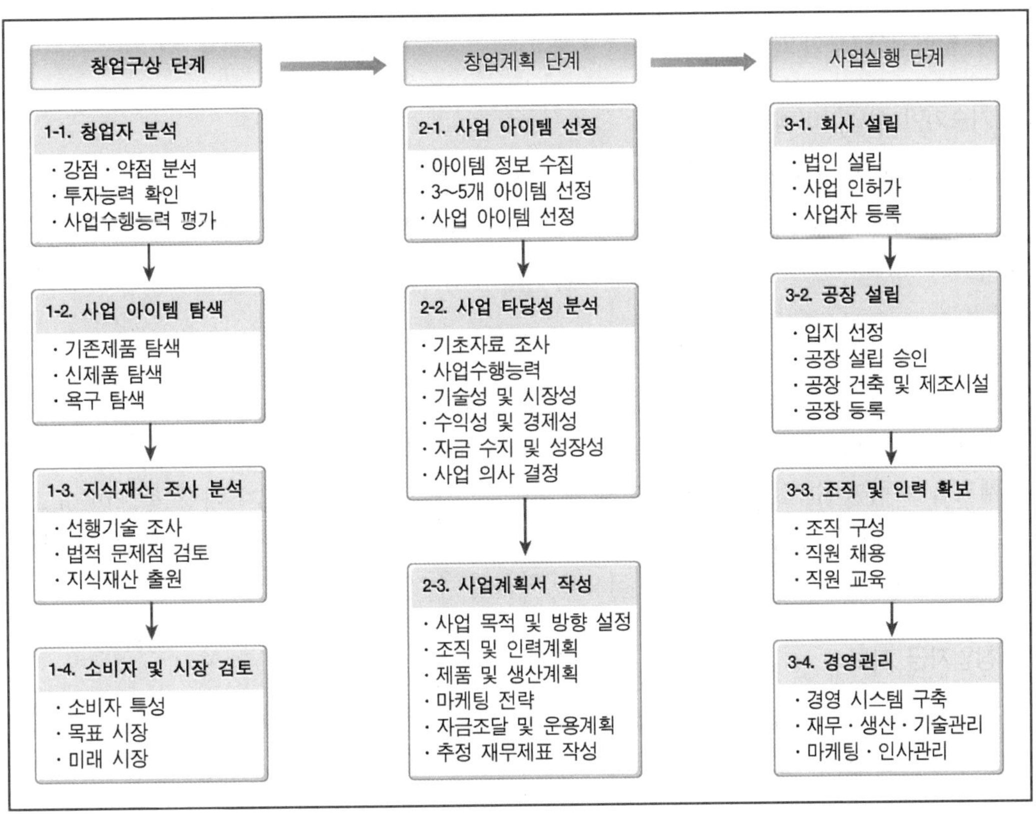

| 기술창업 기본 절차도

① 창업구상 단계는 구체적인 창업아이템을 선정하기 전에 창업자가 보유하고 있는 역량의 점검과 시장조사 등을 통해 창업자에게 가장 적합한 창업아이템이 무엇인지 검토하는 단계이다.

② 창업계획 단계는 사업을 실행하기 전에 최대한 시행착오를 줄이고 계획적으로 창업을 진행하기 위하여 사업타당성 검토 및 철저한 사전계획을 수립하는 단계이다.

③ 사업실행 단계는 선정된 창업아이템의 사업화를 진행하는 단계로서 회사를 설립하고 사업을 추진하기 위한 단계이다.

72) 중소기업청, 주요 업종별 기술창업 가이드, 2009. 12.

2. 기술창업의 핵심요소

기술창업에서 시행착오를 줄이고 성공하기 위해서는 창업의 모든 단계가 하나하나 중요하지만, 그중에서 몇 가지 핵심요소를 중심으로 살펴본다.

(1) 창업자 역량과 기업가정신

우수한 창업아이템과 철저한 사업계획, 그리고 자금이 확보되었다 하더라도 창업자의 역량과 기업가정신이 없다면 사업을 시작하기도 전에 어려움을 겪게 될 것이다. 따라서 창업을 성공적으로 견인하기 위해서는 창업자의 풍부한 경험과 전문 지식, 경영능력, 기업가정신 등이 무엇보다도 중요하다.

(2) 기술기반 사업아이템 발굴

우수한 사업아이템을 발굴하기 위해서는 우선 창업자 본인이 보유하고 있는 기술이나 아이디어 등에서 창업아이템을 탐색하고, 지식재산권의 검색 및 확보를 통해 권리성을 확보하며, 시장조사를 통해 성공적으로 시장진입이 가능한지 검토하는 과정이 필요하다.

(3) 철저한 사업계획 수립

발굴된 사업아이템을 성공적으로 제조하고 판매하여 수익을 창출하기 위해서는 철저한 사업계획의 수립이 필요하다. 따라서 창업자는 기술성, 시장성, 사업성 분석을 통한 사업화 계획을 수립할 수 있어야 한다. 기술창업에서는 핵심기술의 확보가 가장 중요한 요소이므로 R&D 계획을 중심으로 고급 기술개발인력의 확보, 투자유치 계획, 정부 R&D 자금 확보, 연구소 설치 등을 보다 구체적으로 작성할 수 있어야 한다.

(4) 창업자금 확보

창업에서 자금이 뒷받침되지 않으면 아무리 좋은 아이템과 사업계획이 확보되어 있더라도 사업을 추진할 수 없다. 창업자금은 자기자본뿐만 아니라, 융자, 투자유치, 정부출연 및 보조금 등 다양한 방법으로 확보가 가능하므로 창업자의 상황 및 사업계획에 따라 적절히 판단하여 활용해야 한다. 기술창업에 있어서는 창업기업의 기본 운영자금뿐만 아니라, 새로운 기술을 확보하기 위한 R&D 자금의 확보가 무엇보다도 중요하다.

제3절 지식재산과 M&A

전통적으로 M&A는 주로 규모의 경제와 시장 점유율 확대를 위해 행해졌으나, 최근에는 지식재산이 M&A의 주요 요인으로 작용하고 있다. 일반적으로 지식재산권 확보를 위한 M&A는 경쟁이 심하고 기술집약적인 분야에 국한되어 있었지만, 기술변화의 속도가 빨라짐에 따라 지식재산을 확보하기 위해 M&A를 하는 경우가 증가하고 있다. M&A를 통해 기업이 외적 성장 등의 기업의 목적을 달성하기 위해서는 M&A 대상 기업의 올바른 선정과 대상 기업에 대한 합리적인 평가가 선행되어야 하는데, 여기서 보유 지식재산은 중요한 실사 항목 중 하나이다. 따라서 사업개발 관리자들이 M&A의 효율성을 높일 수 있도록 지식재산의 이해를 바탕으로 성장, 유지, 처분 전략을 개발하는 방법을 검토할 필요가 있다.

01 M&A 동기

1. 독점적 이익을 얻기 위한 동기

기업이 인수와 합병을 하는 이유 중 하나는 다른 기업의 지식재산을 획득해 다른 기업보다 시장에서 우월한 위치를 차지해 독점적 이익을 얻기 위함이다.

2. 효율적 통제를 위한 동기

원재료에서부터 생산 및 판매까지를 장악하는 수직적 합병을 통해 같은 산업에 있는 회사의 지식재산을 취득해 그 재산을 효율적으로 통제하고 지식재산을 내부화시킴으로써 협상, 조정, 커뮤니케이션 비용과 광고, 포장 등의 비용을 절감할 수 있다.

3. 수익성 확보를 위한 동기

채산성이 없는 지식재산이나 성장률이 낮을 것이라 예상되는 지식재산을 매각하고 주력 업종에 힘을 다하기 위해 M&A를 한다. 매각대금을 통해 재무 구조의 시너지 효과를 가져오거나 주력사업에 필요한 지식재산을 확보하기 위해 다른 기업을 인수하기도 한다.

4. 효율성 극대화를 위한 동기

지식산업에서 M&A가 많이 일어나고 있는데, 그 영역은 제약, 멀티미디어 및 정보통신, 금융업계에 집중되어 있으며, 대부분 대규모 합병으로 이어진다. 또 기업의 생사를 건 경영 전략적 요소가 주류를 이루고 있고 처음부터 수익을 목적으로 하는 머니게임(Money Game)들이 사라지고 있다.

02 M&A 가치평가의 문제

M&A를 시도하는 기업의 입장에서 가장 힘든 점은 합리적으로 기업의 가치를 평가하기가 너무 어렵다는 것이다. 왜냐하면 최근에는 기업의 가치가 유형자산에 의해 결정되기보다는 무형자산에 의해 결정되는 경우가 많기 때문이다. M&A 시 개별 지식재산에 대한 평가보다 기업 전체의 가치에 대한 평가가 필요한 이유는 M&A 자체가 기업의 개별적인 이전이 아니고 포괄적인 이전이므로 기업 전체를 평가하는 것이 더욱 합리적이기 때문이다.

다음으로, M&A 시 지식재산(IP)과 관련된 다음의 이슈들을 확인하기 위해 매입하고자 하는 기업이 소유하고 있거나 사용하고 있는 지식재산을 자산실사(Due Diligence)를 통해 반드시 조사한다.

① 사업이나 다른 의도한 목적을 위해 매입대상 기업의 IP를 구매하는 것이 필요한가

② 그 IP가 합법성 논란이나 침해분쟁에 휘말리진 않겠는가

③ 등록된 IP의 보호기간이 곧 만기될 것인가

④ 구매자가 IP 라이선스의 이득을 취하거나 혹은 라이선스 종료 시 사업운영권 변경조약이 있는가

⑤ 매입대상 기업과 다른 회사가 공유하고 있는 IP는 어떻게 될 것인가? 이와 같이 공동으로 소유되고 있는 IP를 구매자가 갖고 라이선스는 판매자에게 돌아갈 것인가 혹은 판매자가 소유하고 구매자가 라이선스를 갖게 될 것인가

03 M&A 전략

1. 성장 전략

(1) 성장 전략 개념

성장 전략은 제품라인의 개발이나 신규 시장 확장과 같은 장기적인 문제와 관련이 있고, 장래 18개월에서 5년 동안의 경쟁 상황에 초점을 맞추어 기업이 미래에 거대한 수익을 얻고 성장할 수 있는 기회를 놓치지 않게 하는 전략적 목표를 갖고 있다. 자사 특허 포트폴리오의 가치를 개발하여 기업 자본을 늘릴 수 있고, 특허권리범위 내에서 하나의 중요한 사업을 구성할 수도 있으며, M&A를 통해 새로운 시장의 특허를 획득할 경우 성공적인 시장 진입이 가능하게 된다.

(2) 성장 전략 사례

성장 전략의 사례로는 1997년 TI(Texas Instrument)가 3억 9,500만 달러에 Amati Communications를 인수한 일을 들 수 있다. TI는 모뎀 사업 분야의 장기적인 경쟁력을 강화하겠다는 목표가 있었지만 기술적으로 타사에 비해 상당히 뒤쳐져 있었다. 그리고 시장이 고속디지털가입자회선(DSL)으로 전환되는 상황에 있었기 때문에 TI는 Amati의 인수를 통해 25개의 DSL 특허를 획득하게 되었고, 이 특허는 ANSI(American National Standards Institute)에 의해 DSL 기술표준으로 채택되어 시장을 선도하게 되었다.

2. 유지 전략

(1) 유지 전략 개념

특허는 출원된 이후 수익 창출 기반이 되어야 한다. 유지 전략은 낮은 성장률이나 이윤 축소 등과 같이 현재 당면한 문제를 해결하기 위해 12~18개월 정도의 시간이 소요되는 해결방안을 제시하는 것으로서, 그 목표는 이윤 제고와 수입 증대, 그리고 새로운 성장기회를 이용할 수 있는 위치로의 이동이 될 수 있다. 유지 전략에서는 기업의 특허위치에 있어 경쟁력이 취약한 부분을 강화하고 자사 보유특허를 상호 라이선싱이나 로열티 획득 수단으로 활용한다. 또한 라이선싱 수단으로 활용할 수 있는 미개발 특허를 보유한 기업을 찾아내 인수할 필요도 있다.

(2) 유지 전략 사례

Canon사는 복사기 시장의 경쟁력 확보를 위한 제품개발 프로그램에서 특허기반의 유지전략을 채택함으로써 성공을 거두었다. 잉크젯 프린터 초기 시장에서 우위를 확보하고 있었던 Canon은 과도한 경쟁으로 이윤이 10% 이하로 감소하자 잉크젯 카트리지, 용지 등 프린터 관련 소모품과 관련된 기술을 모두 특허화함으로써 프린터 시장에서 우위를 지킬 수 있었다.

3. 처분 전략

(1) 처분 전략 개념

기업은 특허자산을 기반으로 경영실적이 나쁘거나 비전이 없는 사업을 처분함으로써 수익을 창출할 수 있는 기회를 만들 수 있는데, 이를 위해서는 자사와 유사한 포트폴리오를 가지고 있으면서 내부적으로 활용 가치가 떨어진 자사의 특허가치를 인정하는 기업을 찾아야 한다. 즉, 주력 사업과 관련성이 낮은 특허 등을 타사에 판매하는 것이다. 이러한 특허처분은 M&A를 통해서도 가능하고 파산에 직면한 기업이 특허획득이 가능한 기술을 중심으로 새로운 기업을 설립함으로써 생존 전략으로 활용될 수도 있다.

(2) 처분 전략 사례

Avery Dennison사(미국의 교통 표지판, 차량용 소모품, 쇼핑 바구니 등을 제작하는 회사)는 쇠퇴기에 있는 사업 조직을 성장가능성이 있는 사업으로 변화시키기 위해 특허기반의 처분 전략을 채택했는데, 시장이 포화 상태에 있는 사업의 특허 포트폴리오를 분석한 결과 경쟁사들의 강력한 특허에 의해 자사 특허가 시장에서 힘을 발휘하지 못하고 있다는 것을 발견하였다. 이를 바탕으로 관련 특허들을 처분하기 시작하였고 이를 통해 발생한 수입을 당시 큰 성장세를 보이기 시작한 듀라셀 라벨(Duracell Label) 프로그램에 재투자함으로써 성장률이 낮은 사업을 효과적으로 정리하고 성장성이 큰 사업을 더욱 발전시키는 계기를 마련하였다.

제4절 지식재산과 라이선싱

01 라이선싱의 개요

라이선스 방식의 수익화 모델은 여러 가지 장점이 있다. 먼저 위험(Risk) 관리 면에서 유리하며, 라이선스를 통해 로열티 수입을 올리게 되면 이는 거의 순이익이 되므로 순이익률이 높다. 예를 들어, 라이선스 수입에 따른 순이익률은 미국 IBM의 경우 90%를 상회하여 매년 15억 달러 정도의 로열티 수입을 올린다고 알려져 있다. 또한 장기적인 수익이 가능하다. 매각의 경우에는 일시금으로 받는 경우가 많으므로 일시적인 수익이 됨에 반해, 라이선스는 보통 수 년에서 길게는 10년 이상의 계약을 하고, 주기적으로 계약이 갱신되기도 하기 때문에 장기적인 수익 모델이 될 수 있다.
물론 라이선스는 특허권, 저작권, 상표권 등의 등록된 지식재산권뿐 아니라, 영업비밀이나 노하우 같은 권리를 대상으로 할 수 있다. 예를 들어, 디즈니사는 80여 년 전에 미키마우스 캐릭터를 만들었고, 미키마우스는 대중적인 인기에 힘입어 연필 박스에 캐릭터 사용에 관한 라이선스를 주게 되었다. 이후 셔츠, 런치 박스, 인형 등 다양한 제품에 캐릭터에 관한 라이선스를 부여하고, 로열티 수입을 올리고 있다. 반면, 디즈니사는 제품을 생산하거나 판매하는 것이 아님에도 불구하고 천문학적인 로열티 수입을 챙기고 있다.

1. 라이선스의 목적과 효과

라이선싱에 있어서, 라이선스를 주는 자가 라이선서(Licensor)이고, 라이선스를 받는 자가 라이선시(Licensee)이다. 라이선스는 라이선서와 라이선시 간에 특정한 재산권 사용에 관한 권리를 부여하거나 이를 행사하지 않겠다는 계약에 의해 발생한다. 이러한 라이선스의 목적 내지 효과는 다음과 같다.

① 라이선시는 필요한 기술에 관한 권리를 부여받아 제품이나 서비스에 해당 권리를 적용함으로써 제품의 가치를 향상시키며, 경쟁 제품과의 차별성 내지 우위를 확보하여 판매를 증진하고, 시장 점유율을 확대하거나 새로운 제품이나 서비스 시장에 쉽게 진출할 수 있다.

② 라이선시는 해당 권리에 기인하여 초래될 수 있는 분쟁의 위험(Risk)을 제거할 수 있게 되고, 이러한 불확실성의 제거로 인하여 안정적으로 사업을 수행할 수 있게 된다.

③ 라이선시는 계약에 따라 필요한 기술을 확보함은 물론이고, 실시 특허를 이용하여 라이선서와 공동으로 신기술을 개발하여 연구개발의 효율성 및 비용을 절감할 수 있다.

④ 라이선서는 라이선스 계약에 따라 라이선시의 실시에 따른 실시료(Royalty)를 징수하여 수익을 창출할 수 있다. 경우에 따라서는 라이선스를 지역별, 제품별, 실시 형태별로 여러 라이선시에게 라이선스를 허락함으로써 수익을 최대화할 수도 있다. 라이선스를 허락하는 때 실시료를 경상실시료로 하기로 합의했다면, 라이선시가 기술개발 및 마케팅을 통해 수익을 올릴수록 라이선서의 실시료 수입이 늘어나는 효과도 있으며, 해당 기술의 가치가 라이선시의 영업 활동에 따라 증가하는 효과도 기대할 수 있다.

⑤ 라이선서는 라이선시의 영업을 통해 새로운 시장으로 진입할 수 있으며, 해당 제품이나 서비스의 시장 점유율도 상승하는 효과를 누릴 수 있다. 특히 유사한 기술이 사용될 수 있는 이종의 제품에 대한 라이선스의 경우 이를 제조 및 판매하기 위한 새로운 투자를 하지 않아도 되는 효과가 있을 수 있다. 또한 새로운 시장 진입을 위해 해당 국가에 설비를 투자하는 등의 비용과 사업의 성공 여부에 대한 불확실성을 결과적으로 라이선시에게 부담시키게 된다.

⑥ 생산비용을 절감할 수 있는 지역에 실시권을 설정하는 경우에는 생산에 따른 비용을 절감할 수 있고, 라이선시와의 분쟁을 회피할 수 있어 분쟁에 따른 비용과 시간을 절감할 수 있는 효과도 있다. 만일 라이선시도 유사하면서 유용한 특허 등을 보유하고 있는 경우에는 이를 서로 사용할 수 있도록 크로스 라이선스로 체결하는 것도 좋은 방법이다. 만일 해당 기술이 다른 제3자의 권리를 침해하는 경우에도 라이선서와 라이선시는 계약에 따라 상이할 수 있지만 서로 공동으로 대응하게 되므로, 분쟁의 대응 역량을 강화할 수 있는 이점도 있다.

⑦ 라이선서는 라이선시와의 공동의 개발 및 마케팅 등을 통해 라이선스의 대상이 되는 기술을 산업상의 표준이 되도록 공동 노력할 수 있고, 표준으로 선정되지 않더라도 실질적으로 표준적인 기술이 되도록 할 수 있다.

⑧ 라이선서의 입장에서는 라이선시가 제품이나 서비스를 시장에 제공함으로써 해당 기술에 대한 인지도를 높여 홍보 효과를 얻을 수 있으며, 이는 기업 가치의 향상으로 이어질 수 있다. 예를 들어, 개방형 혁신(Open Innovation)의 최종 목적은 관련 시장의 확대 및 기술개발의 가속화를 통해 기업의 가치를 증대시키는 것이므로, 라이선스 활동도 일종의 개방형 혁신이라고 볼 수 있다. 디즈니(Disney)나 마블(Marvel)사가 관련된 제품을 제조하지 않지만 자신의 상표나 캐릭터를 전 세계적으로 라이선싱하여 막대한 로열티 수입을 올리고 있는 것처럼 말이다.

2. 라이선싱의 종류

(1) 라이선싱 아웃과 라인선싱 인

라이선싱 아웃(Licensing-Out)은 라이선스를 타인에게 주는 것을 의미하고, 라이선싱 인(Licensing-In)은 타인의 권리에 대해 라이선스를 도입하는 것을 말한다.

(2) 전용실시권과 통상실시권

우리나라의 경우 특허권은 전용실시권과 통상실시권으로 나뉜다. 전용실시권은 등록이 효력 발생요건이며, 통상실시권은 계약에 의한 합의로 효력이 발생한다. 또한 전용실시권이 체결되어 등록이 되면 그 범위 내에서는 특허권자도 특허발명을 실시할 수 없으며, 전용실시권자가 그 범위 내에서 특허발명을 실시할 권리를 독점한다. 계약에 의한 실시권의 설정은 사적 자치의 원칙에 의해 다양한 조건과 제한을 둘 수 있는데, 기간을 한정하거나 실시할 수 있는 지역이나 실시 제품 또는 형태를 한정할 수 있다.

(3) 개방형 라이선스와 폐쇄형 라이선스

일반적으로 양자 간의 라이선스 계약에 의해 체결되는 라이선스는 폐쇄형 라이선스(Closed License)로 라이선시만 해당 권리를 사용할 수 있다. 반면, 개방형 라이선스(Open License)는 일정한 조건하에 이를 공개하여 누구나 이용할 수 있도록 한 라이선스이다. 개방형 라이선스는 주로 소프트웨어 분야에서 많이 이용되고 있는데, 이를 오픈소스 소프트웨어(Open Source Software)라 하며 이는 자유롭게 이용, 복제, 재배포, 수정, 접근할 수 있는 것이 특징이다.

(4) 명시적 라이선스와 묵시적 라이선스

일반적인 계약 등에 의해 권리자의 의사에 기반하여 발생하는 라이선스는 모두 명시적 라이선스이고, 묵시적 라이선스(Implied License)는 해당 권리를 채용한 제품(특허제품)을 정당한 권한을 갖는 자가 정당하게 유통하였을 때, 이 제품을 구입한 사람은 그 제품에 대해서는 권리자가 침해를 주장할 수 없게 된다는 것이다. 즉, 정당하게 제품을 구매한 사람은 그 제품에 대해서 묵시적인 라이선스를 갖는 것으로 본다. 이는 다른 말로 하면, 정당한 판매에 의해 구매하면 구매자에게는 권리가 소진된다는 권리 소진(Right Exhaustion)의 법리에 따른 것이라고 볼 수 있다.

(5) 크로스 라이선스(교차 라이선스)

둘 이상의 기업 내지 조직이 각각 자신의 지식재산권을 상대방에게 실시하도록 허여하는 방식의 라이선스를 말한다. 경제적 가치가 동등할 경우 무상으로 계약을 체결하며 보통은 무상으로 상호계약 하는 것이 일반적이나, 가치의 차이가 있을 경우 해당 차액을 지불하고 사용하기도 한다. 계약을 함으로써 기업은 다른 기업과의 특허 소송에 들어가는 비용과 인력, 그리고 시간을 절약할 수 있어 최근 글로벌 기업들끼리 크로스 라이선스(Cross License)를 체결하는 경향이 늘고 있다.

02 라이선싱 계약체결

1. 라이선스 계약의 개념

(1) 라이선스 계약의 정의

라이선스 계약이란 당사자의 일방(라이선서)이 상대방(라이선시)에게 특정한 기술에 대해 실시권을 허락하는 계약을 말한다. 따라서 라이선스 계약의 필수요소는 계약 당사자, 실시 허락의 대상 기술, 실시권 등 세 가지이다. 실시허락의 대가(실시료)는 라이선스 계약의 법적 필수요소는 아니다. 따라서 특정 기술을 실시허락의 대상으로 하는 것이라면, 유상, 무상을 묻지 않고 모두 라이선스 계약이라 할 수 있다.

(2) 라이선스 계약의 법적 성격

라이선스 계약도 법적인 계약인 이상 민법상의 전형 계약과 공통된 성질을 갖는 반면, 전형 계약과는 다른 특수성도 함께 가지고 있다. 이러한 라이선스 계약의 법적 성격은 계약의 분류에 따르면 무명 계약(비전형 계약), 낙성 계약, 쌍무 계약, 유상 계약, 불요식 계약, 계속적 급부 계약, 채권 계약이다.

라이선스 계약의 법적 성격

계약의 성격	법적 특성
무명 계약	민법상의 전형 계약이 아닌 특수 계약
낙성 계약	실시허락자와 실시권자 간의 합의만으로 성립
쌍무 계약	실시권자의 실시료 지불과 실시권허락자의 실시권 허여 의무
유상 계약	통상 대가로서 실시료 지불
불요식 계약	서면 작성 등 일정한 방식 불필요
계속적 급부 계약	계약기간 중 계속하여 허락특허 실시
채권 계약	채권의 발생을 목적으로 함

라이선스 계약은 다른 유형의 계약과 마찬가지로 계약자유의 원칙에 지배되므로 전용실시 계약인지, 통상실시 계약인지를 불문하고 합의만으로 성립하며, 제3자의 동의, 승인, 행정청의 인・허가, 등록 등이 필요 없으나, 라이선스 계약의 방식에 대해서는 일정한 제한을 받고 있다는 점에 유의할 필요가 있다. 즉, 공유특허권자는 다른 공유자의 동의를 받지 않으면 특허권에 대해 제3자에게 실시권을 허락할 수 없으며, 국제 라이선스 계약 또는 기술도입 계약을 체결하려고 할 때는 주무관청 또는 공정거래위원회에 소정 사항을 신고해야 한다.

(3) 라이선스 관련 계약의 종류

라이선스 계약은 그 내용에 따라 다양한 형태가 있는데, 예를 들면 다음과 같다.

① Technical Assistance Agreement : 기술의 지원에 관한 계약

② License Agreement : 실시・사용권의 허여(허락) 계약

③ Patent License Agreement : 특허의 실시권 허여 계약

④ Technical Information Agreement : 기술정보의 이전에 관한 계약

⑤ Know-how Agreement : 노하우 거래에 관한 제반약속을 규정하는 계약

⑥ Patent License and Know-how Supply Agreement : 특허실시권 허여 및 노하우 제공에 관한 계약

⑦ Option Agreement : 최소한의 기술을 개시받은 후 일정한 검토기간 후 계약체결 여부를 결정하도록 규정하는 계약

⑧ Exchange of Technical Information Agreement : 기술정보의 상호 교환에 관한 계약

⑨ Cross License Agreement : 실시권의 상호 간 허여에 관한 계약

2. 라이선스 계약의 성립과 효력발생

(1) 라이선스 계약의 성립요건

우선 계약이 성립하기 위한 최소요건으로는 계약 당사자의 의사표시의 합치(합의)가 필요하다. 계약과 같은 법률행위가 성립하기 위해서는 일반적으로 권리능력(Legal Capacity)을 가지는 당사자가 존재하고, 일정한 법률 효과의 발생을 목적으로 하여 의사표시를 하는 것이 필요하다. 법률행위의 일반적 성립요건으로서의 당사자, 목적, 의사표시 등 어느 하나라도 결여되면 법률행위는 불성립한다.

(2) 라이선스 계약의 효력 발생요건

계약과 같은 법률행위의 일반적 성립요건으로서 당사자, 목적, 의사표시가 존재하는 경우에도 다음과 같은 유효요건을 결여한 때는 계약과 같은 법률행위는 무효로 되거나 또는 취소가 된다.

① 계약의 목적이 실현 가능할 것

② 계약 내용을 확정할 수 있을 것

③ 계약 내용이 적법할 것

④ 계약 내용이 사회적인 타당성을 가질 것

⑤ 의사표시의 내용이 당사자의 내심의 의사와 일치할 것

03 라이선싱 협상 전략

1. 라이선스 기간

라이선스의 기간을 얼마로 할 것인지가 문제가 된다. 긴 기간의 라이선스는 일반적으로 선급금(Initial Payment 또는 Up-Front Payment)을 적게 하고, 경상실시료(Running Royalty)를 높게 설정하는 방식이다. 기간을 길게 설정하면 일반적으로 라이선시가 스타트업이나 작은 기업인 경우 양자에 모두 유리한 결과가 될 수 있다. 또한 라이선서의 해당 제품이나 서비스가 시장에서 새로운 것으로 향후 시장에서 매출이나 이익이 크게 증대될 것으로 기대되는 경우에 유리하며, 라이선시의 입장에서도 사업 성공의 불투명성을 해소하는 길이 될 수 있으므로 바람직하다. 그러나 라이선시가 해당 사업을 포기하거나 재무적인 어려움을 겪게 되는 경우, 라이선서의 입장에서는 위험 부담이 있다.

반면, 짧은 기간을 설정하는 라이선스는 초기의 선급금이 많고, 경상로열티는 상대적으로 적거나 아예 초기에 일시금(Lump Sum)으로 지급함으로써 일정 기간 실시권을 허여하는 것이다. 이는 이미 과거에 해당 지식재산권을 침해하는 행위를 한 라이선시에게 손해액을 배상하는 경우에 많으며, 라이선시의 재정적인 면이 불투명하거나 해당 제품이나 서비스의 성공 확률이 낮다고 보는 경우, 경상실시료에 대한 감사에 부담이 있는 경우 등에 사용될 수 있다.

2. 독점적 · 비독점적 라이선스

비독점적인 라이선스(Non-Exclusive License)를 허여하면 양 당사자들은 위험을 줄일 수 있다는 장점이 있다. 라이선서는 해당 제품의 사업이 성공할 것인지 여부에 대한 리스크를 줄이고, 라이선시는 실시료율을 최소화할 수 있어 부담이 적은 방법이 된다. 또한 라이선서는 해당 제품에 대한 통제를 할 수 있고, 낮은 실시료는 제품의 가격을 최소화할 수 있는 기반이 되어 가격경쟁력을 가질 수 있다. 아울러 라이선서는 비독점적인 라이선스를 여러 사람에게 허여함으로써 실시료 수입을 극대화하고, 라이선시들이 개량한 기술이 라이선서에게 이익이 된다.

반면, 독점적인 라이선스(Exclusive License)에 있어서, 라이선서는 해당 기술에 대한 독점적인 라이선스를 주는 것이 바람직한지 면밀히 살펴보아야 한다. 독점적 라이선스를 허여하게 되면 그 범위 내에서는 권리자도 해당 권리를 실시할 수 없으며, 중첩되는 라이선스를 제3자에게 허여할 수 없기 때문이다. 만일 라이선시에게 독점적인 라이선스를 주고 경상실시료를 받기로 했는데 라이선시가 이를 실시하지 않거나 불충분하게 실시하게 되면 실시료 수입은 극히 저조할 수 있다. 따라서 라이선시가 시장에서의 시장 점유율이 높고, 제조 및 판매능력이 충분한지 등에 대한 면밀한 조사가 필요하다.

3. 개량기술에 관한 사항

라이선스의 양 당사자는 개량기술을 어떻게 처리할지에 대한 합의가 필요하다. 통상 그랜트백(Grant Back) 조항으로 일컬어지는데, 라이선서의 입장에서는 라이선시가 개량한 기술에 대해 일정한 권리를 갖도록 하는 것이 유리하고, 라이선시도 라이선서의 개량된 기술에 대해 권리를 확보하는 것이 필요하다. 따라서 양 당사자는 개량기술에 대하여 서로에게 일정한 조건하에 자유롭게 실시할 수 있도록 하거나, 이를 공유로 하거나, 별도의 라이선스를 체결할 의무나 라이선스 협상의 우선권을 주는 등의 조항을 두게 된다.

4. 양도 및 재실시권에 관한 사항

일반적으로 한국의 법제에서 실시권자는 권리자(특허권자 등)의 동의 없이는 자신의 실시권을 양도하거나 재실시권을 설정할 수 없다. 그러나 중국 등의 국가에서는 계약에서 별도의 정함이 없으면 실시권자는 자유롭게 자신의 실시권을 양도하거나 이에 기초하여 재실시권을 허락할 수 있으므로, 각국의 법제를 면밀하게 파악하여 적절한 조항을 포함시키는 것이 바람직하다. 라이선서의 입장에서는 이것이 명확치 않으면 주의적으로라도 양도나 재실시권을 설정할 권한이 없거나, 그러한 경우에는 라이선서의 동의가 필요하다는 조항을 삽입하는 것이 바람직하다. 만일 재실시권 허락의 권리를 라이선시에게 부여하는 경우에는 재실시권은 라이선서와 라이선시의 기존의 계약 조건을 초과할 수 없으며, 일정한 조건의 제한을 명확히 하는 것이 필요하다.

5. 실시 지역 및 실시 수량

일반적으로 라이선서는 라이선시의 실시 능력에 따라 지역을 제한할 수 있다. 실시 수량은 최대 수량을 정할 수도 있고, 최소 수량을 정할 수도 있다. 최소 수량을 정하는 것은 라이선서의 입장에서 최소한의 실시료를 확보하는 기능을 하므로 최저 실시료를 정하는 것과 마찬가지이다. 라이선시의 입장에서는 장래의 사업 확대를 고려하여 실시 지역이나 수량을 정하여야 하며, 별도의 조항으로 실시 지역이나 최대 수량 등의 조건을 다시 협상할 수 있는 단서 조항을 두는 것도 바람직하다.

6. 실시 또는 사용 분야 및 실시 형태

계약으로서 실시할 수 있는 분야를 한정하는 경우도 많다. 하나의 기술이 여러 제품에 적용될 수 있는 경우 라이선서의 입장에서는 각각의 제품군으로 나누어 여러 라이선시와 계약할 수 있으므로, 수익을 최대화할 수 있다. 실시의 형태 역시 제한할 수 있어 생산, 사용, 양도, 대여, 수입 등을 각각 제한할 수 있다. 다만, 생산이나 수입으로 제한하는 경우에는 판매를 포함하는 양도의 권한은 준 것으로 해석된다.

이 밖에 중요하게 고려하여야 할 조건으로는 보증 및 면책 규정이나, 소송의 경우 이에 대한 방어에 관한 조항, 비밀유지 규정 등이 있으며, 외국의 라이선서나 라이선시와의 계약이라면 준거법과 재판관할에 관한 규정도 중요하다.

제2장 발명 등의 평가

제1절 발명 등의 평가 개요

01 지식재산 가치평가의 명문화

4차 산업혁명 확산에 따라 기술·노하우 등 무형자산의 중요성이 증대하고 있으며, 이에 발맞춰 기업의 혁신성장과 첨단기술의 개발을 지원하기 위한 지식재산의 이전·거래의 활성화가 갈수록 중요해지고 있다. 그러나 최근까지도 지식재산의 이전 및 거래 활성화의 전제조건인 '정확하고 신뢰도 있는 가치평가'의 정착 미흡으로 지식재산의 이전 및 거래가 정체되는 상황이 계속되어 왔다.

한편, 지식재산 기본법에서는 지식재산 평가와 관련하여, 정부는 지식재산에 대한 객관적인 가치평가를 촉진하기 위하여 지식재산 가치의 평가기법 및 평가체계를 확립해야 하고, 지식재산의 가치평가기법 및 평가체계가 지식재산 관련 거래·금융 등에 활용될 수 있도록 지원해야 함을 규정(제27조 제1항)하고 있으나, 지식재산 가치평가에 대하여 별도 정의 규정은 두고 있지 않았다.

이에 따라 정부는 지식재산 가치평가 제도의 정착 및 고도화를 위해 관계부처 합동으로 발명진흥법을 개정[73]하여 지식재산 가치평가의 법적근거를 명확히 하였으며, 평가의 공정성, 객관성 및 신뢰성을 보장하기 위하여 평가 기준에 관한 구체적인 사항을 고시하였다.[74] 나아가 발명진흥법 제28조에 따라 특허청이 지정한 발명의 평가기관의 내실 있는 평가활동을 위해 기관별 평가실적 및 역량에 대한 점검 및 관리를 강화하고, 전문성 있는 민간자격 운영을 지원하기 위한 자격제도 운영 가이드라인을 마련하였다.

73) 시행 2023. 7. 4., 법률 제19164호, 2023. 1. 3., 일부개정
74) 발명 등의 평가 기준 제정고시(특허청고시 제2023-10호)

관련 조문

발명진흥법 제2조(정의) 이 법에서 사용하는 용어의 뜻은 다음과 같다.

11. "발명 등의 평가"란 다음 각 목의 어느 하나에 해당하는 것에 대한 현재 또는 장래의 경제적 가치를 가액·등급 또는 점수 등으로 표시하는 것을 말한다.
    가. 국내 또는 해외에 출원 중이거나 등록된 발명 및 「상표법」 제2조제1항제1호에 따른 상표(이하 "상표"라 한다)
    나. 「부정경쟁방지 및 영업비밀보호에 관한 법률」 제2조제2호에 따른 영업비밀(이하 "영업비밀"이라 한다)
    다. 「반도체집적회로의 배치설계에 관한 법률」 제2조제2호에 따른 배치설계(이하 "배치설계"라 한다)

제31조의2(발명 등의 평가 기준) ① 발명 등의 평가의 공정성, 객관성 및 신뢰성을 보장하기 위한 발명 등의 평가 기준(이하 "평가기준"이라 한다)은 대통령령으로 정한다.
② 평가기관은 발명 등의 평가 시 평가기준을 준수하여야 한다.

발명진흥법 개정 전에는 "지식재산(IP) 가치평가"에서 '지식재산', 'IP'라는 용어를 실무적으로 '지식재산권(IPR)'의 의미로 사용하여, '지식재산권(IPR)'이 가지고 있는 경제적 가치를 일반적으로 인정된 가치평가 원칙과 방법론에 따라 평가하였다.[75] 그런데 가치평가는 개별적으로 식별이 가능하고 사업주체와 분리되어 거래될 수 있는 독립된 거래객체를 대상으로 이루어질 수 있는 것으로서, 그 대상은 지식재산권뿐만 아니라 공공연히 알려지지 아니하였으나 독립된 경제적 가치를 가지는 '영업비밀'(부정경쟁방지 및 영업비밀보호에 관한 법률 제2조 제2호)과 신지식재산권의 일종인 '배치설계'(반도체집적회로의 배치설계에 관한 법률 제2조 제2호), 나아가 국내외 출원 중인 발명에까지 확장될 수 있는 것이다.

따라서 개정된 발명진흥법은 평가의 대상이 되는 "발명 등"에 대해 특허권, 실용신안권, 상표권, 국내외 출원 중인 발명, 영업비밀, 반도체직접회로의 배치설계 등을 포함하는 것으로 명확히 정의하게 되었으며, 과거 폭넓게 사용되어 오던 "지식재산 가치평가"의 개념을 이제 "발명 등의 평가"라는 용어로 대체하였다고 볼 수 있다.

다만, 본 장에서는 지식재산권(IPR)을 대상으로 하는 발명 등의 평가, 즉 특허권, 실용신안권 등에 대한 가치평가만을 다루기로 한다.

75) 기술평가기준 운영지침(산업통상자원부 고시 제2016-114호)

02 발명 등의 평가와 기술가치평가와의 비교

발명 등의 평가와 기술가치평가는 서로 전혀 다른 가치평가 원칙과 방법론을 적용하는 것은 아니기 때문에 상당 부분 유사하다고 볼 수 있다. 다만, 차이점을 중심으로 발명 등의 평가와 기술가치평가를 비교하면 다음과 같다.

1. IP의 포함 여부

기술가치평가의 평가대상은 '기술'로서, 기술노하우(또는 영업비밀)와 IP를 모두 포함하여 평가하는 경우도 있고, 또는 IP 없이 기술노하우만 평가하는 경우도 있다. 일반적으로 기술노하우는 개별적으로 식별하여 사업주체와 분리하는 것이 곤란하다. 반면, 발명 등의 평가의 평가대상은 법령 등에 의하여 보호되는 발명으로서, 기술노하우와 달리 개별적으로 식별이 가능하고 사업주체와 분리하여 매각하는 것이 상대적으로 용이하다. 발명 등의 평가에서는 기술노하우만 평가하지는 않는다.

2. 권리성 분석의 역할

기술노하우와 IP 모두를 평가대상으로 하는 기술가치평가에서는 IP에 권리하자가 있어서 권리안정성이 불인정되더라도, 권리성 측면에서 부정적 평가요인으로 가치산정에 일부 반영할 뿐이며, 기술노하우(또는 영업비밀)만으로 창출가능한 미래 현금흐름이 인정되면 가치 산정을 하고 있다. 그러나 발명 등의 평가에서는 평가대상이 '권리' 자체이므로 평가 대상에 중대한 권리하자가 있다면 가치산정이 무의미할 수 있기 때문에 전문가 합의에 의하여 평가종료를 고려하는 것이 타당하다. 따라서 발명 등의 평가에서는 권리성 분석의 역할이 기술가치평가의 그것에 비하여 훨씬 중요하다고 볼 수 있다.

3. IP기여도

발명 등의 평가에서 평가대상이 IP인 경우 미래 현금흐름의 순현재가치에서 IP가 공헌한 상대적 비중(IP기여도)을 고려해야 한다. 한편, 기술가치평가 역시 기술기여도 도출 과정에서는 기술사업을 통해 창출된 미래 현금흐름의 순현재가치에 기여한 유무형자산 중 'IP 자산'이 공헌한 상대적 비중을 고려한다.

03 발명 등의 평가의 목적과 원칙

1. 주요 목적과 용도

지식재산(IP)을 대상으로 하는 발명 등의 평가의 주요 목적 또는 용도는 다음과 같다.

- IP 기반 대출 등 IP 금융을 위한 지식재산권 담보금액 산출
- IP 비즈니스를 위한 지식재산권의 매매 또는 라이선스 가격 결정
- IP 현물출자를 위한 IPR의 가치 산정
- IPR 침해소송에 있어서의 손해배상액의 산정
- 기타 IPR을 독립된 재산권으로 획득 · 활용 · 처분하는 경우

지식재산에 대한 가치평가는 사업 주체와 분리 가능한 재산권으로서 지식재산이 보유한 독자적 활용 가치를 평가하는 것을 목적으로 한다. 이는 IPR로 보호받는 기술에 대한 평가이므로 대상 지식재산의 권리범위를 확정하여 권리범위 내의 기술을 대상 기술로서 인식해야 하며, 권리로 보호되지 않는 기술적 노하우는 IPR과 구분해야 한다. 또한 대상 지식재산의 권리로서의 권리안정성과 권리범위의 광협에 대한 분석이 상세히 이루어져야 한다.

2. 주요 원칙 및 가정

발명 등의 평가는 대립되는 이해관계자, 평가목적, 국제적 호환성 등을 고려하여 가치평가자가 따라야 할 여러 가지 원칙 및 가정이 존재한다.

① 우선, 시장가치 원칙으로서, 시장가치란 적절한 마케팅 기간이 주어진 후 이해관계가 없는 자발적 판매자와 구매자 간에 평가일 현재 자산이나 부채가 교환되어야 할 추정금액을 지칭하는 것으로서, 이때 구매자와 판매자는 해당 상품에 대해 관련 지식이 있고, 사려 깊으며, 강제 없이 자유의지로 행동하는 사람을 말한다.

② 둘째, 평가조건의 설정 및 사용 원칙의 적용으로서, 채택 가능성이 높은 조건을 설정하여 가장 효율적이고 효과적인 사용(Highest and Best Use) 원칙을 적용해야 한다.

③ 셋째, 목적과 용도의 명시로서, 평가관점이나 고려되는 평가요인에 따라 평가결과가 달라질 수 있으므로 평가의 목적과 용도를 명시해야 한다. 이러한 목적과 용도는 최종 평가보고서상의 분석내용과 평가금액이 유효하게 적용되는 범위를 결정한다.

④ 넷째, 평가의 범위, 가정 및 한계로서, 평가과정에서 사용된 가정과 제한적인 조건 등을 제시해야 하며, 또한 상황의 변화에 따라 평가결과가 변동될 수 있음을 명시해야 한다. 이러한 평가의 범위, 가정 및 한계는 평가의 목적이나 용도와 밀접한 관계가 있다고 할 수 있다.

한편, 발명 등의 평가에서는 대상의 식별 및 범위가 매우 중요하다. 평가대상의 식별이란, 가치평가 대상 발명의 속성, 구성, 용도 및 적용제품 등의 자산적 속성, 지식재산, 사용권 등의 권리관계, 기타 속성 등을 확인하여 평가를 수행해야 한다는 것이다. 평가자는 실태조사를 통해 대상기술을 확인해야 하는 것이 원칙이나, 객관적이고 신뢰할 수 있는 자료를 충분히 확보할 수 있는 경우에는 실태조사를 생략할 수 있다.

3. 주요 평가요인

평가기관은 발명 등의 평가를 수행함에 있어서 객관성, 전문성 및 신뢰성을 확보해야 하며, 대상 발명 등의 기술성, 권리성, 시장성, 사업성 및 기타 평가요인을 분석하고 이를 가액, 등급 또는 점수 산정에 반영해야 한다.

(1) 기술성 분석

기술성 분석이란 대상 발명 등의 기술적 유용성 및 경쟁력 수준을 분석하는 것을 말한다. 기술성 분석에는 대상 발명 등의 완성도 · 구현 가능성, 활용성 · 확장성, 비교우위 · 경쟁성 등에 대한 분석이 포함되어야 한다.

(2) 권리성 분석

권리성 분석이란 대상 발명 등이 권리로서 적절히 보호되고 있는지에 대하여 분석하는 것을 말한다. 권리성 분석에는 선행기술과의 대비를 통한 권리의 안정성, 권리의 보호강도, 권리의 제품 · 서비스에 적용 여부 · 적용 수준 등에 대한 분석이 포함되어야 한다.

(3) 시장성 분석

시장성 분석이란 대상 발명 등이 적용되는 시장환경 및 시장경쟁 분석을 통하여 적용제품이나 서비스의 시장경쟁력을 분석하는 것을 말한다. 시장성 분석에는 대상 발명 등이 적용되는 제품이나 서비스 등이 속한 시장 및 업계 동향, 시장규모와 성장성, 시장 점유율 확보 가능성 등에 대한 분석이 포함되어야 한다.

(4) 사업성 분석

사업성 분석이란 대상 발명 등을 활용한 사업의 경제성을 분석하는 것을 말한다. 사업성 분석에는 대상 발명 등이 적용되는 제품이나 서비스의 경쟁력 분석을 통해 해당 제품이나 서비스의 수익 창출가능성 및 성장성 등에 대한 분석이 포함되어야 한다. 또한 사업화 주체가 정해진 경우에는 사업화 주체의 제품 · 서비스 개발 역량, 인적 역량, 마케팅 역량 등 사업화 역량에 대한 분석이 포함되어야 한다.

제2절 발명 등의 평가 방법

발명 등의 평가 방법은 일반적으로 시장접근법(Market Approach), 소득(수익)접근법(Income Approach), 비용(원가)접근법(Cost Approach) 등 세 가지로 구분되며, 기본적인 평가접근법을 근간으로 단독 또는 로열티공제법(RFR : Relief From Royalty)과 같이 혼합된 형태를 적용할 수도 있다.

발명 등의 평가 방법

시장접근법	소득(수익)접근법	비용(원가)접근법
• 거래사례비교법 • 경매(Auctions)	• 기술요소(Tech · Factor)법 • 다기간 초과이익(Multi-Period Excess Earning)법 • 증분수익(Incremental Income)법 • 잔여가치(Residual Value)법 • 실물옵션(Real Options)법	• 역사적 비용 • 재생산비용 • 대체비용
• 로열티공제(Relief from Royalty)법		

어떤 방법을 적용하는가는 평가의 목적, 대상, 상황 등에 따라 달라질 수 있으나, 기본적인 평가접근법은 서로 다른 경제적 관점에 기반(Economic Basis)을 두고 가치평가에 접근하는 것이다. 경제적 기반이 서로 달라 때로는 상이한 가치 결과를 초래할 수 있으므로 가치평가의 제반 상황을 감안하여 신중한 결정이 필요하다. 여기에서는 실무적으로 지식재산 평가에서 많이 적용되고 있는 로열티공제법과 소득(수익)접근법을 주로 다루고자 한다.

01 로열티공제법

1. 의의

로열티공제법은 기술에 대한 권리를 소유하지 않음으로 부담하게 되는 적정한 로열티를 추정하여 평가대상 IP의 가치를 추정하는 방법이다. 즉, 기업이 평가대상 IP를 보유하지 못하여 제3자로부터 라이선스하는 경우를 가정하고, 평가대상 IP의 경제적 수명기간에 라이선스 비용으로 지급해야 하는 로열티의 현재가치를 기술가치로 추정하는 방법이다. 따라서 로열티공제법은 기회비용 관점에서 평가대상 IP의 가치를 추정하는 접근법으로, 이를 적용하기 위해서는 평가대상 IP가 경제적 이익을 창출하거나 할 수 있다는 충분한 근거가 제시되어야 한다.

로열티공제법은 IP의 경제적 수명기간에 추정된 로열티 수익의 흐름을 현재가치로 환원하여 가치금액으로 산출하기 때문에 수익접근법으로 분류되기도 하고, 기술시장에서의 로열티율의 시장데이터를 이용하는 점에서 시장접근법으로 분류되기도 한다. 로열티공제법을 사용하는 경우 대상 IP기술과 비교하여 동일하거나 유사한 기술거래 로열티를 초기값으로 하고, 대상 IP기술과 비교기술 간 속성을 비교·분석한 후 그 차이를 반영하여 기본 로열티를 조정하여 산정한다.

2. 절차와 유의점

비교 가능할만한 투자 위험과 수익성을 가지는 유사기술의 라이선스 사례를 조사분석하여 대상기술과의 차이를 반영하여 가치를 산정한다. 투입 변수는 시장규모 및 예상매출액, 평가대상 IP의 경제적 수명, 로열티율, 현금흐름, 할인율 등이다.

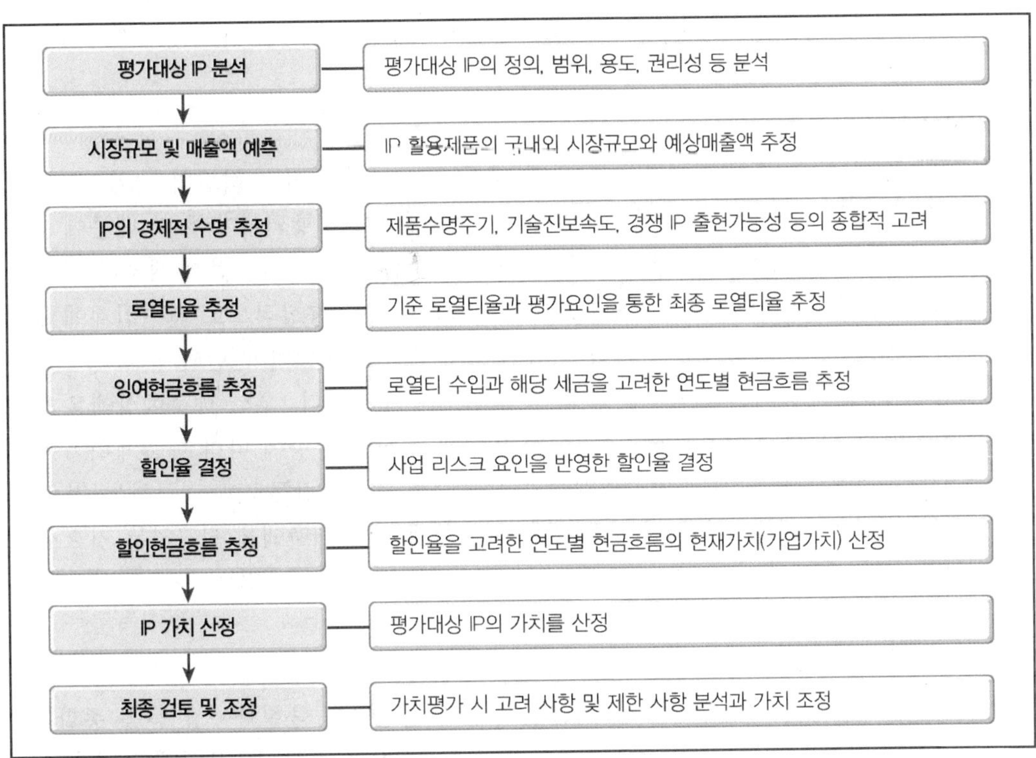

| 로열티공제법의 가치평가 순서

로열티공제법에 의한 평가절차는 먼저 평가대상 IP에 대한 기술성, 시장성 분석을 통해 기술적·상업적 우위가 있는지, 유사 기술의 상업적 성공사례가 있는지 여부를 확인하여 평가대상 IP가 경제적 가치가 있는지 분석한다. 이후 평가대상과 유사기술 거래사례를 조사·분석한 후 평가대상 IP의 로열티를 결정한다. 다음으로 소득접근법과 마찬가지로 평가대상 IP의 경제적 수명과 IP가 창출할 매출액을 추정하게 된다. 결정된 평가대상 IP의 로열티는 추정 매출액에 곱해져(따라서 평가대상 IP의 적정 로열티율은 매출액을 기준으로 결정되어야 함) 로열티 수입이 추정되고, 세금을 제외한 세후 로열티 수입을 현재가치화하여 연도별로 합하면 로열티공제법에 의한 IP가치가 산출된다.

(1) 시장규모 및 매출액 예측

① 시장규모 추정

평가대상 IP를 활용한 제품의 국내외 시장규모를 활용예상기간을 기준으로 추정하는 것이다. 즉, 당해 IP를 활용한 제품의 전체 시장규모를 파악하는 개념이다. 이때 시장규모를 추정하는 기준으로는 관련 제품의 내수, 수출액을 파악하여 활용하거나 생산, 수입액을 활용하는 방식이 있다. 또한 제품의 수요처를 기준으로 추정하는 방식과 부품, 원료의 시장규모를 기준으로 하는 방식도 있으나, IP에 따라 적절한 기준을 세우는 것이 관건이다. 이와 같이 시장규모 추정을 출발점으로 하여, 해당 IP의 매출 및 매출원가, 순이익을 추정하는 추정손익 계산으로 예상되는 기대수익의 현재가치를 계산하고, 뒤에서 설명하게 될 IP기여도에 의한 IP 요소의 가치, 기술이전 가능 금액을 산정하는 절차를 수립할 수 있다.

② 매출예측

해당 IP에 의해 생산되는 제품에 대해 장래 구체적으로 어느 정도의 수입(매출 등)이 예상되는지를 추정한다. 대상제품의 미래 수요예측이 선행되어야 하기 때문에 매출계획을 잡기는 쉽지 않다. 또한 신제품의 경우에는 관련 데이터가 없기 때문에 미래의 매출계획을 작성하기는 더욱 어렵다. 따라서 매출계획은 통상적으로 관련업계에 종사하는 자에 의해 상식적으로 납득이 가능한 수준에서 계획되어야 한다.

구체적으로 매출계획의 작성은 다음의 방법으로 구성한다. 우선 매출예상액은 업계의 평균 매출규모를 기본으로 하되 기술적 영향과 시장적 영향에 따라 매출계획이 변하는 것으로 설정한다. 이때 사업지배계수가 높을수록 최대시장규모에 접근하는 것으로 구성하고, 사업지배계수가 높지 않은 경우에는 업계 평균 매출액에 접근하는 것으로 설정한다.

(2) IP의 경제적 수명

IP의 경제적 수명은 제품수명주기, 기술진보속도, 경쟁기술 출현가능성 등을 종합적으로 고려하여 합리적으로 추정해야 한다. 정량적 추정방식으로서 특허인용관계를 활용한 기술순환주기(TCT) 등을 산출하여 참고자료로 활용하기도 한다.

(3) 로열티율 추정

IP가치평가에 최종 적용되는 로열티율은 기준 로열티율에 개별 IP의 기술적, 권리적 시장적, 사업적 특성을 포함한 조정계수를 반영하고 매출 추정에서 사용된 전체 제품에서 평가대상 IP가 차지하는 비중까지 고려하여 추정된다. 로열티공제법에서 로열티 산출과 적용의 우선순위는 다음과 같다.

① 첫째, 거래시장에서 평가대상 IP와 동일한 IP나 유사한 IP의 거래사례 로열티 정보가 다수 탐색된 경우 로열티 산출에 직접 적용할 수 있다.

② 둘째, 비교대상 IP의 로열티 사례가 없거나 매우 적은 경우 직접 산출보다는 업종별 거래사례 로열티 통계에서 적정범위를 산출할 수 있다.

③ 셋째, 업종별 거래사례가 부족한 경우, 이상값의 영향이 크고 평가대상 IP와 속성 등이 다를 수 있기 때문에 업종별 거래사례 로열티 통계 대신 상관행법 로열티 통계를 적용하여 적정범위를 산출할 수 있다.

⑷ 잉여현금흐름의 추정

권리성, 기술성, 시장성, 사업성 분석에 따라 산출된 로열티 수익과 세금 비용의 예측을 기준으로 각 사업연도별 추정 현금흐름, 즉 현금유입과 현금유출의 차액을 연도별로 추정한다. 여기서 대상기간은 그 사업의 경제적 수명기간이며, 특허권의 경우 그 권리 잔존기간 이내에서 결정한다.

⑸ 할인율의 결정

할인율의 결정은 이미 사업화된 IP인지, NET, NEP, 원천특허 등과 같은 신기술인지에 따라 달라지게 된다. 할인율은 특정의 IP를 이용한 사업의 리스크 요인을 반영하기 때문에 이미 사업을 하고 있는 IP의 리스크는 적지만, 아직 사업성이 검증되지 않은 IP의 경우 리스크는 매우 크기 때문에 할인율의 적용이 달라져야 하는 것이다.

현재 수행되고 있는 사업에 적용되고 있는 IP인 경우, 현재가치의 산출에 사용되는 할인율은 이론적으로는 화폐사용에 따른 시간적 희생에 대한 보상율(일반적으로 정기예금 이자율이나 국공채 금리의 무위험이자율)과 투자에 따른 회수불능의 위험에 대한 보상율(은행예치 등 무위험 투자기회에 비해 기대하는 초과 이익률)의 합계가 된다. 일반적으로 상장기업에 있어서 자기자본에 대한 할인율은 다음 식으로 산출한다.

할인율 = 무위험이자율 + (시장수익률 − 무위험이자율) × 위험척도

여기서 위험척도는 일반적으로 β로 표현되는 계수가 사용되며, 비상장기업도 대용 β계수의 산정으로 자기자본에 대한 할인율을 구할 수 있다.

한편, 타인자본에 대한 할인율은 해당자본의 조달금리 그 자체라고 할 수 있지만, 실제적으로는 지급이자의 비용인정에 따른 감세효과가 있으므로 이를 고려하여 '이자율×(1－법인세율)'을 할인율로 하여야 한다. 또한 타인자본이 여러 종류가 사용되고 있거나, 자기자본과 타인자본이 함께 사용되고 있는 경우에는 각각의 할인율에 그 구성비를 곱하여 합산함으로써 전체적인 할인율(가중평균 자본비용)을 산출한다.

(6) 할인현금흐름

현금흐름과 할인율이 구해지면, n차년도(연도말 기준)의 현금흐름에 대한 현재가치를 구할 수 있으며, 다음과 같은 식으로 나타낼 수 있다.

$$V=\frac{CF_1}{(1+r)^1}+\frac{CF_2}{(1+r)^2}\cdots\frac{CF_n}{(1+r)^n}=\sum_{t=1}^{n}\frac{CF_t}{(1+r)^t}$$

여기서, V : IP로 인한 사업가치
CF_t : 연도별 잉여현금흐름 금액
r : 할인율
n : IP의 경제적 수명

가치평가금액 산출과정에서 적용되는 할인율은 투자자의 자본투자에 대한 대가를 의미한다. 자본을 투하한 투자자는 다른 투자기회를 포기하고 특정투자에 수반되는 리스크를 부담하게 되는 것이다.

3. 적용의 한계

로열티공제법은 비교 가능한 동일 유사사례를 찾기가 용이하지 않다는 한계점이 있다.

02 소득(수익)접근법

1. 의의

소득접근법(Income Approach)은 기업의 가치가 모든 자산의 수익획득 능력에 의존하고 있다는 가정하에 평가를 수행한다. 특허권이나 노하우 등의 IP도 기업 또는 사업의 가치, 즉 수익성을 높이기 위해 필요한 방편이며 그 자체만으로 가치를 지니기는 어렵다. 소득접근법은 IP를 활용한 사업을 통해 미래에 예상되는 기대수익을 예측하고 이를 현재가치화하는 방법이다. 이 방법은 기업의 이윤추구의 원리에 입각하여 IP의 가치를 평가하기 때문에 가장 현실적이라는 장점이 있다.

소득접근법은 미래의 수익에 대한 현재가치를 기초로 하므로 여러 가지 불확실한 요인과 리스크를 고려하여, 미래의 수익을 현재가치로 환산할 때는 할인율로 조정해야 한다. 이렇게 미래의 현금흐름에 할인율을 적용한 것이 할인현금흐름이다. IP가치평가에 있어 장래의 현금흐름을 적절한 할인율로 나누어 현재가치를 산출하는 방법으로 할인현금흐름(DCF : Discounted Cash Flow)법이 기본적으로 적용된다.

2. 절차와 유의점

소득접근법을 활용함에 있어 중요한 기본요소는 경제적 편익의 가치는 어느 정도가 되는가, 경제적 편익이 지속되는 기간은 어느 정도인가, 경제적 편익이 증가 또는 감소될 것인가, 경제적 편익을 실현함에 있어 수반되는 위험은 무엇인가 등의 여부를 들 수 있다. 다시 말해서 소득접근법에 의한 IP 가치는 기업의 영업활동으로부터 기대되는 미래 초과소득의 현재가치로 평가된 무형가치 중에서 IP의 기여분에 상당하는 가치로 평가한다.

국내에서 DCF 기반의 소득접근법의 실무적 평가방법으로는 IP요소법(IP Factor Method)으로 불리는 방법이 주로 사용되고 있다. 이 방법에 따른 IP가치평가는 평가대상 IP가 적용되는 비즈니스 전체의 가치, 즉 사업가치를 추정하고 이 사업가치에 IP기여도를 곱하여 가치를 평가한다.

이 방법에서는 우선 일반적인 할인현금흐름(DCF)을 구하는 방식에 따라 IP가 적용된 사업을 통해 미래 현금흐름 창출기간, 즉 사업의 수명기간 동안의 연도별 현금흐름의 현재가치 합계(즉, 사업가치)를 산출한 후, 여기에 IP가 기여한 비율, 즉 IP기여도를 고려하여 해당 IP의 가치를 산출한다. 이를 식으로 표시하면 다음과 같다.

IP요소법에 따른 IP 가치 산출식

$$\text{IP 가치} = \sum_{t=1}^{T} \frac{FCF_t}{(1+r)^t} \times IF \times \text{이용률}^{76)}$$

여기에서, T: 현금흐름 추정기간
FCF_t: IP 활용에 따른 t년도의 잉여현금흐름
r: 할인율
IF: IP기여도

위 식에서 볼 수 있는 바와 같이 IP요소법을 통해 IP가치평가를 수행하기 위해서는 IP 수명을 고려한 현금흐름 추정기간(T), 현금흐름 추정기간 동안의 연도별 잉여현금흐름(FCF), 할인율(r), IP기여도(IF), 이용률 등 다섯 개 주요 변수를 추정할 필요가 있다. IP요소법을 적용한 IP 가치의 평가 단계는 다음과 같다.

---

76) 이용률은 평가 IP로 인해 발생되는 사업제품과 관련된 복수의 기술구성요소 중 평가 IP에 의해 보호되는 비중을 의미하므로 매출액 추정 단계에서 이용률을 곱하여 가치산정을 할 수 있다. 이때, 잉여현금흐름 분석 시 사용되는 재무 정보에서도 이용률을 고려해야 한다. 혹은 이용률을 마지막 단계에서만 고려하는 것으로 평가를 진행할 수 있다.

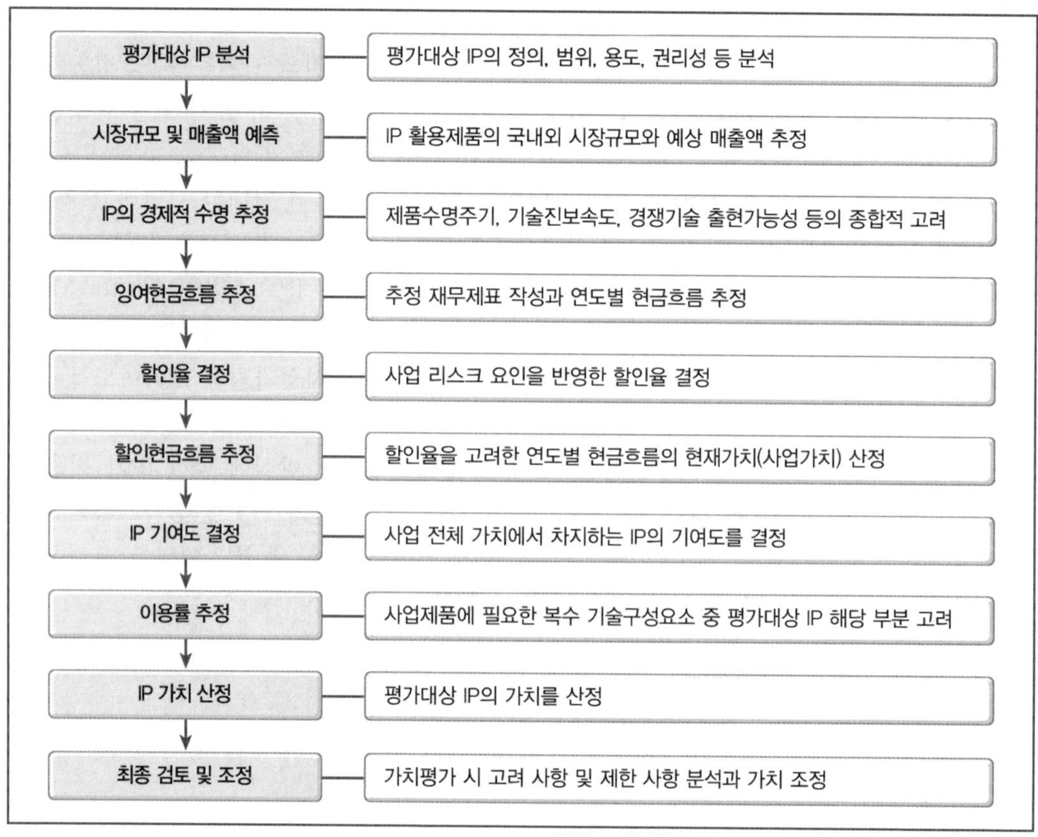

소득(수익)접근법의 가치평가 수행 순서

(1) 시장규모 및 매출액 추정, IP의 경제적 수명 추정, 할인율의 결정, 할인현금흐름 추정 단계는 로열티공제법의 해당 내용과 동일하다.

(2) 잉여현금흐름의 추정

로열티공제법과 동일하되, 소득접근법의 경우, 추정 손익계산서로부터 현금흐름을 추정하는 경우 감가상각비나 지급이자, 배당 등은 손익계산서상 비용에 해당하지만 실제 현금유출이 발생하지 않는다는 점에 유의해야 한다. 따라서 지급이자 공제 전의 순이익에 감가상각비를 더해 기업이 실제로 생성해 내는 현금총액을 계산한다.

(3) IP 기여율 결정 및 IP 가치의 배분

할인현금흐름을 통해 얻어진 현재가치, 즉 할인현금흐름의 경제적 수명기간 동안의 합계는 해당 IP를 가지고 사업을 영위했을 때, 그 사업의 수행에 관여한 사업가와 투자자 및 채권자와, 특허권자 등의 IP 제공자가 나누어야 할 총액이므로 순현가의 산출로 평가액이 바로 산출되지 않고, 다시 분배의 문제가 남게 된다. 이론적으로 가장 타당한 방법은 그 IP를 사용하는 투자안과 사용하지 않는 투자안에 대해 각각 순현재가치를 구해 그 차액을 산정하는 방법이다. 이렇게 구해진 차액은 그 IP의 사용에 따른 초과이익 전체의 현재가치가 되므로 그 IP에 지불할 수 있는 대가의 최대치가 되지만, 사업가가 IP를 사용하는 것은 통상이익상의 초과이익을 얻겠다는 것이 출발점이므로, 다시 이를 적절히 배분한 것이 그 IP의 적절한 가치라고 할 수 있을 것이다.

일반적으로 IP 가치의 배분은 무형자산 중에서 IP가 기여한 부분을 말하는 지식재산 기여도를 고려해야 하는데, 이는 개별자산의 상대적 기여도에 대한 체계적인 판단과 일정한 기준에 따라 산정된다. IP로 인한 사업의 가치에서 IP가 기여한 부분을 추출하는 방법으로는 초과이익 배분방식, 순이익 배분방식, 결정수익 환원방식이 주로 사용된다.

(4) 이용률

이용률은 평가 IP로 인해 발생되는 사업제품과 관련된 복수 기술구성요소 중 평가 IP에 의해 보호되는 비중을 의미한다. 해당 제품을 구성하는 세부기술을 모두 나열하고 각 세부기술이 제품에 차지하는 비중을 분석한 후, 이 중에서 평가 IP가 해당되는 세부기술을 체크하여 이용률을 산출한다. 이때, 비중은 원가, 소비자의 구매 요인, 전문가의 정성적 평가 등이 될 수 있다.[77]

3. 적용의 한계

소득접근법은 제반요소가 객관적으로 결정될 수 있다면 이론적으로는 가장 타당한 방법이다. 그러나 가치산출과정에서 많은 가정과 변수가 개입되므로 산정 결과의 변동성이 크다는 한계를 가지고 있다. 또한 현재 및 가까운 미래에는 현금흐름을 창출하지는 못하지만 기업에 가치를 제공할 수 있는 잠재력을 갖고 있는 자산의 가치를 제대로 반영하지 못한다는 점이 문제점으로 지적되고 있다.

---

77) 미국 특허소송에서 총시장가치포함의 법리(Entire Market Value Rule)를 적용하여 대상 IP로 보호되는 기술이 소비자 구매 요인의 기초가 되거나 제품의 실질적인 가치를 창출하는 것으로 판단되는 경우, 이용률을 100%로 반영할 수 있다(Jaimeson Fedell, A Step in the Right Direction : Patent Damages and the Elimination of the Entire Market Value Rule, 98 Minn. L. Rev. 1143, 1150 (2014)).

03 비용(원가)접근법

비용(원가)접근법(Cost Approach)은 기본적으로 기술 또는 지식재산을 개발하는 데 소요된 제반 개발비용을 기초로 하여 경과기간의 가치증감분을 차감하여 산정하는 방법이다.

비용(원가)접근법은 평가대상 기술 또는 지식재산을 개발하기까지 소요된 물적·인적 자원의 연도별 비용을 고려한 후 이를 현재가치화하는 방법이기 때문에 측정이 비교적 용이하다는 장점이 있다. 그러나 평가대상 지식재산의 수익성에 근거를 두고 있지 않기 때문에 향후 기대수익에 대한 고려가 이루어지지 못하고, 미래의 수익창출능력을 고려하지 못한다는 단점이 있다. 따라서 이 방법은 실무적 타당성이 부족하여 주로 소득(수익)접근법이나 시장접근법에 대한 보완자료로 사용한다. 즉, 지식재산권자가 소유권을 포기하고 기술을 판매할 경우에는 개발자가 투입한 총기술개발비용에서 시장 참여에 의한 기회비용을 일정 부분을 더하는 방식으로 활용된다.

또한 기술권리를 확보한 상태에서 사용권리만을 제공할 경우에는 기술료를 산정(권리적 보상)하여 보상하는 경우에 사용된다. 특히 이 방법에서는 새로운 자산을 구입·개발하는 비용과 그 자산의 내용연수 기간 중에 얻을 수 있는 편익의 경제적 가치가 일치한다고 가정하고 있다. 즉, 비용(원가)접근법에서는 실현된 경제적 편익의 가치나 편익이 발생하는 기간을 직접 검토하지 않는다.

04 시장접근법

시장접근법(Market Approach)은 해당 지식재산과 유사한 지식재산이 거래된 가격을 조사하여 평가대상 지식재산의 가치를 산정하는 방법이다. 유형자산 중에 부동산과 같은 자산이나 금융자산은 대개 이 방법에 의해 가치평가가 이루어져 거래가 된다. 이 방법은 시장 기능을 이용하여 결정되는 지식재산의 시장 가격을 통해 대상 지식재산의 가치를 간접적으로 파악하는 방법으로서, 충분한 거래정보를 가진 거래당사자 간에 정상적으로 형성되는 매매 가격(시장가치)으로 평가한다. 그러나 매매 사례가 없거나 비교가능성이 없는 경우에는 이를 적용할 수 없다.

이 방법의 대표적인 사례로는 아파트 등의 매매 및 전세 가격의 형성이다. 아파트 등의 부동산은 주변 지역의 부동산의 거래 시세에 따라 가격이 형성되는 것이다. 또 상장회사의 주식 시세에 의한 비교도 여기에 해당된다. 해당 기술이나 해당 기업과 유사한 특성의 주식 거래 시세가 참고자료가 될 수 있다. 따라서 시장접근법이 사용되기 위해서는 비교 가능한 자산에 대한 활발한 거래시장, 이른바 활성시장(Active Market)이 존재해야 한다는 전제조건이 충족되어야 한다. 또한 비교 가능한 자산은 과거 거래실적이 있어야 하고 거래정보가 접근 가능해야 하며, 거래 당사자의 자유의사에 의해 거래되는 시장특성을 가져야 한다.

따라서 시장접근법으로 지식재산 가치평가를 수행하기 위해서는 ① 비교 가능한 지식재산에 대한 활발한 거래 시장이 존재해야 하고, ② 비교 가능한 지식재산에 대한 과거 거래실적이 있어야 하며, ③ 지식재산 거래정보가 접근 가능해야 하며, ④ 거래 당사자가 자유의사에 의해 이루어진 거래라는 특성을 가져야 한다. 또한 지식재산의 비교가 가능하기 위해서는 ① 업종이 동일하거나 유사해야 하며, ② 수익성, 시장 점유율, 신기술의 영향, 시장 신규 참여에 대한 장벽, 법적 보호범위, 경제적 잔존기간 등에서도 유사한 조건이 요구된다. 이러한 시장접근법은 평가대상 기술자산과 유사한 자산의 거래정보가 많은 경우 최적의 평가방법이라고 할 수 있으며, 라이선스 조건이나 로열티 결정에 자주 이용되고 있다.

제3절 지식재산의 회계처리

01 지식재산 회계처리의 개념

한국회계기준원 회계기준위원회는 국제회계기준위원회가 제정한 국제회계기준을 채택하여 기업회계기준의 일부로 구성하기로 한 정책에 따라 기업회계기준서를 개정하였다. 이 기준서의 목적은 다른 기준서에서 특별히 다루고 있지 않은 무형자산의 회계처리에 관한 사항을 정하는 데 있다. 이 기준서는 특정 조건을 충족하는 경우에만 무형자산을 인식하도록 요구하며, 무형자산의 장부금액을 측정하는 방법과 무형자산에 관한 공시 사항을 정하고 있다.

이러한 회계기준에 따라 기업에서는 특허권 등 지식재산의 가치를 평가하여 이 지식재산이 경제적 효익을 제공할 것으로 추정되는 기간에 체계적으로 상각하여 회계처리를 해야 하는데, 그 기간은 20년을 초과해서는 안 된다. 지식재산의 상각은 비용으로 인정되어 당기순이익을 줄이고 납세금액을 줄어들게 만든다.

또한 지식재산권의 라이선스에 의해 지불한 대가에 관해서는 라이선시 기업은 비용으로 손실처리를 하고 지식재산권의 라이선스에 의해 수취하는 대가는 지식재산권의 라이선스가 사업목적의 범위에 있으면, 영업매출에 더해진다.

지식재산의 양도와 관련된 회계처리는 특허권과 노하우, 그리고 소프트웨어를 양도한 경우에 해당되는 것으로서, 취득 시에 자산계상하고 있는 경우에는 자산의 양도로 되기 때문에 취득 시의 금액보다 높은 금액으로 양도할 수 있으면 양도이익을 계상하는 것으로 하고, 취득 시금액보다 적은 금액으로 양도할 때에는 양도손실로 계상한다.

이와 같이 지식재산을 회계처리할 경우 해당 금액은 공정가치(Fair Value)로 평가한다. 국제회계기준서에 따르면 공정가치는 "측정일 시점에 시장 참여자 간의 정상거래에서 자산의 매도로 수취하거나 부채의 이전으로 지급해야 할 금액(유출 가격)"으로 정의된다. 한편, 한국이 채택한 국제회계기준에서는 "합리적인 판단력과 거래의사가 있는 독립된 당사자 사이의 거래에서 자산이 교환되거나 부채가 결제될 수 있는 금액"으로 정의하고 있다.

02 지식재산 회계처리를 위한 기본요건

지식재산은 유형자산과 달리 미래의 경제적 효익에 대한 불확실성이 높기 때문에 무조건 자산으로 인식할 수 없다. 지식재산을 무형자산으로 인식하기 위해서는 무형자산에 대한 엄격한 정의가 필요하다. 기업회계기준서에서는 자산에서 발생하는 미래 경제적 효익이 기업에 유입될 가능성이 높고, 자산의 원가를 신뢰성 있게 측정할 수 있는 경우에만 무형자산을 인식한다. 미래 경제적 효익의 유입가능성은 개별 취득하는 무형자산과 사업결합으로 취득하는 무형자산에 대하여 항상 충족되는 것으로 본다.

1. 자산의 식별가능성(Identifiability)

무형자산의 정의에서는 영업권과 구별하기 위하여 무형자산이 식별 가능할 것을 요구한다. 사업결합으로 인식하는 영업권은 사업결합에서 획득하였지만 개별적으로 식별하여 별도로 인식하는 것이 불가능한 그 밖의 자산에서 발생하는 미래 경제적 효익을 나타내는 자산이다. 그 미래 경제적 효익은 취득한 식별 가능한 자산 사이의 시너지 효과나 개별적으로 재무제표상 인식 기준을 충족하지는 않는 자산으로부터 발생할 수 있다. 자산은 다음 중 하나에 해당하는 경우에 식별 가능하다.

① 자산이 분리 가능하다. 즉, 기업의 의도와는 무관하게 기업에서 분리하거나 분할할 수 있고, 개별적으로 또는 관련된 계약, 식별 가능한 자산이나 부채와 함께 매각, 이전, 라이선스, 임대, 교환할 수 있다.

② 자산이 계약상 권리 또는 기타 법적 권리로부터 발생한다. 이 경우 그러한 권리가 이전 가능한지 여부 또는 기업이나 기타 권리와 의무에서 분리 가능한지 여부는 고려하지 아니한다.

2. 자원에 대한 통제

자원에 대한 통제란 그 지식재산으로부터 미래의 경제적 효익을 확보할 수 있고, 재산의 소유자가 제3자에게 접근을 제한할 수 있으며 통제가 가능한 경우를 말한다. 즉, 미래의 경제적 효익을 배타적으로 얻을 수 있어야 지식재산을 무형자산으로 인식할 수 있다. 특허권을 권리로서 행사하기 위해서는 해당 특허권이 법적으로 보호받을 수 있어야 하며, 권리로서 완전하게 성립하고 있어야 한다.

특허권이 재산권으로서의 가치를 지니기 위해서는 담보, 양도 등의 일반적 재산권의 성격을 가질 수 있어야 하는데, 특허나 상표권 등과 같은 산업재산권은 현행법상 공시방법을 갖추어 이를 물권화하고 있으며, 또한 특허권의 담보방법에 대하여 질권을 규정하고 있다. 기초가 되는 자원에서 유입되는 미래 경제적 효익을 확보할 수 있고 그 효익에 대한 제3자의 접근을 제한할 수 있다면 기업이 자산을 통제하고 있는 것이다. 무형자산의 미래 경제적 효익에 대한 통제능력은 일반적으로 법원에서 강제할 수 있는 법적 권리에서 나오며, 법적 권리가 없는 경우에는 통제를 제시하기 어렵다. 그러나 다른 방법으로도 미래 경제적 효익을 통제할 수 있기 때문에 권리의 법적 집행가능성이 통제의 필요조건은 아니다.
시장에 대한 지식과 기술적 지식에서도 미래 경제적 효익이 발생할 수 있다. 이러한 지식이 저작권, 계약상의 제약이나 법에 의한 종업원의 기밀유지 의무 등과 같은 법적 권리에 의하여 보호된다면 기업은 그러한 지식에서 얻을 수 있는 미래 경제적 효익을 통제하고 있는 것이다.

3. 미래의 경제적 효익

미래의 경제적 효익이란 직접 또는 간접적으로 기업실체에 미래의 현금유입을 가져오거나 현금유출의 감소를 가져오는 것을 말한다. 그리고 자산으로 인식되기 위해서는 경제적 효익을 객관적으로 측정할 수 있어야 한다. 무형자산의 미래 경제적 효익은 제품의 매출이나 용역수익, 원가절감, 또는 자산의 사용에 따른 기타 효익의 형태로 발생한다. 예를 들면, 제조 과정에서 지식재산을 사용하면 미래 수익을 증가시키기보다는 미래 제조원가를 감소시킬 수 있다.

03 지식재산의 취득방법

1. 개별 취득

일반적으로 지식재산을 개별 취득하기 위해 지급하는 가격은 그 자산이 갖는 기대 미래 경제적 효익이 기업에 유입될 확률에 대한 기대를 반영할 것이다. 즉, 기업은 유입의 시기와 금액이 불확실하더라도 미래 경제적 효익의 유입이 있을 것으로 기대한다.
개별 취득하는 무형자산의 원가는 일반적으로 신뢰성 있게 측정할 수 있다. 특히 현금이나 기타 화폐성 자산으로 구입대가를 지급하는 경우에는 좀 더 신뢰성 있게 원가를 측정할 수 있다. 개별 취득하는 무형자산의 원가는 다음 항목으로 구성된다.

- 구입 가격
- 자산을 의도한 목적에 사용할 수 있도록 준비하는 데 직접 관련되는 원가

제1편

제2편

제3편

제4편

2. 사업결합으로 인한 취득

사업결합으로 취득하는 지식재산의 취득원가는 취득일 공정가치로 한다. 지식재산의 공정가치는 취득일에 그 자산이 갖는 미래 경제적 효익이 기업에 유입될 확률에 대한 시장 참여자의 기대를 반영할 것이다. 즉, 기업은 유입의 시기와 금액이 불확실하더라도 미래 경제적 효익의 유입이 있을 것으로 기대한다. 사업결합으로 취득하는 자산이 분리 가능하거나 계약상 또는 기타 법적 권리에서 발생한다면, 그 자산의 공정가치를 신뢰성 있게 측정하기에 충분한 정보가 존재한다.

사업결합 전에 그 자산을 피취득자가 인식하였는지 여부에 관계없이, 취득자는 취득일에 피취득자의 무형자산을 영업권과 분리하여 인식한다. 이것은 피취득자가 진행하고 있는 연구·개발 프로젝트가 지식재산의 정의를 충족한다면 취득자가 영업권과 분리하여 별도의 자산으로 인식하는 것을 의미한다. 피취득자가 진행하고 있는 연구·개발 프로젝트는 다음의 조건을 모두 충족할 경우 무형자산의 정의를 충족한다.

- 자산의 정의를 충족한다.
- 식별 가능하다. 즉, 분리 가능하거나 계약상 또는 기타 법적 권리에서 발생한다.

3. 자산교환에 의한 취득

하나 이상의 무형자산을 하나 이상의 비화폐성자산 또는 화폐성자산과 비화폐성자산이 결합된 대가와 교환하여 취득하는 경우가 있다. 다음에 제시하는 논의는 하나의 비화폐성자산과 다른 비화폐성자산의 교환에 대하여 언급하지만, 앞서 설명한 모든 교환에도 적용한다. 그러한 무형자산의 원가는 다음 중 하나에 해당하는 경우를 제외하고는 공정가치로 측정한다.

- 교환거래에 상업적 실질이 결여된 경우
- 취득한 자산과 제공한 자산의 공정가치를 둘 다 신뢰성 있게 측정할 수 없는 경우

교환거래에서 제공한 자산을 즉시 재무상태표에서 제거할 수 없더라도 취득한 자산은 위의 방법으로 측정한다. 취득한 자산을 공정가치로 측정하지 않는 경우에는 원가는 제공한 자산의 장부금액으로 측정한다.

4. 내부적으로 창출된 영업권

내부적으로 창출한 영업권은 자산으로 인식하지 아니한다. 미래 경제적 효익을 창출하기 위하여 발생한 지출 중에는 이 기준서의 인식 기준을 충족하는 무형자산을 창출하지 않는 경우가 있다. 그러한 지출은 대부분 내부적으로 창출한 영업권에 기여한다. 내부적으로 창출한 영업권은 원가를 신뢰성 있게 측정할 수 없고 기업이 통제하고 있는 식별 가능한 자원이 아니기 때문에(즉, 분리 가능하지 않고 계약상 또는 기타 법적 권리로부터 발생하지 않기 때문에) 자산으로 인식하지 아니한다.

기업의 공정가치와 식별 가능한 순자산의 장부금액과의 차이는 언제나 기업의 공정가치에 영향을 미치는 여러 가지 요인들을 반영할 수 있다. 그러나 그러한 차이가 기업이 통제하고 있는 무형자산의 원가를 나타내는 것은 아니다.

5. 내부적으로 창출한 무형자산

내부적으로 창출한 무형자산이 인식 기준을 충족하는지를 평가하는 것은 다음과 같은 이유 때문에 용이하지 않다.

① 미래 경제적 효익을 창출할 식별 가능한 자산이 있는지와 시점을 파악하기 어렵다.

② 자산의 원가를 신뢰성 있게 결정하는 것이 어렵다. 어떤 경우에는 무형자산을 내부적으로 창출하기 위한 원가를 내부적으로 창출한 영업권을 유지 또는 향상시키는 원가나 일상적인 경영관리 활동에서 발생하는 원가와 구별할 수 없다.

내부적으로 창출한 무형자산이 인식 기준을 충족하는지를 평가하기 위하여 무형자산의 창출 과정을 연구 단계와 개발 단계로 구분한다. '연구'와 '개발'은 정의되어 있지만, '연구 단계'와 '개발 단계'라는 용어는 이 기준서의 목적상 더 넓은 의미를 갖는다. 무형자산을 창출하기 위한 내부 프로젝트를 연구 단계와 개발 단계로 구분할 수 없는 경우에는 그 프로젝트에서 발생한 지출은 모두 연구 단계에서 발생한 것으로 본다.

04 회계처리와 지식재산 평가

지식재산에 대하여 무형자산 회계정책에 따라 인식 후의 측정을 위해 원가모형이나 재평가모형을 선택하여 공정가치평가를 수행할 수 있다. 재평가모형을 적용하여 지식재산을 회계처리하는 경우에는, 같은 분류의 기타 모든 자산도 그에 대한 활성시장이 없는 경우를 제외하고는 동일한 방법을 적용하여 회계처리한다.

무형자산은 영업상 유사한 성격과 용도로 분류한다. 자산을 선택적으로 재평가하거나 재무제표에서 서로 다른 기준일의 원가와 가치가 혼재된 금액을 보고하는 것을 방지하기 위하여 같은 분류 내의 무형자산 항목들은 동시에 재평가한다.

1. 원가모형

최초 인식 후에 무형자산은 원가에서 상각 누계액과 손상차손 누계액을 차감한 금액을 장부금액으로 한다.

2. 재평가모형

최초 인식 후에 지식재산은 재평가일의 공정가치에서 이후의 상각 누계액과 손상차손 누계액을 차감한 재평가금액을 장부금액으로 한다. 이 기준서의 재평가 목적상 공정가치는 활성시장을 기초로 하여 측정한다. 보고기간 말에 자산의 장부금액이 공정가치와 중요하게 차이가 나지 않도록 주기적으로 재평가를 실시한다.

재평가모형은 자산을 원가로 최초에 인식한 후에 적용한다. 그러나 일부 과정이 종료될 때까지 인식 기준을 충족하지 않아서 무형자산의 원가의 일부만 자산으로 인식한 경우에는 그 자산 전체에 대하여 재평가모형을 적용할 수 있다. 또한 정부보조를 통하여 취득하고 명목상 금액으로 인식한 무형자산에도 재평가모형을 적용할 수 있다.

재평가의 빈도는 재평가되는 지식재산의 공정가치의 변동성에 따라 달라진다. 재평가된 자산의 공정가치가 장부금액과 중요하게 차이가 나는 경우에는 추가적인 재평가가 필요하다. 유의적이고 급격한 공정가치의 변동 때문에 매년 재평가가 필요한 무형자산이 있는 반면에 공정가치의 변동이 경미하여 빈번한 재평가가 필요하지 않은 무형자산도 있다.

① 재평가한 무형자산과 같은 분류 내의 지식재산을 그 자산에 대한 활성시장이 없어서 재평가할 수 없는 경우에는 원가에서 상각누계액과 손상차손 누계액을 차감한 금액으로 표시한다.

② 재평가한 무형자산의 공정가치를 더 이상 활성시장을 기초로 하여 측정할 수 없는 경우에는 자산의 장부금액은 활성시장을 기초로 한 최종 재평가일의 재평가금액에서 이후의 상각누계액과 손상차손 누계액을 차감한 금액으로 한다.

③ 자산의 공정가치를 이후의 측정일에 활성시장을 기초로 하여 측정할 수 있는 경우에는 그날부터 재평가모형을 적용한다.

④ 무형자산의 장부금액이 재평가로 인해 증가된 경우에 그 증가액은 기타포괄손익으로 인식하고 재평가잉여금의 과목으로 자본에 가산한다. 그러나 그 증가액 중 그 자산에 대하여 이전에 당기손익으로 인식한 재평가감소에 해당하는 금액이 있다면 그 금액을 한도로 당기손익으로 인식한다.

⑤ 무형자산의 장부금액이 재평가로 인하여 감소된 경우에 그 감소액은 당기손익으로 인식한다. 그러나 감소액 중 그 자산에 대한 재평가잉여금 잔액이 있다면 그 금액을 한도로 재평가잉여금의 과목으로 기타포괄손익에 인식된다. 기타포괄손익으로 인식된 감소액은 재평가잉여금의 과목으로 자본에 누적되어 있는 금액을 줄인다.

05 지식재산의 상각

지식재산을 상각하는 경우는 그 자산이 한정적인 내용연수를 갖는 무형자산인 경우이며, 내용연수가 비한정인 무형자산은 상각하지 않는다. 내용연수가 비한정적인 경우는 회수가능액과 장부금액을 비교하여 내용연수가 비한정인 무형자산의 손상검사(Impairment Test)를 수행해야 한다. 상각하지 않는 지식재산에 대해 사건과 상황이 그 자산의 내용연수가 비한정이라는 평가를 계속하여 정당화하는지를 매 회계기간에 검토한다. 사건과 상황이 그러한 평가를 정당화하지 않는 경우에 비한정 내용연수를 유한 내용연수로 변경하는 것은 회계추정의 변경으로 회계처리한다. 비한정 내용연수를 유한 내용연수로 재평가하는 것은 그 자산의 손상을 시사하는 하나의 징후가 된다. 따라서 회수가능액과 장부금액을 비교하여 그 자산에 대한 손상검사를 하고, 회수가능액을 초과하는 장부금액을 손상차손으로 인식한다.

1. 상각기간과 상각방법

내용연수가 유한한 무형자산의 상각대상금액은 내용연수 동안 체계적인 방법으로 배분해야 한다. 상각은 자산이 사용 가능한 때부터 시작한다. 즉, 자산이 경영자가 의도하는 방식으로 운영할 수 있는 위치와 상태에 이르렀을 때부터 시작한다. 상각은 자산이 매각예정으로 분류되는 날과 자산이 재무상태표에서 제거되는 날 중 이른 날에 중지한다. 무형자산의 상각방법은 자산의 경제적 효익이 소비되는 형태를 반영한 방법이어야 한다. 다만, 소비되는 형태를 신뢰성 있게 결정할 수 없는 경우에는 정액법을 사용한다. 각 회계기간의 상각액은 이 기준서나 다른 한국채택국제회계기준서에서 다른 자산의 장부금액에 포함하도록 허용하거나 요구하는 경우를 제외하고는 당기손익으로 인식한다.

무형자산의 상각대상금액을 내용연수 동안 체계적으로 배분하기 위해 다양한 방법을 사용할 수 있다. 이러한 상각방법에는 정액법, 체감잔액법과 생산량비례법이 있다. 상각방법은 자산이 갖는 기대 미래 경제적 효익의 예상되는 소비 형태를 반영하여 선택하고, 미래 경제적 효익의 예상되는 소비형태가 변동하지 않는다면 매 회계기간에 일관성 있게 적용한다. 무형자산의 상각액은 일반적으로 당기손익으로 인식한다. 그러나 자산이 갖는 미래 경제적 효익이 다른 자산의 생산에 소모되는 경우, 그 자산의 상각액은 다른 자산의 원가를 구성하여 장부금액에 포함한다. 예를 들면, 제조 과정에서 사용된 무형자산의 상각은 재고자산의 장부금액에 포함한다.

2. 잔존가치

내용연수가 유한한 지식재산의 잔존가치는 다음 중 하나에 해당하는 경우를 제외하고는 영(0)으로 본다.

① 내용연수 종료 시점에 제3자가 자산을 구입하기로 한 약정이 있다.

② 무형자산의 활성시장이 있고 다음을 모두 충족한다.

- 잔존가치를 그 활성시장에 기초하여 결정할 수 있다.
- 그러한 활성시장이 내용연수 종료 시점에 존재할 가능성이 높다.

내용연수가 유한한 자산의 상각대상금액은 잔존가치를 차감하여 결정한다. 영(0)이 아닌 잔존가치는 경제적 내용연수 종료 시점 이전에 그 자산을 처분할 것이라는 기대를 나타낸다. 지식재산의 잔존가치는 처분으로 회수 가능한 금액을 근거로 하여 추정하는데, 그 자산이 사용될 조건과 유사한 조건에서 운용되었고 내용연수가 종료된 유사한 자산에 대해 추정일 현재 일반적으로 형성된 매각 가격을 사용한다. 잔존가치는 적어도 매 회계연도 말에는 검토한다. 잔존가치의 변동은 회계추정의 변경으로 처리한다.
지식재산의 잔존가치는 해당 자산의 장부금액과 같거나 큰 금액으로 증가할 수도 있다. 이 경우에는 자산의 잔존가치가 이후에 장부금액보다 작은 금액으로 감소될 때까지는 지식재산의 상각액은 영(0)이 된다.

3. 상각기간과 상각방법의 검토

내용연수가 유한한 지식재산의 상각기간과 상각방법은 적어도 매 회계연도 말에 검토한다. 자산의 예상 내용연수가 과거의 추정치와 다르다면 상각기간을 이에 따라 변경한다. 자산이 갖는 미래 경제적 효익의 예상 소비 형태가 변동된다면, 변동된 소비 형태를 반영하기 위해 상각방법을 변경한다. 그러한 변경은 회계추정의 변경으로 회계처리한다.

지식재산의 내용연수 동안, 내용연수의 추정이 적절하지 않다는 것이 명백해지는 경우가 있다. 예를 들면, 손상차손의 인식이 상각기간을 변경할 필요가 있다는 것을 나타낼 수 있다. 시간이 경과함에 따라, 지식재산에서 유입될 것으로 기대되는 미래 경제적 효익의 형태는 변경될 수 있다. 예를 들면, 체감잔액법이 정액법보다 더 적절하다는 것이 명백해지는 경우가 있다. 또 다른 예로는 라이선스에 의한 권리의 사용이 해당 사업계획의 다른 요소에 대한 활동이 수행될 때까지 연기되는 경우에 그 자산에서 유입되는 미래 경제적 효익은 그 이후의 회계기간이 되어서야 나타날 수 있다.

기출로 다지기

1 기술가치평가에 있어서 일반적으로 전제로 하고 있는 사항이 아닌 것은? • 18회 기출

① 기술가치평가는 기술사업화를 전제로 한다.
② 기술가치평가는 평가대상기술이 최소한 독립적 사업단위를 구성하여 운영할 정도의 사업적 타당성이 있는 것을 전제로 한다.
③ 기술가치평가는 사업타당성 평가를 정량화하는 과정으로 볼 수 있다.
④ 기술의 사업가치는 기술과 다른 자산이 결합되어 창출하는 것이다.
⑤ 기술가치평가는 기술의 가치를 먼저 결정한 후 이를 사업화했을 때 얻어지는 사업가치를 결정한다.

| 기술가치를 평가할 때에는 사업적 타당성인 활용가능성과 성공가능성을 입증해야 한다.

▶ ⑤

2 다음은 지식재산 평가에 대한 설명이다. 다음 중 틀린 것은? • 20회 기출

> a. 비용접근법은 회계기록을 근거로 평가하지 않기 때문에 평가를 하기가 용이하지 않다.
> b. 시장접근법은 현재의 시장가치를 근거로 평가하기 때문에 기존의 유사거래 사례는 고려하지 않는다.
> c. 수익접근법은 미래의 수익을 평가하는 방법으로 위험도가 높으면 자산은 작게 평가되고 위험도가 낮으면 자산은 높게 평가된다.
> d. 기술주도형 기업의 경우 신용평가등급이 낮거나 신용평가가 불가능하기 때문에 기술평가를 통해 기업의 가치를 계산할 수 있다.

① a, b
② a, c
③ a, d
④ b, c
⑤ b, d

| 비용접근법은 기술확보에 소요된 비용을 회계자료를 통해 산정하는바 평가가 용이한 장점이 있으며, 시장접근법은 제품의 판매에 따른 미래 수익을 시장위험을 반영하여 현재가치로 환산하는 평가방법으로 장래의 이익이나 위험이 반영되어 있는 평가방법이라 볼 수 있다.

▶ ①

제3장 지식재산 금융

제1절 지식재산 금융의 개요

01 지식재산 금융의 개념

1. 지식재산 금융과 기술금융

지식재산은 상상력과 아이디어 등 인간의 창조 활동을 통해 만들어 낸 무형자산 중 재산적 가치를 보유한 것을 의미하며, 지식재산권은 이러한 지식재산을 법적으로 보호하는 권리이다. 지식재산(IP) 금융이란 지식재산의 창출, 사업화, 활용 과정에서 지식재산을 기반으로 투자, 융자, 보증 등의 자금을 공급하는 금융 활동을 의미한다. 이와 달리 기술금융은 기술의 개발에서 사업화에 이르는 전 과정에 소요되는 자금의 접근성 제고를 위하여 기술 및 기업에 기초하여 금융의 기능을 제공하는 활동이다. 따라서 지식재산 금융은 기술금융의 진화된 기업금융의 한 형태라고 할 수 있다.

2. 지식재산 금융의 기능 및 유형

지식재산 금융은 지식재산 가치평가를 통해 기술을 개발하고 사업화하는 기업에 금융 접근성을 제고하기 위한 활동으로서, 지식재산을 기초로 자금수요자와 자금공급자 간 자금 중개 기능을 수행하거나 유동화, 위험 관리 등 금융 기능을 제공한다. 지식재산 금융은 다음 표와 같이 지식재산 담보대출, 지식재산 보증, 지식재산 투자로 구분된다.

현행 지식재산 금융의 일반적 유형

유형	분류	제공하는 기능
지식재산(IP) 담보대출	산업은행, 기업은행, 농협은행, 신한은행, 우리은행, 하나은행, 국민은행, 부산은행 등	지식재산 담보대출
지식재산(IP) 보증	신용보증기금, 기술보증기금, 서울신용보증재단	지식재산 평가 보증
지식재산(IP) 투자	벤처캐피털 등 투자전문 금융회사	기업 금융 자본

이러한 지식재산 금융은 지식재산 자체를 수익창출 수단으로 하는 '창의자본형'과 지식재산을 매개로 금융서비스를 제공하는 '창의기업형'으로 구분할 수 있다.

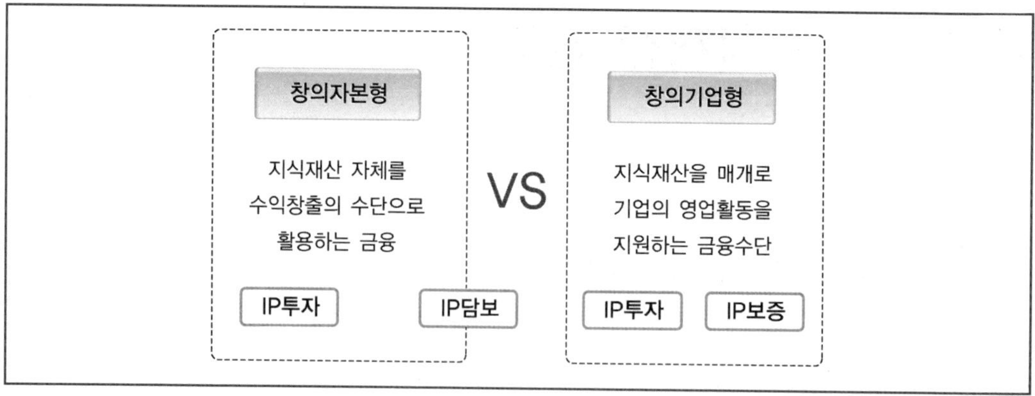

창의자본형 및 창의기업형에 따른 지식재산 금융의 구분[78)]

IP투자는 IP 자체에 대한 투자(창의자본형)와 IP를 보유한 기업(창의기업형)에 대한 투자 모두가 가능하며, IP보증은 지식재산 보유기업의 신용을 고려한 창의기업형 금융으로 이루어지고 있다. IP담보는 원칙적으로 지식재산 자체를 기초로 금융(창의자본형)이 이루어져야 하나, 일부 금융권은 기업의 재무건정성을 함께 고려하고 있다. IP담보는 현재 점진적으로 창의자본형으로 움직이고 있으며, 대부분의 시중은행이 정식담보로 IP를 취급하면서 순전한 창의자본형 금융형태로 자리를 잡아가고 있다.

3. 지식재산 금융의 태동

1997년부터 2001년까지 정부 사업을 통해, 우수기술이 있으나 담보가 부족한 벤처・중소기업에 대해 지식재산권을 담보로 사업화 자금을 대출해 주는 기술담보시범사업이 추진된 바 있다. 해당 사업은 지식재산권 가치평가액의 80%를 대출해 주고 정부는 대출금의 회수불가 시, 은행 손실비용의 90%를 보전해 주는 사업으로, 사업 기간 동안 총 272건에 566억원을 대출하고, 86건에 170억원의 손실보전금을 집행했으나 높은 정부 재정 부담률과 저조한 회수율로 인해 사업이 종료된 바 있다.

기술담보시범사업의 대출실적 및 손실보전 결과[79)]

구분		‘97년	‘98년	‘99년	‘00년	‘01년	‘02년	‘03년 8.	계
대출실적	건수(건)	16	44	98	49	65	–	–	272
	대출(억 원)	35.9	119.6	217.6	101.6	91.4	–	–	566.0
손실보전	건수(건)	–	2	6	16	15	27	20	86
	금액(억 원)	–	8.2	14.5	38.8	30.6	45.7	33.0	170.7

78) 송상엽, 금융투자교육원 강의자료 발췌(2020)
79) 산업통상자원부(2004)

그 이후 국내 지식재산 금융은 특허청이 2006년에 특허기술가치평가 연계 보증과 중소·벤처기업에 범정부 차원에서 전문투자하는 모태펀드 특허계정에 550억 원을 출자하면서 특허기술 사업화 등 정책적 투자대상에 주로 투자하는 IP투자펀드를 조성하였다.

지식재산 보증의 경우, 1996년부터 시행하던 발명의 평가지원 사업을 기술보증기금과 연계하여 국내 기업에 보증서를 발행하는 IP보증 서비스를 시행하였고, 이후 2013년 신용보증기금과 협약을 통해 특허기술가치평가 연계보증을 시행하였다. 이를 통해 기술보증기금과 신용보증기금이 특허권에 대한 가치평가를 통해 보증서를 발급하고 은행이 보증서에 기반한 대출을 시행하게 되었다.

02 지식재산 금융 관련 법률

1. 지식재산 범위 관련 법률

지식재산 기본법과 기술의 이전 및 사업화 촉진에 관한 법률에 정의된 '지식재산' 또는 '기술'을 살펴보면, 권리화되지 않은 정보 · 지식 등까지 포함한 포괄적인 개념으로 정의하고 있으며, 동산 · 채권 등의 담보에 관한 법률에는 '권리화된 지식재산'을 대상으로 개념을 접근하고 있다.

향후 지식재산 기본법이 지식재산 관련 상위법으로 운용되기 위해서는 '지식재산'의 범위에 대하여 '권리화가 가능하거나 권리화된 지식재산'이라는 포괄적 개념으로 접근해야 할 것이다.

관련 법규상 지식재산의 정의와 범위

법규명	규정 내용
기술의 이전 및 사업화 촉진에 관한 법률	제2조(정의) 이 법에서 사용하는 용어의 뜻은 다음과 같다. 1. "기술"이란 다음 각 목의 어느 하나에 해당하는 것을 말한다. 가. 특허법 등 관련 법률에 따라 등록 또는 출원된 특허, 실용신안, 디자인, 반도체집적회로의 배치설계 및 소프트웨어 등 지식재산 나. 가목의 기술이 집적된 자본재 다. 가목 또는 나목의 기술에 관한 정보 라. 그 밖에 가목부터 다목까지에 준하는 것으로서 대통령령으로 정하는 것
지식재산 기본법	제3조(정의) 이 법에서 사용하는 용어의 뜻은 다음과 같다. 1. "지식재산"이란 인간의 창조적 활동 또는 경험 등에 의하여 창출되거나 발견된 지식 · 정보 · 기술, 사상이나 감정의 표현, 영업이나 물건의 표시, 생물의 품종이나 유전자원(遺傳資源), 그 밖에 무형적인 것으로서 재산적 가치가 실현될 수 있는 것을 말한다. 2. "신지식재산"이란 경제 · 사회 또는 문화의 변화나 과학기술의 발전에 따라 새로운 분야에서 출현하는 지식재산을 말한다. 3. "지식재산권"이란 법령 또는 조약 등에 따라 인정되거나 보호되는 지식재산에 관한 권리를 말한다.

동산 · 채권 등의 담보에 관한 법률	제2조(정의) 이 법에서 사용하는 용어의 뜻은 다음과 같다. 4. "지식재산권담보권"은 담보약정에 따라 특허권, 실용신안권, 디자인권, 상표권, 저작권, 반도체집적회로의 배치설계권 등 지식재산권(법률에 따라 질권(質權)을 설정할 수 있는 경우로 한정한다. 이하 같다.)을 목적으로 그 지식재산권을 규율하는 개별 법률에 따라 등록한 담보권을 말한다.

2. 지식재산 금융 지원 관련 법률

지식재산 기본법에서는 다음 표와 같이 지식재산의 활용 촉진을 위한 규정을 포함하고 있다. 구체적으로는 지식재산을 활용한 창업 활성화, 지식재산의 수요자와 공급자 간의 연계 활성화, 지식재산의 발굴, 수집, 융합, 추가 개발, 권리화 등 지식재산의 가치 증대 및 그에 필요한 자본 조성 등을 위한 내용과 함께 IP 금융과 관련하여 지식재산의 유동화 촉진을 위한 제도 정비, 지식재산에 대한 투자, 융자, 신탁, 보증, 보험 등의 활성화 등을 위한 내용을 제시하고 있다.

관련 법규상 지식재산권 담보 관련 내용

법규명	규정 내용
지식재산 기본법	제25조(지식재산의 활용 촉진) ① 정부는 지식재산의 이전(移轉), 거래, 사업화 등 지식재산의 활용을 촉진하기 위하여 다음 각 호의 사항을 포함하는 시책을 마련하여 추진하여야 한다. 1. 지식재산을 활용한 창업 활성화 방안 2. 지식재산의 수요자와 공급자 간의 연계 활성화 방안 3. 지식재산의 발굴, 수집, 융합, 추가 개발, 권리화 등 지식재산의 가치 증대 및 그에 필요한 자본 조성 방안 4. 지식재산의 유동화(流動化) 촉진을 위한 제도 정비 방안 5. 지식재산에 대한 투자, 융자, 신탁, 보증, 보험 등의 활성화 방안 6. 그 밖에 지식재산 활용 촉진을 위하여 필요한 사항 ② 정부는 국가, 지방자치단체 또는 공공연구기관이 보유·관리하는 지식재산의 활용을 촉진하기 위하여 노력하여야 한다.
동산 · 채권 등의 담보에 관한 법률	제58조(지식재산권담보권 등록) ① 지식재산권자가 약정에 따라 동일한 채권을 담보하기 위하여 2개 이상의 지식재산권을 담보로 제공하는 경우에는 특허원부, 저작권등록부 등 그 지식재산권을 등록하는 공적(公的) 장부(이하 "등록부"라 한다.)에 이 법에 따른 담보권을 등록할 수 있다. ② 제1항의 경우에 담보의 목적이 되는 지식재산권은 그 등록부를 관장하는 기관이 동일하여야 하고, 지식재산권의 종류와 대상을 정하거나 그 밖에 이와 유사한 방법으로 특정할 수 있어야 한다.

특히 부동산 담보능력이 부족한 중소기업이 동산 및 채권 등을 담보로 자금 조달을 할 수 있도록 지원하기 위해 동산·채권 등의 담보에 관한 법률을 2010년 6월에 제정(2012. 6. 11. 시행)하였다. 동법의 시행으로 금융기관은 기계·기구, 원재료·반제품·완제품 등의 재고자산, 농축수산물, 매출채권 등의 동산을 담보로 한 여신 취급이 가능하게 되었다. 뿐만 아니라 투자자산, 지식재산권 등 모든 자산을 대상으로 담보권 설정이 가능하게 되어 IP 금융 활성화의 법적 틀이 마련되었다.

제2절 주요 지식재산 금융 현황

지식재산(IP) 금융은 기업의 R&D – 창업 – 사업화 – 성장 – 성숙의 사이클에 있어서 단계별로 IP보증, IP담보대출, IP투자 등 각 유형별 금융기관을 통해 중소·벤처기업에 제공되고 있다.

01 지식재산(IP) 담보대출

1. 지식재산 담보대출의 구조 및 취급현황

2014년도에 본격적으로 도입된 기술신용대출은 해당 기업의 재무정보 등의 신용평가를 기반으로 하고, 이에 기술력 평가를 추가로 고려하여 신용도 판단 예측의 정확성을 높임으로써 실시하는 기술금융의 방식이다.

이 기술신용대출은 기술력 있는 중소기업이 대출을 신청하면 기술신용평가기관(TCB)에 해당 중소기업과 재무정보 평가를 의뢰한 후 그 결과를 토대로 대출 여부를 결정하는 방식으로, 기술신용대출 평가액은 2016년 92조 9천억 원에서 2023년 7월 기준 228조 8천억 원을 기록하는 등 꾸준한 증가세를 이어가고 있다. 기술신용대출 평가액은 기존 중소기업대출의 연장 및 대환, 증액을 제외한 순공급금액이다.

다만, 이 기술신용대출은 말 그대로 '신용'에 기반한 대출로서, 기업이 보유한 '자산'으로서의 지식재산권을 담보로 자금을 융자받는 담보대출과는 의미가 다르다.

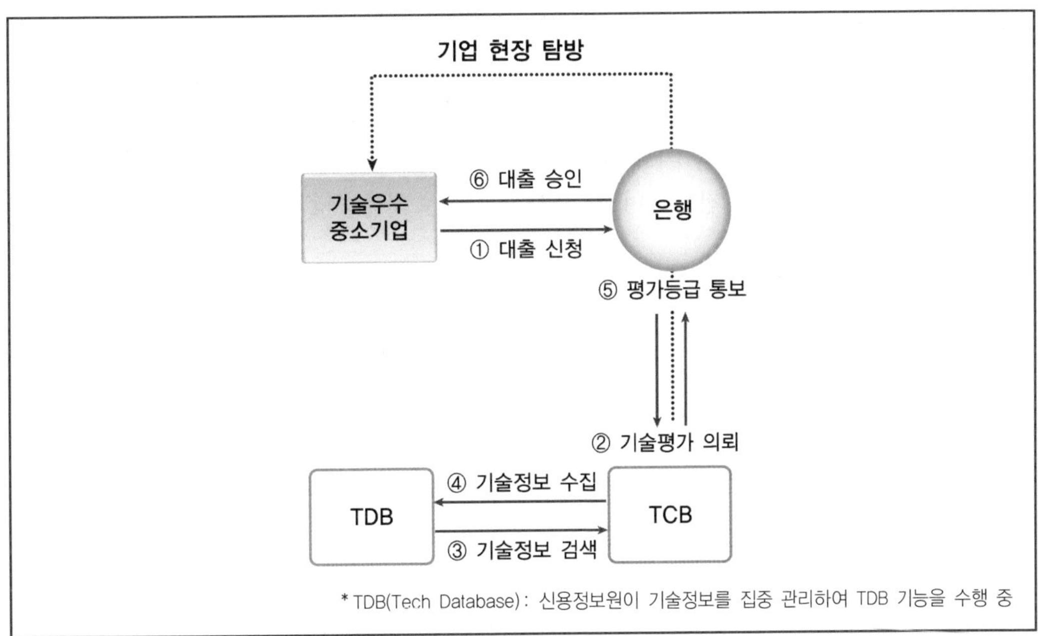

| 기술신용평가(TCB) 기반 신용대출 흐름도 80)

80) 금융소비자정보포털(금융감독원)

지식재산 담보대출은 사업화 이후 어느 정도 매출이 발생하는 기업들이 보유하고 있는 지식재산권을 담보로 은행 등 금융기관을 통해 자금을 융자받는 방식이다. 중소기업이 은행에 IP담보대출을 신청하면, 은행은 기업이 담보로 제공할 지식재산권에 대해 IP가치평가기관에 평가를 의뢰하고, 평가기관은 기업실사 등의 평가를 수행한 후, 가치평가 결과보고서를 은행에 제공한다. 은행은 이 가치평가 결과를 토대로 기업에 대출을 실시한다. 현재 국책은행, 민간은행 등 대부분의 은행들이 IP담보대출을 출시하여 운영하고 있다.

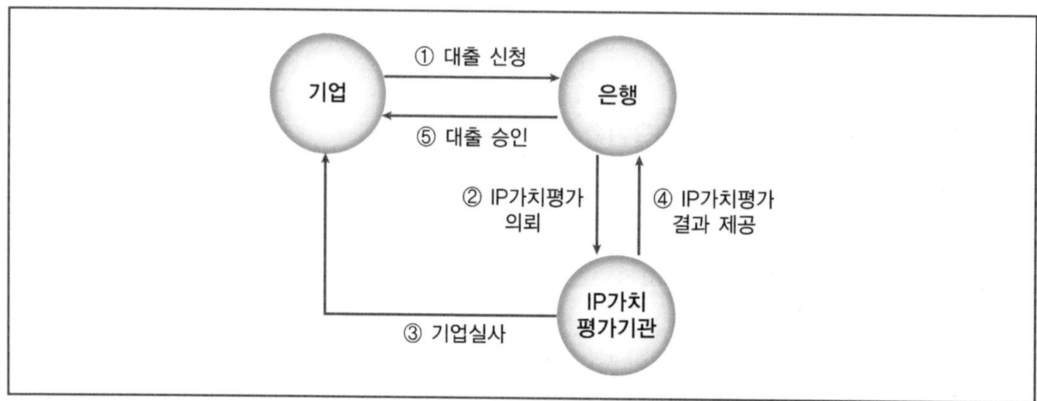

▎지식재산 가치평가 기반 IP담보대출 흐름도

지식재산 평가를 담당하는 기관은 발명진흥법 제28조에 따라 특허청이 지정한 발명의 평가기관으로, 주로 기술성, 권리성, 시장성, 사업성에 대해 평가하여 금액단위의 가치평가 결과를 산출한다. 2023년 말 기준 산업은행, 우리은행, 유미특허법인, 윕스(주), 특허법인 도담, 나이스평가정보(주) 등 33개 기관이 지정되어 있다.

지식재산 담보대출을 실시하기 위해서는 은행과 신청기업 간에 근질권설정계약을 체결하고, 이를 해당 담보 지식재산권의 특허청 등록원부에 설정등록해야 한다. 특허등록령 제40조에 따라, 질권의 설정등록 시에는 유질계약[81]을 등록원인으로 등록하고, 채무기업(등록의무자)의 처분승낙서를 첨부하며, 특약사항으로는 처분승낙서 내용 및 공동담보(해당되는 경우) 목록을 포함한다.

81) 질권설정자가 질권설정계약과 동시에 또는 채무변제기 전의 계약으로서 변제에 갈음하여 질권자에게 질물의 소유권을 취득하게 하거나 기타 법률에서 정한 방법에 의하지 아니하고 질물을 처분케 하는 약정을 하는 것을 말한다. 우리 민법은 궁박한 상태에 있는 채무자가 자금의 융통을 위하여 고가물의 입질을 강요당하여 폭리행위의 희생물이 될 우려가 있기 때문에 이 유질계약을 금지하고 있으나, 이는 채무변제기 전의 유질계약을 금지하는 것이며, 변제기 후의 유질계약은 일종의 대물변제로서 유효하다. 이러한 유질계약의 금지는 상법에 예외규정이 있다. 즉, 상행위에 의한 채권을 담보하기 위해서 설정된 질권에는 민법 제339조가 적용되지 않는다(상법 제59조).

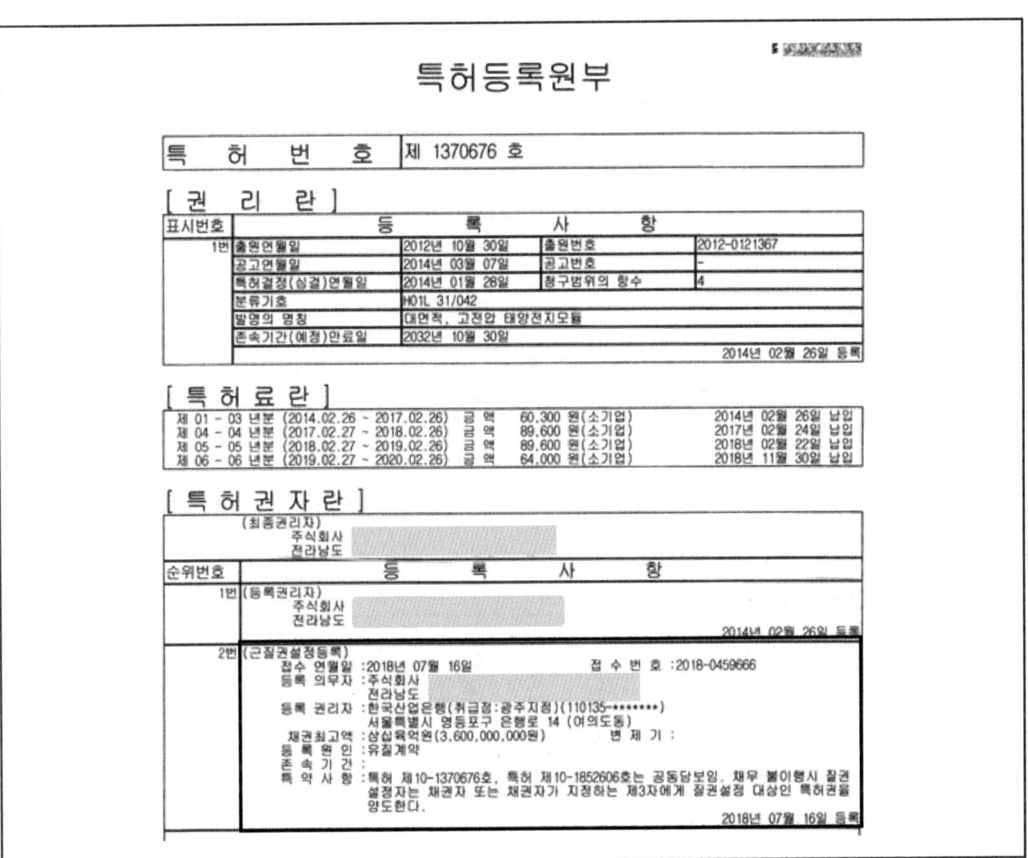

특허등록원부

특 허 번 호	제 1370676 호

[권 리 란]

표시번호	등록사항			
1번	출원연월일	2012년 10월 30일	출원번호	2012-0121367
	공고연월일	2014년 03월 07일	공고번호	-
	특허결정(심결)연월일	2014년 01월 28일	청구범위의 항수	4
	분류기호	H01L 31/042		
	발명의 명칭	대면적, 고전압 태양전지모듈		
	존속기간(예정)만료일	2032년 10월 30일		
				2014년 02월 26일 등록

[특 허 료 란]

제 01 - 03 년분 (2014.02.26 ~ 2017.02.26)	금 액	60,300 원(소기업)	2014년 02월 26일 납입
제 04 - 04 년분 (2017.02.27 ~ 2018.02.26)	금 액	89,600 원(소기업)	2017년 02월 24일 납입
제 05 - 05 년분 (2018.02.27 ~ 2019.02.26)	금 액	89,600 원(소기업)	2018년 02월 22일 납입
제 06 - 06 년분 (2019.02.27 ~ 2020.02.26)	금 액	64,000 원(소기업)	2018년 11월 30일 납입

[특 허 권 자 란]

(최종권리자)
주식회사
전라남도

순위번호	등록사항
1번	(등록권리자) 주식회사 전라남도 2014년 02월 26일 등록
2번	(근질권설정등록) 접수 연월일 :2018년 07월 16일 접 수 번 호 :2018-0459666 등록 의무자 :주식회사 전라남도 등록 권리자 :한국산업은행(취급점:광주지점)(110135-*******) 서울특별시 영등포구 은행로 14 (여의도동) 채권최고액 :삼십육억원(3,600,000,000원) 변 제 기 : 등 록 원 인 :유질계약 존 속 기 간 : 특 약 사 항 :특허 제10-1370676호, 특허 제10-1852606호는 공동담보임. 채무 불이행시 질권설정자는 채권자 또는 채권자가 지정하는 제3자에게 질권설정 대상인 특허권을 양도한다. 2018년 07월 16일 등록

근질권설정등록이 되어 있는 특허등록원부(예시)

2. IP담보대출의 채권보전을 위한 회수지원 체계

기술력이 높지만 고정자산이 부족한 기술 중심의 혁신기업은 무형자산을 통한 자금조달이 절실하나 부동산 중심의 금융현실에서는 자금조달이 어려운데, 지식재산 담보대출의 도입으로 인해 혁신적인 중소기업들에 도움이 될 수 있게 되었다.

다만, 금융권은 기업의 대출의 상환이 어려운 경우 담보의 처분을 통해 변제를 해야 하나, IP담보대출의 경우 채무불이행이 발생했을 경우 담보IP를 처분하기 위해서는 높은 전문성이 필요하고, 실제 국내에는 IP의 거래시장이 활성화되지 않아 처분 가능성도 낮은 편이어서 금융권에서는 IP를 담보로 취급하기를 어려워한다.

이를 위해 부실이 발생한 IP담보대출의 담보IP의 매입을 지원할 회수지원기구를 정부와 금융기관이 공동으로 마련하였다.

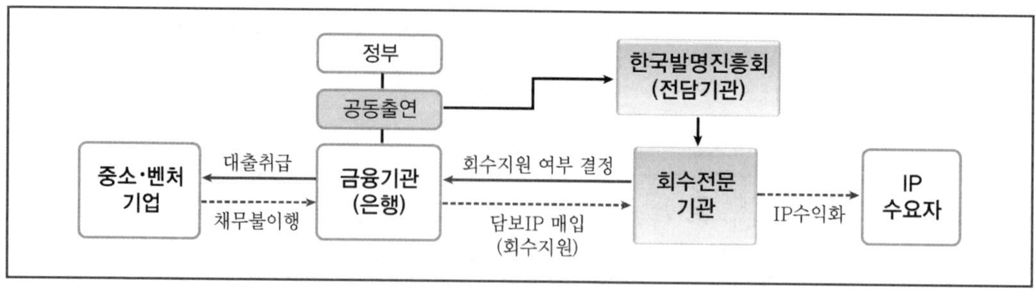

지식재산 담보 회수지원기구 운영체계[82)]

과거 지식재산 담보대출의 회수지원을 위해 조성된 회수지원펀드는 은행은 기업의 IP를 담보로 대출을 실시하고, 모태펀드와 은행의 공동출자로 조성한 펀드에서 채무불이행이 발생할 경우 매입시점에 담보IP를 재평가하여 매입하는 구조이다.

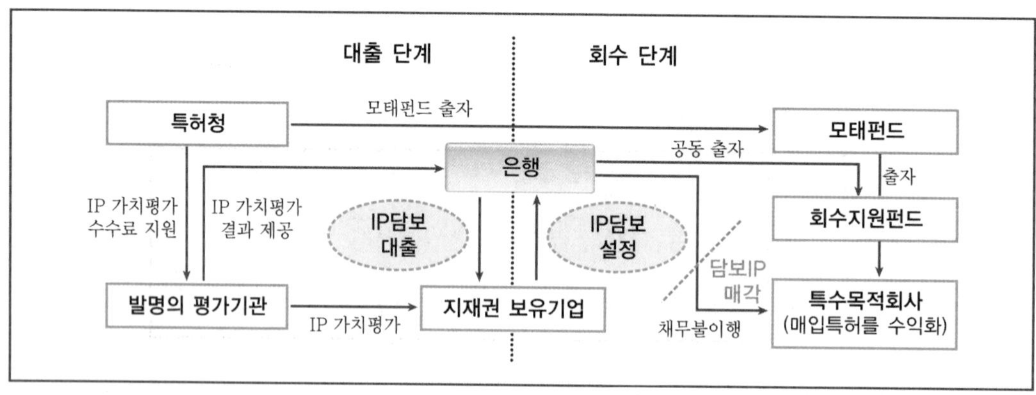

회수지원펀드 구조

이 회수지원펀드는 수익성을 추구하는 펀드의 특성상 수익성이 낮은 부실채권의 담보IP에 대해 실질적인 회수로 이어지기 어려웠고, 채무불이행 발생 이후 평가를 통해 회수지원 여부를 결정하는 사후 방식인 점으로 인해 실질적인 IP담보대출의 안전판으로 작용되기 어려운 한계점이 있었다. 이로 인해 출자금이 회수지원펀드로 사용되지 못한 채 IP사업화 등의 주목적 용도로 전용되었다. 그러나 정부와 금융기관이 공동으로 마련한 회수지원기구에서는 IP담보대출의 취급시점부터 회수지원 여부를 결정하였다. 이러한 점을 활용하여 금융권에서는 IP담보대출의 적극적인 취급이 가능하였고, 실제 지식재산을 담보로 대출을 실행한 신규 대출액 취급 규모는 2017년 1,655억 원 규모에서 2022년 9,156억 원으로 증가하였다. 지식재산 담보대출 취급은행은 기존의 국책 · 시중은행(7개) · 부산은행에서 대구 · 경남은행과 같은 주요 지방은행까지 확산되었다. 또한 지식재산 담보대출 기업에 대한(1,390개사) 조사결과, 신용등급이 높지 않은 기업(BB+등급 이하)에 대한 대출이 77.7%에 달해 우수지식재산을 보유한 저(低)신용기업 위주로 자금이 조달되고 있는 것으로 나타났다. 지식재산 담보대출 금리는 2~3% 내외가 다수로, 평균 4~5%대인 신용대출 금리보다 낮고, 대출금액도 신용대출 대비 상향(3억 원 이상 상향된 경우가 52.1%)되어, 기업 부담을 덜어주고 사업 운영자금을 추가 확보하는 데도 도움을 준 것으로 조사되었다.

82) 한국발명진흥회

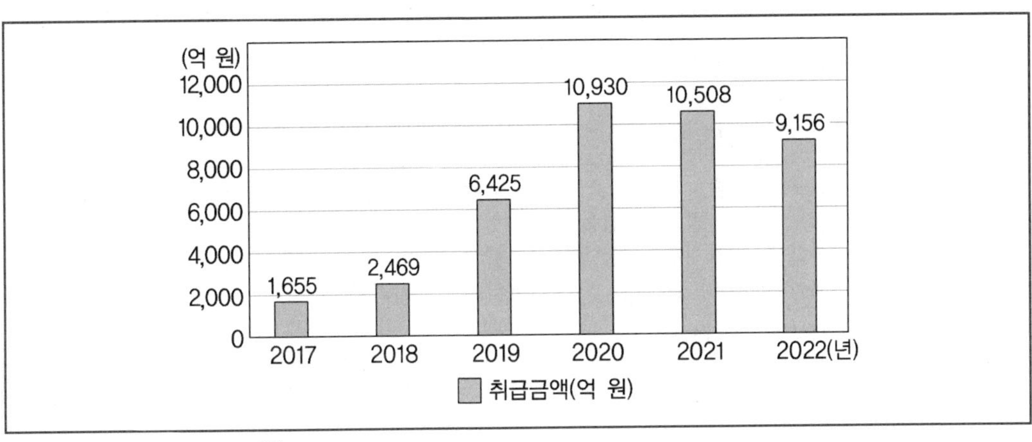

❙ 연도별 IP담보대출 취급규모 83)

02 지식재산(IP) 보증

지식재산 보증은 주로 물적 담보가 부족한 초기기업을 대상으로 보증기관이 지식재산 평가를 근거로 신청기업에 대한 보증서를 발급하고, 은행이 이 보증서를 기반으로 자금을 대출하는 방식이다. 이는 채무불이행 발생 시 해당 기금에서 리스크를 부담하는 관주도의 금융이라 볼 수 있다. 현재 국내에서 지식재산 평가를 기반으로 하는 보증상품은 신용보증기금, 기술보증기금 및 서울신용보증재단을 중심으로 운영되고 있다. 각 기관별 지식재산 보증상품의 운용은 기관별로 상이하나, 주로 기업의 지식재산의 창출 – 거래 – 사업화 – 활용촉진 단계별로 상품을 설계하여 운영되고 있으며, 지식재산의 개발 및 사업화에 소요되는 운전자금 및 시설자금을 대상자금으로 하고 있다.

신용보증기금의 지식재산 단계별 보증프로그램

구분	창출 단계	거래 단계	사업화 단계	활용촉진 단계	
지원 보증	개발자금 보증	이전자금 보증	사업화자금 보증	지식재산 가치평가 보증	지식재산 우대 보증
자금 용도	R&D, 시제품 제작	IP 인수, 기술료 지급	생산, 마케팅	매출 확대 (운전자금)	사업 확장, IP 재창출

지식재산 보증은 주로 발명의 평가기관을 통한 지식재산 가치평가 결과를 일정부분 활용하여 보증 여부를 결정하며, 주로 해당 보증기관과 협약이 되어 있는 은행을 통해 보증부 대출을 받는다. 이와 별개로 온라인 IP평가시스템을 활용한 보증상품도 운영 중에 있다. 신용보증기금 및 서울신용보증재단의 지식재산(IP) 우대보증 상품은 한국발명진흥회 특허평가분석시스템(smart.kipa.org)을 연계하여 B등급 이상의 특허를 보유한 기업에 대해 보증을 해주는 상품

83) 특허청

이며, 기술보증기금의 IP패스트보증 상품은 기술보증기금 특허평가시스템(kpas.kibo.or.kr)을 활용하여 마찬가지로 B등급 이상의 특허에 대한 보증상품이다.

구분	신용보증기금	기술보증기금	서울신용보증재단
주요 상품	**• IP-Plus 보증** IP담보대출을 받은 기업을 대상으로 IP가치평가 금액 이내 최대 10억 원 보증 **• 지식재산 우대보증** 기술력평가점수 70점 또는 SMART3 B등급 이상(신용등급에 따라 CCC~C등급도 해당됨) 유특허 등급과 기술평가등급을 결합해 특허 건당 최대 3억 원 지원	**• 지식재산 평가보증** – 지식재산(IP)의 가치를 평가한 후, 가치금액 범위 내에서 보증 지원해 주는 상품 – IP가치보증, IP패스트보증, IP등급보증, IP인수보증 등으로 세분화하여 운영되며 3억 원 초과 시에는 등급평가+가치평가 3억 원 미만 시에는 등급평가로만 평가를 진행	**• 지식재산(IP) 보증** 서울시 소재 중소기업 및 소상공인 대상 보증상품 – 개발자금 보증 – 사업화자금 보증 – 지식재산 우대 보증 – 총 4억 원 이내 보증
연계대출 은행 (협약은행)	국민, 기업, 농협, 산업, 신한, 우리, 하나	국민, 기업, 신한, 우리, 하나, 대구, 광주	기업, 신한

지식재산 보증 규모는 큰폭의 변화없이 점진적으로 상승하는 추세를 기록하고 있다. 2017년 4,930억 원 규모에서, 2022년에는 8,781억 원의 보증 규모를 보이고 있다. 특히 보증기관이 운영하는 지식재산 보증의 경우, 일반보증 또는 지식재산 담보대출을 이용하기 어려운 창업 초기 기업 등이 활용하고 있으며, 보증비율 우대(90~100%) 및 보증료 감면(0.2~0.5%p) 등의 추가 혜택도 주어졌다.

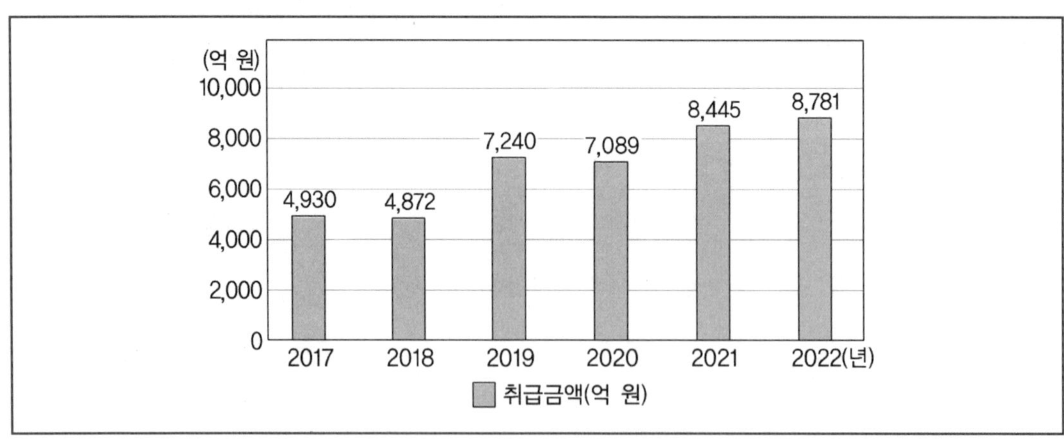

| 연도별 지식재산 보증 규모[84)]

---

84) 특허청

03 지식재산(IP) 투자

1. 지식재산 투자 관련 정부정책

정부는 벤처기업 활성화대책(2004. 12.)의 일환으로 각종 투자금융 활성화를 위해 2005년부터 정부 주도의 모태펀드를 조성하고 간접출자를 통해 창업 초기 중소·벤처기업에 대한 투자 활성화를 유도하고 있다.

'모태펀드(FOF : Fund Of Funds)'란 여러 투자자(출자자)로부터 출자금을 받아 하나의 '모펀드'를 조성하여 개별 투자펀드인 '자펀드'에 출자하는 펀드를 의미한다. 즉, 투자자가 기업이나 프로젝트에 직접 투자하기보다는 기업이나 프로젝트에 투자하는 개별 투자펀드에 출자하는 것을 의미하는 것으로, 민간 투자자는 직접적인 투자위험을 줄이면서 수익을 얻을 수 있어 낮은 리스크로 정부 자금보다 더 많은 투자를 하도록 유도할 수 있다.

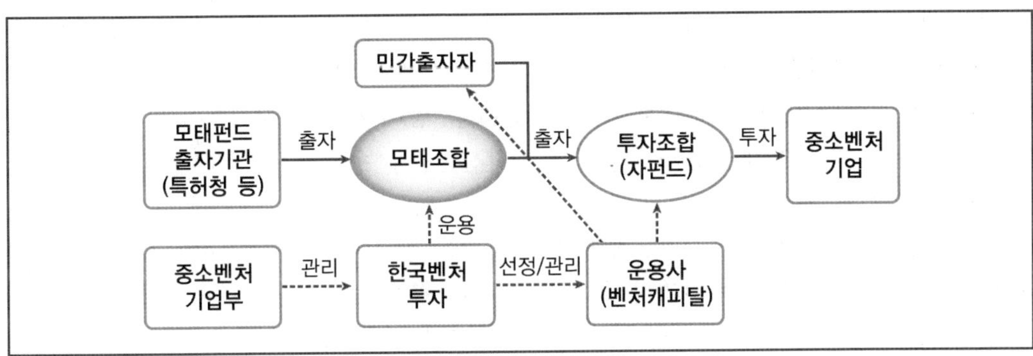

모태펀드 운영 구조

특허청에서는 특허기술을 사업화하려는 중소·벤처기업에 대한 안정적인 투자를 통해 특허기술 활용도를 제고하기 위해 모태펀드에 특허계정을 설치하여 2006년부터 정부 예산을 투입하고 있다.

2. 지식재산 투자 방식

지식재산 투자는 특허권 등 지식재산권을 활용하여 자금을 융통하는 투자활동이다. 주로 우수 지식재산을 보유한 혁신기업에 투자하여 지분을 확보하거나, 지식재산 자체에 직접 투자하여 로열티 계약, 매매, 소송 등으로 수익을 추구하는 방식으로 진행된다.

투자는 일반적으로 벤처캐피탈(VC) 등 투자 전문 금융회사를 통해 진행되며, 벤처캐피탈은 크게 중소기업창업투자회사와 신기술사업금융회사로 이원화되어 있다.

중소기업창업투자회사 및 신기술사업금융회사 비교

구분	중소기업창업투자회사	신기술사업금융회사
근거법령	중소기업창업지원법	여신전문금융업법
관리감독기관	중소벤처기업부	금융위원회
투자대상	• 창업 중소기업 및 벤처기업 • 기술경영혁신형중소기업	• 신기술을 개발하는 중소기업 • 중견기업 등
투자방법	주식, 주식연계형 사채 프로젝트 투자	제한 없음

이러한 방식은 지식재산을 보유한 기업의 주식을 취득함으로써 지분을 확보하는 방식으로 일명 '창의기업형'으로 불리며, 해당 기업이 보유한 지식재산에 대한 가치평가 결과를 투자심사보고서 또는 실사(Due Diligence) 등에 반영하여 투자의사결정에 활용한다.

IP직접투자는 지식재산 자체를 수익창출의 수단으로 활용하는 '창의자본형' 금융으로, 기업이 아닌 특허기술 등 지식재산 자체에 직접 투자해 수익을 올리는 것을 의미한다. 이때 투자금은 라이선스 활동, 해외출원, 협상 및 소송 등에 사용돼 지식재산의 수익률을 끌어올리고 혁신·벤처기업과 연구자가 새로운 혁신활동을 수행할 수 있도록 자금을 지원하는 효과를 갖는다.

지식재산 직접투자 방식 중 IP 유동화 펀드 방식은 현금 유동성이 부족한 지식재산을 특허관리전문회사를 통해 신탁관리하고, 해당 특허를 필요로 하는 기업들에 실시권을 부여하면서 로열티를 받음으로써 발생하는 수익을 펀드를 통해 배당하는 방식이다. IP 유동화는 단일의 지식재산으로는 효과적인 현금흐름을 창출하기 어렵기 때문에, 여러 개의 지식재산을 풀링(Pooling)하여 포트폴리오를 구축하여 유동성을 확보하는 것이 일반적이다. 여기서 현금흐름을 창출할 수 있는 지식재산이란 원천성이 강하고 사용증거(Evidence of Use)가 명확한 특허 또는 표준특허와 같이 소송이나 라이선스 계약으로 로열티를 발생시키는 등 수익화가 가능한 지식재산을 말한다.

또 다른 직접투자 방식 중 하나로 특허소송 수익 기반 IP투자가 있다. 특허관리전문회사가 중소기업이 보유하고 있는 특허를 매입한 후, 해당 특허에 대해 실시하고 있는 해외기업을 분석하여 그 기업을 상대로 IP소송 프로젝트를 기획하고 외부투자를 유치하는 방식으로, 소송에 승소할 경우 손해배상금을 확보하고 수익을 배분한다.

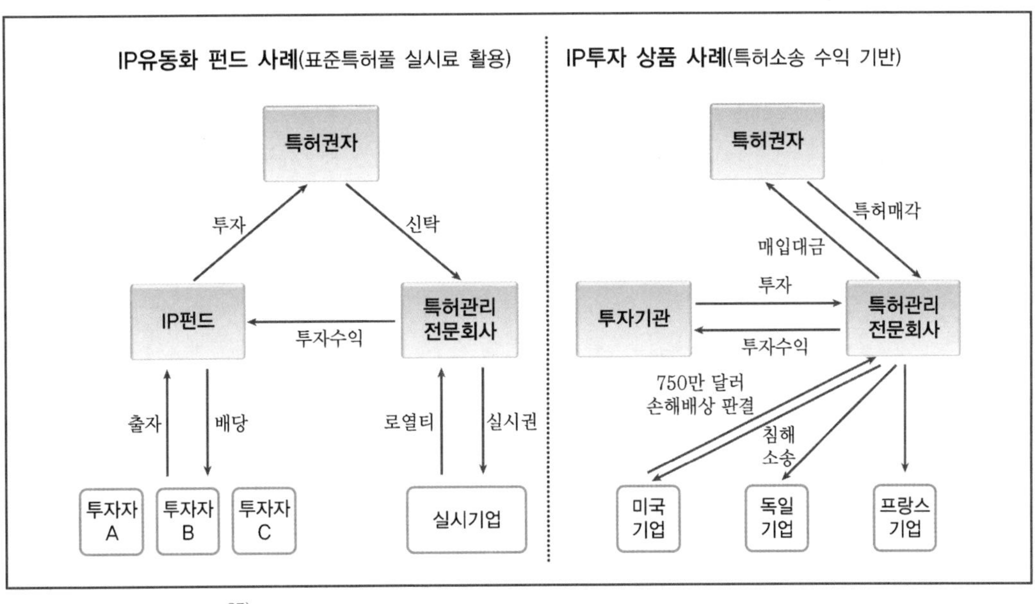

▌지식재산 직접투자 유형 85)

IP직접투자는 지식재산을 투자자산으로 보고, 투자자가 직접 지식재산의 가치에 투자하는 것으로 기존 지분투자방식과 차별된다. 이를 통해 기업은 경영주의 지분의 희석 없이 자금을 조달받을 수 있고, 투자자는 기업이 부도가 나도 IP를 처분해 투자금 일부를 회수할 수 있게 된다. 이 방식은 IP기반의 기업(지분)투자에 비해 많은 규모는 아니지만, 2019년 이후 조금씩 투자가 이뤄지고 있으며, 향후 모태펀드를 통한 IP직접투자를 통해 대폭 증가할 것으로 예상된다.

기출로 다지기

중소기업이 담보가 부족하여 은행에서 대출을 받기 곤란할 때, 정부 및 지자체 등이 신용보증기관에 대한 출연을 통해 기술력과 성장성이 있는 기업 등을 대상으로 보증서를 발급하는 제도는? • 19회 기출

① 기술보증　　② 기술신탁
③ 기술투자　　④ 기술담보
⑤ 기술금융

| ① 기술보증은 담보능력이 미약한 기업의 채무를 보증하게 하여 기업에 대한 자금 융통을 원활하게 하기 위한 제도이다. 이에 따라 기술보증기금이 설립되었다. ▶ ①

85) 특허청, 지식재산 금융투자 활성화 추진전략, 2020. 7.

2024 개정판 | 국가공인자격

지식재산 능력시험

초판인쇄 2024년 3월 22일
초판발행 2024년 3월 27일
편 저 자 한국발명진흥회
발 행 인 박 용
발 행 처 (주)박문각출판
등 록 2015. 4. 29. 제2015-000104호
주 소 06654 서울시 서초구 효령로 283 서경빌딩
교재주문 (02)6466-7202

저자와의 협의하에 인지생략

정가 30,000원

ISBN 979-11-6987-837-1 / **ISBN** 979-11-6987-836-4(세트)